ПАМЯТИ ОТЦА, ПЕТРА ВАСИЛЬЕВИЧА ФИЛИМОНОВА.

*С благодарностью родным и друзьям
за сочувствие и добрые советы.*

ВИКТОР ФИЛИМОНОВ

ВИКТОР ФИЛИМОНОВ

АНДРЕЙ КОНЧАЛОВСКИЙ. НИКТО НЕ ЗНАЕТ...

«...Никто не знает настоящей правды», — думал Лаевский, поднимая воротник своего пальто и засовывая руки в рукава.
А. П. Чехов. Дуэль

МОСКВА 2017

СОДЕРЖАНИЕ

Счастливый Несчастливцев?

ВМЕСТО ПРОЛОГА

Интересно, вы не знаете, почему все-таки кому-то счастливое и благополучное детство прощается (скажем, лорду Спенсеру), а кому-то — ни за что и никогда?
Андрей Кончаловский

...Как человека забудь меня — частного,
Но как поэта — суди...
Николай Некрасов

«О, счастливчик!» — воскликнешь невольно, с удивлением и завистью наблюдая этого человека со стороны. Разве не успешно и ладно складывается его жизненный и творческий путь? Даже если вспомнить о зигзагах судьбы и нешуточных семейных драмах? И происходит так, заметьте, едва ли не со дня рождения!

«Родившись в год самого страшного сталинского террора, — пишет он о себе, — могу сказать, что мне повезло появиться на свет. Немалая часть этого везения — семья, в которой я родился, по линии матери в особенности, да и по линии отца».

Еще бы не повезло, если в почве твоего происхождения древние дворянские корни! А к ним — неукротимая натура потомка казацкого рода великого Василия Сурикова, яркие дарования семьи Кончаловских плюс общественно-политический авторитет отца С. В. Михалкова.

Кстати, одно из наиболее употребляемых слов в мемуарах Сергея Владимировича — «повезло». В нем слышится благодарность судьбе за то, что не только пощадила, но и одарила. Любит это слово и старший сын поэта.

Да и на других представителях семьи Михалковых лежит печать удачливости и везения. В народе на этот счет слагаются легенды. В них нетрудно расслышать интонации зависти и неприязни к тем, у кого жизнь складывается и талантливее, и здоровее, и богаче, чем у многих из нас.

Неприязнь к «счастливцу» Кончаловскому носит классовую окраску. Может быть, оттого, что ему никогда не приходилось унижаться ради куска хлеба. Он не скрывал, что у него счастливый темперамент. Не боялся говорить о своих недостатках и неудачах открыто.

Строго говоря, любой материальный достаток семьи, даже мощная родословная, высокодуховное окружение в детские и юношеские годы — не решают дела. Эти дары судьбы еще не обеспечивают жизненной и, главное, творческой удачливости. Они лишь закладывают основание. Пользование дарами обеспечивают талант и умение его употребить. Только так рождается то, что можно назвать жизнетворчеством.

В захватывающей драматургии жизни и творчества Андрея хорошо виден «монтажный жест» автора. Именно он и «монтирует» на глазах, так сказать, изумленной публики повесть своих временных лет.

Талант у Андрея Сергеевича большой и разносторонний. Талант художника и талант творческой самореализации в текучке повседневности.

Первые же сценарии и фильмы ввели Кончаловского в пантеон классиков отечественного кино. Позднее режиссера не очень щадила (и не щадит) критика. Но его это как будто не слишком задевает. Главное — не забывают.

Кончаловскому по-настоящему везет в молодой увлеченности своим делом. Проекты сменяют друг друга, друг на друга наслаиваются. Еще не закончена работа над одним, а в голове роятся новые и возрожденные старые замыслы, беспокойно ждущие воплощения. Не только кинематограф, но и театральная (драматическая и оперная) сцены влекут его. Он пишет сценарии, издает мемуарные и публицистические книги, пользуется непрестанным вниманием СМИ, он желанный гость, участник, член жюри отечественных и международных кинофестивалей. Объездил полмира, в его знакомых, приятелях и друзьях были и остаются известнейшие люди, художники, политические и общественные деятели. Его никогда не обделяли вниманием женщины. Напротив. Любили и любят. А он отвечал и отвечает тем же.

Сегодня его пятая супруга — милая женщина в расцвете своей зрелой красоты, талантливая актриса, заботливая мать и обожающая своего умного, талантливого, знаменитого мужа жена.

При всем драматизме существования в последние годы он не стесняется быть счастливым. И это в стране, где издавна сложилась привычка приветить и пожалеть, скорее, несчастного, а счастливого — завистливо попинать.

«Будь я алкоголик, нищий, сын диссидента, — писал он в конце 1990-х, — к моим картинам относились бы много лучше. Да, все-таки я слишком благополучный человек, чтобы коллеги считали меня заслуживающим внимания художником. Поменял ли бы я свою судьбу, мечты, радости, надежды, восторги, разочарования на успех и признание своего творчества у тех, кто меня не любит? Нет, не думаю. Конечно, обидно наталкиваться на предвзятость. Но несчастным из-за этого не буду. Как говорится, себе дороже...»

А позднее, касаясь общих принципов формирования «драматургии» человеческой жизни, он говорил: «Большинство людей несчастны именно потому, что их жизнь не такая, как им хочется. Они придумывают себе жизнь и очень огорчаются, когда все происходит иначе. И если у кого-то получается следовать запланированным курсом, то это случайность. Поэтому делай что должно, и будь что будет. Тебя несет, а ты только и можешь, что подгребать то в одну сторону, то в другую. Но все равно с поезда сойти невозможно. Когда начинаешь об этом задумываться, ценность жизни становится совершенно другой...»

С одной стороны, чеховское осознание неуправляемости жизненного потока, а отсюда — вынужденная, но спокойная трезвость реакции как на «возвышающий обман», так и на «низкие истины» существования. С другой — твердость «режиссерской» позиции созидателя: делай что должно. А что должно — определяется собственной этической позицией.

В течение жизни Кончаловский не раз покидал тех из своих приятелей, даже очень близких, которые так или иначе попадали в число «несчастных», — будто боялся заразиться. Об этом он рассказывает, искренне винясь. Но, чувствуется, преодолеть инстинкта самосохранения от «несчастности» не может. Хотя, как видно, не всегда получается...

Не получается в повседневности. А в творчестве он всей душой как раз влечется к неудачникам и несчастным, испытывает неподдельный интерес к тому именно, что отсутствовало в его собственном опыте.

Он любит себя в обличии другого. При всем своем внешнем рационализме и жесткости он как-то беззащитно сентиментален. Готов разрыдаться над судьбой другого, часто вымышленного, человека, как, например, над судьбами феллиниевских Джельсомины или Кабирии. Именно по этой причине ему так симпатичны чеховские герои: обыкновенные, даже посредственные люди, с кучей комплексов, не очень умные, погрязшие в бытовщине. Несчастные...

Герои его картин, может быть, и ощущают себя в иные моменты счастливыми, но мимолетно и очень субъективно. Как правило, это люди, выбивающиеся из ряда вон как раз в силу своей неприкаянности, даже юродивости.

Его очень земные герои, как правило, лишены пристанища, внешне вроде бы и существующего. Живут — будто по краю ходят. А то и гибнут, бессмысленно и беспощадно, — как бурильщик Алексей Устюжанин из «Сибириады» или пораженная мозговой опухолью чернокожая Эдди («Гомер и Эдди»).

Но ведь и очень неземные герои Тарковского — тоже «вечные странники». Однако они отчетливо автопортретны. Их напряженное до истерики духовное самоистязание близко их создателю, так же фатально неустроенному в быту. Иногда эти герои — очевидное второе «я» автора.

Кажется, ничего похожего нет у Кончаловского. Но никогда не оставляет ощущение физического присутствия режиссера в кадре его картин в образе кого-то из персонажей — и часто самого несчастного. Как бы там ни было, нельзя отрицать тягу художника ко всем этим убогим, обделенным судьбой, травмированным жизнью, историей, а то и физически людям, которые ближе к маргиналам Шукшина, чем к духовным странникам Тарковского.

Пожалуй, до самого конца 1990-х годов лишь по фильмам режиссера можно было судить о содержании его духовной жизни, о переживании исторического времени и осмыслении пережитого. Наиболее полное свидетельство здесь — его книга «Парабола замысла» (1977). Из нее впервые и узнали о стыке миров как предпочтительном методе художественного постижения жизни режиссером.

А его мемуарная дилогия, явившаяся почти четверть века спустя, уже в названиях первой и второй частей («Низкие истины» — «Возвышающий обман») провоцирует стыковку противостоящих понятий. И в самой дилогии откровенный рассказ о романтических приключениях, бытовых слабостях мемуариста перемежается философскими взлетами серьезной мысли. Кто-то из рецензентов решил даже, что мемуарист «всеми силами пытается доказать читателям, что он такой же жалкий, примитивный, наглый и сладострастный, как они». Мало кто, к сожалению, разглядел, что тут нет притворства или заигрывания с публикой. Есть откровенность как проявление зрелой духовной силы. А в человеке, как это и присуще жизни, перемешано все: низкие истины и возвышающий обман.

Находясь в зрелом возрасте, режиссер все чаще заявляет о своей приверженности дому, семье, сужает, по его словам, круг общения — во всяком случае, дружеского. Но при всем при том ему не сидится на месте. Его заставляет срываться в дорогу, как мне кажется, не только работа, но почти подсознательная «охота к перемене мест», живущая в нем еще с тех, «советских» времен, когда он впервые оказался за рубежами своей страны.

Существует твердая максима: от себя не убежишь. Мне представляется, что он-то как раз хочет убежать, окунуться в отвлекающее заботами или экзотикой странствие. Было время, например, не такое уж и давнее, когда он мечтал на верблюдах пересечь Сахару. Потом наступило время, когда «бегство» в работу притупляло боль...

Едва не все его герои «тревогу дорожную трубят». Поскольку не от хорошей жизни пускаются в странствие, чаще всего вынужденное. Не хочешь, а вспомнишь Шукшина: одна нога на берегу, а другая в лодке — и плыть нельзя и не плыть невозможно — упадешь.

«Ну, какой там Шукшин?! — могут возразить. — Где Шукшин и где Кончаловский!» Правильно. Разные уровни культуры, разное происхождение и образ жизни... Но так ли уж отлично творчество одного от художнических поисков другого? Герой Василия Макаровича гораздо ближе к герою Кончаловского, чем можно судить на первый взгляд.

Несчастный невольный странник картин Кончаловского — человек, определенно и по преимуществу вышедший из народных низов, часто — с крестьянской родословной. И его неприкаянность не столько частная, сколько общенародная беда так и не состоявшегося единства национального дома. Драма, имеющая отношение и к фильмам, и к театральным опытам режиссера.

За общенациональной драмой почвенной неустойчивости, откликнувшейся в картинах Кончаловского, не может не скрываться и соответствующий жизненный опыт самого художника. Начало формирования этого опыта видно уже в истоках его мировоззренческого и творческого становления. Там, где рождались повествование о русском иконописце Андрее Рублеве (по сценарию — крестьянине) и картина о юродивой хромоножке из русской деревни и о самой нашей деревне в XX веке.

Вот и фундаментальный вопрос: как у когда-то «талантливого, но легкомысленного и циничного» барчука, по характеристике его учителя Михаила Ромма, а ныне вполне укрепленного в жизни, всемирно признанного зрелого мастера, мог родиться такой кинематограф, такой театр, такой образ мыслей, какие предстали перед нами ко второму десятилетию XXI века?

И последнее путеводительное соображение.

Если ты изо всех сил, несмотря на любовь к дальним странствиям, все же устраиваешь дом, крепишь семью, то подобного рода деятельность в такой стране, как современная Россия, кажется как бы заранее обреченной. Что ты и сам, обладая одновременно трезвостью циника и философским складом мышления, прекрасно понимаешь.

Тогда ты, имея дом, в котором оставили след твои ближайшие предки, будешь все же искать укрытия и для этого дома, и для своей семьи. Вольно или невольно будешь бежать от преследующего тебя Призрака отечественной катастрофы. От страха перед разрухой, будто заложенной в основу нашей национальной ментальности.

Когда десятилетия тому назад, в августе 1991 года, его остановили журналисты у трапа самолета, допытываясь, почему он в такую ответственную для страны и судеб демократии минуту покидает СССР, Андрей ответил искренне. Сочувствуя демократическим преобразованиям, боится погибнуть под обломками рушащейся страны и погубить не только творческие планы, но прежде всего семью. И среди прочего помянул о внутренней разобщенности не только в народе, но и в среде либералов.

Что изменилось с тех пор? «Кущевка по всей стране!» — тоже его слова, но произнесенные уже в начале второго десятилетия XXI века. Какое уж тут счастье и благоденствие?!

Сможет ли создатель «Дома дураков» следовать формуле одного из «больных» людей, «идеологов» картины: «Это наш дом, и мы будем в нем жить»? Василий Макарович смог бы. Андрей Сергеевич говорит другое: «Не смогу жить в России, если не буду иметь возможности из нее уехать». Вот и превращается существование «счастливого человека» в непрестанное возвращение на родину, то есть в жизнь на стыке, поскольку не прекращается и бег от родных осин.

Это счастье или несчастье? Или наша общая судьба?..

ЧАСТЬ ПЕРВАЯ

Древо предков

...Это путешествие человека к самому себе. Делая первый шаг от дома, мы одновременно делаем его к дому: земля круглая и уходим мы, чтобы вернуться...
Андрей Кончаловский

глава первая

Ветвь матери. Прадедов сундук

Насчет отличий нам, брат, с тобой не везет. Оттого, что не умеем заискивать. Казаки мы с тобой благородные — родовые, а не лакеи. Меня эта идея всегда укрепляет...
В. И. Суриков. Из письма брату

1.

Вторая половина 1970-х. Сорокалетний правнук Василия Сурикова кинорежиссер Андрей Кончаловский взял курс из Москвы на родину великого предка. Начинались съемки кинопоэмы «Сибириада».

Может быть, это было прощальным восхождением к истокам рода? Ведь тогда в сознании потомка уже созрело твердое решение покинуть СССР. А кто-то видел (и видит) в сибирской эпопее Кончаловского соглашение с властями, заключенное накануне убытия за границу.

Фильм действительно планировался как госзаказ к очередному партийному форуму коммунистов. Ожидалась песнь о величии советского государства. К съезду лента не поспела. Да и на оду достижениям социализма была мало похожа. Но в либеральном окружении режиссера возникло глухое отчуждение. Он это почувствовал тогда и с тех пор недоумевал, поскольку, с его точки зрения, «картина была не только не «госзаказовской», соцреалистической, изначально чуждой официальной идеологии».

Событийный рефрен «Сибириады» — бегство героев из Елани, из родного сибирского угла. Слышится в этом и тревожное предчувствие испытаний, выпавших на долю ее создателя в чужеземье. И он, подобно своим героям, нарушал и разрушал границы знакомого закрытого мира страны, дома, что ознаменовалось затем и внутренними, духовными превращениями.

Навсегда осело в памяти Василия Сурикова 11 декабря 1868 года. Он оставил родной Красноярск, отправился в Петербург и превратился в гениального русского живописца. Отбытие было желанно, но переживалось тяжело.

Сибирь времен Василия Сурикова — еще закрытое от европейской России пространство. По выражению поэта Максимилиана Волошина, в творчестве и личности живописца «русская жизнь осуществила изумительный парадокс: к нам в двадцатый век она привела художника, детство и юность которого прошли в XVI и в XVII веке русской истории».

Заповедная закрытость Сибири стала основой образных решений и в «Сибириаде». Елань, откуда начинают свой путь герои фильма, — нутро русской жизни, ее архетип. Отсюда неуемные души рвутся к зовущим, но неверным звездам. Остаться дома значит для них — умереть.

Не эти ли страсти тревожили душу Сурикова, а век спустя — и его правнука? Отрыв от родного — завязь магистральной коллизии, если не жизни, то, во всяком случае, творчества Кончаловского. Спор знакомого и закрытого с распахнутым незнаемым, влекущим, но опасным. На этом стыке созревает, взрослеет личность.

Откликнулось в «непоседливости» Василия Ивановича его происхождение из старинного казацкого рода. Казаки для Сибири — люди пришлые. Как и бежавшие сюда от крепостной неволи крестьяне. Воля накладывала особый отпечаток на все население этих мест. «В Сибири народ другой, чем в России: вольный, смелый», — убеждал Суриков того же Волошина.

Из материалов о Красноярском бунте 1695 года художник узнал, что в нем участвовали казаки Иван и Петр Суриковы. «От этого Петра мы и ведем свой род. Они были старожилы красноярские времени царя Алексея Михайловича и, как все казаки того времени, были донцы, зашедшие с Ермаком в Сибирь...»

Дед Сурикова Василий выдвинулся как «богатырский атаман», а был «человек простой». «Широкая натура. Заботился о казаках, очень любили его». Назначенного после деда жестокого Мазаровича казаки, подкараулив, избили. «Это дядя мой, Марк Васильевич, устроил. Сказалась казачья кровь». Другой дядя живописца, Иван Васильевич, сопровождал переведенного на Кавказ декабриста и вернулся из поездки в восторге от Лермонтова и с шашкой, подаренной сопровождаемым.

Художник особо гордился теми предками, которые примыкали к бунтарям Разину и Пугачеву. «Это мы-то — воровские люди...»

Таковы предки со стороны отца Сурикова, бывшего в какое-то время губернским регистратором Красноярского земского суда.

Предки со стороны матери — «казаки Торгошины, а Торгошин Василий также был в бунте 1695 года... Как видите, со всех сторон я — природный казак. Итак, мое казачество более чем 200-летнее».

Мать Сурикова, Прасковья Федоровна, была женщиной хоть и неграмотной, но одаренной природным вкусом к художеству. Плела кружева и вышивала гарусом и бисером целые картины и разные вещи.

Как ни была закрыта глубинная сибирская жизнь, отзвуки громких событий отечественной истории проникали и туда. Мать Сурикова видела в церкви декабристов. Видел на улице Михаила Петрашевского-Буташевича и тринадцатилетний Василий. «Полный, в цилиндре шел. Борода с проседью. Глаза выпуклые, огненные, прямо очень держался...»

Отмечу следующее. Елизавета Августовна Шаре, жена Сурикова, француженка по отцу. Мать же ее — из рода декабриста Петра Николаевича Свистунова. Мария Александровна познакомилась со своим будущим супругом во Франции. Он принял православие, и молодожены переехали в Петербург. Здесь Шаре открыл контору по продаже английской, французской, голландской бумаги.

Суриков с детства тянулся к натурам неуемно стихийным. И на его полотнах, хрестоматийно знакомых, — сплошь бунтари: что стрельцы, что Петр, их палач, вздыбивший Россию. А далее: скованная мятежница Морозова, загнанный в ссылку непокорный Меньшиков; Ермак, правда, сражающийся, а не «объятый думой»; разгульный Степан Разин, но как раз думой и объятый...

В бунтарстве его героев как оборотная сторона стихийного разгула вольных натур чувствуется в то же время рефлексия одиноких мятущихся душ. И от народной массы, портретно прописанной, живой, многоликой, эти герои отделены как раз тревожной погруженностью в себя.

Детство Василия Ивановича, родившегося 12 (24) января 1848 года, прошло в красноярском доме, построенном дедом художника в 1830 году. В громадных подвалах жилища таилась бунтарская история казачества. Оружие разных эпох, старинные книги... И пространство вне дома дышало древними схватками.

Родственники со стороны Прасковьи Федоровны, населявшие Торгошинскую станицу, в свою очередь сохранили нетронутым старинный быт. «...Торгошины... извоз держали, чай с китайской границы возили от Иркутска до Томска, но торговлей не занимались. Жили по ту сторону Енисея — перед тайгой. Старики неделеные жили. Семья была богатая. Старый дом помню. Двор мощеный был... Там самый воздух казался старинным. И иконы старые, и костюмы. И сестры мои двоюродные — девушки совсем такие, как в былинах поется про двенадцать сестер. В девушках была красота особенная: древняя, русская».

Таким Торгошино, уже как декорация, перекочевало в «Сибириаду», смешавшись с чертами дедовской, Петра Кончаловского, дачи в Буграх под Малоярославцем Калужской области.

В фильме нашли отзвук и суриковские описания сибирской природы. «На сотни верст — девственный бор тайги с ее диким зверьем. Таинственные тропинки вьются тайгою десятками верст и вдруг приводят куда-нибудь в болотную трясину или же уходят в дебри скалистых гор...»

2.

Привязанность к родовым корням шла встык кочевым склонностям Сурикова. Как натуральный сибиряк, свидетельствуют знавшие его, он «стал особым человеком — с богатой широкой натурой, с большим размахом во всем: и в труде, и в разгуле». В таких порывах стихийной натуры кроется неизбежная трагичность...

После смерти жены эта сторона характера Сурикова проявилась резче. По наблюдениям Волошина, «он всю вторую половину своей жизни прожил настоящим кочевником». Князь Сергей Александрович Щербатов, живописец, коллекционер, художественный деятель и знакомый Сурикова, рассказывал. Овдовевший Суриков «не признавал квартир и ютился по гостиницам, притом любил самые старомодные, обветшалые и тихие». При этом Щербатову запомнился «один предмет», бесконечно художнику «дорогой и всюду его сопровождавший — обитый жестью старомосковский сундук, — классический «сундук Сурикова»...»

Может быть, сундук тот и был хранителем домашних духов, оставаясь со своим владельцем, куда бы тот ни отправлялся? «Когда раскрывался сундук — раскрывалась его душа».

Особо хочется сказать о хрупкой супруге Сурикова. Ее ранняя кончина так обездолила художника потому, может быть, что она всеми силами пыталась упрочить домашний очаг, навсегда утративший после нее свою остойчивость.

Елизавета Августовна, одна из двух дочерей супругов Шаре, выросла в культурной среде. Клиентами торговой конторы ее отца были и известные писатели, литераторы, другие представители петербургской интеллигенции. У матери Елизаветы был свой обширный круг знакомых и родственников. Сестры Лиза и Софья получили строгое воспитание, посещали католическую церковь св. Екатерины на Невском проспекте, где слушали чудный орган.

Там, по рассказам дочери живописца Ольги Васильевны, и состоялось его знакомство с будущей женой.

Прабабка Андрея Кончаловского была, по описанию Ольги, «очень красива, с бледным лицом, лучистыми темными глазами, большой темной косой». Кроткий характер, столь непохожий на буйный нрав гениального сибиряка. Елизавета Августовна «умела дом сделать таким приятным и уютным. Все у нее было красиво, она создала прекрасную семью. Все было сделано, чтобы работать мужу было удобно и легко». И сама Ольга Васильевна переняла, вероятно, эту черту материнского характера — оберегать семью и супруга. Может быть, даже и в наследство передала уже своей дочери — Наталье Кончаловской, матери Андрея.

Ольга Васильевна родилась в Москве, в небольшой квартирке на Плющихе в сентябре 1878 года. В следующем году появился у Сурикова и сын, но вскоре умер. В сентябре 1880-го родилась вторая дочь — Елена.

Андрей, характеризуя прадеда как большого женолюбца, полагая, что «излишества по этой части, скорее всего, и поспособствовали его смерти», вспоминает и свою двоюродную бабку, Елену Васильевну. Эта «сумасбродная старуха» «всю жизнь... прожила и так и померла старой девой. От жадности она не позволяла Сурикову жениться. Предпочитала женитьбе его романы с дамами, боялась, что жена присвоит себе все его деньги...»

Не было в семье художника, несмотря на усилия жены, тиши, глади и божьей благодати. Ранняя смерть сына. А в год появления на свет младшей дочери Сурикова настигла болезнь легких, чуть для него самого не закончившаяся смертью. В то же время в нем бродили стихии невероятной горячности, которую жена пыталась умерять.

Смиряемая несмиренность проникала в живопись.

«Я когда «Стрельцов» писал, ужаснейшие сны видел: каждую ночь во сне казни видел... У меня в картине крови не изображено, и казнь еще не начиналась. А я ведь все это — и кровь, и казни — в себе переживал...»

Сурикова упрекали в неопределенности авторской позиции: на чьей стороне живописец, изображая историческое событие, Петра или стрельцов? Пафос же художника заключался в сочувствии семье, оказавшейся в эпицентре катаклизмов эпохи становления российской государственности. Вот отчего, вероятно, такое место занимают здесь женские образы. В их веренице — история русской женщины от младенчества до старости, куда художник вписывает и свое, семейное. Дочь его портретирована в образе плачущей на переднем плане, в центре композиции «Стрельцов» девочки...

Вспомним «Меншикова в Березове» (1883). Да, перед нами драма исторического лица, петровского выдвиженца из простолюдинов. Но это и исповедь художника по мотивам собственного гнезда.

В образе Марии, старшей дочери знаменитого изгнанника, изображена жена художника. Уже неизлечимо больная, Мария единственная в этом групповом портрете обращена к зрителю в фас, глаза в глаза. Бледное лицо, темные круги под приопущенными очами. Смертная печать. Такое не придумаешь...

Замысел картины отчетливо проступил на даче в деревне Перерва под Москвой. Семья снимала там половину крестьянской избы без печи, с низким потолком и крошечными окнами. Стояла холодная дождливая осень. Зябли, кутаясь в платки и шубы...

История? Конечно! Но это и их, Суриковых, семья сидела, может быть, в предчувствии своей судьбы.

Елизавета Шаре скончается в апреле 1888 года. А двумя месяцами ранее художник представит на 16-й передвижной выставке портрет десятилетней Ольги Суриковой («Портрет дочери»).

Девочка в ярко-красном платье в горошек стоит, тесно прислонившись к гладко-белой печи и крепко прижимая к себе куклу, будто желая уберечь тепло домашнего очага.

«...Дивный портрет! — напишет гораздо позднее Наталья Кончаловская. — В нем вся прелесть и живость девочки, вся чистота и гармония ее ума и души и вся любовь и восхищение отца и художника останутся навсегда».

Запечатлел Василий Иванович и образ обожаемой им внучки Натальи, когда той было восемь-девять лет, в этюде для картины «Посещение царевной женского монастыря» (1912).

С момента смерти матери, по свидетельству Ольги Васильевны, их «счастливое детство кончилось». Отец «не хотел оставить камня на камне: все, что было в доме, вся мебель, все вещи были уничтожены и вывезены: ...осталась наша детская, мастерская, в своей комнате он поставил широкую скамью, на которую постлал тюменский ковер, стол и большой сундук с рисунками... Работать он не мог... Многое показалось ему ненужным, и он без сожаления многое уничтожил...»

3.

Василий Суриков — признанный гений исторического жанра в живописи. Пейзажи у него редки. Но вот портрет...

Большие полотна художника многолики. Населены лицами. Причем лица эти — особенно первого плана — из гущи русской жизни той поры. Известны прототипы персонажей из толпы. Люди эти могли безвестно кануть в Лету, но сохранились благодаря пристальному вглядыванию художника в жизнь. Сохранились и породили легенды — прототипы стрельцов, Морозовой, юродивого на снегу, Меншикова...

Заказных портретов Суриков практически не писал.

«...Каждого лица хотел смысл постичь. Мальчиком еще помню, в лица все вглядывался — думал: почему это так красиво? Знаете, что значит симпатичное лицо? Это когда черты сгармонированы. Пусть нос курносый, пусть скулы, — а все сгармонировано. Это вот и есть то, что греки дали — сущность красоты. Греческую красоту можно и в остяке найти...»

Жадность к человеческим типам кинематографична. Так объектив камеры выхватывает лица из многоликой толпы — крупный план нашей повседневной жизни. Суриков остро ощущал движение в портрете. «Страшно я ракурсы любил. Всегда старался дать все в ракурсах. Они большую красоту композиции придают».

Этой увлеченности художника преемственно близко искреннее внимание его правнука-кинорежиссера к человеку в многолюдном потоке жизни. Фильмы Кончаловского обильно населены характерными, запоминающимися лицами. Уже зрелый мастер, он признается, что его никогда не интересовало кино как съемка, монтаж. Его всегда интересовали человеческие характеры, истоки их поведения, конфликты. В этом смысле его фильмы сильно отличаются от концептуального малолюдья картин Андрея Тарковского. Исключая «Андрея Рублева», создававшегося в напряженном дуэте с Кончаловским. Если Тарковский ищет мир в себе, то Кончаловский ищет себя в мире.

Размышляя о специфике выбора актера на роли второго плана, Кончаловский отвергает принцип массовки, используемый на всех больших студиях от «Мосфильма» до Голливуда. Меняются костюмы — не меняются характеры. Они здесь не нужны. «Внимание на этих лицах никогда не акцентируется. И не дай бог, чтобы акцентировалось: сразу бы вылезла фальшь этого условно-кинематографического «народа», на фоне которого действуют два-три героя и пять-десять эпизодников. Таков традиционный американский принцип...»

Кончаловскому ближе принцип итальянский. Как у Пазолини в «Евангелии от Матфея». «Какое обилие лиц, появляющихся, быть может, один-два раза на протяжении всей картины, иногда просто внутри общей панорамы! Они запоминаются без слов. Потому что каждое лицо настолько индивидуально отобрано, за каждым — судьба, эпоха, народ, история, дыхание фильма, эпос... То же самое у Феллини. Он может посадить в кадр какую-нибудь странную женщину, в очках, с перьями в прическе, и мы ее помним с не меньшей отчетливостью, чем главных героев...»

По тому же принципу Кончаловский готовит сейчас свой фильм о Микеланджело, собирая типажи на итальянских улицах.

Живая увлеченность человеческим характером отзывается в сюжете его произведений драматическим становлением индивидуальной судьбы героя, стыком черт характера, часто взаимоисключающих. Может быть, поэтому режиссеру более интересны персонажи из «низовой» среды, наделенные большими возможностями личностного преображения, сопровождаемого неожиданными сломами — падениями и взлетами. Отсюда и одно из его жанровых предпочтений — сломная эпика трагедии.

Трагедия привлекает Кончаловского давно. Он и живопись прадеда оценивает с ее трагедийной стороны. Видит в ней внутреннее напряжение русской истории, противостояния, в центре которых оказывается, в том числе, и «человек из массовки». Причем и антагонист и протагонист здесь одинаково заслуживают сострадания, поскольку обречены Историей.

«Объективизм» того же свойства присущ работам Кончаловского. Он убежден, что ни судьей миру, ни проповедником художнику быть не пристало.

Суриков до конца жизни не прекращал своего невольного странничества. Его правнук, слывущий за «русского европейца», в свою очередь, находится в постоянных передвижениях по миру, хотя самое милое для него место — дом, дети и жена рядом. В одном из поздних своих интервью (2010 год) он так изложил простую, но трудно реализуемую философию частного человека: «В течение вашей жизни вы должны постараться как можно меньше болеть. А желательно — не болеть. Вот что в вашей жизни важно. Чтобы у вас рос ребенок. И чтобы вы немножко зарабатывали денег. Чтобы на это хватило. Чтобы могли вы путешествовать чуть-чуть. Это главное. Все остальное — иллюзии...»

А дом? «Мой дом там, — отвечает, — где меня любят, и там, где мне дают работу. Два дома, собственно...» Еще в 1990-е годы на вопрос интервьюеров, не хотел бы он вернуться на родину окончательно и бесповоротно, режиссер заметил: «Что значит «вернуться»?.. «Прописку» я не хотел бы иметь нигде, меня вполне устраивает возможность приезжать сюда и уезжать, когда хочу. Устраивает, потому что это означает, что я живу здесь. Так же, как живу и работаю в Америке, в Италии, во Франции».

Наталья Кончаловская, мать Андрея, на рубеже 1960-х начала книгу, посвященную «дару бесценному» деда. Ее сыну было тогда лет двадцать пять. Творческий путь только начинался.

«...В последние годы жизни, когда творческие силы начали иссякать, все самое главное было завершено, и наступила старость, Василию Ивановичу сильно захотелось домой, в Красноярск. Он писал тогда брату Александру Ивановичу, просил купить бревен и теса и надстроить флигель во дворе. Он собирался уехать в Красноярск насовсем и жить только там, в Сибири. Ему хотелось иметь в Красноярске мастерскую с верхним светом, где бы он мог, как ему казалось, осуществить свои последние творческие планы... Известно, что Александр Иванович купил материал для постройки такой мастерской. Было это в декабре 1915 года. А в марте 1916 года моего деда не стало. Он умер, не успев доехать до родного дома...»

В феврале у Сурикова сделалось очередное воспаление легких. Повторилось в марте. Собрались родные. Последнее время им казалось, что он больше их всех любит зятя, ближе к нему себя чувствует. Петр Петрович Кончаловский взял умирающего за руку. Тот открыл глаза, благодарно пожал родную руку, сказал: «Петя, я исчезаю».

глава вторая

Ветвь матери. Семейный альбом деда

*...Нужно тебе сообщить весть очень радостную
и неожиданную: Оля выходит замуж за молодого
художника, хорошей дворянской семьи, Петра Петровича
Кончаловского. Фамилия хоть и с нерусским окончанием,
но он православный и верующий человек...*
В. И. Суриков. Из письма брату Александру, январь 1902 г.

1.

Один из самых дорогих Кончаловскому образов — Дерево жизни. Кровеносное существо, укорененное в родной почве. Вокруг него и обрастает, охватывая ствол, дом. Дерево — мощный остов человеческого жилья, проросший в материю вселенной. Корневую тягу к дому, к почве переживают все герои «американских» картин режиссера.

Третьим фильмом в период голливудских странствий был «Дуэт для солиста» (1986) по пьесе Тома Кемпински.

Лента рассказывает о выдающейся скрипачке Стефани Андерсон. Неизлечимая болезнь вышибает ее из музыки. Она лихорадочно ищет опоры, но уже не в ремесле. Ему она предана была бесконечно и так самоотверженно, что даже детей не заимела — некогда было. Теперь Стефани ищет опору в семье, в ближайшем окружении. А там — все, когда-то родные и близкие, давным-давно живут своей, недоступной Стефани жизнью. Женщина хватается за мужа, за любовника, за друзей, подруг и знакомых. За наблюдающего ее психоаналитика. И все впустую: там равнодушие, здесь предательство, а если и внимание, то искусственное.

Смерть, между тем, все пристальнее всматривается в героиню. В финале она получает в дар отрешенность одиночества. Как выразилась служанка скрипачки, ее душа бродит без якоря и не знает безопасной гавани. Стефани уходит от тепла родного обиталища, которое кажется уже миражом, к туманному холодному горизонту...

Там возвышается дерево. Символическая доминанта картины.

К этому дереву приходила она в пору своей молодости. С любимым человеком, ее нынешним мужем. А теперь окутанная предсмертным туманом героиня исчезает, скрываясь за мощным стволом обнаженного древесного гиганта, — будто растворяется в нем...

Трагизм ее положения — в той неизбежной жертве, которую она как художник должна возложить на алтарь своего творчества. Она отрезала духовную часть своего существа от женской, материнской и вообще всякой другой земной плоти. Оторвалась от Дома-Дерева, а значит, и от материи жизни. Голос живой плоти Стефани, смирённой близкой смертью, прорывается в каком-то удивительно просветленном выражении лица, в улыбке великой любви к истончающейся жизни. Пронзительное сострадание к героине проникает в душу зрителя...

Вот и дерево в финале «Дуэта для солиста», хоть и обнажено осенью, а все же — более символ Жизни, нежели Смерти. Той самой жизни, которой пожертвовала героиня в творческом самозабвении.

Так возникает существенный для самого Кончаловского вопрос о том, насколько может требовать поэта к священной жертве Аполлон. Точнее говоря, насколько безоглядно может художник жертвовать собой в творчестве, отвергая зов самой жизни, как это произошло, скажем, с Андреем Тарковским.

Кончаловский любит деревья, и дыхание природы во многих картинах режиссера хорошо ощущается. Это роднит их с творчеством деда Андрея по материнской линии Петра Петровича Кончаловского, целеустремленно осваивающего в живописи связи природы и человека. Для внука Петр Кончаловский — образец художника, дух которого не отвергает богатства и разнообразия жизни. «Для меня в искусстве важно то же, что было необходимо для Сезанна, Матисса, Петра Кончаловского: выразить чувственное наслаждение от созерцания форм природы».

2.

«Я родился в 1876 году в городе Славянске, — сообщает в автобиографии П. П. Кончаловский. — До пятилетнего возраста жил в имении моих родителей Сватово-Старобельского уезда Харьковской губернии. Мои родители были участниками революционного движения 70-х годов, и отец был арестован и сослан в Холмогоры Архангельской губернии, а имение наше было конфисковано. После ссылки отца семья наша поселилась в Харькове, где мы прожили до конца 80-х годов...»

Родители будущего художника вовсе не были профессиональными революционерами — уже хотя бы в силу своей широкой образованности. Брат Петра Петровича историк Дмитрий Петрович Кончаловский (1878–1952) писал, что для той части русской революционной интеллигенции, которая подтолкнула страну к перевороту 1917 года, «типична... полуобразованность, ибо большое знание ставит предел размаху идей».

Отец живописца Петр Петрович Кончаловский (1839–1904) — известный в свое время переводчик и издатель, знаток западноевропейской литературы. Сын севастопольского морского врача, он учился в Петербурге на естественном отделении физико-математического факультета. Изучал право. По окончании учебы был оставлен на факультете, но, женившись на дочери харьковского помещика, уехал в имение жены. Из него самого помещика не получилось, хозяйство скоро пришло в упадок.

Мать — Виктория Тимофеевна, урожденная Лойко (1841–1912), по воспоминаниям сына, была для детей живой энциклопедией, хорошо знала иностранные языки.

С. Т. Коненков, крестный дочери живописца Натальи Кончаловской, часто бывал в доме Петра Петровича и Виктории Тимофеевны еще в свои гимназические годы и вспоминал о них, как о семье «образованных, высококультурных людей, любящих и прекрасно знающих искусство», дружеское расположение которых «способствовало духовному обогащению» будущего скульптора.

Петр Петрович испытывал чувство великой благодарности к отцу, чьи издательские проекты позволили ему, начинающему живописцу, попасть в среду московских художников 1890-х годов — таких, как Суриков, Серов, Коровин и Врубель.

Врубель был особенно близок их семье. Подружившийся с Кончаловским-старшим и им горячо ценимый, Михаил Врубель целыми месяцами жил у них в доме, работая над иллюстрациями к Лермонтову.

Свою суженую Петр Петрович увидел во время первого посещения Василия Сурикова. Из-за двери смотрели на него — и весьма недружелюбно, даже неприязненно — черные глаза девочки. «И это были глаза (кто бы мог подумать) моей будущей жены».

Венчание состоялось в церкви Святителя Николая в Хамовниках. Ольга Васильевна так описывала это историческое событие: «Образ должен был везти в церковь мальчик, сын В. А. Серова

Юра; Серовы собирались на свадьбу, когда к ним пришел Врубель; он узнал, что идут на свадьбу Пети Кончаловского, который женится на Оле Суриковой, и решил идти с ними...»

Андрей с душевным подъемом вспоминает, как узнал впервые, что «один из величайших художников в мире» «великий Врубель» присутствовал на свадьбе его бабки и деда. «Если бы я знал хотя бы сотую часть того, что знаю сегодня, — обращается он в «Письме деду» к духу уже почившего предка, — я бы замучил тебя вопросами о той жизни, об искусстве и о бесценном наследии русской культуры, которое ты пронес из XIX века в XX...»

В январе 1903 года у молодых супругов Кончаловских родилась дочь Наташа, будущая мать Андрея. В марте же 1906-го появится его дядя — Михаил.

Профессиональный путь Петра Кончаловского как живописца определился не сразу, но резко. В 1896 году, по настоянию отца, он поступил на естественный факультет Московского университета. И тут уже упросил родителя отправить его в Париж учиться живописи.

Вернувшись в Россию, Петр Петрович поступает в Академию художеств.

График, историк искусств П. И. Нерадовский писал: «Кончаловский рос баловнем. В Академии он держал себя независимо, иногда даже вызывающе. Он был всегда окружен подпавшими под его влияние учениками. Он интересно, а иногда артистически рассказывал или пел. Работа за мольбертом не мешала ему петь или развлекать соседей. У него была потребность привлекать к себе внимание...»

Абсолютно рифмуется с тем, как описывает Андрей свою учебу во ВГИКе. Поступил «без всякого страха, экзамены сдавал с удовольствием», поскольку «это было легко». «Ромму очень не нравилось, что мне так легко учиться. Мне он всегда ставил тройки, хотя я знал, что мои работы не хуже других, а по большей части и лучше. Думаю, Ромм меня сознательно придавливал тройками. Он чувствовал мою легкомысленность, бесшабашность, ему это претило...»

В 1907 году Петр Петрович познакомится с Ильей Машковым. Их общая неудовлетворенность тогдашней жизнью в искусстве выльется в творческое объединение «Бубновый валет», первая выставка которого состоялась в 1910 году.

Когда обращаешься к недолгой паре-тройке десятилетий Серебряного века, поражаешься той безоглядной свободе, с которой объединялись (и разъединялись!) творческие души самого разного состава. Поражаешься их ртутной подвижности — сегодня там, а завтра здесь; сегодня — живописание в Париже, завтра — перрон вокзала в Питере, послезавтра — казачий дом в Красноярске. Легкость, с какой они снимаются с места, меняют очаги и стены, этот захлеб жизнью иногда кажутся лихорадочно-бредовым предчувствием каких-то последних дней. Действительно, жили ощущением: весь мир — наш дом. И это накануне катастрофы!.. Энергия «серебряной» свободы, распирающей тело и душу жизнеспособности сохранялись и тогда, когда катастрофа приобретала вполне очевидные, даже бытовые формы. Мало того, уже внутри разлома, последовавшего за событиями Октябрьского переворота, они упивались токами вдруг наступившего недолгого освобождения от имперских оков уходящей России.

«Революция дала мне в жизни самое для меня дорогое — это она сделала меня художником», — обозначил общее настроение этого отряда творческой интеллигенции тех лет Сергей Эйзенштейн. И объяснил почему: «...только революционный вихрь дал мне основное — свободу самоопределения... свободу выбора своей судьбы».

Один из многочисленных вопросов, которые хотел задать деду внук, таков: почему тот уже в советское время вернулся в Россию, хотя много раз мог остаться в Европе?

Может быть, вопрос этот так беспокоил внука и потому, что сам-то он с молодых лет — особенно после того, как впервые побывал за границей, — мечтал о Европе. Более всего — о Франции, которая в свое время покорила и семейство деда. Ему мерещился «призрак свободы» частного существования, который он не находил на родине. В конце концов мечты нашли реальное воплощение. Другое дело, что мера свободы в сознании зрелого художника Андрея Кончаловского, объездившего мир, сопрягалась уже с мерой личной ответственности. В интервью нулевых годов он, цитируя кого-то из чтимых им мыслителей, заявлял: «Никто не заслуживает абсолютной свободы... Свобода, прежде всего, это способность к самоограничению».

А на вопрос внука ответила в своих записках его бабка Ольга Васильевна.

«В 1918 году мы жили все время в Москве на Большой Садовой, где была мастерская и квартира, революция была для нас избавлением от чего-то рабского. Первые два года были очень трудные по лишениям, но мы были молоды и счастливы. Не было отопления, и пришлось из всей квартиры занять одну комнату, где стояла чугунная печка. Рояль стоял в середине, и приходили все друзья к очажку. Все играли, и было прекрасное общение. Петр Петрович работал.

Многие в это время уехали: Бенуа, Сомов, Добужинский, Сорин, Судейкин и др. Мы не могли понять, как можно уезжать, когда стало легко и свободно дышать. Мы очень любили Запад, но и в голову не приходило бросить Родину, когда только открылась свободная жизнь, без всякой зависимости от богатых коллекционеров».

Иными словами, открылось то, что Эйзенштейн назвал «свободой выбора собственной судьбы».

Эта зачарованность идеальными обещаниями революции овладела многими из творческой элиты той поры. Не только Эйзенштейном или Петром Кончаловским — Александром Блоком, например. Иное дело, скажем, Иван Бунин. Но там, вероятно, были иллюзии иного рода.

Между тем уже в начале 1930-х годов Петр Петрович купил, как рассказывает внук, «дом на сто десятом километре от Москвы». «Дом без электричества, без радио, где можно было забыть о советской власти...» Дед не мог не знать, продолжает Андрей, что «политические репрессированные имеют право жить не ближе ста десяти километров к Москве». А значит, понимал, что и сам может попасть в их число.

До начала 1930-х семейство Кончаловских проживало в формате свободных передвижений по миру. Петр Петрович «был человек глубоко русский, но без Европы не мог жить». Был верен Сезанну, прекрасно говорил по-французски...»

В 1910 году они переселились в дом Пигита на Большой Садовой. Центром жизни, по воспоминаниям Натальи Петровны, стала мастерская отца, расположенная во дворе. «И самым бесценным для нас, детей, была атмосфера высокого духовного общения с отцом и постоянного труда, в котором мы росли почти с пеленок. Папа все умел и любил делать сам...»

Между тем пространство свободного существования с каждым дореволюционным годом катастрофически сокращается, каждый квадратный метр сохраняемой свободы наполняется страхом.

Когда в 1912 году в главном корпусе дома Пигита освободилась на пятом этаже квартира из четырех комнат, семья переехала туда. Но после Октябрьской революции здание перешло в ведение Моссовета. Квартиры уплотнялись рабочими соседней табачной фабрики. И семья сдала государству три комнаты из четырех, оставив одну для дочери. Остальные члены семьи переместились жить в мастерскую во дворе...

Упомянутый дом — предмет фантасмагорический, если судить по страницам прозы М. А. Булгакова, например. В частности, квартира № 50, где в 1921–1923 гг. жил писатель, едва ли не всю свою жизнь страдающий от «квартирного вопроса», запечатлелась и в его фельетонах, и в мистическом романе «Мастер и Маргарита».

«Нехорошая квартира» — образ хамского попрания «пролетариатом» той самой частной свободы, которую так ценили и к которой привыкли люди вроде самого Булгакова, вроде семьи Кончаловских...

Но они ничего этого будто не замечают. Наталья Петровна рассказывает, как хорошо их семье было жить в огромной мастерской отца. Как только все переселились в мастерскую, ранее пустовавшую (до 1917-го года, пока Петр Петрович не был демобилизован из действующей армии по контузии), но теперь сразу ожившую, здесь началась «очень интересная жизнь».

«...За аркой была спальня родителей. Тут же стоял рояль, на котором играли, просто давали концерты такие пианисты, как Цекки, Боровский, Софроницкий. На ночь спальня отгораживалась ширмой. А в большой половине стоял длинный, желтый бархатный диван, на котором спал Миша (брат Натальи Петровны. — *В. Ф.*). На фоне старинного гобелена... стоял большой стол с красками. У стен помещались мольберты и холсты. Была там и крохотная кухня с умывальником возле окна. Готовили на керосинках, но посреди мастерской стояла большая чугунная печь, которая топилась углем, и на ней постоянно готовилась пища...»

Их странное «гнездо» было одновременно и частным жилищем, и общежитием творческих личностей, возникшим в результате советского уплотнения. Здесь Петр Петрович и Ольга Васильевна прожили до 1937 года, когда получили квартиру на Конюшковской улице и когда, напомню, 20 августа, родился Андрон (Андрей). Но в другом доме. Там была только комната. Сергей Михалков отправил тогдашнему предгорисполкома Москвы стихотворную просьбу о предоставлении жилплощади. В результате была получена двухкомнатная квартира.

Образ дедовской мастерской, однако, волнует и уже повзрослевшего Андрея. Она рифмуется в его сознании с мечтательной Францией, с неким культурно-художественным оазисом, «персонажами» которого были Хлебников, Бурлюк, Маяковский «в своей желтой блузе, с морковкой, торчавшей вместо платка из кармана». Все эти подробности быстротекущей реальной жизни сегодня прочитываются как миф о героическом веке нашей великой творческой элиты. Андрей Кончаловский как-то с сожалением заметил, что не мог, по причине малолетства, по душам поговорить с поэтом Сергеем Городецким, у которого ребенком сидел на коленях.

Сергей Городецкий, друживший с Блоком, принимавший у себя начинающего Есенина, скончался, когда Андрею было тридцать. К этому времени ни Блока, ни Хлебникова, ни Есенина, ни Маяковского давно не было в живых...

3.

В творчестве своем Петр Кончаловский всегда был верен образам близких ему людей. Писал собственную семью, запечатлевая ее материально-вещное и духовное бытие. Будто укрывался в своем «русском доме» от наступления отечественного социализма.

В 1920–1940-е годы у него преобладает самоощущение, которое Пушкин назвал «самостояньем человека». Осознавая общность с миром, живописец Кончаловский вместе с тем отстаивал свою независимость как человек и художник. Вопреки требованиям социалистического реализма. «Самостоянье» Петра Петровича укрепилось покупкой дачи в Буграх, принципиальным возвращением к русскому «усадебному укладу» и в жизни, и в живописи.

С течением времени образы его работ становятся все менее монументальными и обобщенно европейскими, все более обытовленными и русскими, портретно конкретизированными. Теперь уже не абстрактный абрис эпически вознесенной семьи (как в раннем «Сиенском портрете» 1912 года), а именно конкретный ее образ вписывается в Природу и Культуру. Таковы его автопортреты 1926, 1933, 1943 годов. «Автопортрет с женой» (1923), например, с юмором цитирующий Рембрандта. Портреты дочери разных лет. Изображения внуков, вроде «Катеньки спящей» (1932), «Не звали» (1947), «Андрона с собакой» (1949)...

Чада и домочадцы, их друзья и знакомые в этом «семейном альбоме» попадают в утопическую, по советским меркам, страну нормального частного бытия. С запахом только испеченных булочек и кофе по утрам, с пышными кустами сирени в саду и умиротворяющим видом из окна...

Со всем тем, что вселяет покой в душу и уверенность в неотвратимости природного цикла. А значит, в безопасности и разумности существования человека.

Но были среди этих портретов и такие, в которых отразилось внутреннее напряжение, тревога мастера.

Петр Петрович фактически отказался в 1937 году писать портрет Сталина и сделал это не без юмора. Художник вроде бы согласился, но, позиционируя себя как закоренелого реалиста, настаивал на том, чтобы Вождь ежедневно ему позировал. Между тем хорошо известен портрет Мейерхольда, написанный Петром Петровичем как раз в эпоху опалы режиссера, когда многие избегали даже простого общения с ним.

Внук вспоминает и «Автопортрет с собакой» (1933), с которого на зрителя смотрит «мрачный человек с осуждающим взглядом». В этом взгляде внуку видится «вызов всему существующему строю», в котором деду пришлось жить. «Мало того, что этот человек стоит со сторожевой собакой, он одет в роскошную барскую шубу, за которую десятью годами раньше могли расстрелять». Пробужденные живописью деда ассоциации — очень личного характера и почти безотчетно вызывают в памяти Андрея волнующие его у Мандельштама строки 1931 года: «Я пью за военные астры, за все, чем корили меня: за барскую шубу, за астму, за желчь петербургского дня...»

Дачу в Буграх приобрели зимой 1932 года (часть имения Обнинских «Белкино») под Малоярославцем, в Калужской области, где Петр Петрович жил и работал еще в 1907 году. Зарубежные поездки прекратились, кажется, с 1925 года. Но семья еще успела побывать в Италии, Франции, Англии, а затем отправилась в Новгород Великий.

«Дачный» дом становится по-настоящему патриархальным обиталищем семьи, которое было и осталось «русским домом, просвещенным домом, домом русского художника»; одним из немногих домов, где еще «сохранился уклад старой жизни», созданный человеком не только объездившим, но и обжившим едва ли не всю Европу.

В доме Кончаловских сохранялся «институт» большой семьи. «Дедушка, бабушка, дядя Миша с женой, двое их детей и третий, от первого дядиного брака, мама, я, сестра Катя (от первого брака матери. — В. Ф.), Никита, няня Никиты — двенадцать человек постоянно жили в доме летом. А сколько еще приходило и приезжало гостей!»

Когда в 1951 году семья Михалковых построила дачу на Николиной Горе, от деда съехали туда, и там, так или иначе, удерживался тот же семейный уклад. Во всяком случае, до тех пор, пока жива была Наталья Петровна Кончаловская. Многие из друзей Андрея жили здесь по нескольку лет. Один из крупнейших отечественных композиторов Вячеслав Овчинников рассказывал, например, что с Тарковским и Сергеем Бондарчуком, для фильмов которых он писал музыку, познакомился именно на Николиной Горе, где прожил едва ли не с десяток лет.

4.

Петр Петрович заражал своим трудолюбием подрастающих потомков. Михаил и Наталья Кончаловские, а затем и Андрей с детства наблюдали весь процесс рождения картины — от сооружения подрамника до нанесения последнего мазка. Они жили среди холстов и подрамников, коробок с тюбиками, красок и кистей, включаясь в ритуал сотворения полотна с его азов.

В искусстве Андрей, по наследственной памяти, ставит на одно из первых мест владение профессией. Деда он почитает и как профессионала, для которого духовный взлет начинается «на земле», когда его руки делают подрамник, натягивают на него холст, перетирают краски. Отсюда не только почтительный тон по отношению к тем, кто владеет ремеслом. Но и почти мистическое внимание к рукам, во многих его фильмах превращающимся в образные доминанты.

Руки Сергея Рахманинова в сценарии «Белая сирень», написанном совместно с Юрием Нагибиным, как бы средоточие эпизодов-состояний гениального композитора и великого пианиста, но одновременно и «ломового» трудяги.

В начале киноромана он — дирижер. Исполняется Литургия св. Иоанна Златоуста, и солнце, пробивающееся сквозь сводчатые окна в большой зал дворянского собрания, «драгоценно золотит его вскинутые руки». А в финале, во время последнего исполнения, когда будет звучать его Второй концерт, Рахманинов, неизлечимо больной, посмотрит на свои пальцы, произнесет еле слышно: «Прощайте, мои бедные руки!»

Словесный образ претендует стать кинематографически выразительной живой картиной. Особенно в том эпизоде, где длинные крепкие пальцы великого Рахманинова как бы проникают в лоно самой природы, чтобы дать выход новой жизни.

...Не может разродиться вороная Шехерезада, лучшая кобыла Рахманинова. Композитор, узнав об этом, устремляется к конюшне. Там лежит бедное животное. Ветеринар разводит руками: схватки начались давно, но плод неправильно пошел, и «надо резать». Рахманинов хватает себя за виски: что делать, как спасти мать? Ветеринар же как-то странно смотрит на композитора, берет его правую руку и отводит от виска: «А ну-ка, распрямите пальцы!» Удивленный Рахманинов повинуется. «Вот что нам надо! — восторгается ветеринар неожиданно явившемуся спасению. — Рука аристократа и музыканта. Узкая и мощная. Великолепный инструмент. За дело, Сергей Васильевич!»

«Рахманинов понимает врача. Он сбрасывает куртку, закатывает рукав сатиновой рубашки. Присутствующие переглядываются с надеждой: и впрямь, удивительная рука — совершенное создание природы — мускулистая, крепкая в запястье, с длинными сильными пальцами. Рахманинов погружает руку в естество кобылы. Та дергается в ответ на новое мучительство, а затем издает тихое нутряное ржание, будто понимает, что наконец-то пришла помощь. Медленно, осторожно, ведомый могучим инстинктом, проникает Рахманинов в горячую плоть к едва теплящемуся огоньку новой жизни.

Звучит музыка Литургии. Люди оцепенели, будто присутствуют при таинстве. Спазмы кобылы выталкивают руку Рахманинова.

Рахманинов (*сквозь зубы*). Я упущу его.

Ветеринар приваливается плечом к его плечу. Герасим подпирает ветеринара. Рука снова уходит глубже, а затем понемногу выпрастывается. Ветеринар отталкивает Герасима и убирает свое плечо. Рука Рахманинова совсем выходит из тела животного, а за ней возникают деликатные копытца, шелковая мордочка, плечи и все странно длинное тельце жеребенка.

Ветеринар (*ликующе*). Живой!.. Ну, Сергей Васильевич!.. Ну, кудесник!..

Герасим (*истово*). Спасибо тебе, Господи, что не оставил нас!..

Шехерезада издает тихое, нежное ржание...»

И Петр Петрович как художник отдавал особое предпочтение образу рук в портрете. В автопортретах 1910-х годов его руки грузные, но спокойно уложенные на животе как бы после трудового напряжения или в тихом ожидании ремесла. В «Автопортрете с женой» обе руки с одинаковым удовольствием, нежностью и силой обнимают женщину и сжимают бокал с вином.

А как эти руки с привычной виртуозностью обращаются с инструментом для вполне бытовой операции в «Автопортрете с бритвой» (1926)! Герой портрета даже и не бреется — он дирижирует ритуальным концертом солнечного начала дня, а то и жизни! Настолько музыкально изящно и стремительно здесь движение рук...

И вот, наконец, руки Петра Кончаловского за их прямой работой — живописной — в лучшем автопортрете 1943 года, на котором он стоит, гордо выпрямившись, с кистью в левой руке...

Выступая перед студентами ВГИКа или слушателями Высших сценарных и режиссерских курсов в 1970-е годы, Андрей Кончаловский, как правило, акцентировал «первостепенность» профессионального мастерства в сочетании с талантом художника. В постсоветское время вдохновенное воспевание профессионализма сменяется у него горьким сожалением о том, что это необходимое для художника качество становится все менее актуальным, а вместе с тем все менее актуальным становится и сам художнический дар.

5.

Вернемся в дом в Буграх. В этих местах Петр Петрович охотился, здесь ходил по грибы, срезая их самодельным ножом, «вкусно» описанным его дочерью в очерке «Лесное волшебство». Как и сами их грибные походы с последующим возвращением к самовару на столе, кринке холодного молока и теплым булочкам на блюде.

Петр Петрович не был таким рационально расчетливым в питании, как его внук. Дед любил хороший стол, испанскую еду. В правилах натурального хозяйства построил коптильню. Окорока коптил, делал ветчину по-испански — хамон. И все здесь дышало крепкой, изнутри пропитанной разнообразнейшими запахами деревенской жизнью.

«До сих пор помню, — рассказывает Андрей, — ощущение таинственного полумрака кладовой, пахнет копчеными окороками, висят связки лука, перцев, стоит мед в банках, в бутылях — грузинское вино. Эти окорока, лук, перцы, бутыли вина дед писал на своих полотнах. Классический набор для натюрмортов, очень популярный у Сурбарана, у других испанцев. В доме пахло этими живыми натюрмортами, копченой ветчиной, скипидаром, масляной краской, кожей, дегтем...»

По убеждению Андрея, его великий предок предпочитал оставаться в другой эпохе, не хотел жить в двадцатом веке. Он жил как русский мелкопоместный дворянин конца XIX века: разводил свиней, окапывал сирень и яблони, брал мед. Была лошадь, Звездочка, которую внук научился запрягать. Была телега. Были две коровы, бараны. Уклад жизни был суровый, но добротный, основательный. В людской топилась печь, хозяйничала няня Маша. На Петров день приходили крестьяне, приносили Петру Петровичу в подарок гуся. В ответ выставлялась водка, начинались разговоры про старую, дореволюционную жизнь... С мужиками обычно приходил и председатель колхоза, он тоже был из местных.

Время от времени и у самого Андрея Сергеевича просыпался усадебно-поместный инстинкт, тяга к широкой хозяйственной деятельности. А в организованном им уже в зрелые годы и при участии жены Юлии Высоцкой домашнем быте он в самом деле ощущает себя иногда помещиком.

Несколько слов об опытах Кончаловского в бизнесе. В интервью весной 1998 года — в связи с презентацией книги «Низкие истины» — ему напомнили не без юмора, что несколько лет тому назад он обещал бросить кино и заняться выпуском галош, намереваясь «обуть всю Россию». В ответе интервьюеру прозвучала неожиданная серьезность. Галошами, отвечал режиссер, он собирался заниматься без всяких шуток. Но потом «полезное дело» застопорилось. Стало понятно, что бизнесом нельзя заниматься от случая к случаю. Тем более, что бизнесменом и организатором на ту пору Андрей показался себе никудышным...

Гораздо успешнее его в этом отношении Юлия Высоцкая, кроме удивительной работоспособности обладающая развитой силой воли и, вероятно, более непреклонным характером, чем муж. Подспудно не угасающая в Кончаловском наследственная тяга к усадебно-поместной жизни, давно в быту страны отошедшей в прошлое, выражается больше эстетически, нежели прагматически.

В памяти Андрея время от времени просыпается рисунок бревенчатого сруба дедовской дачи, в котором он подростком пытался разгадать какие-то древние тайны. В ту пору Петр Петрович как раз и изобразил внука. В своей собственной портретной позе: рука в бок и с собакой!

«В щели и трещины я прятал конфеты, чтобы не сразу их съесть, оттянуть удовольствие. Когда трещины в бревнах становились уж слишком заметными, их заливали воском. Воск был из ульев, дед сам оттонял пчел дымовиком с раскаленными углями, весь облепленный роящимися насекомыми вытаскивал из ульев соты...»

Уже, кажется, в нулевые Андрея спросили, удалось ли создать дом, где ему по-настоящему хорошо, и насколько, если такой дом создан, он похож на дом детства. Кончаловский ответил: «Он похож на дом моего детства. Он впитал лучшее из него, и у меня там много любимых вещей. Но самое большое сходство у дома, думаю, со мной. Когда у человека есть индивидуальность, дом всегда похож на хозяина. А вообще дом моего детства — это я сам...»

Стойкое ощущение родного угла, подкрепленное к тому же следом от давнего ожога дедовским дымовиком! Из памяти Андрея, вероятно, никогда не испарится дух детских лет, проведенных в Буграх: «Утром просыпаешься — пахнет медом, кофе и сдобными булками, которые пекла мама. Запах матери. Запах деда. Запах детства».

Эти запахи сопровождали в детстве и мать Андрея. Ее первой школой оказалась школа в Латинском квартале Парижа. Шестилетняя Наталья обратила внимание на тот непременный завтрак, который помещался в сумках французских школьниц 1910 года, — свежий круассан и плиточка шоколада. Пристрастившись к поеданию удивительного слоеного рогалика, долго не могла узнать, хотя и страстно желала, рецепта его выпечки. Удалось это осуществить в Авиньоне. Сюда она попала уже в зрелом возрасте, работая над переводами провансальского поэта Фредерика Мистраля (1830–1914). Остановилась у молодой пары учителей, имевших двух маленьких сыновей. И здесь увидела, как лепят желанное яство прямо на домашней кухне. В обмен на рецепт круассана Наталья Петровна открыла секрет выпечки русского черного хлеба, который умела готовить с юности...

Это умение, несколько, может быть, экзотичное для дочери Петра Кончаловского, было связано с Абрамцевом. Здесь Наталья бывала с родителями, дружила с внуками Саввы Мамонтова. Усадьба была национализирована в 1918 году и превращена в музей. В этом же году скончался и хозяин.

Первой заведующей музея стала его дочь Александра. Какое-то время в доме жизнь текла по-старому. Семья Кончаловских в те годы жила летом в мастерской Саввы Ивановича. Тогда-то Наталья вместе с внучкой Мамонтова Лизой вела хозяйство. Девочки умели готовить, топить русскую печь в абрамцевской кухне. И обе выпекали черный хлеб из пайковой муки. У Лизы от прежних времен осталась еще и корова в маленьком хлеву. И подружка учила Наталью доить.

В жизни интеллектуалов этой популяции легко рифмовались французские круассаны и русский, крестьянским способом приготовленный ржаной хлеб. Причем и то и другое они были способны производить на свет собственными руками. А в дополнение ко всему — создавать уникальные духовные ценности, проходя путь от первого, ремесленного этапа их производства, до последнего, целиком духовного.

На рубеже XIX — XX вв. формировалась особая прослойка интеллектуальной элиты, вероятно, довольно тонкая, из числа ученых и художников, не чурающихся «черного», но окрыленного творческим замыслом ремесла. И это могли быть первые ростки так и не развившегося в стране класса буржуазии.

Семейство Кончаловских следует отнести к этой прослойке. И свобода их передвижений в мире также была связана с почти подсознательной склонностью опробовать, ощупать руками все, что предстояло освоить в частном бытии. Не только Испанию, Кончаловский успел полюбить и Париж, потому что «там можно было жить, как хочется». В этом и состояла главная «европейскость» его воспитания, хорошо усвоенная и детьми, и внуками — «жить, как хочется». Жить естественной жизнью частного, независимого человека.

В 1924–1925 годах его пригласили участвовать в международной Венецианской выставке живописи и ваяния. Советский Союз тогда впервые получил в постоянное пользование павильон на биеннале. «Отцу хотелось поработать, и поэтому незамедлительно после выставки мы отправились в Сорренто, чтобы через два месяца переехать в Рим, потом снова в Венецию, на осенние пейзажи. А к зиме собирались в Париж, куда были отправлены 120 картин Петра Петровича для персональной выставки...» В воспоминаниях Натальи Петровны ее отец — большой, свободный, дышащий молодостью счастливый человек — счастливый независимостью своего существования. Вернувшись на родину, семья скоро почувствовала необходимость отгородиться от внешнего мира природой и натуральным хозяйством. По словам внука, его дед на принципы, что называется, «не напирал», чурался политики и идеологии. Но и достоинством своим при этом не поступался.

Обжегшись Западом в самом начале 1960-х, Андрей еще тогда готов был расстаться с советским образом жизни навсегда.

Впервые отправляясь за рубеж, на Венецианский фестиваль, Андрей вначале оказался в какой-то римской гостинице. Было уже довольно поздно. Он вышел на балкон. Площадь перед гостиницей кишела людьми, переливалась огнями, возбуждалась музыкой и пением. «Праздник?» — поинтересовался он. «Нет! — ответили ему. — Мы так живем».

Несколько позднее побывал он в первый раз и в Лондоне: работал над сценарием по «Щелкунчику» для английского режиссера Энтони Асквита, желавшего сделать сказку с русским балетом.

Чему Кончаловский поразился прежде всего в британской столице? Город явился обихоженным вековой традицией частным домом. От него веяло ощущением солидности, прочности мира, надежности устоев, поддерживающих общество. И главное: символом этой надежности предстали... входные двери лондонских домов.

«Для советского гражданина дверь подъезда — это что-то загаженное, зацарапанное, покрашенное или отвратительным красно-коричневым суриком, или, если в деревне, выцветшей голубой краской, а то и вовсе сгнившее. А тут — полированные двери красного (!) дерева с бронзовыми ручками. Такое еще можно представить внутри музея. Но чтобы это была уличная дверь, да еще с всегда начищенной, а не позеленевшей до безобразия бронзой — нет, это казалось немыслимым!»

Характерное для Кончаловского, вполне «европейское» восприятие чужой культуры! Как чужого дома, но не чуждого, а именно — чужого, то есть другого, не похожего на свой, который, кстати говоря, может быть по отношению к своим обитателям как раз чуждым. А этот чужой дом был таким, что его хотелось обжить, вместить в свой культурный опыт.

Для внука Венеция стала первым непосредственным контактом с заграницей, для деда именно ею, напомню, и завершились зарубежные вояжи.

Петр Петрович скончался 2 февраля 1956 года. Впереди были XX съезд КПСС, разоблачение культа личности Сталина, годы оттепели и так далее...

А внуку через полгода должно было стукнуть только девятнадцать. Но первый серьезный период этического и идейного становления уже был пройден — в «русском художническом доме, где по вечерам горят свечи и из комнаты в комнату переносят керосиновые лампы, где подается на стол рокфор, кофе со сливками, красное вино, ведутся какие-то непонятные вдохновенные разговоры. Странно было бы, живя в этом мире, не впитать в себя из него что-то важное для будущей жизни, для профессии. Многое было почерпнуто не из книг, а на чисто генетическом уровне...»

6.

Творчество Петра Петровича поражает жадностью, с которой художник осваивает пространство культуры. Во всяком случае, совершенно ясно присутствие в его живописи Сезанна и Матисса, Ван Гога и Гогена, старых и новых западных мастеров, отечественного народного искусства...

Его потомок, режиссер Кончаловский, не чужд тех же устремлений, но уже по отношению к опыту мирового кинематографа. За этой наследственной всепоглощаемостью иногда перестают видеть стилевую индивидуальность режиссера — то же самое, на внешний взгляд, происходит и с живописью Петра Петровича.

Идею творческого протеизма режиссера развил в самом начале 1990-х Л. А. Аннинский, и ранее выделявший это качество кинематографа Кончаловского. Фильмы режиссера, писал критик, не соединяются в единую цепь. Он не похож на тех, кто, подобно Тарковскому или Хуциеву, всю жизнь бьет в одну точку.

«Он — другой, у него нет единственного решения, у него в каждом случае множество «единственных решений». Кинематографично «все»; для каждого фильма нужно искать новый ход, надо выдумывать все заново, надо изобретать велосипед. Главное — не повторяться... Михалков-Кончаловский среди шестидесятников — Протей, он меняет свой облик, он уходит от своих решений, спокойно наблюдая, как его следы заносит песком; он озабочен лишь тем, чтобы в каждом случае, говоря словами Трюффо, то, ЧТО хочется, — сделать со вкусом, сказать до конца...»

Но как раз в результате откровенной, на первый взгляд, не очень разборчивой, легкомысленной разностильности, в результате формально-стилевых заимствований возникают совершенно оригинальные по качеству своего художественкультурного многоголосия вещи! Как? Об этом еще предстоит разговор. Здесь только хотелось бы еще раз отметить факт наследования внуком художнической жадности деда к многообразному миру художественной культуры — жадности, обогащающей индивидуальность творца.

По наследству внуку передалась, кажется, и другая особенность деда. Петр Кончаловский и к началу XXI века остается исследовательской проблемой, «зерно которой — в восприятии, культурно-исторической интерпретации его творчества и его личности».

Официальная критика послевоенных лет пыталась приспособить к своим нуждам далекую от пафоса строителей социализма живопись Кончаловского. Но в той же критике издавна звучали сомнения по поводу того, что открывалось в творческой деятельности художника. Хорошо известен отзыв Луначарского еще начала 1930-х. Первый большевистский нарком просвещения среди сотен полотен живописца не нашел отражения «той борьбы, которая на самом деле составляет содержание жизни его родины».

Так же колеблется на грани противоположных «партийных» оценок и образ творчества Андрея Кончаловского, начиная, пожалуй, с «Дворянского гнезда». «История Аси Клячиной...» счастливо избежала этой участи в силу того, как полагает и сам создатель фильма, что была положена на полку. А это как бы само собой подчеркивало ее «протестную» безгрешность. Однако отсутствие идеологической тенденции в творчестве режиссера очевидно — в той же «Истории Аси Клячиной...», близкой по жанру колхозной идиллии. Тенденции нет даже там, где ее неизбежно, с восторгом разоблачения находят — в «Курочке Рябе», например, или «Глянце». Кинематограф Кончаловского будто наследует опыт «беспартийной» живописи деда режиссера.

Обладая чувством частной свободы, Андрей выстраивает и свой быт, и свое творчество вне общих правил. Он имеет смелость избирать приемлемое только для себя решение, какой бы резонанс оно не вызывало. Он не желает принимать позу страдающего и гонимого художника, не хочет такой «голгофы» даже под аплодисменты сочувствующих.

В статье «Неизвестный Кончаловский» Александр Морозов называет «иезуитским гротеском» тот факт, что власть предпочла показательному избиению Кончаловского пропагандистскую эксплуатацию его жизнелюбия. Но от этого ни его битые зайцы, ни цветы, ни портреты друзей и родных более советскими не становились. Они были «совсем ПРО ДРУГОЕ».

Но про что же? Близкий художнику искусствовед В. А. Никольский еще в 1919 году замечал новую проблему, поселившуюся в голове художника. Проблему «изображения человека в природе, остающуюся неокончательно разрешимой и по сей день». Основа преемственности в творчестве живописца, идущая от него к классике через Сезанна, — в особом ощущении природы, нерасторжимого единства одушевленных и неодушевленных форм материи.

Петр Кончаловский, изучая искусство великих мастеров, стремится вслед за ними стереть грань между природой и ее воплощением. Решение этой труднейшей задачи ставит живопись художника на границу диалога с кинематографом. По поводу одного из ранних семейных портретов он говорил, что в фигуре дочери «хотел спорить с самой жизнью». «Такая работа дает художнику самые счастливые минуты в жизни. Ощущение жизни человека среди других предметов — это какое-то чувство космического порядка...»

Как здесь не почувствовать суриковское начало?! Не есть ли это одновременно и аналог зоркости кино, приговоренного вглядываться в «жизнь человека среди других предметов»?

Андрей Кончаловский хорошо чувствует природу кино, сопрягающего, по словам Эйзенштейна, в единое целое человека и предмет, человека и человека, человека и природу. Причем чувствует ее как нечто становящееся в нем самом как кинематографисте. Мы еще вернемся к его высказываниям на эту тему уже во втором десятилетии XXI века.

Уже поэтому внук неизбежно должен быть наследником художнического мировидения деда. Другое дело, что он глубоко переживает и трагический разлад человеческого мироздания. В его «Глянце», например, есть не только уродливая декорация нового социума, но и деформированная плоть натуры, искаженное естество человека.

Но при всем трагизме мироощущения Кончаловский не знает неулыбчивой серьезности кинематографа своего когда-то единомышленника, а потом и сурового оппонента Тарковского. Кончаловский — оборотная сторона явления по имени Андрей Тарковский. И Советский Союз он покидает не как страдающий от притеснений гений, а как вполне успешный профессионал, у которого к тому же жена-француженка. Он абсолютно частным образом берет права, которые Тарковский требовал у властей, мучительно терзаясь, — в Италии, вдали от семьи, оставшейся на родине.

Помните: «Петя, я исчезаю...»?

Может быть, в этих последних своих словах Василий Иванович завещал Петру Петровичу сохранить то, что было и им, Суриковым, и его семьей, его родом? Все, что он пытался спасти от стихии Истории на своих картинах.

Петр Петрович завещание, кажется, исполнил. Он создал в живописи и передал в наследство потомкам великий «семейный альбом», воплотив и сохранив в нем мироздание как вечный дом человека.

глава третья

Большая Наташа большого дома

*...А ведь слово «дом» священно. И слово «хозяйка» почетно
и даже величаво...*

Наталья Кончаловская

1.

В кинематографе Кончаловского женщина всегда рядом с героем, но чаще — как персонаж страдательный, редко и трудно достигающий материнского воплощения.

Не таков «Романс о влюбленных». Здесь мать — одна из сюжетных опор. Но в ипостасях, как бы спорящих друг с другом. «Побеждает» философия житейского стоицизма, согласно которой нужно принимать жизнь такой, какова она есть. Сила духа как раз и состоит в способности терпеливо нести крест бытовой повседневности.

Может быть, эта житейская мудрость позаимствована режиссером у матери? Именно такой Наталья Петровна Кончаловская предстает в свои зрелые годы в воспоминаниях близких, родных, знакомых. Сыновья говорят о ней почтительно нежно и уважительно — как о главной опоре семьи в те времена, когда Наталья Петровна была жива.

Наталья Петровна Кончаловская, по словам ее старшего сына, получила в наследство «очень непростое сплетение генов: со стороны деда темперамент, неуемная энергия и даже нетерпимость яицких казаков; со стороны бабки-француженки — свободное знание французского, способность понимать французскую культуру, ощущать родство с ней. Ее дед с отцовской стороны был потомок литовских дворян, один из образованнейших в Москве книгоиздателей, человек высокой культуры...»

Писатель, переводчик, она с детства питала любовь и к серьезной музыке. Во второй половине 1930-х обратилась к детской литературе, начав с переводов английской поэзии. Издала сборник мемуарных очерков и рассказов «Кладовая памяти» (1973).

Наталья Петровна с самой колыбели восприняла воздействие духовной энергетики крупнейших отечественных дарований XX века. Символично, что при бракосочетании ее родителей присутствовал Михаил Врубель. А ее крестным был Сергей Коненков. Юная Наталья почти ежедневно бывает в мастерской крестного на Пресне, становится свидетелем его творчества и жизненных драм.

«Я была очень привязана к Сергею Тимофеевичу все эти годы, — пишет Наталья Кончаловская в своих мемуарных очерках. — Он жил тогда один. С женой своей давно развелся, и она жила где-то отдельно с сыном Кириллом. И потому я была единственным молодым существом в мастерской, в этом царстве мужиков... Сергей Тимофеевич любил меня, как свою дочь, скучал, если я долго не приходила. И я привыкла к этой удивительной жизни среди скульптур...».

Еще в 1918 году Коненков выточил из дерева первый портрет красавицы Маргариты Воронцовой, с которым в его жизнь вошла и новая любовь. Любовь к женщине, известной позднее в качестве советской разведчицы и последней возлюбленной Эйнштейна.

Летом 1922 года Коненков женился и через год отбыл с Маргаритой Ивановной в свадебное путешествие в Америку, где и обосновался надолго.

Лет через пять там же оказалась его крестница со своим первым мужем. По ее наблюдениям, Сергей Тимофеевич Америки не принял, но возвращаться в Страну Советов не собирался. На него посыпались заказы, он прилично зарабатывал и прожил в Нью-Йорке более двадцати лет.

Через много лет после возвращения из Америки, когда у Натальи Петровны была уже другая семья, ей официально предложили начать переговоры со скульптором относительно его прибытия на Родину. Надо было написать Сергею Тимофеевичу частное письмо с приглашением. И хотя за все эти годы Наталья Петровна и ее семья никак не были связаны с Коненковым, письмо она все же написала.

Уже в декабре 1945 года Михалковы-Кончаловские встречали Коненкова на Ярославском вокзале.

«... Он действительно собрал все свои скульптуры и прибыл на Родину, — рассказывает Андрей. — В Одесском порту бдительные таможенники перебили его гипсы — искали золото и бриллианты. Деревянную скульптуру, слава Богу, не тронули. Несмотря на эти и прочие неприятности, Коненков был невообразимо счастлив. Здесь он чувствовал себя целиком в своей тарелке, крепко налегал на портвейн, стал убежденным соцреалистом...»

Вспоминая предшествующую этим событиям эвакуацию 1941 года, Андрей видит свою тридцативосьмилетнюю мать очень молодой и очень привлекательной. «Думаю, она была эмоционально увлекающимся человеком, вызывающим у мужчин очень чувственные надежды».

Ей было чуть больше двадцати, когда впервые после революции семья оказалась за границей. В знойно-чувственной Италии. Наташа выделялась среди итальянок крупностью юного тела и типично славянским лицом с кокетливо вздернутым носом. Избыток здоровой энергии избавлял от слишком глубоких размышлений о будущем. Она в эту пору ни к чему не готовилась и не подавала, по ее словам, никаких надежд. Но с младенчества обладала отличным слухом, с большой легкостью пела стихи, отчетливо запоминала все, как казалось с годами, ненужное. Как и все в юности, «была нерадива и беспечна». Однако ж в домашнем хозяйстве расторопна, к чему мать приучила ее с детства. Воспитанная Ольгой Васильевной в суровых правилах, юная барышня глубоко вросла в жизнь семьи, и это воспринималось ею абсолютно подсознательно.

Окончив уже советскую школу, она не вошла ни в один коллектив молодежи. Одноклассники ее рассыпались по высшим учебным заведениям. Ее восемнадцатилетний брат учился во ВХУТЕМАСе. Наталья же не выказывала интереса ни к точным наукам, ни к гуманитарным. Не подавала серьезных надежд и в области искусств. Однако богатая фантазия не давала девушке унывать. Вдали же виделся желанный избранник, и она сама в окружении восхитительных детей...

Такой в расцвете двадцатилетней жизни Наталья оказалась в Италии.

Однажды девушка отправилась покупать фрукты. Возвращаясь с рынка с дарами юга, она обычно проходила мимо столярной мастерской по изготовлению мебели. На этот раз девушка увидела здесь... велосипед. А рядом, скрестив загорелые ноги в парусиновых штанах, стоял молодой итальянец. На роль избранника этот грубоватый простой парень претендовать, в представлении

Натальи, вряд ли мог. Но нежная улыбка на его загорелом здоровом лице, неподдельное наивное внимание к ней не позволили сходу отвергнуть его откровенные ухаживания.

Пришло время, и Антонио признался русской девушке в любви. А в ответ на предложение руки и сердца с упоминанием будущего «своего дела» услышал... смех. Это был слегка снисходительный смех духовно возвышенной барышни над неуклюжим «буржуа» со всеми его ограниченными меркантильными устремлениями.

...Когда семья покидала Сорренто, сиявший первым сентябрьским днем, сердце девушки все-таки тревожно сжалось: пролетка миновала место ее встреч с неуклюже предприимчивым молодым итальянцем Антонио. И она на мгновение «показалась самой себе чем-то вроде большой рыжей лисы, утащившей петуха из курятника и, блудливо озираясь, ускользавшей эдакой фокстротной повадкой подальше в лес».

В 1925 году Петр Петрович изобразил дочь на портрете, названном «Замуж не берут!». На нем мы видим привлекательную двадцатидвухлетнюю особу, кутающуюся в шубку в зябком девичьем одиночестве, с печальной задумчивостью на лице и со слезой во взоре. В портрете, между тем, живет улыбка отца-художника, убежденного в том, что отбою от женихов у дочери нет, и не может не быть. Собственно, так и случилось — в 1927 году она нашла себе мужа.

Первый муж Натальи Петровны был сыном богатого московского купца первой гильдии, державшего до революции торговлю чаем. В роду его были и крепостные. А сам он получил хорошее образование в Англии. Когда-то был пианистом, но бросил музыку и перешел на коммерцию. Работал некоторое время в торгпредстве в Англии, затем в Москве. И именно он, Алексей Алексеевич Богданов, развлекал уже в Америке ностальгирующего Сергея Тимофеевича Коненкова импровизациями на темы Баха, любимого композитора скульптора.

Старший сын Натальи Петровны так передает романтическую историю ее первого брака: «В 1927 году мама убежала в Америку без разрешения родителей. С чужим мужем. В те времена можно было развестись по почте. Пока доехали до Владивостока, он уже получил по телеграмме развод. На пароходе, который шел из Иокогамы в Сан-Франциско, поженились: в Америку она уже въехала женой красивого господина. Он был представителем

«Амторга», свободно владел английским, курил сигары и носил гамаши...»

По свидетельству внучки Натальи Петровны Ольги Семеновой, ее бабушка, мечтавшая о многодетной семье, пережила глубочайшую драму в супружеской жизни. «Шесть раз обрывались беременности. Когда, перед возвращением в Россию, родился мертвый ребенок, поняла, что остается надеяться на чудо...»

Дочь Екатерину Наталья «вымолила», вернувшись в Россию в очередной раз беременной. И 7 ноября 1931 года у нее родилась пятикилограммовая девочка, прозванная акушерками царь-бабой... Она и стала потом матерью Ольги Семеновой.

Через пару лет после возвращения в Россию супруги, по инициативе Натальи Петровны, расстались. Спустя время, по обвинению в шпионаже, был расстрелян старший сводный брат Алексея Богданова. Младший пытался протестовать. Его посадили. И в лагере купец-англоман вскрыл себе вены.

2.

В 1934 году Наталья Петровна познакомилась с поэтом Павлом Васильевым, история отношений с которым откликнулась в «Сибириаде». Знакомство состоялось в семье поэта Михаила Герасимова. Здесь собирались друзья-стихотворцы: Кириллов, Грузинов, Клычков. Это были литераторы пролетарско-крестьянского направления и такого же происхождения. Все они были репрессированы и расстреляны в 1937 году.

Сама Наталья Петровна об этом периоде своей жизни писала: «Мне был тогда 31 год. Я была еще молода, свободна, привлекательна. Я хорошо говорила по-английски, писала стихи, пела американские песни, подражая неграм, ловко выплясывала их танцы, подпевая себе...»

Зажигательный «негритянский танец» возбудил лирический восторг Павла Васильева, кажется, самого крупного из всей этой компании поэта, и он разрешился стихами, воспевавшими столь яркое событие.

...Есть своя повадка у фокстрота,
Хоть ему до русских, наших, — где ж!..
Но когда стоишь вполоборота,
Забываю, что ты де-ла-ешь...

...Стой, стой, стой, прохаживайся мимо.
Ишь, как изучила лисью рысь.
Признаю все, что тобой любимо,
Радуйся, Наталья, веселись!..

Стихи «Шутка» были написаны в марте 1934 года. Но читатель уже заметил, наверное, что Наталья Петровна сознательно или, скорее, бессознательно, фактически цитирует их, когда признается в более поздних автобиографических очерках в легком чувстве вины, которое вдруг посетило ее, когда семья покидала Сорренто. Может быть, она не могла избавиться от этого чувства не столько перед давним Антонио, сколько перед Павлом, чемто неуловимо смахивающим на портрет хвастливого итальянца, нарисованный Натальей Кончаловской в своих воспоминаниях.

Поначалу поэт произвел на молодую женщину неприятное впечатление. «Был он в манерах развязен, самоуверен, много курил, щурясь на собеседников и стряхивая длинными загорелыми пальцами пепел от папиросы куда попало». Но как только он начинал читать стихи, его облик неузнаваемо менялся в глазах Натальи. «И это был подлинный талант, всепобеждающий, как откровение, как чудо!» — восклицает она годы спустя.

Появился целый стихотворный цикл, посвященный «русской красавице» и, по убеждению Андрея, «сублимировавший эротическое, сексуальное влечение к ней».

По первым строфам «Стихов в честь Натальи» можно действительно подумать, что лирический герой воспевает вполне конкретную свою возлюбленную и недавнюю с ней близость. Но дальнейшее развитие лирического сюжета абсолютно фольклорно. Здесь видно восхваление не столько конкретной особы, сколько обобщенной русской красавицы Натальи, вроде сказочной Василисы Прекрасной. И в этом весь Павел Васильев, его поэтическая манера.

Прекращение приятельских отношений между ними Наталья Петровна описывала так: «Я была в ударе, танцевала, шутила, пила шампанское, и вдруг Павел, от которого можно было ждать любой неожиданной выходки, иногда почти хулиганской, почему-то пришел в бешеную ярость. То ли выпил лишнего, то ли взяла его досада на мою «неприступность», но вдруг с размаху ударил меня и с перекошенным побелевшим лицом выбежал из квартиры и скрылся».

На следующий же день Наталья услышала звонок в дверь своей квартиры. Открыла — перед ней стоял Павел. Он просил прощения и обещал, если Наталья не простит, стать перед дверью на колени и не уходить в ожидание прощения. Женщина в гневе захлопнула дверь. А Павел стоял так с двенадцати до трех часов дня... Ей звонили соседи и сообщали, что какой-то ненормальный не хочет уходить с площадки. В конце концов позвонили из милиции... «Я решила прекратить эту демонстрацию и открыла ему дверь. Он плакал. Просил прощения. Я простила его, но он ушел расстроенный. И дружбе нашей пришел конец...»

Андрей полагает, что мать очень рассердили стихи Павла, поскольку в них воспроизводились отношения, каковых на самом деле между нею и поэтом никогда не было. Но в стихах были лишь пылкое воображение поэта и такой уровень художественного обобщения, который вряд ли подразумевает портретную конкретику.

И Наталья Петровна, и Павел Васильев — сибирских корней, но не были равны по социальному происхождению. У поэта оно явно пролетарское. Неравенство это откликнулось в героях «Сибириады», далекими прототипами которых они стали.

Настя Соломина — девушка из семьи зажиточной, крепкой, своенравная, с сильным характером. Николай Устюжанин — бедняк, отравленный мечтой о «городе Солнца», о царстве небесном для бедных. Их отношения начинались, что называется, с классовой вражды, когда маленький Колька, живущий вечно впроголодь, охотился за «пельмешками» Соломиных, а Настя его ловила и жестоко наказывала. Девушкой и юношей они полюбили друг друга. Но классовая дистанция давала себя знать, отодвигая чувство, пока, наконец, оба не покинули родную Елань, окунувшись в костер революции.

Художественный вымысел и биографический факт реальной жизни время от времени пересекаются в творчестве режиссера, подсвечивая, комментируя друг друга. Но сам Кончаловский ни одну из своих картин не может назвать автобиографичной.

«Все мои картины автобиографичны лишь в том смысле, что в них я говорю о том, к чему мое сердце открыто, что мне дорого, что занимает меня в проблемном плане. Дуализм свободы, мужчина и женщина, что их связывает и что разделяет, как соотносятся любовь и свобода. Я, например, очень сильно сомневаюсь в том, что можно любить и быть свободным. А если свобода без любви или любовь без свободы, тогда что лучше? У каждого свой выбор, но каждый должен чем-то пожертвовать. Необходимость жертвовать — в этом уже есть автобиографический момент».

Актриса Наталья Андрейченко была приглашена на роль героини фильма не случайно. Не нужно особой зоркости, чтобы разглядеть ее типажное сходство с фотографическим портретом Натальи Кончаловской середины 1920-х годов. Режиссер, у которого затеялись недолгие романтические отношения с актрисой, вспоминал: «Она стояла, готовила яичницу; я смотрел на ее икры, плотные, сбитые — вся казалась сделанной из одного куска. Сразу понял: она настоящая и, наверное, может сыграть Настю. Наташа Андрейченко — от природы актриса. В ней русская широта, ощущение себя в пространстве, стать, мощь...»

Когда размышляешь над тем, что от материнской натуры унаследовано Кончаловским-художником, то прежде всего думаешь о чувственности, присущей его кинематографу и сознательно им культивируемой, — особенно в советский период. Думаешь о чувственности, по природе своей неотвратимо разрушительной, но в то же время таящей в себе обещание чего-то настоящего, основательно крепкого, как корни дерева, упрочившегося в своей почве.

Праздничный и жестокий, язычески-чувственный мир поэзии Павла Васильева именно через факты биографии матери стал для Андрея отправной точкой в решении взять повесть Айтматова «Первый учитель» для своей дипломной картины. «Киргизия, какой я ее знал по стихам Васильева, была страной людей с открытыми и первозданными чувствами, с яростным накалом страстей...»

Биографическое, даже глубоко интимное, преображенное фантазией режиссера, становилось эпикой.

3.

В той же компании поэтов, к которой принадлежал Павел Васильев, встречался с Натальей и Сергей Михалков. Она не хотела идти за своего молодого ухажера. Но тот настаивал на законном браке. И тридцатидвухлетняя женщина сдалась на уговоры двадцатидвухлетнего начинающего поэта.

По убеждению Ольги Семеновой, в бракосочетании Натальи и Сергея существенную роль сыграла ее мать, тогда девчонка, привязавшаяся к долговязому молодому человеку еще до того, как он стал ее отчимом. «Или ты выйдешь за Сережу или за никого!» — заявила Катя матери.

«Перед тем как идти в ЗАГС, — рассказывает Сергей Владимирович, — мы зашли в «забегаловку», выпили водки, а после регистрации купили четверть белого свирского вина и отправились отмечать событие к нашему другу — поэту Михаилу Герасимову и его красавице жене Нине. Через год оба они были арестованы. Миша погиб в лагере, а Нина, со сломанной судьбой, утраченным здоровьем, вернулась из ссылки и некоторое время потом жила у нас...»

Так, в 1936 году Наталья Петровна заключила второй, неожиданный для окружающих брак. Он кажется странным и ее старшему сыну, как раз по причине «неравности» сторон. Во-первых, она была старше супруга, а во-вторых, «в отличие от отца, у нее обширное образование, большой круг друзей...».

За «тридцатыми» последовали «сороковые-роковые». Потом родился младший, Никита. Дочь от первого брака как-то отодвинулась на периферию забот, находилась под присмотром бабушки Ольги Васильевны...

В 1941 году мать с Андроном эвакуировалась в Алма-Ату. Отец в это время нес газетную службу на фронте.

«Мама, — рассказывает старший сын, — много писала, делала либретто для опер, песни для мультфильмов, зарабатывала деньги. Одно из воспоминаний первых послевоенных лет: я сижу под статуей Ленина на «Союзмультфильме», жду, когда мама получит деньги в кассе. Потом мама стала членом приемной комиссии Союза писателей, ей приходилось читать массу чужих стихов, к работе она относилась очень серьезно. Катеньку, нашу сестру, мама вообще оставила жить у дедушки с бабушкой, очень потом жалела об этом, чувствовала себя перед ней виноватой. Мама всех своих детей задумывала. Она с самого начала хотела сына, но первой родилась дочь. Потом, беременная мной, она задумывала, каким я должен быть, какой характер, какая профессия, какая судьба. Думаю, меня она любила просто безумно. Она вообще была человеком на редкость страстным. Это я понял очень поздно...»

Как любила его мать, Андрей услышал от нее самой действительно поздно. Когда увидел ее в последний раз в клинике и мать призналась, что любила его больше всех на свете. «Но это надо потерять, чтобы почувствовать».

Воспоминания Андрея появились через десять лет после смерти матери. С запоздалым чувством вины говорит он о молодом своем эгоизме, который замечает и в собственных повзрослевших детях. Тогда, давно, он не находил времени прислушаться к тому, чем мать хотела поделиться с ним, уже взрослым и, как ей казалось, способным понять ее переживания и мысли. Сын не готов был воспринимать ее литературную деятельность, как, впрочем, и то, что писал отец. Когда надо было слушать, он «набирался наивозможнейшего терпения и внимания». Но в этот момент рядом с ним нередко сидела какая-нибудь девушка...

Тяжело она приняла планы сына покинуть страну. В ее переживаниях было и много вины за собственный давний отрыв от родных мест. Мать долго спорила с сыном, плакала. Но после премьеры «Сибириады» согласилась с тем, что он прав: «Я не должна тебя осуждать, ведь я сама когда-то вот так же уехала...»

В зрелые годы и в старости она изо всех сил пыталась удержать от распада семейное целое. С терпеливым вниманием принимала, например, на Николиной Горе невесток, а вслед за ними и возлюбленных старшего сына, стараясь сохранить равновесие традиционных взаимоотношений.

«К маме было настоящее паломничество, — рассказывает Андрей, — она умела давать людям положительные заряды. Многие мои женщины навсегда оставались ее верными друзьями. К счастью, с возрастом в ней прошла суриковская нетерпимость. У бабушки еще была категоричность: только черное или белое, никаких полутонов. Мама ко всему относилась примирительно».

Те, кто видел и знал Наталью Петровну в эти годы, вспоминают, как она обожала своих детей. Казалось, со старшим сыном она была особенно близка. В отличие от младшего, веселого, неунывающего, старший называл себя «меланхоли бэби».

Тогда Наталье Петровне было уже за семьдесят, и, как она ни старалась удержать домашнее равновесие, оно неотвратимо уходило из семьи с убегающими ее годами жизни.

Актриса Елена Коренева, вспоминая свои встречи с Натальей Петровной, время, проведенное на Николиной Горе, полагает, что красота семейства Михалковых-Кончаловских нелегко далась ее создателям. Актриса видела, как беззаветно любит свою мать ее старший, как хранит благословленные ею иконки, ее фотографии, как переживает ее старость. И вместе с тем — сопротивляется ее силе, освобождается от ее власти, чтобы быть не просто сыном, но мужчиной.

Елена прибилась к матери своего возлюбленного Андрея, тогда уже женатого на Вивиан Годе, как к крепкой пристани и училась у нее. Училась, например, быть сильной в одиночестве. Здесь самое главное, утверждала Наталья Кончаловская, чтобы было интересно с самой собой, и тогда уже ничего не страшно.

4.

А гораздо ранее, в середине 1960-х, в семью Михалковых-Кончаловских войдет начинающая актриса Наталья Аринбасарова, вторая жена Андрея. Через полвека она подготовит с помощью своей дочери (правда, уже от второго брака) Екатерины Двигубской мемуары — в том числе и об этом периоде жизни.

Как казалось тогда Наталье, они очень быстро подружились с матерью ее мужа. Аринбасарова получила прозвание — Наташа Маленькая, чтобы отличаться от Наташи Большой...

Для Маленькой образ обители Кончаловских складывался из традиционных составляющих: «аромата свежего кофе», «поджаренного хлеба», «щебетанья канареек» и т. д. Именно так встречало ее каждое утро. Она попала в налаженный, как бы дореволюционный усадебный уклад, далекий от советского быта, в котором совсем недавно жила.

Супруг освободил юную жену от домашних забот и приобщил к самообразованию. Она должна была много читать, изучать французский язык под присмотром преподавательницы, получившей образование в Сорбонне.

Уже в конце 1990-х в одном из многочисленных с ним интервью Андрей говорил, что женщинам, с которыми у него были романтические отношения, он многое давал. То же можно услышать и от них самих.

«По мере моего внутреннего роста, зрелости, расширения кругозора и опыта мне всегда хотелось дать тем, кого люблю, максимум того, что имею, что знаю... И мои женщины, как правило, всегда открыты для принятия каких-то идей — то ли это музыка, то ли поэзия, то ли природа...»

Наташа Маленькая родила Наташе Большой первого внука, которого та назвала в честь Георгия Победоносца.

В унисон всем тем, кто знал Наталью Петровну, Аринбасарова обращает внимание на ее любовь к жизни, на умение жить. Те же черты видела в свекрови и вторая жена ее младшего сына Татьяна Михалкова.

«С семи утра в ее кабинете уже стучала пишущая машинка — она работала. Она уважала все, что было сделано своими руками, поэтому обвязывала внуков, шила одежду — вплоть до пальто. Я, когда вошла в дом девчонкой с подиума, ничего не умела. Она меня учила. Андрон всегда удивлялся: зачем вам все это надо?.. Кстати, делала мама и кончаловку — это водка, настоянная на смородине. Она производила ее целыми бутылями. И всегда графины с кончаловкой стояли на столе. С нее пошла традиция настаивать водку именно так, а также умение варить варенья-пятиминутки...

В доме, в котором она всех собирала, был дух дома. Все усаживались за стол под абажуром, который она сделала тоже своими руками — такой оранжевый, с висюльками, а внутри сетка. Я помню его все годы, что в семье. Когда собирались, читали вслух Чехова, Толстого, Платонова. За долгими чаепитиями и Никита, и Андрон часто читали свои сценарии. Кипел самовар, растопленный шишками. У наших детей, когда они маленькими были, даже обязанность такая была — шишки для этого самовара собирать...»

...Андрей, покидая Россию, настойчиво убеждал мать в необходимости и неотвратимости этого шага. В то же время родина для него сосредоточилась в иконке Андрея Первозванного. Образ принадлежал еще Василию Сурикову. Кончаловскому иконку передала мать, поместив в черный кожаный чехольчик, сшитый ею самой. Образ оставался при сыне во время дальних дорог. Напутствуя, мать вручила ему и молитвослов со своей фотографией. От этих вещей, по признанию Андрея, исходила «неведомая энергетическая сила», много дававшая ему, особенно в трудные минуты жизни.

Наталья Петровна была «глубоко верующей, — говорит Татьяна Михалкова, — а вера тогда не приветствовалась, тем более при положении Сергея Владимировича». Невестка вспоминает иконостас, превращенный из шкафчика карельской березы. Там всегда лампадка горела. У Натальи Петровны «не было икон дорогих и старинных, иногда даже картонные».

Образцом женщины, мерилом лучших женских свойств, с точки зрения Андрея, всегда была мать. Из совокупности качеств характера, черт Натальи Петровны слагалось то, что Андрей подсознательно носил в себе как защиту, оберег от бед, надеясь, по словам поэта, спрятаться в мягкое, женское. По его собственным признаниям и по сторонним наблюдениям, в женщине он всегда испытывал необходимость, когда нуждался в энергетической подпитке, когда чувствовал предел жизненных (или творческих) сил. Я думаю, во всех женщинах, с которыми он так или иначе был близок, в том числе и в Юлии Высоцкой, он безотчетно хотел видеть мать, искал ее в них. Возможно, в последнем случае, наконец, нашел...

Как-то в начале 1930-х годов Василий Качалов предложил Петру Кончаловскому поехать на Николину Гору, поселок близ Перхушкова. «Место отличное, на крутом берегу Москвы-реки, — уговаривал артист приятеля. — Там построили дачи Отто Шмидт, Вересаев, Семашко, и еще есть свободные участки. Съездим!»

Качалов выбрал себе участок в сосновом бору, на склоне горы, и уговаривал Кончаловского взять соседний. Но тот отказался: «Не люблю я эти карандаши — сосны. Я люблю совсем другие пейзажи, я люблю лес смешанный, где птиц много...» А через двадцать лет, когда, по воспоминаниям Натальи Петровны, отец зимой приехал к ним на дачу (Качалова уже не было в живых), он вышел в сад, увидел соседний дом Качаловых-Шверубовичей и, задумавшись, сказал: «Вот поди ж ты! Все-таки этот участок достался нашей семье!»

«Тогда же отец, — рассказывает Наталья Петровна, — решил писать мой портрет на зимнем фоне, в меховой шубе и кружевном платке поверх меховой шапки. Так на Николиной Горе в 1953 году был написан папой мой последний портрет...»

глава четвертая

Отцовская ветвь. Детский секрет патриарха

...И вот уже я в той Стране,
Где я увидел свет,
И, как ни странно, снова мне
И пять, и десять лет.
Сергей Михалков. Мой секрет

1.

В младенческих истоках биографии Сергея Владимировича Михалкова, года за четыре до революции, случилось событие явно символическое.

Няня Груша прогуливала малыша в детской колясочке. Та неожиданно двинулась с места и, подобно знаменитой коляске из еще не созданного фильма Эйзенштейна «Броненосец „Потемкин“», покатилась под горку, набирая скорость. Няня погналась за убегающей коляской, в которой, заходясь, плакал ребенок. Не догнала. К счастью, в гору поднимался какой-то бородатый мужик. Он-то и сумел поймать ее, чем спас младенцу жизнь. Но при этом ребенка страшно напугала огромная борода спасителя. С этого момента Сережа начал заикаться, что в дальнейшем стало его своеобразной визитной карточкой.

Сергей Владимирович речевого дефекта никогда не стеснялся, а, напротив, хитроумно использовал его в отроческие годы, чтобы заработать, например, «тройку» у сердобольной учительницы при совершенном незнании урока.

Пользовался этим фирменным знаком отца и его старший сын, когда возникала, скажем, необходимость заполучить дефицитные билеты для себя и своей девушки в какой-нибудь труднодоступный по тем временам театр. На чем и был однажды пойман отцом, случайно оказавшимся в том самом месте, куда звонил предприимчивый сын.

Итак, младенца Сережу Михалкова напугала вовсе не опасность разбиться, а бородатый лик мужика, остановившего коляску. Это напоминает те «знаки», какие встречаются на страницах пушкинской «Капитанской дочки» в связи с другим бородачом, не только спасшим от гибели дворянского отпрыска, но и сыгравшим важную роль в его становлении. А ведь поначалу Петруша Гринев сильно был напуган «русским бунтом, бессмысленным и беспощадным»...

История со злополучной коляской прочно задержится в памяти сына. Возможно, подсознательно. Как и другие моменты из жизни отца. В особенности те, конечно, которые впрямую связывались с переживаниями и жизнью самого Андрея. Они, в свою очередь, обретали символический смысл и становились художественными образами.

Вот почему, когда я вижу в его «Дуэте для солиста» коляску, несущуюся с горы, невольно подсказываю себе именно такую аналогию. В фильме это инвалидная коляска. На нее обречена героиня. И катастрофический бег коляски есть символ крушения последних жизненных опор в судьбе знаменитой скрипачки. В более широком смысле можно увидеть здесь и детскую хрупкость, неверность человеческого бытия, в чем и состоит его действительный трагизм, отзвуки которого живут в картинах Кончаловского.

Отчего же похожие события из жизни Андрея и его семьи, в самой жизни свидетельствующие, скорее, о подарках судьбы, в его картинах превращаются не в дары, а в удары фортуны?

Сергей Владимирович Михалков в советское время опасался поминать о своем происхождении и в анкетах показывал: из служащих.

Однажды (уже во второй половине 1990-х, кажется) он долечивал перелом бедра в санатории в Назарьеве. Его проведал старший сын. «Видишь это окно? — указал отец сыну. — Из него папа кидал мне шоколадные конфеты. А я стоял вот здесь. Это было наше родовое имение, наш дом. А возле церкви похоронен твой прапрадед, его супруга и многие из нашей родни...»

Михалковы — древний род, пошел из Литвы. В поздних автобиографиях своих Сергей Владимирович цитирует сборник «Старина и новизна» (кн. XVII, 1914): «Михалковы в свойстве с Шестовыми, родом Великой Старицы Марфы Ивановны, матери Царя Михаила Федоровича. Первым "постельничим" вновь избранного Царя был человек ему не сторонний, а именно Михалков...»

Первый постельничий Михаила Федоровича, Константин Иванович Михалков, был наместником трети Московской (скончался в 1628 г.). Федор Иванович Михалков служил воеводой в Романове, Тотьме и Чебоксарах. В Смутное время, в годы иноземного нашествия на Русь, сохранил верность Отечеству. В 1613 году «за службу против польских и литовских людей» и за «московское сидение» ему была пожалована вотчина.

В Государственном историческом музее в Москве, Российском государственном историческом архиве Санкт-Петербурга, государственном архиве Ярославской области, в других архивах страны, в том числе и в ЦГАЛИ, хранится большой семейный архив рода Михалковых. Здесь можно обнаружить грамоты, челобитные, около четырнадцати тысяч листов семейной переписки от середины XVII до начала XX века.

А в Рыбинске, невдалеке от которого, в селе Петровское, находилась усадьба предков Михалкова, есть музей, почти полностью состоящий из предметов, принадлежащих их роду...

В свое время в запасниках Рыбинского музея были обнаружены иконы, составляющие, по словам Сергея Михалкова, духовную ценность семьи и разыскивавшиеся поэтом в течение многих лет. На обороте одной из них, «Богоматери Владимирской», значилось: «Сим образом благословили служителя своего Феофана Григорьева г-н Сергей Владимирович Михалков и супруга его Мария Сергеевна Михалкова в 1830 году апреля 27 дня, а написан оный образ около 1650 года прадедушкой Сергея Владимировича Михалкова Петром Дмитриевичем Михалковым, что в Петровском близ Рыбинска».

Сергей Владимирович мечтал о том времени, когда эти реликвии покинут запасники музея и перекочуют в семью. Он с гордостью поминал своих предков, испокон веку защищавших Отечество.

Так, прапрадед поэта Сергей Владимирович Михалков (1789–1843) служил в Семеновском полку и прошел путь от унтер-офицера до подпоручика. Отличился при Аустерлице в 1805 году, при Фридланде в 1807 году, за что был награжден боевыми орденами России.

Его сын, действительный статский советник Владимир Михалков (1817–1900), женатый на княжне Елизавете Николаевне Голицыной, в 1839 году блестяще окончил университет в Дерпте. Деятельность прадеда Сергея Михалкова протекала на ниве народного просвещения. Известность он приобрел как крупный коллекционер и владелец одной из лучших частных библиотек России, которая, по завещанию, после его смерти была передана «в общественное пользование».

Дед же Сергея Владимировича, Александр Владимирович Михалков, штаб-ротмистр Кавалергардского полка, страдал душевным заболеванием, отчего сам был в отставке, а его имущество и дети (Мария и Воля) под опекой. Опеку осуществлял будущий крестный Сергея Владимировича — генерал-лейтенант В. Ф. Джунковский (1865–1938), во всех отношениях примечательная фигура русской истории. Ему довелось быть командиром Отдельного корпуса жандармов и товарищем министра внутренних дел. На этих должностях реформировал службу политического сыска, упразднив, в частности, охранные отделения во всех городах Империи, кроме столиц. После Октябрьской революции неоднократно арестовывался. В последние годы жизни был церковным старостой в одном из приходов Москвы. Давал частные уроки французского. В конце 1937-го его арестовали в последний раз и по приговору Тройки НКВД расстреляли на Бутовском полигоне.

Наконец, отец Сергея Михалкова и дед Андрея, Владимир Александрович Михалков. Получил образование на юридическом факультете Московского университета. Именно он передал родовую библиотеку в основной фонд Библиотеки Академии наук в Петербурге.

Родословной своей могла гордиться и бабка Андрея со стороны отца, урожденная Ольга Михайловна Глебова. Ее предки служили на военном и государственном поприщах, активно участвовали в походах и войнах, которые приходилось вести России. В роду Глебовых находят и Михаила Павловича Глебова (1819–1847) — друга Лермонтова, секунданта на последней дуэли поэта. По этой же глебовской ветви Михалковы связаны родством с князьями Голицыными и графами Толстыми.

2.

Сергей Владимирович Михалков родился в Москве 13 марта (28 февраля ст. ст.) 1913 года в доме № 6 по улице Волхонке. Детство его протекало в Назарьеве. Позднее семья должна была переехать в имение Ольгино в Амвросиевке, области войска Донского. От этих дней в памяти остался запах персиков, разложенных на полу большой комнаты, выходившей в сад. И казаки, охраняющие семью...

«...Могла ли наша семья спрятаться от бед и невзгод послереволюционной России где-нибудь в Париже или в Берлине? Разумеется, могла. Почему же мой отец выбрал иной путь? Почему он решил, несмотря ни на что, терпеть все, что суждено русскому народу? Должно быть, и потому, что знал себя, знал, что истинно русскому человеку трудно, почти невозможно прижиться в чужом, даже благодатном краю. Надо при этом учесть, что он был верующим человеком и понятие долга перед людьми, Отечеством было для него не пустым звуком...»

Владимир Александрович Михалков, получив юридическое образование, занялся птицеводством. В 1927 году он одним из первых откликнулся на приглашение Терселькредсоюза перейти в эту организацию на постоянную работу в группе специалистов — птицеводов. Его сын полагал, что отец покинул Москву не случайно, а желая быть подальше от «органов», бдительно следящих за «бывшими».

Семья Михалковых поселилась на окраине Ново-Пятигорска. Владимир Александрович целыми днями пропадал на птицефермах, на организованной им впервые в СССР инкубаторно-птицеводческой станции, в командировках по Терскому краю. В свободное время изобретал, писал. В 1932 году ему предложили возглавить кафедру в Воронежском сельскохозяйственном институте. Он согласился. Но переехать на новое место работы и жительства не успел — скончался в Георгиевске от крупозного воспаления легких.

Сергей Михалков начал писать в десять лет. Именно отец подтолкнул будущего поэта к стихотворству. Окончив в 1930 году школу, Сергей решил направиться в столицу, чтобы там начать самостоятельную жизнь. В дорогу получил сухо-рациональное письмо отца, адресованное его сестре Марии: «Посылаю сына в Москву, чтобы попытаться поставить его на ноги. Его задача — получить нужное для писателя образование путем работы в библиотеке, посещения театров, диспутов, общения с людьми, причастными к культуре. Если в течение года он сумеет двинуться вперед и будут какие-либо надежды, он поступит на завод работать и потом будет учиться по какой-нибудь специальности».

В течение трех последующих лет Сергей трудится разнорабочим на Московской ткацко-отделочной фабрике, затем — помощником топографа в геолого-разведочной экспедиции в Восточном Казахстане и в изыскательской партии Московского управления воздушных линий на Волге. А с 1933 года начинает более или менее регулярно печататься в столичной периодике.

Своих предков по линии отца Андрей в мемуарах поминает скупо. Но сам отец не исчезает из поля зрения сына. В одном из многочисленных интервью в дни его семидесятилетия на вопрос, есть ли у него сейчас человек, на которого он смотрел бы снизу вверх, режиссер ответил: «Конечно... Я и на своего отца смотрю снизу вверх».

Фигура отца волнует Кончаловского и как художественный образ, вырастающий в символ целого пласта исторической жизни Отечества, а то и — в некий архетип.

Сергей Владимирович уже в 2000-м трезво говорил о себе, как о «гражданине бывшего Советского Союза, бывшем советском писателе». Но в непривычные для него времена вплоть до самой кончины в 2009 году внимание общественности к старшему Михалкову, тем не менее, не ослабевало. К патриарху уважительно обращались государственные лидеры этой поры. Он выполнил заказ на новый текст Гимна страны. А его юбилеи приобретали широкий резонанс в обществе.

В то же время близкие и родные Сергея Владимировича в один голос утверждают: в нем до седых волос сохранялось что-то безусловно детское, подростковое. Притом возиться с маленькими детьми он не особенно любил, избегая заниматься этим как со своими собственными чадами, так и с внуками и правнуками.

Андрей вспоминает тинейджерские выходки отца в уже преклонном возрасте, замечая «легкость», с какой тот все это совершал, что «определяет во многом его характер».

Младший сын, в свою очередь, наблюдал в отце «глубинную жизнь ребенка». Ему, как считала сама Наталья Петровна, «всегда было 13 лет». Но при этом она была убеждена, что Сергей Владимирович ее «сделал, то есть создал ее как личность». Удивительно, поскольку члены семьи то и дело отмечают необремененность Михалкова-старшего бытовыми проблемами. Проблемы эти целиком возлагались на Наташу Большую, «курирующую» и мужа-подростка, по-матерински его опекающую.

Он и сам признавался, что о воспитании детей не особо пекся. «Жена была духовным стержнем семьи, а я, если можно так выразиться, кормильцем».

Общественно-государственное поприще было для него гораздо привлекательнее, чем жизнь в семье, от которой он, кажется, все более «отвыкал» по мере роста собственного общественного веса. И в бытность пребывания семьи в Буграх отец Андрона и Никиты наведывался туда только по воскресеньям, и то очень редко. Не часто появлялся и на Николиной Горе. Приезжал и тут же уезжал, не умел жить на даче. Похоже, он так и не освоил частное существование домом-семьей.

Сергей Владимирович соблюдал собственные, удобные для себя правила жизни с каким-то действительно подростковым эгоизмом. В том числе ему удобно было не вмешиваться в духовную жизнь супруги, во многоуровневое ее общение, как, впрочем, и не склонен он был мешать ее стабильному одиночеству. Так он и свою собственную свободу действий и поведения сохранял, благодаря удивительной способности жены регулировать жизнь многочисленного семейства.

3.

Пока Петр Петрович и Ольга Васильевна были живы, взаимоотношения Сергея Михалкова с семьей Кончаловских складывались по-разному. И не всегда во взаимопонимании.

Ольга Васильевна, например, так отреагировала на получение в 1939 году двадцатишестилетним зятем ордена Ленина за детские стихи: «Это конец. Это катастрофа».

За три года до этих событий в газете «Известия», с которой внештатно сотрудничал Михалков, вдруг появились ставшие в постсоветское время легендарными его стихи «Светлана». Они настолько понравились вождю, по воспоминаниям поэта, что из ЦК ВКП(б) должны были, по указанию Сталина, поинтересоваться условиями жизни Сергея Владимировича. Не нуждается ли он в помощи?

Стихотворение, рассказывает его автор, поначалу называлось «Колыбельная». Но ему вдруг захотелось прямо адресовать стихи своей знакомой. И вот совпадение — дочь вождя, как известно, тоже звали Светланой!

Сергей Владимирович угодил «в случай»? Вполне возможно в стране, которая, по убеждению Андрея Сергеевича, никак не перерастет феодальные отношения между властью и населением.

С того момента, может быть, все и началось. Сергей Владимирович пришелся власти по вкусу. А он не отвергал предоставленных ею благ. Но интуиция «у отца четко работала». «Туда, куда лезть не просили, он не лез». Участие в «политических играх» Михалков стал принимать только в оттепельную эпоху.

В 1964 году он становится членом Коллегии Министерства культуры СССР, в 1965-м — главой Московской писательской организации, а с 1970-го исполняет обязанности Председателя правления Союза писателей РСФСР и секретаря правления Союза писателей СССР. Во времена же Сталина «предпочитал быть просто детским поэтом».

Правда, в 1949 году стал членом Комиссии по Сталинским премиям в области литературы и искусства при Совете Министров СССР. Но вряд ли его слово было там решающим, судя по воспоминаниям Константина Симонова, другого классика советской словесности, гораздо ближе стоявшего к Хозяину и в гораздо большей степени, чем Михалков, облеченного в качестве исполнителя высшей воли государственными заботами.

Амплитуда восприятия фигуры «Отца народов» тогдашней творческой интеллигенцией, в том числе и людьми весьма проницательными и глубокими, имела размах от образов сатанинско-демонических до божественных.

Тот же Борис Пастернак, вспомним, в ответ на телефонный звонок вождя, рисуя, наверное, в своем поэтическом воображении чуть не вселенской значимости события, просит специальной встречи для разговора ни много ни мало «о жизни и смерти».

Михаил Булгаков — опять же после хрестоматийно известного звонка Сталина — едва ли не до конца дней, как полагает Мариэтта Чудакова, жил под его впечатлением и ожидал на постоянном нерве второго сигнала, который должен был решить его, писателя, судьбу.

По убеждению Мариэтты Омаровны, в образе, с одной стороны Пилата, а с другой — Воланда, художник сублимировал свои переживания, связанные с представлениями о масштабах фигуры Хозяина.

Это только в 1989 году культурологу Л. М. Баткину, родившемуся в 1932-м и сознательно вступившему в жизнь уже в середине 1950-х, в статье «Сон разума. О социально-культурных масштабах личности Сталина» можно было с демонстративно неспешной трезвостью оценить явление и увидеть в давно почившем вожде посредственность, по уровню мышления находящуюся где-то рядом с персонажами рассказов Зощенко. Что касается современников вождя из старших поколений, то «страх и трепет», ими владевшие, подсознательно управляли многими, лишая способности «взрослой» реакции на происходящее.

Все они, так или иначе, выступали в роли «детей», исполнительно послушных перед лицом «строгого, но справедливого» царя-батюшки. Интенция такого свойства не изжита доселе.

Кончаловского в свою очередь волновала «магия» фигуры вождя, когда режиссер приступил к своей картине о Сталине.

«Пропасть всегда манит к себе, хоть заглянуть в нее страшно. Возможно, это был гипноз страха. Нетрудно танцевать на гробе Сталина или Ленина, когда дозволено танцевать где угодно. Это лишь доказательство рабского инстинкта, еще столь живого в России...»

С. В. Михалков не искал, пожалуй, в вожде ни бога, ни дьявола. Такого масштаба мистика была ему не по плечу. Он едва ли не на двадцать пять лет был моложе тех, кто составил славу Серебряного века, а затем попал в капканы сталинизма.

К середине 1930-х, когда Михалков только входил в литературу, они уже вполне осознавали свою значительность, свое место в ней. Михалков был и моложе, и, конечно, менее значим. Вряд ли Хозяин останавливал на нем с той же пристальностью свой взгляд, как на Мандельштаме, Пастернаке или Булгакове. Их он мог воспринимать и как ровесников, и как равных ему «содеятелей», что никак не относилось к Михалкову или Симонову.

Михалков верил (или убеждал себя, что верит) Хозяину и послушно исполнял его волю, как подросток подчиняется своему вожаку, не размышляя и беспрекословно. И поощрения, награды со стороны власти накапливал, выстраивая защитные стены в той крепости, в которой хотел упрятать и себя и, по возможности, семью.

Необходимость приспосабливаться к власти укоренилась и стала привычкой советской интеллигенции и в более поздние времена. Сергей Владимирович в новых условиях сочинял соответствующие политическому моменту произведения, подписывал, по выражению сына, все, что требовалось подписывать. Не делал ничего такого, что выходило бы за рамки поведения большинства из его круга и его времени.

Трудно сказать, чья позиция, в данном случае, если можно так выразиться, лучше — точнее, спасительнее. Метафизические взлеты возбужденного воображения Пастернака и Булгакова или самозащитный «договор» с властью Михалкова и Симонова? Когда Пастернак пишет о Сталине («...живет не человек — деянье, поступок ростом с шар земной»), он возвышает властную бесчеловечность диктатора до уровня своей художнической человечности. Не потому ли, что не может представить себя склоняющимся перед обыкновенным «паханом»? Но у страха глаза велики. И уж если «подыгрывать» такому — то возводя его на уровень своей, поэта, гениальности. Другое дело, что стихи при этом утрачивают живую силу, ту самую гениальность. Но в России, надо сказать, испокон веков нутро художника, по феодальным правилам, зудело от страсти царям чего-нибудь да говорить. «Таков, Фелица, я развратен...»

«Нужные» стихи Михалкова о Сталине, партии и тому подобном никогда не претендовали на уровень созданий того же Пастернака. Они и не воспринимались как тревожная загадка, поселяющая сомнения: «Как же так?! Как мог?!». Михалков использовал ремесло на службе режиму в самом прикладном смысле, оберегая от гнева царского и себя, и своих близких.

Через год после награждения орденом Ленина поэту и драматургу присуждают Сталинскую премию второй степени «за стихи для детей». Еще через год — вторую того же достоинства. И уже в числе создателей фильма «Фронтовые подруги», где он выступал в качестве соавтора сценария. Это был его дебют в кино.

«Счастливчик» Михалков принимал эти «охранные грамоты» с мыслью: «Ну, теперь уж не посадят». На том же основании зиждилось и его участие в коллективных акциях осуждения тех, кого затравливала власть.

«Этот панцирь, — говорит в своем фильме «Отец» его младший сын, — ...существовал не только для тех, кто был вне семьи, вне нашего дома, но порой и для нас, для нас для всех...»

Кстати, о награждении Сталинскими премиями. Были и куда более удачливые в этом смысле современники детского поэта. Причем люди далеко не бесталанные, а часто, в прямом смысле, — гордость страны. Их список мог бы заполнить не одну страницу настоящего издания.

Великая Фаина Раневская, например, как и Михалков, была трижды лауреатом высокой премии. Одну из них — третьей степени — она получила за исполнение роли отвратительной немецкой трактирщицы фрау Вурст в фильме «У них есть Родина» (1949 г.) по сценарию Сергея Владимировича. Актриса считала, что роль у нее получилась, но при этом не забывала помянуть, что сыграла она ее «в этом михалковском дерьме».

«...Во времена ждановщины, — вспоминает Андрей, — отец написал «Илью Головина», пьесу конъюнктурную, он и сам того не отрицает. Пьесу поставили во МХАТе. Обличительное ее острие было направлено против композитора, отдалившегося от родного народа, сочиняющего прозападническую музыку. Прототипами послужило все семейство Кончаловских... Естественно, Кончаловские себя узнали... обижены уж точно были. Во времена недавние мне захотелось в этой пьесе разобраться. Как? Единственный способ — ее поставить. Хотелось сделать кич, но в то же время и вникнуть, что же отцом двигало: только ли конъюнктура или было какое-то желание высказать вещи, в то время казавшиеся правильными? Замысел этот пришлось оставить — слишком сложная оказалась задача...»

Может быть, с самых первых творческих шагов в кино Кончаловским владеет настойчивая жажда «разобраться». Разобраться в специфическом мировидении соотечественников той, советской эпохи, эхо которой хорошо слышится и в новом веке. Он пытается едва ли не в каждой своей работе вглядеться в глубины истории советской ментальности, названной им по имени героя «Ближнего круга» (1992) Ивана Саньшина «иванизмом». И чем более зрелым становится он сам (и как художник, и как мыслитель), тем более заинтересованно, широко и предметно стремится охватить проблему, которая ныне толкуется им уже как постижение качества «культурного генома» нации. И внутри этой проблемы всегда и несомненно значимой, и актуальной составляющей остается опыт отца, целиком сформированный советской системой.

«...Однажды в музее Сталина в Гори, — вспоминал Сергей Владимирович уже в постсоветские времена, — меня попросили оставить записи в книге посетителей. Я написал: «Я в него верил, он мне доверял». Это только теперь история открывает нам глаза, и мы убеждаемся в том, что именно он, Сталин, был непосредственно повинен во многих страшных злодеяниях. Тиран, садист, сатана. Режиссер кровавых политических спектаклей и сам непревзойденный актер в жизни. Вождь, снискавший фантастическую любовь народных масс и уважение государственных деятелей мира. Не человек, а явление. Персонаж, достойный пера Шекспира...»

Эта по-своему восторженная характеристика вождя и отношения к нему как «народных масс», так и самого Михалкова как-то пересекается с теми масштабами образа Сталина, которые транслировали в свое время Булгаков и Пастернак. Под этими строками мог бы, возможно, подписаться и старший сын Сергея Владимировича. Пожалуй, именно в таком качестве, во всяком случае, он хотел изобразить Сталина в своем фильме «Ближний круг».

4.

Судьбоносную «избранность» Сергея Владимировича оттеняет жизненный путь его младшего брата Михаила, скончавшегося в сентябре 2006 года в возрасте 84 лет.

В семье Михалковых было три мальчика. Кроме упомянутых двух, еще Александр, средний брат. В 1941 году все они находились в рядах Советской Армии. Все трое, кстати сказать, неплохо владели немецким языком благодаря немке-гувернантке. Знание языка сыграло особую роль в жизни Михаила. Окончив спецшколу НКВД, в годы войны он находился в тылу врага как агент-нелегал.

Еще в самом начале войны семья получила повестку: Миша пропал без вести. А в январе 1942-го вдруг пришло известие: младший брат расстрелян фашистами.

Андрей Сергеевич рассказывал: «Дядя был замечательный и... сумасшедший. По-настоящему! Его расстреливали нацисты, он успел упасть до залпа, облитый бензином лежал на тридцатиградусном морозе в штабеле между телами погибших. Немцы поджигать сразу не стали, оставили до утра. Чтобы, значит, подмерзли. А ночью дядя выбрался из-под груды трупов и сбежал. Голый...»

На исходе 1945 года разноречивые сведения подытожатся в письме дяди Миши из Лефортовской тюрьмы. Позднее прояснятся и подробности запутанной военной биографии Михаила — из его книги «В лабиринтах смертельного риска». А пока было ясно только то, что младшего обвиняют в измене Родине.

В поисках справедливости Михалкову-старшему довелось свидеться с Берией. После Лефортова Михаила отправят в лагерь под Рязанью. Здесь братья и встретятся. «Я не узнал Мишу в первое мгновение... Мы крепко обнялись и поцеловались... И остались одни, и он долго-долго рассказывал мне, как и что произошло с ним за многие-многие месяцы войны. А я смотрел на его голые руки, торчащие из коротких рукавов, на впалые, давно не бритые щеки, на разбитые ботинки...»

По смерти Сталина его дело будет пересмотрено, и обвинения сняты. М. В. Михалкова наградят орденом Славы, добавившимся ко многим орденам и медалям за участие в Великой Отечественной войне.

Особое место в мемуарах Сергея Михалкова занимают страницы, посвященные его общению с лидерами страны в разные ее эпохи: от Сталина и Берии до Горбачева и Ельцина. Хотя и Путина ему повезло застать и даже принимать у себя дома.

В пересказе Сергея Владимировича эти события его жизни получают подчас анекдотическое звучание из-за увлекательно сказовой интонации и чувства юмора, присущего Михалкову. Таковы, скажем, рассказы о телефонных беседах с государственными вождями, с Брежневым например...

История телефонных контактов советских Вождей с советскими же Писателями в эпоху победного шествия социализма, начиная, естественно, со звонков Иосифа Виссарионовича, о которых я уже поминал, ждет своего летописца.

Сергей Владимирович пережил всех советских государственных лидеров, даже Ельцина. Постсоветские времена заставили его несколько растеряться. «В 1991 году я не вышел, а выпал из КПСС, — грустно шутил он. — И в моем преклонном возрасте предпочитаю оставаться вне какой-либо партии...»

«Ничего, отец, проломим», — успокаивал его старший сын, вдохновленный первыми выступлениями Горбачева.

Но к середине 1990-х взгляды Андрея сильно поменяются, а десятилетием позднее он выступит с резкой критикой как самого Горбачева, так и отечественных либералов, фундаторов перестройки и лидеров шоковой социально-экономической и политической «терапии» в стране.

С. В. Михалков никогда так резко не обозначал своей позиции, как его старший сын в 2000-е годы. Ему неоднократно пришлось общаться с улыбчивым Михаилом Горбачевым, партийным руководителем «с человеческим лицом», встречая, как правило, понимание и поддержку. Михалков верил ему, как когда-то Сталину, «верил в его преданность социалистическим идеалам, видел в нем убежденного партийного деятеля, взявшегося за коренные преобразования в партии, за решительные перемены в жизни советского общества».

Правда, в тех же мемуарах есть и критические строки по поводу трансформаций, произошедших с Михаилом Сергеевичем «под давлением развивающихся в советском обществе центробежных сил». И в связи с этим совсем неожиданный для Михалкова риторический вопрос: «На каких же глиняных ногах держалась идеологическая система нашего государства, если за столь короткий срок она смогла до основания развалиться, похоронив под своими обломками провозглашенные ею коммунистические идеалы».

Пришел Б. Н. Ельцин, государственные лидеры следующего призыва, а представительность и весомость фигуры С. В. Михалкова не полиняла ни перышком. Хотя некоторые СМИ в постсоветское время и стали высказываться о нем вольнее.

Но годы жизни бежали. И он с усиливавшейся тревогой и даже, может быть, страхом обозревал окружающее пространство, не находя в нем многих и многих своих ровесников, а то и людей гораздо моложе себя, которых он хорошо знал.

На склоне лет ему опять повезло.

«Я в 83 года встретил женщину, которая мне сначала понравилась, а потом я понял, что без нее не могу жить. Она от меня радости тоже имеет не много, потому что жить с таким, как я, довольно сложно. Но я люблю ее как человека, как женщину, которую я не могу ни с кем сравнить».

Эта женщина — Юлия Валерьевна Субботина, физик, дочь академика РАН. В момент заключения брачного союза с патриархом ей еще не было сорока. По ее словам, он умер в сознании, произнеся перед кончиной: «Ну, хватит мне. До свидания».

Скончался С. В. Михалков 27 августа 2009 года в НИИ им. Бурденко и был похоронен на Новодевичьем кладбище Москвы. Похороны проходили в закрытом режиме, только для семьи и близких друзей, под музыку оркестра Почетного караула. Ритуальное прощание прошло без выступлений.

Призраки страны детей

1.

Андрей называл отца в последнее десятилетие его жизни «любимым антагонистом», с которым «отношения, в общем, всегда были хорошие». После смерти Михалкова-старшего сыновнее чувство окрасилось мудрым приятием отца как такового, как родной крови — каким бы он в глазах других ни был.

В начале 1990-х в интервью немецкому журналисту Клаусу Эдеру он пояснил перемены в отношении к отцу на разных этапах своего мировоззренческого созревания.

«Мой отец был ответственным функционером. Поэтому в глазах либералов я выглядел несерьезно. Что бы я ни предпринимал на свой страх и риск, они говорили: ну да, он может себе позволить так «пошалить», ведь его отец — Сергей Михалков! Функционер, коммунист, но больше на словах. Человек, всегда всего опасавшийся... Он разменял свой талант писателя, продал его, став политиком от пера. Тогда я из протеста взял фамилию матери, так как не хотел носить его имя...»

И тогда, и раньше — пожалуй всегда — он хорошо чувствовал и глубоко переживал известную маргинальность своего происхождения, запечатленную в неслиянности составляющих фамилии «Михалков-Кончаловский». В ней и доныне слышится отзвук разноголосо-напряженного содержания советской эпохи.

Итак, опыт отца, сам феномен «советскости» настойчиво подталкивал сына «разобраться». В том числе, и в себе самом. Со временем эта устремленность, стимулированная личным опытом странствий, становилась все более основательной и целенаправленной.

Едва ли не с первого фильма режиссера одной из определяющих художественных коллизий в его творчестве станет стык образов отца и Отца в реалиях советского образа жизни.

Герой его произведений мировоззренчески взрослеет, как правило, через личное отцовство. На этом естественном для любого человека пути его ждут серьезные препятствия, создаваемые самой историей страны, ее культурно-политическим устройством.

Кровный отец, чей опыт герой должен воспринять, подменяется призрачным явлением Отца-Хозяина. Эта фигура и встает на пути приятия живой отцовской традиции, подавляет героя своим государственным величием, тормозит его личностное созревание. Герой задерживается на «подростковой» стадии социального становления, покорный мощному влиянию Отца-Хозяина, иногда уже во всех отношениях призрачного.

Сильнейший двигатель сюжета у Кончаловского — любовь, в разнообразных формах и проявлениях. Но при всех своих жизнетворных потенциях любовь часто не получает у него полноты развития. Как раз потому, что герой поступается своим природным предназначением. Чувственное напряжение, которое всегда ощущается в его картинах, не находит желанного естественного разрешения, оставляя и в героях, и в зрителе горечь неудовлетворенности.

Мало того, эротика у Кончаловского то и дело рифмуется с насилием. Явно выраженная напряженная чувственность оборачивается духовным бессилием. В итоге любовный сюжет разворачивается так, что не только герой не находит воплощения как супруг и отец, но и героиня — как жена и мать.

Вспомним «Первого учителя». Герой фильма, бывший пастух, а в настоящем — революционер-неофит Дюйшен, так и не узнает ни восторгов плотской любви, ни радостей отцовства. Его преданной ученицей и первой любовью силой овладевает красавец бай. И это звучит оскорбительной насмешкой над мужским достоинством идейного комсомольца. Сам герой успевает лишь неловко поцеловать Алтынай, расставаясь с ней навсегда.

Во всей угловатой пластике, в тщедушии исполнителя роли Болота Бейшеналиева есть что-то неуверенно-детское, жалкое. Особенно когда его герой остается наедине с Алтынай. Дюйшен — обездоленное, осиротевшее дитя в неуютном, жестоком мире, состоящем из камней и солнца, бесплодной земли.

Может быть, Дюйшен спасается от своей обездоленности, когда тянется к детям, к той же Алтынай, пытаясь обрести «взрослый», отцовский опыт? Может быть, и дети отвечают ему доверием по причине собственного сиротства? Во всяком случае, ничего, кроме слепой веры, что все так спасутся, я не вижу в картине в качестве основания для сближения этих несчастных существ! И любовь его к Алтынай не только нарождающееся влечение девственной плоти, но и — безнадежная страсть всех спасти, и любимую в том числе.

А на пути к всеобщему спасению, когда надо разрушить «весь мир насилья», его вдохновляет идейный Отец и Учитель — Ленин. Вполне виртуальная, по фильму, фигура. Призрак. Но он любит этого виртуального Отца больше, чем Алтынай, чем себя, и, вероятно, больше, чем детей, изнывающих вместе с ним от духоты в школе-конюшне. Его личное, интимное влечение к девушке пытается пробиться не только сквозь камень вековой традиции киргизского аила (у киргизов в прошлом — поселок кочевого или полукочевого типа, состоящий из родственников — В. Ф.). Эта любовь противостоит и жертвенному огню ленинской Идеи.

Что же, живая любовь к живому человеку гибнет в этом противостоянии? Нет! Автор далек от революционной бескомпромиссности своего героя. В самом финале картины появляется не подменный, а живой отец (!). Старец Картанбай, бездетный крестьянин, действительно, как мудрый отец, фактически спасает Дюйшена от гнева жителей аила, чей тотем — тополь — рубит идейный комсомолец. Картанбай становится рядом с юношей и помогает ему. Его любовь — жертвенная.

Отцовско-сыновняя коллизия возникнет уже в самых истоках творчества режиссера. Еще нет «Первого учителя». Еще «Иваново детство» и «Андрей Рублев», соавтором которых он был, не существуют даже в замысле. А на свет почти одновременно появляются его курсовая работа (совм. с Е. Осташенко) «Мальчик и голубь» (1961) и диплом Тарковского «Каток и скрипка» (1961), по сценарию, написанному вместе с Кончаловским.

Обе картины сделаны под явным влиянием французского режиссера Альбера Ламориса, в частности, его «Красного шара» (1956). В центре сюжета и того, и другого фильмов оказывался одинокий мальчишка, ищущий духовной (а может, просто родительской?) опоры в окружающем мире.

Если в фильме Тарковского зритель все же видел мать маленького героя, место их проживания, хоть и не очень уютное, то ни родителей, ни дома героя в кадре «Мальчика и голубя» нет.

Подросток лишь однажды упомянул отца, но в прошедшем времени, как отсутствующего.

Мальчик этот всегда в стороне от сверстников. Но и со взрослыми (с владельцем полюбившегося ему голубя, например) он вступает в контакт лишь по крайней необходимости. В самом же близком для него существе — голубе — видит, кажется, воплощение собственной неосознанной душевной тяги к вольному полету.

Андрей без энтузиазма вспоминает свое подростковое детство, себя как «малосимпатичную личность». Среди сверстников друзей было мало, а то и не было. В школе тоже особенно ни с кем не сходился. Из-за «монгольского разреза глаз» его сначала обзывали «Чан Кайши», а потом из-за «чрезмерной упитанности» — «Жирным».

Часто били, а драться не умел, в отличие от Никиты. Потому драк боялся. Очень хотелось играть с теми, кого видел на улице. Но опасался их агрессии. Завидовал обыкновенным мальчишеским радостям и забавам. Настоящим самокатам, например. С подшипниками.

«Один раз упросил приятеля, чтобы дал прокатиться, тут же навернулся со всей дури и больше к самокату не подходил...»

Конфликтов, частых среди пацанов, избегал. Предпочитал отойти в сторону. Впрочем, так же поступал и во взрослом статусе.

Мать, хоть и воспитывала («била и целовала»), но больше занималась творчеством, а отец «витал где-то в начальственных высотах, заседал». Из самых ранних ощущений осталась в памяти отцовская военная форма: «скрипящие сапоги, запах кожаной лётной куртки».

Из воспоминаний же проступает образ десятилетнего мальчишки, блуждающего по квартире, воровато, с опаской проникающего в пустую комнату родителей. Вот он шарит там по всем ящикам, трогает, ощупывает принадлежащие родителям вещи, примеривает. Рассматривает фотографии, читает письма. Это было похоже на «подвиги разведчика в тылу врага».

Во всех этих приключениях подростка, кроме специфических возрастных проявлений, можно увидеть, почувствовать и одиночество «малосимпатичной личности», «меланхоли бэби».

Может быть, поэтому не только Ламорис, но и дебют Франсуа Трюффо «Четыреста ударов», повествующий о жутком одиночестве подростка, пришелся ему по сердцу?

Тема детской одинокой беззащитности откликнется и в весьма зрелом возрасте — в фильме «Щелкунчик и Крысиный Король» (2010). Невольное равнодушие взрослых к миру фантазии ребенка, суровые воспитательные меры отца — все это спровоцирует в детских снах и видениях катастрофу крысиной агрессии.

2.

Не только Дюйшен, но и другие герои Кончаловского не в состоянии поднять, а тем более вынести груз отцовской ответственности, оказываясь объективно в тесном родстве. Кроме, может быть, героя «Белых ночей почтальона Алексея Тряпицына» (2014).

Степан из «Истории Аси Клячиной, которая любила, да не вышла замуж» (1968), приняв только что рожденного его Асей сына, тут же передает его, под звуки Гимна, многонациональному советскому воинству, по существу, состоящему из мальчишек, почти детей. Есть в этих кадрах окрашенные юмором интонации на тему нашего Отечества как вечной Страны детей с неизбежным государственным патронатом.

Сын Степана, повзрослев, в «Курочке Рябе» (1994) будет выглядеть таким же бесприютным недорослем, как и его неприкаянный отец.

Неприкаянным же бродит по сюжету «Дворянского гнезда» (1969) его герой — дворянин крестьянского происхождения Федор Лаврецкий. И хотя возвратившегося на родину Федора поддерживает дух умершей матери-крестьянки, витающий над миражным дворянским гнездом, отцовства самого Лаврецкого в сюжете не увидим.

«Романс о влюбленных» (1974) и «Сибириада» (1979) — кульминация темы несостоявшегося отцовства. Герои этих картин, простые советские парни Сергей Никитин и Алексей Устюжанин, живут коллективистскими представлениями. Им незнакомо, а потому пугающе чуждо понятие о жизни частной.

Внедренный в сознание и социальную практику советских людей кодекс ритуально-общинной жизни подразумевает неизбежную крепкую руку верховного Отца. Целая страна исторически удерживается в «подростковом» состоянии, не умея преодолеть свою «детскую» безответственность и обрести гражданское самосознание.

Вот о чем, в частности, говорит режиссер в этих двух своих последних «советских» лентах. Поставленные друг за другом (но в таком порядке: вначале «Сибириада», а за ней «Романс»), они художественно развертывают советский период истории страны, от ее дореволюционных корней и до завершения брежневских 1970-х.

Возвращаясь к «советскому» сюжету уже в нулевые годы нового века, режиссер делится замыслом фильма о рабочем классе тех самых брежневских лет. Как завершение темы его воображение волнует и образ распада Советского Союза.

«Крушение, приход новых личностей. Желание подружиться с Западом в надежде, что разрушение гигантской и неповоротливой системы принесет желанную демократию и экономический расцвет. Что могли понимать люди, руководившие агрокультурными областями? Как интересно, что сейчас Горбачев — звезда международного масштаба, но я никогда не слышал от него что-нибудь имеющее серьезный смысл. Мне даже кажется, что Горбачев — трагическая фигура, ибо столкнув с мертвой точки государство под гору, он уже не в состоянии был остановить это смертельное движение. История вершилась мимо него! В общем, это может быть потрясающий и трагический фильм».

К концу второго десятилетия XXI века замысел несколько изменится, и в центр сюжета Андрей Сергеевич захочет поставить идейно преданного партии и государству честного коммуниста.

В «Сибириаде» впервые у Кончаловского отец появится как призрак, напоминая шекспировские сюжеты. В нем растворится образ кровного родителя Алексея Устюжанина, поглощенный потусторонним Отцом народов. Образом отца-призрака перекликнется с «Сибириадой» лента, созданная, когда режиссер уже покинет Страну детей. Фильм «Стыдливые люди» (Shy People, 1987). А еще позднее видение Сталина явится в воспаленном воображении героя «Ближнего круга» (1992), кремлевского киномеханика Ивана Саньшина.

...Вот еще одно из немногих пробудившихся в зрелом возрасте детских впечатлений Андрея: звонок из Кремля, случившийся в 1943 году.

Отец в это время был в ванной, а маленький сынишка катался по квартире на трехколесном велосипеде. Узнав, откуда звонят, Михалков-старший явился голым, в мыльной пене и направился к телефону. «Голого отца, расхаживающего по квартире, я никогда не видел: это меня поразило — наверное, поэтому и запомнилось. Он стоял около тумбочки, под ним от сползающей пены растекалась лужа...» Отец и сам выглядел в эту минуту, наверное, как послушный сын, готовый немедленно откликнуться на зов всемогущего Хозяина.

Сергея Владимировича вызывали. Вероятно, по делам Гимна. И он дал команду быстро собираться. Мать принялась гладить рубашку, чистить гимнастерку. Малолетнему Андрону была поручена чистка сапог. «Вижу себя сидящим на полу и намазывающим их ваксой — сверху донизу, включая подошвы. Так старался, что заработал подзатыльник...»

Дело в том, что это были единственные новые сапоги. В Кремль отцу пришлось отправиться в старых...

Подзатыльник на почве государственной службы отца; сам отец, спешащий на прием к Хозяину; наконец, сапоги как символ и отцовской, и государственной власти — все так или иначе отзовется в творчестве Кончаловского, в том числе в его театральных опытах.

А властно влекущая гипнотическая сила Сталина станет лейтмотивом «Ближнего круга».

Прототипом героя «Ближнего круга» стал, как известно, Александр Сергеевич Ганьшин, личный киномеханик Сталина, входивший в так называемый «ближний круг» вождя. К этому кругу принадлежали люди обслуги, вступавшие в непосредственный контакт со Сталиным.

«Свое дело он старался делать хорошо... Кого только не видел из своей проекционной будки: и членов Политбюро, и министров, и кинематографистов — все дрожали перед Сталиным! Через этот характер, перипетии его судьбы можно было дать объемную картину сталинской эпохи...»

Воспроизводя взгляд простого человека, Сталина обожавшего, трепетавшего перед ним, режиссер рассчитывал приблизиться к пониманию сути сталинизма, причин, его породивших.

«Почему именно в России он появился на свет? Без моего Ивана — наивного, честного человека, каких в России миллионы, не было бы Сталина. «Иванизм» породил сталинизм... Главным для меня было показать не то, какой Сталин плохой, а какой Иван наивный. Не помню ни одной из наших картин последнего времени, где Сталин был бы показан с обожанием. А в «Ближнем круге» — именно так, поскольку увиден глазами слепо влюбленного в него человека. Иван — образ собирательный. Когда после самоубийства жены он в обморочном сне встречает Сталина, то вовсе не его винит в ее гибели. Он лжет ему, что счастлив, живет хорошо, никаких проблем нет — не хочет огорчить, хоть как-то расстроить своего вождя...»

3.

В зачине «Ближнего круга» закадровый голос героя называет Сталина всеобщим Отцом. Сам герой — дитя Державы и служит Державе. Она же обеспечивает казарменное наблюдение за его потомством. В такой «семье» все отношения покрываются Отцом-Хозяином, призванным, в народном мнении, печься о всеобщем благе. Вот почему мужчине здесь никогда не стать полноценным отцом для своего дитяти, а женщине — матерью. Никогда не образовать самостоятельную частную семью, укрепленную собственной давней традицией выращивания и воспитания потомства.

Настя Саньшина всем женским существом своим сопротивляется предназначенному ей Державой личному бесплодию. Не имея детей, она тянется к соседской еврейской девочке, родителей которой репрессировали как врагов народа. Пытается заменить ей мать. И как бы в наказание за ее естественный материнский порыв монстр государства в образе Берии овладевает ею и оплодотворяет от имени безликой власти.

Вот вам дьявольски перевернутая история оплодотворения Богоматери. В этом смысле, образ Насти перекликается с образом героини «Возлюбленных Марии», созданным в начале голливудской карьеры Кончаловского. А вслед за тем — и с героиней «Стыдливых людей» Рут Салливан. Все эти женщины понесут от некой темной силы, которой противостоят личные их возвышенность и чистота.

Вплоть до самоубийства из-за чудовищного насилия над ее материнством Насте все кажется, что в чреве ее созревает некто мохнатый. И тому в фильме предлагает свое толкование профессор Бартнев, убежденный, что в Кремле уже давно засел Сатана. Это была последняя роль Федора Шаляпина-младшего.

Между тем, и прервав свой земной путь, Настя остается матерью для пригретой ею девочки. Ее голос из-за гроба звучит в сознании наивного Ивана и ставит его перед неизбежностью выбора: или оставаться недоразвитым дитятей Державы, или взять на себя груз естественного отцовства в своем, частном доме. И Саньшин выбирает — правда, запоздало.

Обоснованно на роль героя был приглашен Том Халс, завоевавший всеобщее признание блистательной клоунадой в фильме Милоша Формана «Амадей». Кроме очевидной необходимости иметь в центре звезду мирового уровня, Кончаловский избирает этого актера, поскольку он в состоянии сыграть простодушного клоуна-ребенка.

Влюбленность Ивана в вождей, его безусловная вера в необходимость происходящего в стране, его способность с жадностью и наслаждением раба поедать кремлевский паек, когда за стеной рушатся человеческие судьбы, — все это совершается с каким-то гомерическим простодушием. И оно не требует никаких иных обоснований, кроме его собственных почти детских побуждений и потребностей. Образ жизни, поведение героя вызывают невольную улыбку и одновременно ужас перед этой невинной подростковой слепотой. Саньшин не в состоянии перерасти мировидение недоросля до тех пор, пока рядом с ним, а главное в нем, жив Отец-Хозяин.

Клоунада Тома Халса — образ народных существования и мировосприятия в Стране детей, где слезы оборачиваются смехом и наоборот внезапно. Едва ли не с первых кадров видим удручающе уродливый праздник масок. Саньшин и Настя учиняют застолье по поводу своего обручения. И они, и их гости напяливают популярные накануне войны противогазы, превращаясь в кукольных монстров.

Праздник, что называется, со слезами на глазах. Он лишен главной приметы настоящего праздника — объединяющего всех неофициального веселья. Участники убогого торжества на такое веселье неспособны. За стеной их как бы праздника те, кто обречен стать жертвой божеств, которым поклоняется Иван.

Жалкое, истерическое веселье с потаенным смертным страхом. Оно вот-вот прольется слезами. В ночь после застолья арестовывают соседа Саньшина — Губельмана, маленькая дочь которого и западет в сердце Насти.

Страхом пронизан и «сброд тонкошеих вождей». И все из «ближнего круга». Все — мертвая декорация, все — застывшая маска. И сам Хозяин — личина в угрожающе шутовском наряде Короля учрежденного им государственного карнавала. Причем учрежденного с согласия и позволения восторженного Ваньки Саньшина, то есть — народа.

«Смеховое» решение образа власти почувствуем, лишь отстранившись от мировосприятия простодушного клоуна и раба Саньшина.

Сложность в том, что сам режиссер, исследуя туманное сознание «иванизма», поддался магнетизму фигуры Сталина. В апреле 1990 года, на этапе подготовки картины, он видел в нем очень одинокого человека, каковым является любой диктатор, подобно герою романа-гротеска Габриэля Маркеса «Осень патриарха».

«Окружение тирана — или холуи, или люди, которые его боятся и ненавидят, поэтому любое нормальное человеческое лицо в таком окружении было для Сталина дорого. У него были свои любимые охранники, с которыми он играл в шахматы, разговаривал о жизни, пел песни. С этими людьми он чувствовал себя нормальным человеком — я могу понять это. Для остальных он был совсем другим, и они для него тоже были другими. Поэтому воспоминания сталинского киномеханика очень субъективны, но они как раз и подчеркивают ужас, трагедию — и Сталина, и нации».

Что же так влечет к властно возвышающемуся тирану? Что понуждает доискиваться корней его магнетизма? Может быть, то обстоятельство, что тиран всегда ходит рука об руку со смертью и, убежденный в собственном бессмертии, презирает трепет ужаса перед ней, которым полнится душа любого из нас?

В «Жизнеописании Михаила Булгакова» Мариэтта Чудакова говорит о том, что, возможно, «объяснительную силу имеет» «аналогия с гегелевским «абсолютным духом», которому уподобляло Сталина в середине 30-х годов восприятие философски образованных сограждан».

Леонид Баткин видит здесь социально-исторический парадокс, когда «во главе режима, перевернувшего мировые пласты и унесшего миллионы жизней», оказалась, как я уже цитировал, посредственность. «Иванизм», по этой логике, — «обыкновенный сталинизм», «скоморошья гримаса истории».

Режим перемолол все лучшее — и в народных низах в том числе. В действие пришел принцип «последние станут первыми». Историческая ломка выдавила на поверхность тот человеческий материал, из которого к концу тридцатых годов сформировалась новая порода управляющих. Индивидуально они могли быть разными, но как выдвиженцы они сближались. И «со временем воспроизводство по принципу конформности, серости делало исключения практически почти невозможными». «Это деклассированные люди, сбившиеся в стаю, в новый класс «руководителей». Они ничего не умеют и толком ничего не знают, но они умеют «руководить»...»

Так начинался путь от Сталина к Брежневу и далее, когда неслыханный в мировой истории основной принцип воспроизводства государственной касты состоял в том, что «вменялась серость». Явилась, по выражению Баткина, новая бюрократия — «серократия».

Этот режим «не „создан" Сталиным и не „создал"» Сталина, а, скорее, рос вместе с ним как СТАЛИНЫМ. Режим, фактически исчерпавший себя уже в фигуре Брежнева.

«Скоморошья» ухмылка Истории, с молчаливого согласия наших «Иванов», помогла «серократии» учредить насильственные правила властного «антикарнавала», которые Кончаловский, хотел он того или нет, воспроизвел в «Ближнем круге».

С. В. Михалков так или иначе должен был войти в среду новообразовавшейся «серократии». Не потонуть окончательно в этом болоте ему, возможно, помогали природный юмор, талант, то детское, что неистребимо жило в нем. Сказал же кто-то, что он вовсе и не был детским поэтом, просто лирическому герою его стихов всегда было лет шесть...

Может быть, в Сергее Владимировиче не исчезал и инстинкт охранителя собственного гнезда. Не давал источиться тому культурному фундаменту, в который были заложены и судьбы рода Суриковых-Кончаловских. Может быть, на это и на замечательные детские стихи, ставшие классикой жанра, пошла та часть божьего дара человечности, которую не смогла поглотить власть.

Как бы там ни было, но за спиной долговязой фигуры, напоминающей им же придуманного дядю Степу-милиционера, среди океана коммунального советского бытия находился остров частной жизни семьи Михалковых-Кончаловских...

ЧАСТЬ ВТОРАЯ

На острове

...Я жил на отделенном от советского мира острове...
Андрей Кончаловский. Низкие истины. 1998

Андрей появился на свет в доме № 6 по улице Горького. Рождение же второго мальчика, Никиты, совпало с получением новой, трехкомнатной, квартиры — по той же улице, но в доме № 8. Дом считался блатным. Здесь жили знаменитости...

Следующая перемена жилья произошла в начале 1950-х. Теперь квартира находилась на улице Воровского. Она была уже пятикомнатной. Кабинет у отца, комната у матери, столовая и еще две комнаты — в одной жила старшая сестра Катя с няней Хуанитой, в другой Андрон и Никита.

Из самых ранних детских переживаний в памяти первенца остались страхи и спасение от них на материнской груди.

«...Боялся я маминого приятеля-негра Вейланда Родда. Боялся картинки-чудовища в книжке сказок. Но больше всего боялся пылесоса. Когда его включали, я бежал по квартире. Квартира была маленькая, двухкомнатная, но бежал я по ней бесконечно долго, забивался в дальнюю комнату и держал дверь обеими руками, пока пылесос не выключался. Ужас, охватывавший меня, помню до сих пор. И помню свои руки, вцепившиеся в дверную ручку над головой. Потом приходила мама, успокаивала меня, я плакал, она укладывала меня в постель и, поглаживая по спине, говорила:

— Спи, мой Андрончик... Спи, мой маленький...

Мамы со мной уже больше нет. Вернее, она со мной, но увидеть ее я уже не могу. Засыпая, когда мне одиноко, слышу над собой мамин голос и повторяю про себя ее слова:

— Спи, мой Андрончик... Спи, мой маленький...»

глава первая

«...Когда пускался на дебют...»

...От шуток с этой подоплекой
Я б отказался наотрез.
Начало было так далеко,
Так робок первый интерес.
Борис Пастернак

1.

Семейная традиция «настигла» юного Андрона сразу по возвращении с родными из эвакуации в Среднюю Азию, в семь-восемь лет.

«...У мамы была ближайшая подруга — Ева Михайловна Ладыженская, мосфильмовский монтажер. Она много работала с Эйзенштейном, Пудовкиным, Роммом, впоследствии монтировала и моего «Первого учителя»... Так вот, как-то зимним днем 1945 года мама и Ева Михайловна, пообедав и выпив водочки, решили, что самое время учить меня музыке... Они отвели меня в музыкальную школу в Мерзляковском переулке: так началась моя несостоявшаяся карьера...»

Андрей музыку уже никогда не оставит, хотя из консерватории уйдет. Занятия музыкой, кроме прочего, способствовали развитию самодисциплины, не позволяли избаловаться. Но с восьмого-девятого класса от рояля все же потянуло в шашлычную у Никитских ворот, в доме, где находились, между прочим, кинотеатр повторного фильма и фотоателье.

Заведение регулярно посещалось с момента, когда Андрей, окончив в 1952 году музыкальную школу, поступил в музыкальное училище при Московской консерватории (1953). Образовалась компания. То были одаренные люди.

Среди них, например, появлялся Вячеслав Овчинников. Творческое сотрудничество с Андреем он начал с его вгиковской короткометражки «Мальчик и голубь». Потом писал музыку к «Войне и миру» С. Бондарчука и «Андрею Рублеву» Тарковского, к «Дворянскому гнезду» Кончаловского. И Овчинников, и другие приятели моего героя, часто бывая позднее в доме Михалковых-Кончаловских, устраивали ночлег на раскладушке под тем самым роялем, за которым юный Андрей постигал нелегкий труд музыканта...

В детские и отроческие годы в учебных заведениях, общеобразовательных и специальных, Андрея, скорее, не любили. Из однокашников и педагогов тех лет он мало кого помнит. Неравнодушно называет одного человека. По внешности это был странный гибрид Муссолини и Кагановича. Преподавал в музыкальном училище историю СССР и назывался Коммуний Израилевич (прозвище — Кома).

Кома позволял себе иронизировать в рамках общеупотребительной программы по истории, а также выходить за ее пределы — в рассказах о Троцком например. Именно от него юный Андрей впервые услышал и при этом навсегда усвоил, что у Максима Горького самое гениальное произведение — «Жизнь Клима Самгина», «роман, очень серьезно раскрывающий русский характер, а за ним и гибель всего сословия».

«Кома был больше, чем учитель. Он был настолько интересен, что мы собирались у него дома, разговаривали, пили водку. Он нас любил, от него веяло инакомыслием, хотя времена были такие, что и слова этого нельзя было произнести...»

Но не общеобразовательная школьная программа, а именно музыка влияла на становление Андрея. Где-то в своих воспоминаниях он рассказывает, как впервые, во время болезни, лежа в постели, услышал Скрябина. От этой музыки у него «чуть не случился оргазм». Потом структура его картин, признается режиссер, тяготела к чувственно выразительной музыкальной форме.

Эдуард Артемьев, композитор, знакомый с режиссером более полувека и постоянно с ним сотрудничающий, рассказывал в одном из интервью уже на рубеже 2000-х годов: «В конце 1950-х оба учились в Московской консерватории. Я — на отделении композиции, Андрон — на фортепианном факультете. Пианистом он был блестящим, и когда уже на последнем, пятом, курсе решил консерваторию оставить, это было для всех нас полнейшей неожиданностью. Потому что он был виртуозом, и я помню, как легко исполнял такую технически сложную вещь, как фортепианная версия балета Стравинского «Петрушка»... Позже Андрон признался, что просто ощутил пределы своих возможностей и понял, что не смог стать вторым Ашкенази. А быть ниже не захотел. Амбиции не позволили...»

«Консерваторские годы были мучительны, — с горечью говорил Кончаловский позднее, — из-за постоянной необходимости соответствовать другим». А это было нелегко, потому что в это время у Оборина в консерватории училось несколько гениев — кроме Ашкенази, Михаил Воскресенский, Дмитрий Сахаров, Наум Штаркман. «Рядом с этими великими я был как не пришей кобыле хвост...»

Андрея притягивали личности, в том или ином смысле нерядовые, гении в своей области, особенно те, кто постарше. Моего героя окружали действительно чрезвычайно одаренные индивидуальности, неординарные характеры.

Одним из них был, например, Николай Двигубский, в будущем выдающийся художник театра и кино. Русский по происхождению, он родился в Париже и даже был, говорили, двоюродным братом Марины Влади. Приезд Двигубского из волшебной Франции в Москву для постоянного проживания сильно удивлял Андрея. Во время учебы во ВГИКе они подружились — и надолго. Двигубский знакомил приятеля с далеким пока от того миром французской культуры.

Николай Львович Двигубский оставил СССР почти одновременно с Андреем и на историческую родину больше не возвращался. В каком-то уже очень позднем интервью он с гордостью причислил себя к людям круга Кончаловского и Тарковского, с которыми ему довелось сотрудничать, и грустно посетовал на невозвратность этих времен. Дожив до 71 года, Двигубский покончил с собой.

Годы учебы (и в консерватории, и во ВГИКе) — время напряженного творческого соревнования, стремление закрепить свою неповторимость. А отсюда — и особый род зависти. Особенно там, где чувствуешь свою неполноту, невозможность победить в равном бою. Кончаловский признается в такой именно зависти к одному из самых близких тогда своих друзей — к Владимиру Ашкенази.

Владимир быстро рос как мастер. Он был уже концертирующий артист, а Андрей все еще студент. Владимир колесил по всему миру. Женившись на иностранке, он уехал из страны. Поселился в Лондоне. И оттуда писал своему другу. И его дружески нежные, искренние письма невольно превращались для Андрея в насмешливый вызов гения: я сумел уехать и жить по другим законам, а ты нет.

Эдуард Артемьев объяснял отъезд Андрея в Америку чутьем, подсказавшим, что «здесь все кончается, а ему уже сорок два, еще два-три года — и поезд уйдет...» Рискнул. «Американцы, думаю, его проверяли: приживется или нет?..»

Приживаясь, он и там завязывал контакты с гениями, впитывая, культивируя и преображая в себе выдающиеся качества их натур. Сам он иногда объясняет свою тягу к людям крупного калибра (там, в Америке) тщеславием. Делясь впечатлениями от своего общения со звездой, говорит режиссер, «пытаешься как бы дотянуться до нее». Примечательны в этом смысле подробно описанные Кончаловским встречи с Марлоном Брандо, покорившим советского режиссера ролью в фильме Бертолуччи «Последнее танго в Париже» (1972).

Одна из первых длительных встреч с Брандо произошла, когда тот выразил желание сняться в предполагаемом фильме по сценарию Кончаловского. На ту пору актер как раз нуждался в деньгах. Брандо назвал Андрея одиноким человеком, прячущим себя, скрывающим свою суть за улыбкой...

2.

В юности он, может быть безотчетно, искал покровительства более сильного — и физически, и духовно. Искал достойного на роль старшего рядом. Первым эту роль сыграл Юлиан Семенов. Андрею тогда было восемнадцать-двадцать лет.

Юлик, как его называли близкие, — сын Семена Александровича Ляндреса, бывшего сподвижника Николая Бухарина, вернувшегося из советских лагерей инвалидом. Через какое-то время «Юлик» сделается известным автором советских политических детективов Юлианом Семеновым, путешественником и авантюристом. Андрей влюбился в эту выдающуюся личность по уши. За необыкновенное жизнелюбие прозвал друга «жизнерастом».

Юлиан был гораздо старше Андрея, знал несколько языков. Из Института востоковедения, где его однокашником и приятелем был известный в будущем политический деятель Е. М. Примаков, Юлика изгнали из-за ареста отца, а после смерти Сталина восстановили. Привлекала в Юлиане и его бесшабашность, бросавшая в драку без раздумий, что для «маменькиного сынка» Андрона было немыслимо.

Младшая дочь Юлиана Семенова рассказывала, что отец ее только для того, чтобы иметь деньги на посылки Семену Ляндресу, работал в должности «груши» для профессиональных боксеров. Его колотили на ринге почем зря, после чего он получал соответствующую сумму.

Эта незнакомая и недоступная стойкость не могла не привлечь Андрея. Привлекали и брутальность, и стремление выглядеть настоящим мачо, вроде кумира отечественной молодежи 1960-х годов Хемингуэя. Но это была лишь форма. Суть состояла, по-видимому, в силе внутреннего напряжения, необходимого, чтобы держать стойку одинокого бойца в стране, обеспечившей его этим одиночеством с юности.

Разговоры с Ляндресом-младшим заметно повлияли на формирование взглядов Андрона. Ему он и был обязан своим тайным диссидентством, а точнее, пониманием, что мир неоднозначен и противоречив.

В семье Кончаловских Юлика полюбили с первого появления. И сам он крепко привязался и к Никите, и к Андрею. Будучи единственным ребенком в семье, всегда мечтал о младшем брате.

Юлиан Семенович был мужем Екатерины Михалковой, дочери Натальи Петровны от первого брака. В том, что они стали мужем и женой, сыграл свою роль и Андрон, если судить по дневникам Юлика 1955 года, когда Екатерина еще не была его супругой.

Отношение Юлиана Семеновича к семье Михалковых, к Андрону в частности, хорошо видно из послания, адресованного Наталье Петровне (1955 год), озабоченной слухами о недостойном поведении сына и написавшей ему из санатория, где она отдыхала, резкое письмо. Юлиан страстно защищает «младшего»:

«...Я только что прочитал Ваше письмо к Андрону... Мир полон людей темных, злых, бесчестных... Все, что Вам наговорилось, не стоит ломаного гроша... ... ханжество, непонимание хорошего и честного, правда, выделяющегося из общей массы сверстников Андрона... Здесь стоит сделать небольшой экскурс к предкам. Пожалуй, редко кто, особенно из писательской братии, не распускал слухов о Сергее Владимировиче, не упрекал его в семи смертных грехах. За что? За талант, за высокий рост, за обаяние, за смех, за дружбу с людьми. Так? Так.

А почему нельзя упрекнуть молодого Михалкова — Андрона — в тех же грехах, но с еще большей зависимостью, потому что он не лауреат, не знаменитость, а только сын знаменитости. ... Я готов положить... голову за то, что Андрон — в основе своей кристально честный, неиспорченный и изумительно Вами воспитанный человек!

Я далек от того, чтобы делать Андрона безгрешным, ставить его на пьедестал, как образец законченной добродетели... Есть в нем свои недостатки: он по-детски легкомыслен в вопросах женщин (но ему все же только 18, а мыслит он, как 25-летний), он влюбчив...

Не знаю, в чем его еще обвинить. Хороший, честный, умный мальчишка. Честный друг и хороший товарищ... Я абсолютно согласен с Вами в том, что ему нужно перестать бывать в ресторанах и пить пунши... Побольше скромности! Это тоже абсолютно верно. Но говорить о его вообще испорченности — неправильно...»

Пути их разошлись, когда Кончаловский попал во ВГИК и встретился с Тарковским.

«Мы... оказались в стане непримиримых борцов за свободную от политики зону искусства, не признавали писаний Юлиана Семенова. Я его избегал, хотя и понимал, сколь многому у него научился...»

По отношению к бывшему своему наставнику и другу у Кончаловского осталось чувство вины. На страницах своих мемуаров он размышляет о феномене самооправдания и делает следующий вывод: «Если человек оправданий себе не находит, значит, у него есть совесть. Как правило, человек, у которого есть совесть, несчастен. Счастливы люди, у которых совесть скромно зажмуривается и увертливо находит себе оправдание».

К таким людям режиссер причисляет и себя. Случай с Юликом тому подтверждение. Писатель умирал от инсульта, а друг его юности за три года так и не собрался к нему зайти.

На память Кончаловскому приходят и другие похожие истории. Чаще всего с приятелями или друзьями, жизнь которых по тем или иным причинам складывалась неудачно, давала трещину из-за того, скажем, что человек сильно запил. Так произошло, например, с Владом Чесноковым, с Геннадием Шпаликовым. С ними Андрей был очень дружен, но порвал, почувствовав их крен в саморазрушение.

С фигурой же Юлиана Семенова позднее «срифмовалась» и другая, столь же притягательная, — Эрнст Неизвестный (1925–2016). И за ним угадывалась сила, но гораздо, может быть, более мощная. «Бандит, гений, готовый послать кого угодно и куда угодно, беззастенчиво именующий себя гением».

Человек, прошедший войну десантником, тяжело раненный в ее конце, признанный погибшим и награжденный посмертно орденом Красной Звезды. О нем слагали и слагают легенды. Он говорил, что если бы не стал скульптором, то стал террористом.

По словам литературоведа Юрия Карякина, в круг общения Неизвестного входили «очень сильные умы». Он называет философов Александра Зиновьева и Мераба Мамардашвили, социолога Бориса Грушина, Андрея Тарковского, других. «Это был настоящий центр духовного притяжения всех надежных и в умственном и нравственном отношении людей».

Так же, как в свое время решимости Ашкенази, оставившего Союз, Кончаловский завидовал бесстрашию Эрнста Неизвестного, твердо решившего после печально знаменитой выставки в Манеже и хрущёвского разноса покинуть страну. К таким преодолениям Кончаловский готов не был, но гордился тем, что не боится идти рядом с «одиозным человеком, пославшим Самого».

С Эрнстом Неизвестным он познакомился в 1959-м году. Скульптор тогда был нищ, бездомен, иногда ночевал на вокзале. Кончаловский встретил неукротимую энергию, силу сопротивления власти, непостижимый опыт прямых встреч со смертью.

Огромное впечатление производило на него и творчество скульптора — «все, что шло вразрез с соцреализмом», Андрею нравилось. Студент ВГИКа в ту пору, он уже представлял, каким может быть фильм об этом человеке. «Мы с Тарковским обдумывали будущий сценарий, мне мстился лунный свет, падающий в окно мастерской, безмолвные скульптуры, музыка Скрябина — хотелось соединить Скрябина с Неизвестным, хотя это наверняка было ошибкой... просто Скрябин мне очень нравился».

Замечательны слова, сказанные Кончаловским позднее: «В нас жила та же энергия, нас подняла та же общественная и художественная волна. Сближало взаимное ощущение человеческого калибра. Его нельзя было не почувствовать...»

3.

Первый, ранний брак Андрея пришелся на консерваторские годы. Его женой стала Ирина Кандат, студентка балетного училища Большого театра. Знакомству посодействовал Сергей Владимирович: Ирина была дочерью его старой приятельницы. Девушка Андрею понравилась. Он принялся ухаживать за ней. В конце концов, влюбленные оказались в Крыму, на что родители согласились, не сомневаясь в положительном развитии событий.

Историю крымского романа можно найти в мемуарах Андрея. Откликнулась она и в его творчестве. В сценарии «Иванова детства», например, куда вошла (и в фильм, конечно) как одна из самых лирических сцен-снов юного героя.

...Маленький Иван с девочкой в грузовике, наполненном яблоками. Теплый летний дождь. Омытые благостной влагой просвечиваются сквозь одежду юные тельца. Как в начале творения, когда все только в радость, все обещает любовь и единение. Едва ли не так, кстати говоря, начинается и «Романс о влюбленных»...

...Крым. Подогретые чебуреками с вином, Ирина и Андрей возвращались с Ай-Петри в Ялту на грузовике с яблоками. Шел грибной дождь, было жарко, сияло солнце. «Молодые животные» живописно расположились на «райских» плодах. Прилипшая к телу одежда делала Ирину еще доступнее и соблазнительнее. А грузовик мчал во весь дух! В тот момент они не знали, что были на волосок от беды: у машины, оказывается, отказали тормоза.

Тот бестормозной полет закончился благополучно. Повезло.

Совместная жизнь Ирины и Андрея продолжалась около двух лет. Образцовым мужем он, по собственному признанию, не был. Но и Ирина не была образцовой женой. Довольно скоро Кандат ушла к своему любовнику...

Разрыв с первой женой совпал со временем перехода Андрея во ВГИК. В двадцать два года, неожиданно для родных и близких, он оставил консерваторию. Недолго работал на телевидении, «писал какие-то очерковые сценарии, снимал документальные сюжеты».

Это время ему нравилось. Только что состоялся международный фестиваль молодежи в Москве, сильно взбудораживший юные сердца и головы, прорвавший «железный занавес». Он вспоминает чешскую выставку в Парке культуры, открытие чешского ресторана, где подавали чешское же пиво со шпикачками. Это казалось лучшим местом в Москве, поскольку давало ощущение европейской жизни.

«Кино я любил, — говорит Кончаловский, — много часов просиживал в кинозалах...»

Однако для решения уйти во ВГИК, при внешних успехах в консерватории, при ожидаемом сопротивлении родителей, любительского отношения к кино было маловато.

Призвание откликнулось на вызов. Был «удар наотмашь»: «Летят журавли» Михаила Калатозова и Сергея Урусевского.

Все связанное с этими именами сразу стало для Андрея священным. А в исполнительницу главной роли Татьяну Самойлову он попросту влюбился. Он понял, что больше ждать не может. Должен делать кино — и ничто другое.

Были и другие кинематографические потрясения, среди которых и первый полнометражный фильм Алена Рене по сценарию Маргерит Дюрас — экранный опыт «нового романа» «Хиросима, любовь моя» (1959).

«Летят журавли»...

Более поздним поколениям трудно представить, чем был этот фильм для тех, у кого за плечами осталась война 1941–1945 гг. Вот что о восприятии и переживании знаменитой ленты говорит критик Лев Аннинский: «...Не берусь и теперь объяснить последовательно и логично, почему именно эта картина стала для нас откровением. На всех уровнях зрительского восприятия произошел какой-то сдвиг, словно размыло какую-то преграду между обычным искусством, воспринимаемым извне, и бытием, которым живешь.

Мы, вчерашние студенты, молоденькие спорщики, родившиеся до войны и спасенные от войны; нам тоже было некогда: мы спорили о Западе и о социалистическом реализме, о кибернетике и о космосе; счастливчики — мы имели возможность спорить, мы имели возможность отвлечься от того, какая смертная полоса истории легла за плечами. Мы еще не знали по молодости, что раннее сиротство, позабытое за ранними заботами, навсегда вошло в наш духовный состав и что оно еще много раз будет оплакано нами, ибо нельзя прожить другое детство, чем то, что тебе досталось, а надобно только, чтобы в какой-то момент отодвинулась пелена каждодневных забот и обнажилась истина судьбы, и драма ее встала во весь рост.

Это произошло...»

Андрею в 1957 году стукнуло двадцать. Пытаясь объяснить тогдашнее воздействие на него картины, Кончаловский, покоренный невиданной свободой мятущейся камеры Урусевского, выделяет чувственную музыкальность ленты, оставляя в тени то, о чем хочет сказать Аннинский. А он говорит, как мне кажется, о тотальном сиротстве, в которое окунула страну не только война, но и сам образ жизни в Отечестве.

Уже на первом курсе ВГИКа Андрей испытал второй «удар» той

же силы: фильм Анджея Вайды «Пепел и алмаз» (1958). А исполнитель главной роли Збигнев Цыбульский настолько повлиял на будущего режиссера, что тот взял манеру носить, по примеру героя фильма, бойца Армии Крайовой Мацека Хелмицкого, темные очки.

Лента польского режиссера закрепила еще безотчетно внедренное «Журавлями»: чувство беззащитности частного человека перед катком истории, хрупкости его индивидуального бытия, ответственности за выбор пути.

Но Вайда говорил и о том, что «никто не знает настоящей правды». Не так ли нужно понимать предсмертные объятия коммуниста Щуки и аковца Хелмицкого, объятия жертвы и палача, готовых поменяться местами? Кто из них действительная жертва? Скорее, здесь жертвенное родство...

Не были ли впечатления от увиденного первым толчком к сценариям «Иваново детство» и «Андрей Рублев», где противоположение Истории и отдельной человеческой судьбы движет сюжет? Но, без сомнения, это был шаг и на собственной дороге жизни к пониманию соотношения масштабов: Я и Мир.

Время оттепели на какой-то исторический миг открыло неизведанные ресурсы и в социуме, и в индивиде. Толчком к перерождению были и «вражеские голоса» зарубежных радиостанций «с леденящей антисоветской пропагандой», «пугающе привлекательные». Слушание и чтение запрещенного «медленно раскачивало абсолютную запрограммированность», воспитанную советской школой. Андрей копил самиздатовскую литературу. Рядом с классикой Серебряного века уживались книги по йоге, труды Рудольфа Штайнера, которыми всерьез увлекался и Тарковский, работы Роже Гароди. И, конечно, джаз! Армстронг, Глен Миллер...

ВГИК второй половины 1950-х — начала 1960-х годов...

Многие из тех, кто учился в то время в Институте кинематографии, поминают далекие годы как время «чистого счастья». Студенты не особенно интересовались политикой, но были заряжены «воздухом возрождающегося киноискусства». Кроме того, они посвящали себя радости живых, дружеских отношений, радости общения и сладости учения. Атмосфера института требовала обретения собственного «я»: собственной позиции, собственных оценок. Только индивидуальное, творческое вызывало интерес. Так, во всяком случае, им казалось.

Такой атмосферу начальных оттепельных лет, в том числе и учебу в Институте, воспринял, вероятно, и Андрей. В то же время Кончаловский, в отличие от многих вгиковцев его «призыва», находился несколько в стороне от привычной студенческой стихии. Он для своих лет «запоздал» с поступлением во ВГИК... Он мог оказаться в Институте кинематографии гораздо ранее, может быть, на одном курсе с Тарковским и Шукшиным. «Запоздав», Кончаловский все-таки «догнал» Андрея Арсеньевича, сотрудничая с ним на дипломе последнего («Каток и скрипка»), в создании «Иванова детства», когда Тарковский уже институт окончил (1961), а Кончаловский только в него поступил.

Будучи студентом первого-второго курса ВГИКа, иметь за плечами сценарий фильма, ставшего сразу по выходе классикой, было более чем престижно. Понятно, что Кончаловский формировался в условиях иных тусовок, чем его ровесники, и с иными персонажами. Соавторство двух Андреев внятно обозначило границы между ними и их однокашниками.

В круг общения Кончаловского — Тарковского входили Шпаликов, Урбанский, Андрей Смирнов... Шукшин находился на границах этого круга. Он был, по определению Андрея, «отсохистом» и принадлежал к другой среде. Там лидировал «темный» человек Артур Макаров, как раз темной глубиной своей увлекший Тарковского, но пугавший Кончаловского.

Киновед Ирина Шилова (1937–2011), бывшая студенткой киноинститута тогда, особенно отмечала неподдельно живую жизнь ВГИКа. «...В толкотне буфета, в походах на ВДНХ, где можно было покайфовать в кафе, на бурных комсомольских собраниях, где подчас обсуждались вопросы совсем не формальные, в аудиториях, где на расстроенном рояле мог играть В. Ашкенази, которого привел Андрон Кончаловский, шла удивительная, многоголосая, бурная и напряженная творческая жизнь...»

Строже подходит к тем временам бывший сокурсник и поныне друг Кончаловского режиссер Андрей Смирнов.

«Не нужно строить иллюзий. Вся „оттепель“ строилась на глубоко коммунистической основе. Все, кроме Солженицына, кто в „оттепели“ участвовал, обязательно расшаркивались: „Мы за коммунизм с человеческим лицом“».

Смирнов, по его словам, не знал тогда той меры свободы, которую ощутил на рубеже 1990-х. Не успели закончить ВГИК, как «гайки стали закручиваться». В то же время для него самого ВГИК был революционным скачком в развитии: «Вышел же я из ВГИКа, зная, что если что-то из сделанного мной понравилось власти, значит, я сделал гадость. И это убеждение, с моей точки зрения, было абсолютно правильным...»

Ни Кончаловский, ни Тарковский в забавах «инакомыслия» особо замечены не были. Хотя к советскому мироустройству относились без видимой приязни. Кажется, они вообще чуждались всякой кружковщины, подобной той, о которой весьма нелестно высказывался еще Гамлет Щигровского уезда у Тургенева. Примечательно, что если в воспоминаниях известных представителей творческой интеллигенции о малых и больших вольнолюбивых тусовках тех лет Тарковского еще можно встретить, то Кончаловский как персонаж такого рода сообществ не встречается.

Андрей, как и его предки, не лез туда, куда не просили, и «на принципы не напирал». Но сумел выбрать свой путь. Характерное для понимания его жизненных установок высказывание: «Слово «компромисс», носящее на западе миротворческий смысл, является для русских весьма сомнительным понятием. А компромисс — как раз то, чему мы должны учиться, потому что от него идет терпимость и — свобода...»

С первых лет учебы во ВГИКе и вплоть до его окончания Кончаловский набирал и набирал высоту как художник — от совместных с Тарковским сценариев до вполне зрелой картины «Первый учитель».

4.

Из вгиковских наставников в воспоминаниях Кончаловского встречается только руководитель мастерской — Михаил Ильич Ромм (1901–1971).

Как и многие, Андрей испытывает к нему чувство искреннего уважения. Но не столько как к режиссеру, сколько как к человеку, педагогу, воспитателю. Да в отечественном кино и не было у него особых предпочтений, кроме разве что Довженко и Калатозова, да еще Барнета времен «Окраины». Как, впрочем, и у Тарковского.

Откуда же они черпали творческое вдохновение? Не из отечественного кино уж точно. К нему относились скептически-снисходительно. А то и с пренебрежением: «Фанера!». Зато мировой кинематограф возбуждал выразительной фактурой и входил в их опыт азартно. Из фильмов, впечатливших Кончаловского в раннюю пору освоения кино, только «Журавли» были отечественной картиной.

После Альбера Ламориса и его оператора Сешана в их мир ворвался Феллини с «Дорогой» (1954) и «Ночами Кабирии» (1957), а затем — Годар с фильмом «На последнем дыхании» (1960). Следом пришел Куросава — и откликнулся в «Андрее Рублеве» и «Первом учителе».

Кончаловского культовый «На последнем дыхании» с молодым Бельмондо в главной роли привлекал и тем, что доносил до советского студента ароматы влекущего Парижа. «Это был город мечты, Эйфелевой башни, пахнущий «Шанелью» и дорогими сигарами».

Куросава захватывал эпической силой. А что до «идей», то Кончаловского более всего убеждает пафос «Расёмона»: никто не знает настоящей правды, но это не отменяет естественной человечности в человеке. Усваивается не столько идеология, сколько этика японского гения.

С Феллини — еще естественней. Художественный мир феерического итальянца живет пафосом перемен. Он схватывает явление в движении, переходах из качества в качество. Отсюда и яркая карнавальность Мастера, покоряющая Кончаловского.

И вот еще упомянутый ранее Франсуа Трюффо. Знакомство с фильмом «400 ударов» произошло еще во ВГИКе. А встретиться с его создателем довелось в Венеции, где «Первый учитель» соперничал с «451° по Фаренгейту». О классике французского кино Кончаловский в 1975 году написал статью, где, кроме любовного «прочтения» кинематографа Трюффо, объявлено и собственное режиссерское кредо.

«400 ударов» Кончаловский ставит по мироощущению в один ряд с фильмами Жана Виго («Ноль по поведению», 1933) и Луиса Бунюэля («Забытые», 1950).

Обратим внимание на то, что главные действующие лица во всех этих картинах — страдающие от тотального сиротства дети. Мир вообще и в частности мир взрослых противостоит им с неумолимой жестокостью. И малолетние чада, оставив неуютное жилище родителей, ищут как последний приют некое Царство небесное — естественно, уже за пределами земной жизни.

И в центре годаровского фильма такой же герой-дитя. Он лишь внешне бесшабашен и крут, а по существу, так же брошен неприкаянным в равнодушный мир. Затерян и одинок в нем, как и дети Трюффо, Виго или Бунюэля. И его так же равнодушно предает единственный близкий ему человек — возлюбленная, которая для него, почти мальчишки, нечто большее, чем только любовница.

Ситуация повторяется и в другой, уже позднее полюбившейся Андрею ленте — «Последнее танго в Париже» Бернардо Бертолуччи. Герой Брандо не только явно мучается комплексом сиротства, поиском материнского тепла, недоданного ему в детстве. Кажется, что именно мать он видит и под маской умершей жены, осиротившей его своим неожиданным уходом из жизни. Он, как дитя, рыдает от ужаса перед пустотой и холодом окружающего его мира. Его, в конце концов, также настигает предательство любимой, а затем и смерть из ее рук. И происходит это именно тогда, когда он захочет прекратить свое изнуряющее странствие, обрести дом.

Для Кончаловского Трюффо прежде всего национальный художник. Если нашему, отечественному искусству, литературе присуще обнажить душу, исхлестать себя, выставить на люди все свои раны, то француз, вообще европеец, стремится изолироваться от общества. Ироническое отношение к самому себе становится для него броней. Таков и Трюффо. И эта черта была тогда очень по душе Андрею: прятать огромное внутреннее напряжение за внешней легкостью.

Трюффо не пытается скрыть от зрителя известную «сделанность» своего искусства. Напротив — обнажает. «Трюффо говорит, словно бы стесняясь, не относясь всерьез к своему рассказу...» Ценит Кончаловский в нем и нежность, ранимость души, присущие французу именно как человеку. Для Трюффо суть искусства — в нравственном воздействии на зрителя. Он художник социальный, как социален всякий художник с развитым чувством совести. А совесть художника Кончаловский понимает как ощущение причастности к роду человеческому.

Отметив все эти определяющие для него самого стороны творчества французского режиссера, Кончаловский обращается к главной, с его точки зрения, ценности кинематографа Трюффо. Он не боялся ошибок. Всякий раз отказывался идти по пути, который уже однажды приводил его к успеху. Профессия для него — средство познания и осознания мира. Необходимую для такой позиции отвагу и ценит более всего русский режиссер.

Примечательно, что вплоть до 2010-х годов режиссер нигде не упоминает Робера Брессона, любимейшего художника Андрея

Тарковского. Кажется, только работа над «Белыми ночами почтальона Алексея Тряпицына» заставила Андрея Сергеевича как-то по-иному взглянуть на этого мастера.

Михаил Ильич Ромм если и не был для Андрея авторитетом в области режиссуры, то способности мужественного постижения как мира, так и самого себя в этом мире, безусловно, учил. Отважную глубину переоценки устоявшихся для учителя ценностей ученики вполне могли почувствовать, соприкасаясь с духовной жизнью мастера.

Между его фильмами «Убийство на улице Данте» (1956) и «Девять дней одного года» (1962) возникла довольно продолжительная пауза, неестественная для успешного профессионала такого уровня, как Ромм. Это было время кризисных поисков самого себя.

В том же 1962 году художник выступил публично со своеобразной исповедью-покаянием «Размышления у подъезда кинотеатра». Он во всеуслышание объявил о клятвах, которые произнес для себя в минуты трудных размышлений и горьких сомнений.

«Отныне я буду говорить только о том, что меня лично волнует, как человека, как гражданина своей страны, притом как человека определенного возраста, определенного круга... Если я убежден, что исследовать человека нужно в исключительные моменты его жизни, пусть трагические, пусть граничащие с крушением, катастрофой, то я буду делать этот материал, не боясь ничего...»

Пафосное завершение этих клятв было симптоматично для своего времени: «В конце концов, я советский человек, и все, что я думаю, — это мысли советского человека, и вся система моих чувств — эта система чувств, воспитанная Советской властью...»

Простейшее, казалось бы, решение оставаться в творчестве самим собой нелегко далось маститому режиссеру, как раз в силу того, что он воспринял «советское воспитание». Но теперь это были клятвы художника, внутренними требованиями его творчества продиктованные. Под ними мог бы подписаться любой из его самых одаренных учеников...

И тем не менее наиболее яркие личности из нового поколения режиссуры не находят учителей в профессии среди старших коллег-соотечественников. Их, вероятно, и отталкивает то самое «советское воспитание», которое мэтры не могут превозмочь даже тогда, когда пытаются высказаться непосредственно от своего имени.

Из старшего поколения исключением для них остается Довженко, поэтика работ которого откликнется в «Романсе о влюбленных» Кончаловского. В кинематографе украинского режиссера, особенно в «Земле», можно было почувствовать, как Природа оттесняет декорации идеологии, следуя эпике древних космогоний. Александр Петрович наивно творит миф великого обновления Мироздания, обнажая (может быть, невольно) катастрофу его насильственной политической переделки. Интересно, что и Бертолуччи, любимец Андрея, не избежал влияния довженковской «Земли». Итальянец прямо говорит об этом, когда дело касается его «XX века» (1976), сильно взволновавшего Кончаловского.

Михаил Ромм побеждал там, где выступал как педагог. Его кредо: не насиловать ни жизнь в ее непредсказуемом течении и воздействии на молодых художников, ни их самих, давая их талантам как можно больший простор. Он стремился учить «без указки, без перста», будучи убежденным, что «хорошие художники большей частью получаются тогда, когда такого человека с указкой и перстом, такого учителя нет, а есть человек, который бы помогал думать. Или не мешал бы думать. Который позаботился бы о том, чтобы была атмосфера, чтобы сам пророс росток творчества...»

Следуя своему наставническому кредо, Ромм не давил на учеников. «Режиссуре нельзя научить, ей можно научиться», — твердил он.

«Он давал нам возможность ошибаться, тыкаться носом в свои ляпсусы и промахи. Он учил нас так, как учат уму-разуму щенят, пихая их носом в наделанную на полу лужу...»

Когда Кончаловский и Тарковский взялись за сценарную работу, Ромм помогал им, деликатно и терпеливо сопровождал их. Кончаловский для своего дипломного спектакля взял пьесу Артура Миллера «Салемские колдуньи», которую собирался ставить вместе с однокурсниками Андреем Смирновым и Борисом Яшиным. Ромм случайно заглянул, чтобы посмотреть, что получается. И просидел со студентами едва ли не всю ночь, монтируя спектакль.

Серьезная помощь была оказана Кончаловскому и тогда, когда возникали проблемы при прохождении фильма «Первый учитель». Ромм написал рекомендательное письмо в Госкино, которое помогло избежать поправок в сценарии картины. А когда молодой режиссер показал учителю первый материал, заснятый в Киргизии, тот, уважая авторскую индивидуальность воспитанника, сказал: «Мне кажется, ты уже профессионал, мои замечания тебе не нужны...»

«Ромм не боялся искать ответы на мучившие его вопросы. Не боялся эти вопросы ставить. Его картины научили меня меньше, чем он сам. Наверное, главное, чему он нас научил, — ощущать себя гражданами. Подданными Земли...»

5.

Когда Михаил Ильич начал снимать «Девять дней одного года», его курс всем составом отправился помогать мастеру. Все студенты его на картине что-то делали. «Я не делал ничего, — рассказывает Андрей, — потому что он меня пробовал на роль, которую замечательно сыграл Смоктуновский. В институте я проходил по амплуа легкомысленного циника. Помню, Ромм объяснял: „Мой Куликов похож на Михалкова, он тоже талантлив, но легкомыслен. Налет цинизма есть в его отношении к работе, ко всему“».

Что же (или — кого) хотел увидеть в роли Куликова Ромм?

Физик-ядерщик из «Девяти дней...» Дмитрий Гусев, которого сыграл Алексей Баталов, — бескомпромиссный гений науки, готовый ради торжества научной истины пожертвовать собой. Он всегда внутри идеи, он слит с нею. Он и есть своеобразная идея — носитель истины, которая вместе с ним проходит смертельно опасные испытания в мире. Ее суть в служении человечеству.

Иное дело Куликов. Он не гений. Он талантливый ученый. Он не знает фанатичной односторонности гения во взглядах на мир. Но это позволяет ему оглянуться вокруг и увидеть, а значит, попытаться осмыслить реальность. И он это делает и, надо сказать, для своего времени довольно глубоко. Куликов в состоянии, в отличие от Гусева, дать реальности трезвое определение. Неизбежно циничное, но в то же время подталкивающее «циника» к компромиссу ради выживания и его самого, и близких ему людей.

Куликов — образ, оказавшийся слишком сложным для восприятия «шестидесятников», а может быть, и для самого Ромма. Фигура Гусева, напротив, всегда была более понятной и более доступной в рамках оттепельной идеологии.

Поиски «характера Куликова» заставили вспомнить Пьера Безухова, «его добродушие, кротость и доброту», «его уступчивость по отношению к жизни». Потом вспомнили «одного физика», который определял науку как способ удовлетворять свое любопытство за счет государства, да еще получать при этом зарплату. «Это парадоксальное заявление, сделанное с ироничной усмешечкой, показалось интересным для Куликова».

Наконец, Ромм вспомнил Эйзенштейна. Человека «с огромным лбом Сократа, с его удивительно пластическими, округлыми жестами». Вспомнил «сарказм, которым было пропитано буквально каждое его слово; вспомнил его язвительно-добродушные остроты; вспомнил, что каждую его фразу нужно было понимать двояко, ибо он всегда говорил не совсем то, что думал, или, во всяком случае, не совсем так, как думал...».

Однако как ни прикладывали Ромм со сценаристом Храбровицким поведение Эйзенштейна к поступкам Куликова, все не получался искомый характер, пока не вспомнили «еще об одном существе».

«Это совсем молодой человек, по существу юноша, сын довольно известного деятеля, очень благополучный, веселый, сытый. У него отличные родители, отличная квартира, он хорошо воспитан, остроумен и талантлив, поэтому добродушен и учтив, ему все сразу легко дается, и он беспредельно беззастенчив, ибо вошел в жизнь с парадного хода и считает себя ее хозяином. Очень милый барчук! Вот он-то и сформировал окончательно Куликова, в котором соединилось многое от многих людей».

Так рождался образ.

Нынче мало смысла фантазировать на тему, что получилось бы, если бы роль сыграл не Смоктуновский, а Кончаловский. Но из тех составляющих, которые предлагал Ромм, складывался чрезвычайно многозначный характер, гораздо более сложный и интересный, чем характер Гусева. И гораздо более близкий натуре Кончаловского, нежели, может быть, даже и дару Смоктуновского, хотя только Смоктуновский с его гениальностью лицедея мог воплотить предложенное.

Смею предположить, что, угадывая в «цинике» Куликове знакомого ему «циника» Кончаловского, Ромм, по естественной логике, в Гусеве мог видеть реального оппонента Кончаловского — Андрея Тарковского. Эту пару наставник вплотную наблюдал в ее разнообразных проявлениях.

Пройдет еще какое-то время, и в разгар гонений на Тарковского Ромм скажет кинокритику Семену Чертоку: «Тарковский и Михалков-Кончаловский — два самых моих способных ученика. Но между ними есть разница. У Михалкова-Кончаловского все шансы стать великим режиссером, а у Тарковского — гением. У Тарковского тоньше кожа, он ранимее. У Кончаловского железные челюсти, и с ним совладать труднее. Его они доведут до какой-нибудь болезни — язвы желудка или чего-то в этом роде. А Тарковский не выдержит — они его доконают».

По «странному сближению», спор Гусева — Куликова в фильме, вплоть до трагического финала — самопожертвования первого, будто предугадывал «спор» Тарковского — Кончаловского, который не завершился и после кончины автора «Жертвоприношения».

Во всяком случае, Андрей, по его признанию, и в 2000-е годы не может избавиться от наваждения, что напряженный диалог его с былым единомышленником продолжается. Причем Кончаловский подчеркивает, что ему никогда не хватало смелости «допрыгнуть» до гениальности Тарковского, поскольку планка гения — это черта, за которой начинается жертвенная игра со смертью.

Кончаловский и Тарковский — две модели художнического и социально-бытового поведения как две стороны одной медали. Их взаимоотношения сложились в своеобразный кинематографический роман, «чтение» которого помогает формированию более полного представления об отечественном киноискусстве второй половины XX века.

Если Андрей Тарковский и Василий Шукшин обозначили своим «соперничеством» два противоположных полюса отечественной культуры, «высокую» и «низовую» ее ипостаси, то Андрей Кончаловский оказался, что называется, посредине. Не принадлежа полностью ни к одному из полюсов, он то и дело стыковал их в пограничном пространстве своих творческих поисков.

В этом смысле крайне интересно, например, в видеоряде «Белых ночей...» найти отголоски «языка» Тарковского, а в герое фильма Тряпицыне — родственника шукшинских «чудиков».

Кончаловский взял на себя роль «серединного гения компромисса» в художественной культуре, сопрягая ее разноположенные «языки».

С этой точки зрения, примечательна и его другая «случайная»

кинопроба.

Сергей Бондарчук пригласил Андрея на роль Пьера Безухова как раз тогда, когда начиналась работа над сценарием об Андрее Рублеве (первая заявка на фильм датируется 1961-м годом). Как известно, роль Пьера сыграл сам Бондарчук. Однако пробы Кончаловского кажутся знаковыми, поскольку в оппозиции Болконский — Безухов проглядывает и оппозиция Гусев — Куликов. А за ними все те же фигуры — Кончаловского и Тарковского — как два художнических темперамента, которые всегда будут противостоять друг другу, выражая тем самым целостность многотрудной и противоречивой жизни.

Время тесных контактов, позднейшее противостояние, конфликты — все это позволило Кончаловскому по-своему глубоко истолковать Андрея Арсеньевича как явление прежде всего социально-психологическое.

Комплексующий взрослый подросток, лишенный полноценной семейной заботы, совершенно не знающий бытовой стороны жизни, но свято верящий в свою гениальность и этой верой спасающийся. Таким Тарковский определился в сознании Андрея Сергеевича, уже зрелого мастера, который свои первые воспоминания о друге молодости, появившиеся в конце 1980-х годов, завершил так:

«...от незнания политической реальности, от наивности во многих вещах, от страхов, рождавшихся на этой почве, он съел себя. Будь у него способность просто логически рассуждать, он не воспринимал бы все с такой «взнервленной» обостренностью. Он постоянно был напряжен, постоянно — комок нервов. Он никогда не мог расслабиться, а за границей это напряжение достигло предельных степеней.

Размышляя об Андрее сегодня, не могу отделаться от чувства нежности к этому мальчику, большеголовому, хрупкому, с торчащими во все стороны вихрами, обгрызающему ногти, живущему ощущением своей исключительности, гениальности, к этому замечательному вундеркинду, который при всей своей зрелости все равно навсегда остался для меня наивным ребенком, одиноко стоящим посреди распахнутого, пронизанного смертельными токами мира».

Этот портрет в живом воплощении мог увидеть театральный зритель нулевых в спектакле Кончаловского «Чайка» на сцене Театра им. Моссовета. Таким предстал Константин Треплев в исполнении Алексея Гришина.

Незабываемая пластика Тарковского, но утрированная до карикатурности, до шаржа. Конвульсии Треплева могли даже смешить. Но потом становилось ясно, что они — выражение сильнейшего внутреннего дискомфорта личности, разрушительного для нее. С таким адом в душе, как выразился классик, жить невозможно. Это был одновременно и портрет русского интеллигента, претендовавшего на роль мессии, избравшего путь одинокого, но заявившего о себе во всеуслышание гения, непосредственно сообщающегося с Богом.

Травмированный сиротством Треплев у Кончаловского неухожен, одет в костюмчик не по росту, отвергаем, нелюбим теми, к кому он тянулся и кого, кажется, пытался любить, во всяком случае, хотел, чтобы принимали его, может быть мнимую, гениальность. А главное — он лишен родительской ласки и теплоты.

Осиротевшее дитя русской интеллигенции, с комплексом своей творческой неполноценности, заброшенности — Треплев вызывал прилив острой жалости и сострадания.

6.

С того момента, как Тарковский приступил к «Зеркалу», а Кончаловский — к «Романсу», они практически не общались. Их творческие позиции «разошлись до степеней, уже непримиримых». Кончаловский вовсе не принял «Ностальгию» и «Жертвоприношение», считая их картинами претенциозными, в которых художник больше занят поисками самого себя, нежели истины. Но он никогда не отрицал масштабов личности Тарковского, «потрясшего устоявшиеся основы».

Чужда Кончаловскому и удручающая серьезность Тарковского, которая не оставляет места для самоиронии. Почувствовав себя мессией, художник перестает смеяться. Действительно, «Андрей Рублев», пожалуй, единственная картина Тарковского, где присутствует полноценный смех как мировоззрение.

Их расхождение, как полагает Кончаловский, началось из-за чрезмерности значения, которое Тарковский придавал себе как режиссеру в «Рублеве». Он недвусмысленно указал соавтору на границы, за которые тому запрещалось выходить. Он указал на эти границы еще в «Ивановом детстве», дав понять, что если имени соавтора по сценарию нет в титрах, то и нечего на это место претендовать.

Их знакомство произошло, когда Андрей Арсеньевич делал курсовую с Александром Гордоном. Студенческие работы Тарковского Андрону казались слабыми. Но период сотрудничества с Андреем Арсеньевичем он называет «бурной жизнью». «Бурной она была, потому что сразу же стала профессиональной. Мы писали сценарии — один, другой, третий... Ощущение праздника в работе не покидало, работать было удовольствием. Даже без денег, а когда нам стали платить, то вообще — раздолье...»

Тарковский захотел делать фильм про Антарктиду. И этот сценарий — «Антарктида — далекая страна», — отрывки которого были опубликованы в «Московском комсомольце», писался уже при полноценном соавторстве Кончаловского, выступившего под псевдонимом «Безухов».

Предполагалось, что сценарий будет сниматься на «Ленфильме». Но он не понравился Г. Козинцеву, и тот отказал, сильно огорчив молодых соавторов. Они засели за «Каток и скрипку». Эта работа была принята в объединение «Юность» на «Мосфильме». Авторам даже заплатили. И Кончаловский ходил страшно гордый, поскольку его сценарий был куплен самой авторитетной студией страны.

Начав работу в «Юности», Тарковский вскоре перешел в творческое объединение писателей и киноработников, художественными руководителями которого были с 1961 года Александр Алов и Владимир Наумов. Через какое-то время на «Мосфильме» оказался и Кончаловский.

С 1954 года, когда Тарковский поступил во ВГИК, и до того, как он получил свою награду в Венеции за «Иваново детство», а Кончаловский — за дипломную короткометражку «Мальчик и голубь», на экранах страны уже шли фильмы их старших коллег, ныне ставшие классикой. Это картины не только упомянутых Алова и Наумова, но и Григория Чухрая, Михаила Калатозова, Льва Кулиджанова и Якова Сегеля, Марлена Хуциева, Сергея Бондарчука. Не оставались в стороне мастера предыдущего поколения, становление которых проходило в 1920–1930-е годы. Именно в оттепель, кроме «Девяти дней...» и «Журавлей», выходят «Дама с собачкой» Хейфица, «Дон Кихот» Козинцева.

Но и на этом фоне первые творческие шаги и Тарковского, и Кончаловского выглядели весьма убедительно.

«Ощущение было, что мир лежит у наших ног, нет преград, которые нам не под силу одолеть. Мы ходили по мосфильмовским коридорам с ощущением конквистадоров. Было фантастическое чувство избытка сил, таланта... Студия бурлила, возникали творческие объединения. Мосфильмовский буфет на третьем этаже был зеркалом забившей ключом студийной жизни. Рядом с нами за соседними столиками сидели живые классики — Калатозов, Ромм, Пырьев, Урусевский, Трауберг, Арнштам, Рошаль, Дзиган. Это были наши учителя, наши старшие коллеги, любимые, нелюбимые, даже те, кого мы в грош не ставили — как Дзигана, — но все равно это были не персонажи давней истории отечественного кино, а живые люди, с которыми мы сталкивались по сотне самых будничных производственных и бытовых поводов...»

Сценарий «Иваново детство» писался легко. «Что Бог на душу положит, то и шло в строку. Мы знали, что у студии нет ни времени, ни денег. Студия была на все готова, лишь бы Андрей снимал. Я принимал участие в работе как полноправный соавтор, но в титры не попал — выступал в качестве «негра». И не заплатили мне за работу ни копейки, я работал из чистого энтузиазма, за компанию. Считалось, что я как бы прохожу практику...»

Тарковский естественно занял место «старшего брата». То самое, которое в свое время принадлежало Юлику Семенову. Похоже, это положение его вполне устраивало. И в дружеских, и в творческих отношениях Кончаловский отодвигался на роль младшего. Он терпел, но с трудом. След обиды и до сих пор сохранился в его воспоминаниях.

Работа над «Андреем Рублевым» была, конечно, творческой радостью, наслаждением, но и мучением, спором двух мощных самостоятельных дарований. Опус разрастался непомерно, еще более распухая на съемках. Приходилось урезать нещадно. После того, как «Рублев» был закончен и положен на полку, Кончаловский смог посмотреть его. У него возникли соображения по сокращению вещи. Он вообще думал, что можно обойтись одной новеллой «Колокол». Симптоматична реакция Тарковского: «Коммунисты тоже считают, что надо сокращать...»

Но дело не только в том, что фильм, как говорит Кончаловский, нуждался в значительном сокращении. Экранная «неуклюжесть», громоздкость ленты — гениальны. Однако по своей художественной проблематике фильм пошел в другом по отношению к сценарию направлении.

Для сценария существенно становление дара Рублева во взаимодействии с многоголосым миром, и его «Троица» являлась итогом постижения самой реальной действительности, плоти и духа страны и ее народа. В фильме Тарковского явление великой иконы было результатом глубинного самопостижения художника, некой божественной сути его творческого «я», на самом деле непостижной. Пафос сценария, соотношение в нем художника и среды ближе Кончаловскому, чем Тарковскому. Зато фильм стал исключительно творением Тарковского. Хотя и след соавтора в нем все же заметен.

Андрону казалось, что по мере международного признания его друг на глазах «бронзовел». Какое-то время он рядом с Тарковским был чем-то вроде юного Никиты Михалкова рядом с ним самим. «В ту пору я был его оруженосцем», — вспоминает Андрей. Особенно проявилась эта дистанция в Венеции.

Одна из последних встреч Кончаловского с Тарковским произошла уже за рубежами отечества, когда Андрей Арсеньевич после «Ностальгии» решил остаться за границей. Кончаловский убеждал его возвратиться: «Андропов лично дает гарантию, если вернешься — получишь заграничный паспорт...» Эти хлопоты стали поводом к тому, что Тарковский посчитал своего бывшего друга агентом КГБ, о чем не преминул сделать публичные заявления...

«Виделись мы после этого только один раз — на рю Дарю. Я шел в церковь, он — из церкви. Я уже остался за границей. „Ты что здесь делаешь?" — спросил Андрей. — „То же, что и ты. Живу". — Он холодно усмехнулся: „Нет, мы разными делами занимаемся..."»

Существует давний фильм сокурсницы Тарковского Дины Мусатовой «Три Андрея» (1966) о работе двух режиссеров — одного над «Рублевым», другого над «Асиным счастьем». Интересно наблюдать, как ведут себя в кадре тот и другой, вольно или невольно демонстрируя модели художнического поведения. Характерна и среда, в которой их находят и снимают.

Тарковский. Серьезное лицо, чувствуется движение мысли, глубоко постигающей мир. В кадре же — глубокомысленное молчание. Закадровый — его! — голос: весомо, с паузами. Впечатляющие ракурсы. Всюду — многозначительность и серьезность. Среда избавлена от деталей. Строга и торжественна. Или вот он, элегантный, но опять — в молчании, опять закадровый голос, — вот он идет по Москве, гений среди ничего не подозревающей толпы обыкновенных людей...

Кончаловский. Нам сообщают: «Недавний студент и тоже снимает свою вторую картину...» «Недавний студент» найден где-то на току. Вокруг суетятся колхозники. Ребятня бегает. И он сам отчасти напоминает сельского жителя, хоть и в темных очках, по примеру Цибульского. Что-то говорит о замысле картины. Но вяловато. Сбивается. Подбирает слова. И среда — в подробностях и мелочах. В ногах у него мальчонка, семечки лущит. Другой — рядом — заигрался, бросается зерном. Мешает. Молодой режиссер вынужден сделать замечание: «Перестань шалить...»

«...Мне трудно описать наши отношения с Тарковским, — говорит Кончаловский полвека спустя. — Это как любовь. Наступил момент, и она стала угасать. Все произошло естественно...»

Странное дело, когда речь идет о Кончаловском, а тем более — в его воспоминаниях, находится место и Тарковскому. В материалах же о Тарковском — Кончаловский редкий гость. А если он там и встречается, то, как правило, в настороженно двусмысленном освещении. Только в начале нулевых появляется попытка серьезного толкования «экзистенциальной драмы», действующие лица которой — Кончаловский и Тарковский и которая если не событийно, то «контекстуально и интеллектуально не исчерпана». Автор статьи «Кончаловский и Тарковский: вместе и врозь» Андрей Шемякин искал «подходы к разгадке этой драмы, выразившей в самом своем содержании более общую драму людей и идей оттепели».

«В 70-е, когда новые интеллектуалы, родившиеся в конце 50-х — начале 60-х, заставшие «сплошной обман»... и не помнившие самого воздуха оттепели, прочитали «Вехи», оба режиссера и выразили в концентрированном виде ситуацию рубежа, промежутка, перехода. Что в корне противоречило самоощущению людей оттепели, переживавших 1968-й как конец времен...»

глава вторая

Эхо «Журавлей»

...Трагическая тень лежит
Под каждою травинкой в поле...
Евгений Винокуров

1.

«Мальчик и голубь» — диплом оператора Михаила Кожина (1936–1984), срежиссированный Кончаловским по своему же сценарию. Фильм получил «Бронзового льва» в Венеции.

Мальчик, влюбленный в голубиный полет. Прорастающая духовность. Жажда пережить радость свободного парения приведет его на птичий рынок. Денег на покупку не хватает. Он предлагает голубятнику альбом дорогих марок.

Первый полет голубя — и неудача! Птица возвращается к прежнему хозяину. По неписаным правилам мальчик должен выкупить голубя. И он тащит хитрому обладателю голубятни своих «золотых» рыбок, еще что-то. Уходит, прижимая к груди драгоценное приобретение. Отпуская птицу снова, мальчик привязывает к ее лапке бечевку, чтобы не потерять вторично. Голубь рвется в небо, но его тянет к земле. Огорчен не только мальчик, но и молодой рабочий, невдалеке перетаскивающий молочные бидоны (эпизод легендарного Евгения Урбанского). Мальчик начинает понимать, что полет невозможен, пока птица не станет вполне свободной. В этом, собственно, и заключается притчевая квинтэссенция скромной картины.

Лента вполне соответствовала оттепельной атмосфере. Главным героем киносюжета и мерилом нравственности взрослого мира все чаще становился тогда ребенок. Знаковый в этом смысле фильм Михаила Калика «Человек идет за солнцем» (1961). В затылок же короткометражкам Кончаловского и Тарковского упирался появившийся годом раньше «Сережа» (1960) Георгия

Данелии и Игоря Таланкина.

Я уже говорил, что в фильме этом кроется печаль сиротства. Сама тяга оторваться от земли, обрести свободу полета продиктована безотчетной надеждой преодолеть неприкаянность.

Но откуда тревога в этом внешне безмятежном мире? Следишь странствия мальчика по городу и не в силах от нее избавиться. Нет чаемой гармонии в мире!

Вот еще крошечный эпизод. После неудачного опыта с птицей мальчик выходит на Красную площадь, останавливается, наблюдая, как какая-то пожилая женщина кормит голубей. Мальчик подносит пальцы ко рту, чтобы лихим свистом поднять стаю. Но тут мы вместе с ним видим на минуту лицо женщины, ее глаза, до краев заполненные какой-то уже привычной неизбывной печалью. Кто она? Вдова? Мать погибшего на войне сына? Ведь после войны минуло всего ничего — полтора десятка лет...

При кажущейся бесхитростной дидактичности эпизода он, тем не менее, поддерживает чувство безотчетной тревоги, рассеянной, между прочим, по всему оттепельному кино, которое, несмотря на эйфорию наступившего общественного «оттаивания», не могло утратить память о недавнем прошлом.

2.

Перенесемся на полвека вперед. Когда в 2010 году вышел давно задуманный Кончаловским фильм о Щелкунчике, он и критику, и зрителя разочаровал. Американцы, первыми увидевшие картину, говорили, что это вовсе не рождественская сказка, а «Холокост какой-то».

Источники замысла знакомы современной аудитории. В большей степени — балет-феерия П. И. Чайковского по либретто М. Петипа. В меньшей — рождественская сказочная повесть Э. Т. А. Гофмана. Популярность красочного балета отодвигает на дальний план прозу Гофмана. Не зря же режиссер фильма, раздосадованный реакцией зрителя, сожалел, что забыл напомнить: его версия «Щелкунчика» в большей степени опирается на книгу, чем на балет.

Действительно, в глубине картины живет недетская тревога, гораздо более сильная, чем в «Мальчике и голубе». Она сродни тем интонациям, которые слышатся и у Гофмана, в иных своих фантазиях отнюдь не веселого сказочника, а скорее мрачного мистика. Уже поэтому затруднительно отнести ее целиком к жанру детской сказки, даже в сравнении с литературным первоисточником.

Хотя атмосфера гофмановской прозы в целом не такая уж благостная, «Щелкунчик» — одна из самых светлых, самых детских сказок немецкого романтика. Мир ее фантазии, вместе с присущими ему страхами и радостями, — это именно детский мир. Он весь — кукольный. В нем есть детский ад, обязательно с мышами — воплощением детских страхов и детского понимания зла.

Рай же у Гофмана тем более замыкается именно детским мироощущением. Вспомним страну, куда Щелкунчик уводит Мари и где он, собственно, и оборачивается принцем. Это Кукольное царство, которое слагается из самых привлекательных для ребенка вещей.

У Кончаловского мир детской фантазии сопределен взрослому миру. Кукольные жертвы у него превращаются в далеко не безобидные жертвы крысиной (заметьте, не мышиной!) акции по сожжению игрушек. И эта гекатомба явно выходит за пределы детских фантазий, поскольку ассоциируется и с нацистскими крематориями эпохи Второй мировой войны.

В фильме, как и у Гофмана, есть повествователь — симпатичнейший дядюшка Альберт. Он напоминает, пожалуй, фигуры подобного рода у Феллини. Эти персонажи устанавливают фамильярный контакт зрителей со странным, условным миром классика итальянского кино. И они сами в значительной мере условны.

Но при всей милой домашности дядюшки он, подобно Дроссельмейеру, становится «провокатором» разгулявшегося в рождественские ночи воображения Мэри. Он навевает ей сны, где она становится участницей нешуточного сражения NC (Эн-Си — аббревиатура англ. Nutcracker) с Крысиным Королем и его отвратительной мамашей. Фактически он посылает свою любимицу в опаснейшее испытание для утверждения Добра и Человечности, никак не похожее на кукольные сражения у Гофмана.

В поступках и словах персонажа, сыгранного Натаном Лейном, легко увидеть внимательное и терпеливое вынянчивание «детскости» в нас, людях, как основы гуманности. Такого рода этика приобретает особый вес во времена бесстыдного разгула насилия, неизменный объект посягательств которого — прежде всего детство.

В фильме и сюжет, и образы персонажей поддержаны юмором, эксцентрикой. На роли главных исполнителей избраны актеры пограничного таланта, не исчерпывающиеся амплуа.

По преимуществу, это маски, но не застывшие, а готовые к превращениям. Даже отвратительные Крысиный Король и его мамаша в исполнении Джона Туртурро и Фрэнсис де ла Тур становятся в какие-то моменты привлекательными как раз благодаря своей эксцентричности.

Возможно, уже тут проходила первые испытания сюжетная идея «Рая» (1916) о коварной «соблазнительности зла».

Итак, фильм Кончаловского не вполне сказка. Но его не хочется именовать и музыкальной сказкой, хотя сам режиссер дает такое определение. По мне, эти жанровые рамки слишком узки. Притом, что в фильме есть и музыкальность, и сказочность.

Я хочу напомнить, что в сюжет многих созданий Кончаловского закладывается энергия подспудной напряженной борьбы художника... с самим собой.

Как художник Кончаловский имеет слабость безоглядно увлекаться тем миром, который в данный момент создает, захваченный им, как дитя любимой игрушкой. И какие бы трезвые размышления (коммерческие, например) ни предшествовали исполнению замысла и ни сопровождали исполнение, побеждает, как правило, художник.

Кончаловский, кроме того, относится к тому разряду людей, которые имеют и вкус, и страсть к размышлению, ценят мысль широкого культурологического охвата. Берясь за любой проект, он тут же помещает его в многоголосое пространство культурных ассоциаций. И его «ведет»! Замысел обрастает разноликими, неожиданными порой и для него самого смыслами.

Его, я думаю, «повело» и на этот раз — в сторону, противоположную коммерции и стандартам американского зрителя, для которого была сделана мировая премьера фильма.

К тому же Кончаловский нерасчетливо отдался своей тревоге, вызванной глубоким кризисом традиционных культурных ценностей в новом веке. Хотел искренне поделиться всем этим со своими современниками, которые в большинстве случаев к такому диалогу оказались не готовы.

Но и Гофман безжалостно требователен и критичен по отношению к «взрослому» миру. И более всего — к миру филистеров. Он не принимает равнодушия ограниченных взрослых к трепетному миру детской мечты. Не так невинен и образ маленького «милитариста» Фрица в оригинале сказки.

Кончаловский подхватывает амбивалентность фигуры брата

Мэри (в фильме — Макс). В мальчике видна склонность к бездумному разрушению всего «до основания». Он с любопытством и даже наслаждением поджигает наряд сестриной куклы, которая потом превращается в Снежную фею, очень похожую на их маму. С таким же сладострастием он увечит Щелкунчика. Но как только начинаются серьезные испытания, как только он видит живые детские слезы, вызванные «акциями» крысиного предводителя, в нем все же пробуждается природная наша человечность.

3.

В какой-то момент в фильме все сказочное, детское, игрушечное отодвигается. Маленькие герои вступают в серьезную борьбу со злом «крысификации». И это — реальное зло, поскольку означает унификацию человека, подавление его индивидуальных свойств и стремлений.

Внешне крысиная армия вызывает знакомые ассоциации из сравнительно недавней истории. Своей серовато-зеленоватой массой, деталями обмундирования она напоминает не только о нашествии нацистов, но воплощает некий собирательный образ военщины как таковой. А если вспомнить, что Кончаловский перенес действие сказки в Вену 1920-х, еще завороженную музыкой Штрауса и не подозревающую об аншлюсе 1938 года; что героями картины становятся, в определенном смысле, Зигмунд Фрейд и Альберт Эйнштейн, два еврея, бежавшие из Германии от преследований нацистов, — если вспомнить это, то фильм приобретет черты фантазии на темы грозного начала XX века, когда легкомысленное человечество прозевало нарождение и становление фашизма, грядущей за утверждением его идеологии мировой катастрофы.

Это фильм-предостережение, вышедший во времена опасно бездумного самоистребления человечества. Как будто детские инстинкты Макса выплеснулись наружу и обернулись гипертрофией крушения всего и вся.

Современная фильму детская аудитория давно не та, к которой обращался повествователь Гофмана. Нынешние дети вступают в человеческий мир привычного физического и нравственного самоуничтожения. «Щелкунчик» Кончаловского показал, насколько современникам режиссера не под силу узнать себя в аллегории на темы хрестоматийных событий XX века.

Кончаловский напоминает о катастрофах недавней истории. И главными героями, естественно, становятся дети, поскольку только они со своим мечтательно-наивным восприятием мира могут предчувствовать его глубинные колебания, готовые обернуться той самой бездной, которую хорошо чувствовали зрители еще второй половины XX века в картине Калатозова и Урусевского «Летят журавли», а потом — и в «Ивановом детстве».

Кончаловский в свое время противился введению в финал «Иванова детства» кадров с обгорелыми трупами семьи Геббельса, среди которых были и тела детей. В начале нового столетия режиссер считает оправданной «рискованную эстетику» Тарковского. Это видно и по фильму о Щелкунчике. А уж тем более по фильму «Рай».

Изобразительно «Щелкунчик» построен на жестком стыке миров: идиллически безмятежного мира легкомысленной Вены, в которой расположился такой же внешне безмятежный дом Мэри, и отвратительного канализационного мира крыс.

В чуткой душе Мэри поселяется безотчетная тревога. Она еще не видит крыс, уже проникших в их дом, но предчувствует их. Тем более, что родители в очередной раз покидают детей, занятые своими взрослыми играми, а Макс так неуемен в своей агрессии.

Тревога обретает форму во сне, который, собственно, и составляет большую часть картины. Режиссер делает едва уловимым переход от яви ко сну, как бы материализуя выражение дядюшки Альберта о том, что и реальность — это иллюзия, но уж очень убедительная. Сновидение превращается в сражение детей со всеобщей «крысификацией».

Авторы фильма в качестве образа подавления населения сновидческой страны (той же усыпленной вальсами Вены), где правит принц Эн-Си, превращенный в Щелкунчика мамой Крысиного Короля, избирают кремацию детских игрушек. И дым, который валит из труб новоявленного крематория, закрывает ненавистное крысам солнце, лишая мир тепла и света.

В фильмах и спектаклях Кончаловского последних лет все чаще появляются не только дети, но и их разнообразные игрушки. В итальянском спектакле по трагедии Софокла «Эдип в Колоне» (2014) Антигона, сам еще подросток, катит перед собой тележку, в которой, кроме всякого хлама, есть и тряпичные игрушки. И у детских персонажей «Белых ночей...» и «Рая» в руках можно увидеть игрушки как неотъемлемую часть их невинного бытия.

Игрушки в «Щелкунчике» — воплощенная человечность, а не только наивный светлый мир детской фантазии и игры. Игрушки еще и метафора живого искусства, уничтожаемого Крысиным Королем.

И если уж говорить о том, кого напоминает в своем парике Крысецкий, то не столько Трампа, как кажется кому-то после появления его в качестве президента, сколько короля поп-арта Энди Уорхола. Одного из тех культурных деятелей, которые, по убеждению Кончаловского, не столько творят, сколько уничтожают живое творчество.

4.

Существует прозаический пересказ фильма, талантливо исполненный Мариэттой Чудаковой в жанре современной авторской сказки.

Есть там и программный «шлягер» Крысаря, о том, что у людей *был исторический шанс*, но они жили уж больно весело и беспечно. И упустили свою Свободу. После чего кончилось *время людей* и настало *время крыс*.

Дядюшка Альберт посоветовал детям содержание «шлягера» «намотать себе на ус и принять к сведению всем, кто действительно хочет жить в Свободной Стране. Потому что Свобода нуждается в повседневной о ней заботе — как дети, животные и растения. А без этого она может зачахнуть, и любой тиран легко ее погубит».

Крысы — хтонические существа. Их мир — мир без солнца. Их надо бояться, но с ними и надо бороться. А главное — помнить, как сказал Щелкунчик, поразив этим свою спутницу: *«Крысы всегда где-то есть»*.

Добро требует усилия, потому что оно чудо, слышим в фильме «Рай». И это — эхо «Щелкунчика». Добро не должно предаваться естественному человеческому легкомыслию и забывать, что от носителей зла (даже — невольных) всего и всегда можно и нужно ожидать. Крысы всегда где-то есть!

Крысарь в исполнении Туртурро — фигура непростая. Он весьма образован. Мало того, он в своем роде эстет, художник. Он хороший психолог. Ему знакомы слабости человеческой натуры. Оттого он поначалу и завлекает в свои сети Макса. И все же он — фантом канализации, подворотни. Его образованность и культура — блеф, ширма. Зло тем и опасно, что в нем есть своя мрачная эстетика, притягательная сила.

5.

В центре этого семейного фильма созревающее детское сознание. Мэри, впрочем, как и Макс, взрослеет в течение сюжета.

Детское как сюжетообразующее начало, заявленное еще во вгиковской короткометражке «Мальчик и голубь», с тех пор не покидает картин режиссера. Но детское именно как естественное первоначало рода человеческого, а не его затянувшаяся недоразвитость, недорослость.

В «Ближнем круге» показан спецприемник для детей врагов народа. В кадре одно за другим возникают детские лица вместе с личиком главной героини — Кати Губельман. Эти лица — образ катастрофы, в которую погрузилась страна. «Сталинизация» как массовый государственный террор метит в самое уязвимое и незащищенное. В ахиллесову пяту нации — в ее детское первоначало.

И в «Щелкунчике» появятся фотографические изображения плачущих детских лиц — маниакальное пристрастие эстета Крысаря. Фантазийная «крысификация» становится рифмой реальной «сталинизации».

И там, и здесь подавление первых ростков становящейся жизни в индивидуальном, частно-семейном смысле. И там, и здесь — слепота взрослого мира, соблазненного миражами и забывающего, что крысы всегда где-то есть.

Судя по творческим поискам режиссера уже после «Щелкунчика», его все более тревожит мысль о катастрофе, грозящей миру изнутри самой человеческой природы, готовой соблазниться злом и отказаться от нравственного усилия, порождающего чудо добра.

Есть в нас некий «ген», пробуждение и рост которого ведет к самоуничтожению. Он и понуждает Макса с любопытством (что получится?) и наслаждением увечить Щелкунчика. Стоит мальчику чуть сильнее увлечься мощью «крысобайка» — и он в лапах «крысификации». Спасает его естественное сочувствие страдающим, начатки которого посеяны мудрым дядюшкой Альбертом, своеобразным домовым, пращуром, стоящим в первоосновах семьи.

Хронотоп Дома — метафорическое ядро фильма. Он имеет не только внешнюю, светлую сторону, но и оборотную, зазеркальную. Оттуда прямой ход в крысиные подземелья. О существовании зазеркалья следует помнить не только детям, но и взрослым. Тогда не возникнет вопросов, отчего падает рождественская елка, — в фильме она сродни дереву жизни, вокруг которого, собственно говоря, и организован дом. И тот и другой образ — архетипы Кончаловского. А падает дерево жизни оттого, что ствол его подгрызли крысы, не замеченные взрослыми. Ограниченные в своем недомыслии, они не верят в существование крыс.

6.

То, что у Кончаловского в зрелые годы обернулось притчей-предостережением об утрате взрослым миром чувства трагической тревоги, начиналось даже не с «Мальчика и голубя», а с первого «удара наотмашь» — с «Журавлей».

В «Журавлях» гармония мира (любовь, семейное благополучие, радость творчества) держится на катастрофически хрупкой основе. Открытие этой хрупкости потрясает!

Оказывается, всем правит случай, отчего человеческий мир неотвратимо подвигается к бездне, готовый низринуться в нее. Война же — концентрированное проявление случайного: стихийной неуравновешенности мироздания. И нет разумных сил, способных предусмотреть Случай и рационально сопротивляться ему. Вот в чем трагизм пребывания частного человека в мире.

Как же выжить? Как выдюжить осознавшим все это?

Вероника из «Журавлей» не выдерживает, хочет покончить с собой. И покончила бы, если бы не случайно возникший осиротевший ребенок, которого героиня случайно спасает от случайной машины.

Победа приносит и непреодолимо определенное: жених Вероники погиб. Она навсегда невеста. Во время победной встречи отцов, мужей, сынов плачущая женщина, оглушенная неотвратимостью случившегося, как сомнамбула, движется с букетом цветов сквозь общее ликование. Идет, несчастная, против течения. И это есть действительный финал вещи — высокая безысходность страдания одинокого человека в катастрофическом мире. Никакая гармония единения, эмблема которого затем возникает на экране вместе с журавлями в небе, здесь невозможна!

И этот сюжет нам знаком! По фильму Кончаловского «Романс о влюбленных». Вся первая часть его решена один-в-один по творческой памяти о композиции фильма Калатозова. Та часть, которая завершается метафорической гибелью героя и погружением во тьму Смерти. В этой точке финал всех финалов. Дальнейшее — молчание. Но у Кончаловского дальнейшее — воскрешение в новом отношении к жизни. Не в пафосно-плакатном ее прославлении, а в терпеливом приятии стихийной игры мироздания с человеком, в каждодневной опоре на спасительность трагической тревоги, которую несет в себе слабая наша плоть.

Вот наиважнейший урок кинематографа оттепели. Его хорошо усвоили Кончаловский и Тарковский, но пошли разными путями, воплощая эти уроки.

Знак обретенного Кончаловским — в переосмыслении им финала «Журавлей», где Вероника, еще в слезах, все же воссоединяется с народом, преодолевшим войну. В неоднозначных концовках его картин народное ликование будет окрашиваться то ли печалью расставания, то ли радостью встречи. А из толпы людей всегда будет выбиваться человек, так и не разрешивший всех своих, на самом деле безысходных, вопросов. И только присутствие в сюжете ребенка намекнет на нерушимость в нас этической опоры.

Этический состав «Щелкунчика», предчувствующего потрясающий финал «Рая», тот же.

глава третья

Смех и слезы «иванизма»

Люблю Россию я, но странною любовью...
Михаил Лермонтов

1.

К своему режиссерскому дебюту в «Мальчике и голубе» Андрей привлек и младшего брата. Никите было поручено наловить четыре сотни голубей и перевязать им крылья. Младший был готов ко всему, лишь бы быть рядом со своим кумиром, старшим братом.

«Он так устал, что еле стоял на ногах. Волосы в слипшемся дерьме. Я его причесал, налил пятьдесят грамм коньяку — ну, чем не снисхождение доброго фараона к своему рабу? Удивительная жестокость!..»

Чувство вины перед младшим с годами становилось, кажется, острее. Неожиданно (а может, ожидаемо — как тоска по родному) проглянуло в одном из голливудских фильмов Кончаловского — в «Поезде-беглеце» (1985).

Герой картины, крутой зэк Мэнни, совершает побег из тюрьмы где-то на Аляске. За старшим увязывается молодой заключенный Бак, влюбленный в недосягаемого Мэнни. Оба садятся в подвернувшийся локомотив, утративший управление. Вместе с ними в промерзшей, несущейся сквозь ледяную пустыню адской машине оказывается и еще один, невольный, пассажир — юная уборщица локомотива.

На протяжении всего непростого путешествия старший сурово подавляет младшего. Вот фрагмент.

Бак, промерзший, в кровь избитый вожаком, сидит, вжавшись в угол, вместе с девушкой-уборщицей, со страхом взирая на «старшого», от которого неизвестно, чего можно ожидать. В это время и ему, и зрителю становится ясно, что «старшему», на самом деле, никто-никто и ничто-ничто не нужно, кроме этого катастрофического движения в гибель... Молодой заключенный, в трогательно подвязанной под подбородком ушанке, измученный и обиженный, вызывает острое чувство жалости. Зритель видит в нем, прежде всего, несправедливо притесняемое дитя.

А вот эпизод из жизни братьев.

Андрон ждал девушку и попросил Никиту побыть некоторое время на воздухе. Старший пообещал подхватить младшего потом и машиной вместе двинуться на дачу. Но забыл. А была зима. Жуткий мороз. Младший ждал старшего. Тот отправился в кафе и только через час-два вспомнил... «Квартира заперта, ключи у меня. Я вернулся, смотрю — в телефонной будке на корточках спит Никита. Стекла запотели, ушанка завязана на подбородке, на глазах замерзшие слезы. Он всегда был и есть человек исключительной преданности...»

В последнее время кажется иногда, что старший и младший поменялись местами.

Сравнивая отца и дядю, Егор Кончаловский видит их сходство в том, что оба «ощущают себя центром мироздания», «вышли из одного источника». «Оба домашние тираны. Я лично не могу много времени с ними проводить. Но они не соперники. Дело в том, что Никита ненавидит зарубежье... А отец смотрит на Запад — они занимают совершенно разные ниши. Даже отношение к семье у них разное: отец никогда меня не сковывал, отпустил на все четыре стороны, а Никита всех детей держит возле себя, может быть, это им мешает стать самостоятельными».

Кто не помнит роль Никиты Михалкова в воздушном фильме Георгия Данелии «Я шагаю по Москве» по сценарию Геннадия Шпаликова? Никита исполнял песенку о том, как он идет, шагает по оттепельной, лучезарно и свободно снятой Вадимом Юсовым Москве. А шагать легко, поскольку «все на свете хорошо».

Но легкость персонажа Михалкова, ставшая скоро привычной и для самого актера, обнаружила подозрительную ущербность, когда он исполнил свою первую большую роль у брата. Это был молодой разгульный князь Нелидов из «Дворянского гнезда». Появлялся он в сцене ярмарки, для фильма резко поворотной. Поднималась на поверхность неприглядная подноготная русской жизни, скрывающаяся за ностальгической декорацией дворянской усадьбы.

«Легкость» князя была прямой противоположностью тяжести прозрений Федора Лаврецкого о себе, о судьбах родины. Характер Нелидова исчерпывался избалованностью барского дитяти, абсолютно глухого ко всему, что есть не он. И это казалось оборотной стороной русской ярмарочной грязи, из которой персонаж и вырастал со своей равнодушной бездумностью.

В фильме брата Михалков, по существу, опровергал имидж, совершенно отчетливо сложившийся в его актерской деятельности со времен картины Данелии. Потом это опровержение подхватил «Станционный смотритель» Сергея Соловьева. Там Михалков сыграл Минского, а по сути, второго Нелидова. Главное же было впереди — роль в «Сибириаде».

В Алексее Устюжанине нет и намека на молодое парение в фильме Данелии. Он мотается из края в край страны по инерции сиротства, тяжести которого, кажется, уже и не замечает, бездумно имитируя легкость. Но наступает и трагедийное прозрение пустоты, открывающейся за «легкостью», а потом — гибель. Герой расплачивается за слепоту, за позднее прозрение. Таким было очередное опровержение актерского имиджа младшего брата. А далее открывалась не только новая страница (Кончаловский ее уже предчувствовал) в творчестве Никиты, но обнаруживалась и новая его ипостась как вполне определенной человеческой индивидуальности.

Наблюдая его жизненный и творческий путь, нетрудно заметить, что он (на первых этапах, во всяком случае) ступает след в след старшему. «Мне было тринадцать, и больше всего на свете я любил открывать двери, когда к старшему брату собирались гости. Я до сих пор не могу понять, почему я это так любил, все равно никакой надежды, что мне позволят посидеть со взрослыми, не было, но, наверное, то, что можно хоть на мгновение прикоснуться к празднику старших, посмотреть, кто пришел, что принес, заставляло меня вздрагивать при каждом звонке и сломя голову нестись открывать...»

Младший брат вслед за старшим влюбился в сцену, поступил в студию при Театре им. Станиславского. На свой актерский дебют пригласил, естественно, Андрея. Но когда со сцены поймал его мрачный взгляд, в котором виделась убийственная оценка происходящего, Никиту «охватил ужас». Андрей без восторга воспринимал и первые кинороли брата. Считал его увлечение кинематографом ребячеством. Но это, тем не менее, не повлияло на упорное стремление Никиты быть как брат.

Уже в качестве режиссера Михалков, как правило, реагировал на предшествующее кинематографическое «высказывание» брата и делал это едва ли не с момента своих еще курсовых работ. В 1968 году почти одновременно с появлением «Аси Клячиной» он вместе с Евгением Стебловым снимает ленту «...А я уезжаю домой», очевидно навеянную фильмом Андрея. На главную роль приглашен, разумеется, непрофессионал. Картина снималась методом провокаций. «Начальство ВГИКа встретило фильм в штыки, увидело что-то зловредное официальному курсу», — вспоминал Стеблов. Даже в этом вгиковском скандальчике, сопровождавшем его картину, младший шел за старшим, деревенская идиллия которого легла на полку.

Революционная тематика «Первого учителя» откликнулась в творчестве Никиты картиной «Свой среди чужих, чужой среди своих». На поиски Андрея в области экранизации классики Михалков ответил своими интерпретациями Чехова и Гончарова. А эпика «Сибириады» была оспорена камерностью «Пяти вечеров», а еще позднее отозвалась громоздкой исторической мелодрамой «Сибирский цирюльник», съемки которой в Красноярске сопровождались поклонением духам предков. «Ближний круг» аукнулся в «Утомленных солнцем». «Родня», в известном смысле, могла бы расположиться между «Асей Клячиной» и «Курочкой Рябой».

По мере того, как подступало время отбытия старшего за рубеж, братья духовно сближались. Андрей вспоминает, как они однажды встречали восход, когда возвращались из ресторана «Внуково». И он говорил что-то «мудро и долго». А в это время в туманной дымке вставало солнце. Машина остановилась. Вот тогда Андрей почувствовал, что у него есть младший брат, и он его друг. «Я обнял его за плечи и то ли сказал, то ли подумал: „Это утро мы никогда не забудем"».

Старший уехал и увез в душе чувство, что «бросил всех», «бросил, предал» младшего.

Но в его лице убывал и соперник на творческом фронте, с которым то и дело возникала гласная или негласная «перестрелка». В доперестроечный период она завершилась удачным «выстрелом» Никиты — экранизацией гончаровского «Обломова» (1980).

В этой картине, уверен старший, брат вывел его в образе Андрея Штольца. Нашла отражение пристальная забота Кончаловского о своем здоровье, его вегетарианство, рационализм и ориентация на цивилизованный Запад.

Черты мировидения Михалкова отразились, можно полагать,

в образе самого Обломова. Так младший попытался освободиться от творческого (да и всякого иного) диктата старшего.

...Илья Ильич сравнивает себя с листом среди бесчисленных собратьев в кроне дерева. Сколько бы ни было их, а каждый питается теми же соками, что и другие. Он един с родиной своего произрастания. Следовательно, у каждого листочка, каким бы ничтожным он ни казался, есть своя правда и свой смысл. Так и в его, заключает герой, обломовском существовании есть хотя бы тот смысл, что он живет вместе с другими («листьями») соками единого «дерева», единой России.

Эта «идеология» после «Обломова» все чаще звучит и в творчестве, и в публицистических выступлениях Никиты Михалкова. Но чаще не в такой мягкой, а гораздо более острой, даже воинственной форме.

Андрей полагает все же, что у брата появлялось желание оставить страну, но не пускали заботы о доме, о семье. Что касается собственного отъезда и отношения к нему Никиты, то Андрею всегда казалось, что тот понимает его, что иной путь для него, для Андрея, невозможен.

До появления «Обломова» Никита еще заметно учится у брата. В экранизации же Гончарова и после нее он уже с ним спорит. Андрей, в свою очередь, считает, что его отъезд сыграл положительную роль в творческом становлении Никиты, в «Обломове» и «Пяти вечерах» которого он видит стилевое утверждение самостоятельности.

Фильм «Несколько дней из жизни И. И. Обломова», принятый Госкино СССР в конце лета 1979 года, то есть до отъезда брата, был невольным предупреждением отъезжающему: не отрывайся, не покидай...

Оставив на некоторое время мифологическую эпику «Обломова», младший неестественно быстро делает камерные «Пять вечеров». Пьеса Александра Володина в интерпретации Михалкова входит в русло той же («обломовской») темы самосохранения исконного русского дома-общины. Не побег и не самосожжение, а возвращение и погружение в порождающее (а может быть, одновременно и погребающее) родное лоно.

Вспомним, как вольно или невольно, но неизбежно покидает свою Таю бездомный странник Алексей Устюжанин в «Сибириаде». В конце концов, она и сама, утратив способность ждать и терпеть, отталкивает его. И Алексей вынужден уйти, уже навсегда — в погибельный огонь.

По-другому — в «Пяти вечерах». И там, и тут женскую роль исполняет Людмила Гурченко. Ильин приговорен вернуться к давней своей любви — Тамаре. Так же, как неизбежно должен вернуться в лоно Обломовки Илья Ильич (Ильин и Илья — случайное совпадение?). Последние кадры картины — засыпающий на коленях у женщины мужчина, исходивший землю и вернувшийся сюда. Тамара по-матерински убаюкивает своего Ильина: «Лишь бы не было войны... лишь бы не было войны...»

Непредумышленный, возможно, диалог картин братьев, тем не менее, полемичен. «Странническому» тезису «Сибириады» Никита противопоставляет антитезис и одновременно синтез мифа нерушимой Обломовки.

Обломовское существование, по трактовке писателя Юрия Лощица, к которому прислушивался Михалков, — обломок некогда полноценной и всеохватной жизни. Обломок Эдема. Здешним обитателям обломилось доедать археологический обломок, кусок громадного когда-то пирога. А пирог в народном мировоззрении — один из наглядных символов счастливой, изобильной, благодатной жизни. В этом контексте Штольц — своеобразный Кощей. А может быть, и Мефистофель, за которым стоит страшный «железный век», «столкнувшийся в миропонимании и книге Гончарова с неповоротливой емелиной печью».

Наблюдая завидную общественно-политическую активность Никиты Михалкова, его трудно сопрячь с таким Обломовым. Но идеология гончаровского героя как некий горизонт утопических надежд ему близка. «Обломовская» философия, в понимании Михалкова, — глубинная опора национального менталитета.

Кончаловский не отрицает «обломовские» гены национального менталитета, его архаическую крестьянскую основу. Но, в отличие от брата, с этой философией до поры до времени спорит, видя в ней явный тормоз в развитии нации.

Очередное испытание «обломовской» философии произошло в михалковской «Родне» (1982). Героиня фильма Мария Коновалова выезжает из Елани. Название села вряд ли случайно перекликается с родиной героев «Сибириады». Однако в фильме Михалкова зритель не увидит деревни, потому что она — «обломовский сон». Страна Советов, по которой странствует Мария, — пространство, образно говоря, после финального пожара «Сибириады». По Михалкову, родню от этого «пожара» спасет только корневое единство нации. Его образ проступает из глубины сюжета. «Родня» завершается сценой «народного единения», по определению критика В. Демина. Нетрудно разглядеть, что это — едва не цитата из «Аси-хромоножки», а вслед за нею — и из «Сибириады». Однако, цитата со знаком, обратным тому, что видим у Кончаловского.

Если сюжет картин Кончаловского — пока еще путь в неизведанное, то фильмы Михалкова замыкаются в пределах знакомого родного круга. Нерушимость «круга» («обла») утверждается и в последующих его работах. Символически это выглядит как соборное «поедание» «обломовского пирога» — и в «Очах черных» (1986), и в «Сибирском цирюльнике» (1998).

Премьера «Сибирского цирюльника», самого дорогого (на момент его выхода) российского фильма, состоялась в феврале 1999 года в Кремлевском Дворце съездов и превратилась в «соборное» действо. Действительно, напоминало общенациональное «поедание» «обломовского пирога». Никита Михалков не просто произвел на свет художественное высказывание на волнующую его тему, а выступил в качестве демиурга утопической современной «Обломовки», модели монолитного русского бытия, объединяющего славянский миф с современными представлениями художника о единстве нации.

«... Да, я патриот, но не националист. Когда я говорю, что люблю свою страну, то это означает, что принимаю ее такой, какая она есть. Да, я предпочел бы видеть Россию красивой, стройной и в ясном уме, но, если этого нет, буду любить хромую, косую и пьяную. Настоящий патриот должен обладать развитым чувством собственного достоинства и верой в будущее страны. Русская национальная идея невозможна без духовности, обращения к народным традициям. Это трудно понять нашим западникам, прорвавшимся к власти. Американцы гордятся лучшим, а мы умеем любить даже худшее, что в нас есть...»

В те времена Кончаловский не был готов принять свою страну «такой, какая она есть». Напротив. Он подчеркивал, что любит Россию, но не такой любовью, о которой говорят люди, публично провозглашающие себя патриотами. Их любовь — «незрелая любовь ребенка к своей матери, любовь слепая». Ему были ближе взгляды Чаадаева, который, по его мнению, любил Россию гораздо сильнее, чем те, кто ее восхвалял и продолжает безмерно восхвалять. Российская ментальность, по его мнению, могла быть выражена формулой: триумф мечты над практикой. Все время изобретаются объяснения, не имеющие ничего общего с практикой.

Как и младший, старший брат убежден, что наши соотечественники, как бы им ни хотелось, никогда не будут жить так, как живут в Европе. «Во времена разделения мирового сообщества на Восточный и Западный блоки наших ближних соседей — Польшу, Болгарию, Чехословакию — называли «братья славяне». Но после 1990-х от этих братских отношений остались одни воспоминания. Русский с татарином договорятся быстрее, чем русский с поляком, потому что из славянских племен одни приняли католичество, а другие православие. Железный занавес между Востоком и Западом проходит по линии католицизм — православие...»

Он и сейчас убежден, что в России никогда не было национальной идеи, о необходимости которой то и дело твердят. Не было, «за исключением тех моментов, когда ее пытались завоевать». «Крестьяне — разобщенные люди, а ведь русские по своей ментальности так и остались крестьянами и не стали фермерами...»

Непредсказуемость политической жизни страны в 1990-е да и позднее вызывала у Андрея естественный страх за себя, за свою семью. Правда, благодаря Никите Андрей, по его словам, стал «больше любить Россию». Но Никита не «интернациональный», а «национальный человек, олицетворение национального героя». И в этой неколебимости веры есть «слепота», которая дает младшему силы. «Слепота подчас становится большим источником силы, чем способность к зрению. Все это и делает его героем. Герой должен жить больше верой, чем рассуждением. Ему нужна ограниченность пространства, он должен жить эмоцией...»

Я бы добавил, что герой такого склада в какой-то точке своего мировоззренческого взросления останавливается, — ему не свойственно движение превращений, которое как раз особенно отличает негероя Кончаловского. Кстати, герой, в привычном понимании, в творчестве Андрея больше антагонист, чем протагонист, с точки зрения автора.

«Мы очень разные, — комментирует их взаимоотношения Никита Сергеевич. — Наши дороги в искусстве идут параллельно. Он делает упор на философско-притчевую структуру, я — на погружение в атмосферу создаваемого мира. Иногда я чувствую себя мальчиком рядом с ним, иногда зрелым человеком. Как ни странно, в каких-то экстремальных ситуациях я не раз оказывался сильнее его, защищал, брал на себя, в другой обстановке — он более мудр, более тонок. Меня раздражает в Андроне то, что я ненавижу в себе в человеческом плане. Но при этом с годами наша близость растет. Я никогда не терял ощущения его присутствия, где бы он ни был...»

В 2008 году съезд кинематографистов снял с поста председателя их Союза Никиту Михалкова и выбрал на это место кинорежиссера Марлена Хуциева. Был, тем не менее, собран чрезвычайный Внеочередной съезд СК, и Никита Сергеевич вновь обрел утраченный пост.

Кончаловский так прокомментировал историю со скандалом вокруг Союза:

«Дело в том, что ситуация в кино со времен советской власти очень изменилась. Союз — это организация советская. Раньше это был буфер между жесточайшим государственным контролем и художниками. Сейчас этот буфер не нужен. Когда в союзе появился такой сильный, волевой человек, как Никита Сергеевич Михалков, со своими представлениями о кинематографе, это, естественно, вошло в противоречие с мнением большого количества художников, которые не хотят, чтобы их учили, какое кино хорошее, а какое плохое. Союз кинематографистов — бессмысленная сегодня организация. Должны быть профессиональные гильдии режиссеров, операторов, артистов, продюсеров, критиков. Гильдия, облеченная властью и авторитетом, — это структура, которая защищает интересы своего клана. И не надо ничего возглавлять. Должна быть ежегодная смена руководства по ротации. Старая форма выборов, а потом перевыборов существовать не сможет».

Очевидно, в данном случае, несовпадение позиций братьев. И такие несовпадения до определенного момента возникали все чаще.

Очередной скандал в связи с именем Никиты Сергеевича был вызван решением Российского оскаровского комитета выдвинуть в 2011 году фильм режиссера «Цитадель» (третья часть «Утомленных солнцем») на получение премии Американской киноакадемии. Председатель Комитета режиссер Владимир Меньшов раскритиковал решение, принятое в результате тайного голосования большинством.

И Андрей дал оценку произошедшему. По его словам, в кинематографическом мире страны произошел раскол, отчего он, Кончаловский, еще в 2008 году написал заявление о выходе из Комитета, который, по его убеждению, утратил легитимность. Что касается выдвижения на премию «Оскар» фильма Никиты Михалкова, то Кончаловскому показалось странным посылать картину, являющуюся лишь частью масштабного кинопроекта.

Рубежом, за которым произошли заметные изменения во взаимоотношениях братьев, видимых на публичном уровне, стал 2014 год.

2.

Трудно не поставить рядом кинематографические высказывания братьев на тему сталинизма, появившиеся в последнее десятилетие XX века.

«Утомленные солнцем» (1994), по словам создателя, во многом держатся «на личных ощущениях, на образе дома». В центре там действительно семейное гнездо, опора жизни человека. Судьба этой «опоры», беды, ее постигшие, и составляют сюжет. А личные переживания режиссера придают искренности если не всему фильму, то каким-то его эпизодам. Тем, например, где зритель видит ласково несомую речным течением лодку с легендарным комдивом Сергеем Котовым (Никита Михалков) и его малолетней дочерью Надей (Надежда Михалкова), объединенных непридуманными нежностью и любовью.

Дом здесь (дача Котова) — жилище, в котором на исходе 1930-х годов обитают остатки семьи Маруси, жены Котова. Это обломки дворянской интеллигенции, бывшие ученые, творческие работники. Их дачный поселок не зря именуется ХЛАМ (художники, литераторы, артисты, музыканты) — это и аббревиатура, и указание на то, какое место, с точки зрения государства, занимают в жизни Страны Советов населяющие дачу «бывшие».

Авторы картины изображают их с трогательным юмором. Это те, кому нет применения в рядах строителей социализма с его железной поступью. Сама дача выглядит островком (а может быть, и резервацией), куда отправили доживать оставшийся им недолгий век персонажей чеховского «Вишневого сада».

Персонажи, живущие на даче Котова, действительно напоминают то ли детей, то ли блаженных. Но это не «дети Державы» вроде самого Котова. Это, с точки зрения той же Державы, дети-уродцы. Это «ошибки природы», которые даже в условиях социализма с его «мичуринской» активностью поправить невозможно.

Таким образом, помещение, комнаты, где эти люди в данный момент обретаются, уже чистая декорация канувшего в Лету быта, по которой гуляет шаровая молния. Образ революции, поражающей все, что движется, то есть тех, кто «высунулся».

Но, кроме Сергея Сергеевича Котова, его жены и дочери, шаровая молния революции никого здесь не задевает. Вероятно, потому, что эти люди давно лишились способности «высовываться». Они тени выродившихся чеховских героев, о которых Никита Михалков пытался поведать зрителю еще в конце 1970-х годов в «Неоконченной пьесе для механического пианино».

Надвигающейся катастрофы не в состоянии осознать и Сергей Котов — в этом его драма. Ему не удастся удержать семейную идиллию кровного родства, как это происходило в плавно движущейся по воде лодке.

В героях «Утомленных солнцем» нет ресурса той нравственной, духовной силы, которая могла бы помочь им сохранить утрачиваемую опору дома. Отсюда настойчивый образ самовольного ухода из жизни, заявленный в начале картины.

Но в самом режиссере этот ресурс как раз есть, отчего он получает право на сострадание к своим персонажам. «Самостояние» режиссерского голоса в этой картине обеспечено беспрекословной верой Михалкова в нерушимость «обломовского мифа».

Дочь Котова Надя — своеобразный Илюша Обломов, безоговорочно принимающий мир своей Обломовки — таким, каким он его видит: ласковым, солнечным, совсем домашним. Она воистину ребенок, плодотворно не ведающий до поры о трагизме мироздания. Натуральный Обломов! И этот ребенок, как, впрочем, и весь исторический материал известного периода жизни страны, есть отклик, как я полагаю, на «Ближний круг» старшего брата.

Замысел «Ближнего круга» возник еще в советские времена. Режиссер познакомился с человеком, который докладывал ему о реакции начальства на его, Кончаловского, картины после их просмотра. Это и был как раз «киномеханик Сталина».

В фильме Кончаловского есть то, чего нет в картине Михалкова. В ней есть реальный творец «мифа Обломовки» — простой народ. Именно народ — исполнительный строитель нового Царства Небесного (Рая) под приглядом Отца-Хозяина. У Михалкова народ подменен фигурой Котова. А в «Ближнем круге» простой народ представлен не только как анонимный творец и носитель общинных мифов, но и как освобождающаяся от власти этих мифов индивидуальность.

Иван Саньшин, как я говорил, — дитя Державы. Поэтому у него нет личной родословной. Не случайно видящий в Сталине родного отца сам Иван — детдомовец. А дочь его репрессированных соседей, воспитанная в спецприемнике, от родителей отрекается во имя того же Всеобщего Отца. Так Держава кует своих детей, не помнящих действительного родства. Они с рождения несут на себе клеймо безличности.

«Ближний круг» как история жизни Ивана Саньшина, поведанная им самим, сродни древнему жанру «повести мертвых». Зритель как бы оказывается в застывшем Некрополе отечественной жизни конца 1930-х — начала 1950-х годов. Закадровый голос героя — голос из «города мертвых». И этому мертвому у Кончаловского оппонирует живое. Ребенок.

Суровая критика журит режиссера «Ближнего круга» за голливудское «чистописание», аналогичное каллиграфии советского «большого стиля». Виктор Божович видит в картине не что иное, как «поздний образец социалистического реализма», «с профессиональным блеском выполненный муляж», перевод отечественных тем «на язык западного массового кинематографа». Словом, что-то вроде картин Г. Александрова.

Вернее было бы назвать мир фильма (до финала) не «застывшей натурой», как это делает Божович, а демонстративно открытой декорацией, которая и хотела бы казаться натурой, но лишена этой способности. Ведь происходящее в фильме разворачивается в поле зрения его героя — простодушного Ивана, восторженно влюбленного в своих вождей. Это мир, увиденный простым советским человеком из окошка кремлевской кинобудки. А нам, зрителям, дана привилегия отделить друг от друга, а затем и сопоставить точки зрения героя-повествователя и автора фильма. Они — разные!

«Голливудским чистописанием» в «Ближнем круге» и не пахнет. Это видно уже по первым кадрам хроники, снятым советским оператором Николаем Блажковым в 1930-е. Такого зачина не было в сценарии. Он был найден неожиданно, при просмотре кинодокументов тех лет.

...1939 год. Канун войны. У северного входа на ВДНХ возводят знаменитый монумент Веры Мухиной «Рабочий и колхозница» — символ мощи и нерушимости Страны Советов, а значит, — и ее Хозяина. Угрожающе величественная декорация, грандиозную искусственность которой одновременно и утверждает, и обнажает хроника. А еще большее сомнение в нас порождают монументальные нерушимость и мощь, когда в кадре появляется ребенок.

Неуклюже топающая, совсем еще младенец Катенька Губельман. И в этом ребенке, в фигурке и глазах столько живой, трогательной незащищенности, что «внешняя достоверность, материальность фактуры» этой якобы действительности тотчас оборачивается неверностью фантома или давящей мертвенностью. И вы уже неотрывно следите судьбу живого дитяти в придуманном, изобретенном «иванизмом» мертвом мире.

Самые сильные по тяжести эмоционального воздействия кадры — детский спецприемник для чад врагов народа. Это прямой прорыв взывающего к нам живого вопреки мертвому. Поэтому так органичны здесь именно наши, отечественные актрисы Ирина Купченко и Евдокия Германова в своих небольших ролях. Они знают ТО, ЧТО изображают. Поэтому я как зритель не ищу здесь режиссерского расчета, в отличие от критика, а отвечаю на открытое чувство своим — таким же беззащитным чувством.

В «Ближнем круге» ребенок, по словам историка кино Евгения Марголита, «запускает действительный сюжет вещи».

«...действительные похороны Сталина состоялись не в марте 1953 года на Красной площади, но на экране — в фильме «Ближний круг» в ноябре 1992 года, когда, освободившись от присутствия всеобщего Отца, от страха, который легче было бы объяснить себе как любовь к великому вождю, Иван Саньшин бросился-таки к несчастной Кате Губельман, вытаскивая ее из костоломки, из коллективного детоубийства, называемого в этой системе общественной жизнью, уговаривая девочку идти... куда? — домой, в тепло. Пришествие ребенка, пришествие Дитяти — не державного — человеческого — завершается актом удочерения как воскрешением героя. Частный человек отбирает у Державы родительские права. Здесь ищут не ту улицу, которая ведет к храму, но ту, которая ведет к дому. На этот сюжет, на эту элементарность надо было решиться...»

И в «Ближнем круге», и в «Утомленных солнцем», и в «Хрусталев, машину!» Алексея Германа коммунальное общежитие, которое возводила тоталитарная система, населяя его своими «детьми», — образ исторически изжитого, омертвевшего существования.

В «Ближнем круге» и Кончаловский подводит жирную черту под нашим сталинским прошлым. Но в противовес своему брату он опирается не на миф чаемых единения и тепла, а на реальное, восстающее из лагерной пыли и пепла семейное единство конкретных людей. Единство добывается в страдании и преодолении. Именно так Иван Саньшин выпадает из порожденного им и такими, как он, режима.

В финале картины Иван вытаскивает Катю из сталинской «ходынки», привлекает к себе и называет дочкой. Вот когда героя настигает прозрение, вырывая из «ближнего круга» смерти: нельзя любить вождей больше, чем себя, своих детей, родителей, жену. Это слепота крепи — от страха. Сын за отца и отец за сына отвечают! В этот момент Саньшин становится бесстрашно ответственным отцом, восстает из мертвых. Блеклое небо, переполосованное еще голыми ветками мартовских дерев, небо, к которому обращает свое с надеждой вопрошающее лицо Иван, и есть оттаивающая натура. Под этим неласковым небом начинается путь живого Ивана. Но только начинается! Произошло ли это с его прототипом?

Любопытно, что сам пятнадцатилетний Андрей «поперся на похороны» Сталина. Но его вовремя что-то остановило. Может быть, природное чутье опасности.

«До Пушкинской дошел нормально, дальше начиналась давка, толпа сжимала со всех сторон, а мама купила мне в комиссионном магазине твидовое итальянское пальто, и когда я увидел, что пуговицы на нем вырваны с мясом, решил остановиться, представив, какой нагоняй ждет дома за испорченную дорогую вещь...»

Одна из главных претензий критики фильму состоит в том, что он явился тогда, когда «пресловутая сталинская тема навсегда отошла в прошлое», была «исчерпана до донышка». Что же, «Ближний круг» безнадежно запоздал?

«Видите ли, я никогда не снимаю кино вовремя, — попытался объясниться режиссер. — Я не попадаю во время. Но когда мне говорят, что «Ближний круг» опоздал, то я, грешным делом, думаю: а не рано ли я его снял? Это ведь фильм не о Сталине и даже не о сталинизме. Это фильм о русском характере и его неистребимой тяге к сильной руке. Вот и сейчас все просят-требуют Хозяина. Так что я не считаю, что это фильм о прошлом. Он о будущем...».

Кончаловский действительно снимает не вовремя, поскольку всегда оказывается на сломе времен, на границе между уже уходящим и едва мерцающим приходящим. Он проскакивает застывший в форме настоящего временной промежуток.

Взглянем на кинематографическое десятилетие, предшествующее появлению «Ближнего круга», без предубеждения.

Мы не найдем ничего в русле сталинской темы, что можно было бы поставить вровень с картиной Кончаловского — прежде всего, по глубине и значимости затронутой проблемы «иванизма». Но и впереди ничего нет равного по серьезности и глубине, кроме, может быть, картины Алексея Германа «Хрусталев, машину!» (1998). (Кстати, идею фильма о киномеханике Сталина Кончаловский вначале предлагал Герману.) Ни одна картина, кроме этой, в последовавшие за «Ближним кругом» два десятилетия недотягивает как образ нашего «крестьянского» мировидения, травмированного нашим же семидесятилетним социализмом.

Во времена «Ближнего круга» его создателю очень хотелось думать, что воскрешение, происходящее с его героем в финале, происходит и с народом в реальной истории. Ему казалось, наступает историческое мгновение, когда народ обретает чувство вины.

«В день начала путча, когда мы сидели на «Мосфильме», а мимо окон проезжали военные машины, — рассказывал режиссер, — я сказал Джейми Гамбрелл, приехавшей специально из Штатов готовить с нами книгу к выходу «Ближнего круга»: «Ты понимаешь, что сейчас творится история?» Чувствовалось, что именно сейчас, в эти минуты происходит нечто колоссально меняющее жизнь всего мира. Крах, конец великой мечты. И начало чего-то нового, пока неведомого...»

Очень скоро Андрей покинет страну, куда он приехал из Лондона на перезапись, и должен был возвращаться, чтобы закончить фильм. Как раз перед отъездом он с братом сидел на кухне — 20 августа 1991 года, в день своего рождения.

«...Никита, возбужденный, забежал всего на двадцать минут, у него в машине автомат и противогаз — он приехал из Белого дома и сейчас же вернется в Белый дом — защищать демократию. В его глазах светилась решимость. Он сделал свой выбор. Политика уже стала для него делом, серьезным и настоящим. Думаю, его очень увлекало ощущение, что теперь в политике вовсе не обязательно быть членом партии, бывшим секретарем райкома или директором завода. В политику мог прийти любой, кто чувствовал в себе силу стать политиком. Он ее чувствовал.

На мой взгляд, идти в Белый дом было бессмыслицей, чистым безумием. Мы обнялись, перекрестили друг друга. Он уехал.

На следующий день я улетел в Лондон. На прощание телевидение взяло у меня интервью в аэропорту, которое безобразно обкромсало, пустило в эфир лишь слова о том, что я уезжаю, потому что боюсь. Действительно, боялся. За жену, за новорожденную дочь, за судьбу неоконченной картины. Страх — самое нормальное, естественное чувство...»

ЧАСТЬ ТРЕТЬЯ

Сотворение мира. Тезис

...Следует распроститься с представлением, будто этот мир — наш безропотный слуга. Мы должны с уважением относиться к нему. Мы должны признать, что не можем полностью контролировать окружающий нас мир нестабильных феноменов, как не можем полностью контролировать социальные процессы...

И. Р. Пригожин

глава первая

«Первый учитель»

...Но будьте терпеливы, господин Ланцелот. Умоляю вас — будьте терпеливы. Прививайте. Разводите костры — тепло помогает росту. Сорную траву удаляйте осторожно, чтобы не повредить здоровые корни. Ведь если вдуматься, то люди, в сущности, тоже может быть, пожалуй, со всеми оговорками, заслуживают тщательного ухода...

Евгений Шварц. Дракон. 1941

1.

Впервые мой герой, напомню, оказался на Западе в 1962 году. Поездка в Венецию с «Мальчиком и голубем» и, как бы там ни было, в роли соавтора по «Иванову детству». Как признавался позднее, «заграница» сильно его «обожгла». Маршрут пролегал через Рим, где начинающий режиссер пережил первый шок. Повторный — уже в Венеции.

«Я плыл по каналу на венецианском речном трамвайчике, смотрел на этот ослепительный город, на этих веселящихся, поющих, танцующих людей и не верил своим глазам. Стоял вспотевший, в своих импортных несоветских брюках, держал в руках чемоданчик с водкой, которую не знал, как продать, смотрел на молодых ребят, студентов, веселых, загорелых, сидящих на берегу, и вдруг меня пронзило жгучее чувство обиды: «Почему у нас не так? Почему я не умею так веселиться! Почему?»... Господи! Если бы у нас тогда, в 1962-м, кто-то из молодых где-нибудь на пароходе вот так же позволил себе сидеть, так улыбаться, так петь, так свободно себя вести, кончилось бы милицией. Да никто бы и не позволил себе так открыто радоваться жизни! Я был ошпарен. Это воспринималось как сон, и сон этот навсегда перевернул мою жизнь...»

После Венеции был Париж — тоже в первый раз. Компания «Эр Франс», самолетом которой он прибыл сюда только вечером, предоставила ему на ночь отель «Лютеция» на бульваре Распай. Он еще не раз побывает потом на этом бульваре, но тогда, поднявшись в дешевый номер в мансарде, он откроет балкон и...

«Напротив на балконе такой же мансарды горничная в белом фартуке, белой наколке чистила медные ручки. Слезы навернулись от вдруг нахлынувшего чувства. Значит, есть еще в мире горничные в белых фартуках, медные ручки, мансарды — то, что в России исчезло со времен Чехова! Сколько я потом ни ездил, чего только в Париже ни видел, но сильнее этого чувства не испытывал».

Из зарубежных странствий Андрей привез огромную бутылку дешевого итальянского вина — Гене Шпаликову. До прихода 1974-го, когда Шпаликов убьет себя, еще более десяти лет, и друзья работали над сценарием для предполагаемого диплома Кончаловского — с символическим названием «Счастье».

Жизнь Андрея времен ВГИКа можно назвать счастливой. Творческое единомыслие с Тарковским. Общение с друзьями. Девушки, «романы, бесконечные любовные приключения».

Тогда местом регулярных посиделок было кафе «Националь». Теплое, уютное, как вспоминает писатель Борис Ямпольский, и ярко освещенное, с наивными световыми эффектами, где за дальним от оркестра столиком сидел автор «Зависти» и «Трех толстяков» Юрий Олеша, завсегдатай этого заведения. Словом, место легендарное.

«Многих увлекал имидж московского «Националя», — пишет в отзыве на книгу Анатолия Макарова «Московская богема: История культовых домов» доктор экономических наук Борис Клейн. — В оттепельные годы здесь еще помнили довоенные посещения Михаила Булгакова и его жены Елены Сергеевны. А иные постоянные «сидельцы», как например, поэт Михаил Светлов, были живы. Там наблюдалось нечто английское в атмосфере — традиционное, надежное. Круглые столы, покрытые белыми скатертями, тяжелые породистые стулья. Обслуживая посетителей элегантно, персонал и кое-что без навязчивости им внушал: в порядочных домах, мол, даже водку не принято подавать бутылками, дурной тон, непременно в графине. Поражало здесь новичка и обилие изящных, стильных и очень подходящих друг другу людей. В молодых женщинах притягивала даже не их красота, а типаж, создающий вокруг себя праздничную атмосферу. Видна была новая, «демократическая красота», которая не подавляла, а наоборот, пленяла насмешливостью и умом, чего нельзя было встретить уже на исходе XX и в новом XXI веке».

«В самом начале 60-х по Москве запросто шатались неопознанные гении, — читаем у самого Макарова. — Если и не в истинном, то в образном, несомненном для своей компании смысле слова. С одним из них, типичным парнем «с нашего двора», я ежедневно сталкивался в проезде Художественного театра, это был, как выяснилось потом, Владимир Высоцкий. Другого, похожего на молодого д'Артаньяна, встречал в окрестностях кафе «Националь» — он оказался Андреем Тарковским. Третьего, брюнета с какою-то отстраненной, в никуда обращенной улыбкой, часто видел среди знакомых вгиковцев. Звали его Геннадий Шпаликов...»

Бывал здесь, естественно, и Андрей. Он вспоминал, как, покидая однажды «Националь», они вместе с Тарковским и оператором Вадимом Юсовым, который когда-то занимался боксом, наткнулись на компанию армян.

Тарковский «стал задираться, замахнулся даже. Вступился Вадим...» Один из армян оказался Енгибаряном, чемпионом мира по боксу в полулегком весе. Обоих Андреев забрали в отделение милиции, но скоро отпустили, поскольку кроме пьянства «никакого другого криминала не было».

Кончаловский довольно подробно описывает традиционное население «Националя». Кроме упомянутых «классиков» кафе Юрия Олеши и Михаила Светлова, он называет легендарного Виктора Луи, журналиста, корреспондента западных газет, разоблаченного Солженицыным как агента КГБ; другого журналиста, корреспондента «Ассошиэйтед Пресс» красавца Люсьена Но, владельца французского паспорта и американской машины; сына футуриста Василия Каменского — Васю; других не менее примечательных, каждая в своем роде, личностей.

«Сидели там люди, настроенные достаточно диссидентски, сидели стукачи. Все приблизительно знали, кто есть кто. Знали, что те, кто ездят на иномарках и, не боясь, общаются с иностранцами, связаны с органами...»

Ну, тогда общение было более или менее свободным. Как говорит Андрей, время было относительно мягкое. Диссидентство, в собственном смысле, еще не началось — «были люди левых настроений». То есть все те, кто не принимал официальной идеологии.

2.

Второй брак Кончаловского состоялся во время работы над дипломным фильмом «Первый учитель». Его женой стала, как мы помним, дебютантка Наталья Аринбасарова. Связав себя брачными узами с Андреем, она попала в условия жизни, кардинально отличавшиеся от тех, в которых жила. Многодетная семья офицера Советской Армии перебивалась на отцовскую зарплату. Кочевали с места на место — по всей Азии.

В 1957 году семья переехала в Алма-Ату. Исполнилась давняя мечта девочки: она поступила в хореографическое училище. В сентябре 1958 года узнала, что попала в группу детей, направленных на учебу в Московское хореографическое училище Большого театра. Здесь и нашел ее начинающий режиссер Андрей Кончаловский.

Нужна была девушка на роль Алтынай в фильме по повести Айтматова. В число поначалу избранных Аринбасарова не входила. Ее отправили уже на зов режиссера: «У вас есть девочка из казахской группы — худенькая, симпатичная...»

Она не отличалась в ту пору ни образованностью, ни высокой культурой, но была упорна в достижении цели, терпелива, вынослива и аккуратна. Позднее режиссер признавался, что его взволновал овал лица девушки, фарфоровая нежность кожи, женственность. А девушку «поразила широта его улыбки, казалось, что видны все тридцать два зуба»...

Вскоре выяснилось, что молодой режиссер влюбился в юную дебютантку. «Ей было восемнадцать — совсем еще девочка, хрупкая, нежная... Я понял, что не могу даже осмелиться поцеловать ее, если не решу, что женюсь. Когда я решил для себя это, мы отпраздновали нашу брачную ночь и на следующий день объявили всем, что женимся...»

Андрей хотел, чтобы его молодая жена училась и, в конце концов, стала одной из самых образованных и интересных женщин.

Он настаивал, чтобы она обязательно изучила французский язык, чтобы училась в Сорбонне. Тогда в воображении Андрея уже оформился идеальный образ будущей жены, отчасти напоминающий мать...

— Ах, ну это же абсолютный Гоген! — встретила невестку Наталья Петровна. — Какая хорошенькая!

История взаимоотношений Андрея и Натальи в начальной стадии срифмовалась с событиями картины «Первый учитель». Аринбасаровой пришлось в жизни сыграть роль «освобожденной женщины Востока», а Кончаловскому — роль «первого учителя» на этом пути.

Мать Натальи вызвала ее со съемок к себе, жалуясь на якобы плохое самочувствие. Как рассказывает Андрей, девушку заключили под домашний арест, грозя изуродовать лицо, чтобы она больше не могла сниматься. Режиссер, он же и жених, пришел в ужас. За помощью обратились к авторитету Чингиза Айтматова. Тот позвонил в ЦК КП Казахстана. Власти вступили в переговоры с отцом Аринбасаровой. Он потребовал к себе Сергея Владимировича для переговоров о женитьбе, калыме за невесту и обо всем прочем — по восточным традициям. Пришлось выписывать ордер на арест невесты — чтобы доставить ее в прокуратуру для дачи показаний. В итоге, девушку под конвоем вывезли к прокурору. А затем законно сочетавшихся браком посадили в разные милицейские машины, довезли до границы с Киргизией. Так они покинули Казахстан.

Строя самые радужные планы насчет дальнейшей супружеской жизни, Андрей отправил жену самолетом в Москву как раз под Новый год и с письмом, которое запретил ей читать. Со временем тайна записки открылась. Там было: «Мамочка, посылаю тебе чистый лист бумаги. Что мы на нем напишем, то и будет».

15 января 1966 года в семье появился ребенок. А через три года супруги расстались. Между тем Андрей в супружестве переживал, по его признанию, счастье и полноту жизни. «С этим временем, — говорит он, — связано у меня много светлого...» Воспоминания же Натальи, отредактированные ее дочерью Екатериной Двигубской, — цепочка больших и маленьких претензий супругу. И главная из них: недостаток внимания к ней и маленькому сыну.

1966 год Наталья встретила в роддоме. Около месяца по состоянию здоровья провела на больничной койке. Андрей же с отцом находились тогда в Англии по делам сценарным. В какой-то момент среди присланных ей продуктов Наталья обнаружила коробочку. В ней, кроме кольца с бриллиантом, было письмо от свекрови: «Это тебе мой подарок за первого внука! Звонила в Лондон, застала Андрона. Он сначала заорал, а потом долго молчал, я поняла, что он плачет, и я плакала. Никитка тоже ревет от радости. И мы с ним, конечно, хорошо выпили за Егорушку и за тебя!»

Поворот к расставанию случился после того, как Андрей признался жене, что «перестал чувствовать» ее. Все произошло по пути из аэропорта Домодедово: Наталья возвращалась от родителей с неожиданно заболевшим Егором. Аринбасарова подала на развод. А через какое-то время вышла замуж за друга Андрея Николая Двигубского, ставшего отцом ее дочери Екатерины.

В жизни Андрея это время было непростым. Как раз тогда возникли серьезные проблемы с выходом его второй картины «История Аси-хромоножки», не только исковерканнной насильственным монтажом, но и, по сути, положенной на полку. Все происходило на фоне фактического запрета фильма об Андрее Рублеве, соавтором сценария которого он был.
Следующий его фильм, «Дворянское гнездо», «экспертная» публика восприняла настороженно. В нем увидели некое соглашение с властями в сравнении с предыдущими работами режиссера...
В воспоминаниях Аринбасаровой есть два-три абзаца на тему тогдашних переживаний мужа, которые, похоже, ей были не очень внятны. У Андрея из-за запрета «Аси» начались экзема, бессонница. «Не могу, не могу жить в этой стране! Все нельзя! Не могу!» — часто восклицал он и все сильнее замыкался в себе. Вечерами искал в эфире «вражеские голоса».

3.

Расставшись с Натальей, Андрей не прекращал заботу о сыне. Благодаря его хлопотам Егор в 1990 году закончил Международную школу в Оксфорде, в 1991-м — Кенсингтонский бизнес-колледж. Стал магистром истории искусства Кембриджского университета, специалистом по творчеству Дюрера и Рембрандта. Позднее был режиссером-постановщиком рекламных клипов. В 2000 году поставил свой первый полнометражный игровой фильм «Затворник», затем — картины «Антикиллер», «Побег», «Консервы» и другие.

Егор, уже вполне созревший и достаточно популярный в своей среде человек, часто встречается с журналистами. Он охотно говорит на темы секретов семьи Михалковых-Кончаловских, в которой ему повезло родиться. В изложении Егором семейных легенд и анекдотов видна стилевая традиция. Он признается, например, что «с седьмого класса чувствовал себя профессионалом» в деле общения с противоположным полом, «понял, что главное в отношениях с женщиной — ощущение власти над ней. Женщины любят уверенных в себе и способных на поступок...»

Заканчивая школу, Егор уже знал, что учиться уедет за границу. Но решил вначале отслужить в армии, чтобы потом «можно было приезжать на каникулы домой, не остерегаясь, что придут люди в погонах и загребут посреди учебного года». Служил в кавалерийском полку при «Мосфильме».

«...По возвращении из армии я два года просто болтался: числился на какой-то работе, очень активно занимался с педагогами (две замечательные девушки натаскивали меня по английскому и французскому языкам) и прожигал папины деньги. Я готовился к учебе за рубежом и только ждал разрешения деда. Дело в том, что дед к своему 75-летию рассчитывал получить орден Ленина. Мало того, что на нем уже было пятно — сын диссидента, да еще внук на запад «лыжи мылит». В результате деду орден не дали, а я потерял два года. Правда, эти годы я провел с удовольствием, развлекался на полную катушку... Я жил в оставленной мне папой неплохой квартире, сам он жил во Франции, поэтому в деньгах недостатка у меня не было. Я часто ездил к отцу...»

Родители Егора и после развода поддерживали связь. Летом мать с ним проживала на Николиной Горе. Он часто виделся с отцом. И с отчимом у мальчика были хорошие отношения. Егор считает, что этот развод состоялся к лучшему — отец и мать отличались непростыми характерами. Его вырастила бабка Наталья.

Когда началась студенческая жизнь за рубежом, Егор почувствовал, как привольно жилось ему дома. Он вдруг оказался в маленькой комнатке, ездил сначала на автобусе, потом на велосипеде. Уровень жизни сильно упал. Быт скрашивала некая Галя Макс, подруга отца. Только благодаря ей он не удрал из Англии от ностальгии. После окончания учебы молодой человек покинул студенческую комнату и проживал у своей «спасительницы». В конце концов, его бросили. Кончаловский-младший вернулся домой и в течение месяца ночевал у сводной сестры Екатерины Двигубской...

В одном из многочисленных телеинтервью Егору был задан вопрос, в чем он лучше отца, а в чем — хуже. Ответ был таким: «...может быть, я не уезжал бы. Я очень люблю здесь жить. Я не смог бы эмигрировать. Отец передал мне какие-то качества, без которых я не смог бы жить, а именно — здоровый авантюризм. При этом я хочу принимать непосредственное, каждодневное участие в воспитании своих детей. У отца такой потребности не было. Это не значит, что он меня не любил. Андрей Сергеевич человек не мягкий. И Никита от него натерпелся в свое время. Я — в меньшей степени, так как мы жили под одной крышей всего месяц. Я имею в виду, уже в сознательном состоянии...»

Как выяснилось уже гораздо позднее, Егор Андреевич не разделяет и некоторые иные, уже мировоззренческие установки отца. И здесь он ближе своему именитому дяде. «Я — антизападник, — говорит он, — я — за сильную, великую Россию».

Пути этого антизападного созревания мне трудно уловить исходя из биографии Кончаловского-младшего. Тем не менее он очень разочаровался в западной культуре. Запад представляется ему лживым, погрязшим в материализме. К тому же — агрессивным, живущим за счет других народов.

Не забывает Егор Андреевич заметить, что и отец его в последнее время «тоже сильно разочаровался в западных ценностях, и особенно в ценностях американских».

Когда-то Егор Андреевич рассказывал, что, в бытность его девятиклассником, отец подарил сыну ботинки. Тогда Андрей Сергеевич только-только покинул страну, и Егор попросил его купить на том самом Западе хорошую обувь.

«С деньгами у отца тогда было трудновато, и он сказал: «Я тебе свои ботинки подарю». Их я ношу до сих пор. А отец носит ботинки, — он мне их подарит потом, завещает, он обещал, — те, которые носил еще его дед, Петр Кончаловский. Английские ботинки ручной работы. Отец в них всегда встречает Новый год. Иногда он в них просто ходит по улице. И с каждым годом они становятся все лучше и лучше...»

Ботинки Петра Кончаловского, купленные в Лондоне, Андрею по смерти деда передал его дядя, Михаил Петрович. Андрей их взял с удовольствием. Для него они — талисман.

4.

1959–1965 годы, несмотря на соблазны молодости, были бурными и с точки зрения мировоззренческого взросления моего героя и как художника и, если хотите, как гражданина.

А период с момента кинематографического дебюта Кончаловского и до сего дня, особенно со срединѣ 1990-х, был и временем формирования оригинальной культурологической концепции перспектив социально-исторического, культурного становления России.

Особое воздействие в самых истоках взросления имели труды его двоюродного деда Дмитрия Петровича Кончаловского, которые он открыл для себя в 1964 году. Дед, по словам Андрея, перевернул всю его жизнь.

Дмитрий Петрович Кончаловский родился в 1878 году в Харькове. В 1902-м окончил историко-философский факультет Московского университета. Читал курс римской истории в разных учебных заведениях. В 1914–1917 годах оказался на фронте. В 1918–1921 гг. продолжал преподавание, от которого вскоре должен был отказаться из-за немарксистских убеждений. Занимался переводами и неофициальной научной деятельностью. С 1929 по 1941 гг. преподавал в ряде московских вузов немецкий, а затем латинский языки. Осенью 1934-го читал курс древней истории в ИФЛИ. Но вскоре его отстранили от лекций...

Андрей рассказывает, что еще в 1939 году двоюродный его дед прогнозировал неизбежность войны. А потом появился в семье в июне 1941 года и заявил, что днями войдут немцы. Вскоре он отправится в Минск, чтобы там их поджидать. Ученый-антикоммунист надеялся, что именно немцы избавят Россию от большевиков...

«...Он действительно дождался немцев, встречал их хлебом-солью, немцы дали ему церковно-приходскую школу. Сын его, офицер действующей армии, узнав об этом, бросился под танк с гранатами. Иллюзии моего двоюродного деда очень скоро развеялись. Увидев, как кого-то за волосы тащат в гестапо, он побежал с криком: «Что вы делаете! Вы нация Шопенгауэра, Ницше и Шпенглера!» Его посадили. Всю жизнь он боялся ГУЛАГа, а оказался в концлагере освободителей от коммунизма. Там он написал свою великую книгу...»

Скончался Д. П. Кончаловский в июне 1952 года в Париже. Великая книга называлась «Пути России. Размышления о русском народе, большевизме и современной цивилизации».

«Знаем ли мы самих себя? Возможно ли знать Россию и русский народ?» — вопросы, тревожившие ученого во время работы над этим трудом. Словно по наследству, они проникли и в сознание Андрея.

Дмитрий Петрович воспринимал зарождение большевизма в России как расплату за отклонения от западного пути развития. И особую роль в «становлении и утверждении этого «мирового зла»» отводил русской интеллигенции. Большевизм, писал историк, держался на исконной русской общинной психологии, отчего и завершил свою миссию созданием тоталитарного государства, превратив как общество, так и личность в государственные функции. Страна вернулась в XVII век.

Исторические корни идеологии большевистского социализма Дмитрий Петрович связывает с возникновением и становлением русской интеллигенции. Одновременно с европеизацией высших классов закабалялось крестьянство, судьбу которого разделили торговое сословие и духовенство. Лишь в XIX и начале XX века русское православие начало заявлять о себе. И это начавшееся развитие было прервано 1917 годом.

Дмитрий Кончаловский выделяет три взаимодействующих фактора в развитии общественной мысли в России: западноевропейские теории, российская действительность и национальный характер идеологов. Путь развития страны на рубеже XIX–XX вв. казался таким: через капитализм и господство буржуазии — к социализму и господству рабоче-крестьянской массы. Но этот взгляд никогда не соответствовал действительности по ряду причин.

Во-первых, в России никогда не было буржуазии, способной взять в свои руки политическую власть. Во-вторых, дворянство не было господствующим классом, а подчинялось царю. В-третьих, Россия как государство держалось царизмом. Страной управлял не закон, а царская воля. В-четвертых, крестьянство было главной опорой царизма. Но в нем жило упорное сознание, что земля должна принадлежать крестьянам. Свое чувство отчужденности и враждебности крестьянство перенесло на все вышестоящие социальные группы, носившие на себе печать европейской культуры. В-пятых, рабочий класс сохранял прочную связь с деревней, с крестьянской психологией.

В России образовалось два полюса: правительство, стоявшее

на традиционной основе и охранявшее существующий порядок, и интеллигенция, воплощавшая передовую европейскую мысль. Фон — пассивные общество и народ.

Та часть интеллигенции, которая становилась разночинной, вбирая в себя полуобразованные элементы средних и низших слоев, все более усваивала крайние теории. Отсюда столь явное отличие русской революции от классического европейского прототипа, французской революции 1789 года.

Дмитрий Кончаловский весьма критичен по отношению к этой части интеллигенции, как, впрочем, и его потомок. Он называет ее «самым неопределенным социальным образованием», представители которого недостаточно просвещены, но при этом принципиальные отрицатели.

Большевики, захватив власть, стали в оппозицию, как полагает Дмитрий Петрович, к той демократической прогрессивной интеллигенции, которую Ленин называл буржуазной. А это — тот самый «образованный класс», группа специалистов, к которым Дмитрий Кончаловский, надо понимать, относил и себя.

Сталинский режим формировал соответствующий ему тип интеллигенции. Он ограничивал деятельность этих людей утилитарными управленческими задачами, хозяйством, в особенности строительством социализма. Эта новая, советская, интеллигенция отождествлялась с бюрократическим аппаратом, состоящим на содержании у государства совершенно так же, как это раньше было с чиновниками. Она становится средостением между народом и правительством, являясь орудием последнего и проводником его политики в стране. Народ инстинктивно чувствует это, и в нем постепенно возрастает ненависть к новому привилегированному классу.

Эти и другие взгляды Д. П. Кончаловского, претерпев определенные превращения, нашли отражение в мировидении его потомка. Вот некоторые «опоры» взглядов Андрея Сергеевича, определившиеся уже к середине 1990-х.

Он пришел к убеждению, что русская история не создала потребности в индивидуальной свободе. Свобода для русского человека — свобода от государства и воля, то есть стихия. Такова суть крестьянской философии.

В России западные ценности, провозглашенные просветителями, были освоены только интеллигенцией, представляющей сугубо русское явление. Народ же находился в длительном рабстве и никаких особых неудобств от этого не испытывал. Беда России в противостоянии интеллигенции, освоившей западные идеи, и народа, которому эти идеи непонятны и неинтересны.

Фундамент любой культуры — религия. Нации, исповедующие православие, идут к демократии с большими потерями, чем исповедующие буддизм или протестантизм. По эмоциональному складу русские ближе мусульманам, чем, к примеру, эстонцам. В православии человек — раб Божий. Рабство избавляет от ответственности, прежде всего, перед самим собой. В католичестве и протестантизме чувство ответственности индивида несравненно выше.

Русское рабство неотделимо от православия, как и рабство мусульманское — от ислама. В России на рубеже XX–XXI веков государство и церковь «сомкнулись в объятиях». Любая революция и в мусульманской стране, и в православной России оборачивается диктатурой.

После публикации нашумевшей статьи бывшего главы нефтяной компании «Юкос» Михаила Ходорковского «Кризис либерализма в России» (2004), который к тому времени уже был арестован и обвинен в мошенничестве и других преступлениях, Андрей откликнулся на статью «Катехизисом реакционера». В 2007 году появилось собрание его публицистики — книга «На трибуне реакционера», объединившая размышления Кончаловского и политолога В. Пастухова.

И вот первый абзац из обращения авторов к читателю: «Не забыто еще время, когда мир делился на «прогрессивное человечество» и «реакционные круги Запада». Но все изменилось. Сегодня прогрессивное человечество больше никого не интересует. Сегодня мир поделился на свободомыслящих либералов, желающих освободить все человечество, и тех, кто не разделяет либерального оптимизма и нетерпения. Эта тенденция коснулась России. В наше время в России всякий, кто не либерал, тот реакционер. Мы — не либералы, значит, мы — реакционеры...»

«Реакционер» Кончаловский заявит затем, что либерально-демократические ценности — это иллюзия, оплаченная в XX веке кровью. Западная интеллектуальная элита, породившая эти идеи и прочно укоренившая их в своем сознании, связывает с ними понятие прогресса и цивилизации. Но эти идеи отвергаются восточными культурами (конфуцианской, мусульманской, индуистской) да и многими мыслящими людьми на Западе, считающими, что идеи эти себя не оправдали.

Сам Кончаловский глубоко сомневается в актуальности этих ценностей для России и относит их к либеральным заблуждениям, висящим гирями на ногах человечества.

В России следует попытаться понять систему ценностей русского человека и перестать равняться на либеральную философию Запада. Полезнее положиться на свою философию, отвечающую духу и ментальности народа, его истории, быту, реалиям жизни. Эту философию Андрей Кончаловский называл тогда РЕАЛЬНЫМ КОНСЕРВАТИЗМОМ.

5.

Вначале диплом Андрея задумывался другим. И сценарий для него, напомню, рождался в соавторстве с Геннадием Шпаликовым. Он «состоял из моментов счастья очень разных характеров. С момента счастья начать фильм очень трудно. Это возможно в музыке. Так начинается Первый концерт Чайковского — сразу счастье. В кино это сложнее...»

Сценарий получался интересным, но «прочной драматургической связи не имел, распадался на отдельные эпизоды, отдельные новеллы. Сквозной в сценарии была только его чувственная линия».

Фильм не состоялся. А тут подоспел сценарий Бориса Добродеева по повести Чингиза Айтматова «Первый учитель». Но не сценарий, а оригинал пробудил в воображении режиссера нечто в духе Куросавы, наподобие «самурайской драмы» с азиатскими лицами, страстью, ненавистью — борьбой...

«Сценарий я сначала переписал сам, потом позвал Фридриха Горенштейна, заплатил ему, и он привнес в будущий фильм раскаленный воздух ярости...»

Повесть Айтматова далека от того, что потом увидели в фильме Кончаловского. «Во многом сценарий был антиподом повести». Тем не менее, Айтматов сценарий принял. Он ему даже понравился, и фильм запустили в производство.

Кончаловским был резко изменен взгляд на героя — как с точки зрения авторской, так и со стороны других персонажей. Изменился и сам герой — Дюйшен, первый учитель.

Книга вольно или невольно идеализировала героя. Именно он посадит вместе с Алтынай два тополька в аиле как символ растущего нового мира. Иной Дюйшен и не мог появиться в повести, поскольку здесь он посланец и другого Ленина, чем тот, который в фильме требовательно и жестко, в упор смотрит со стенки душной конюшни на детей и на их косноязычного учителя. У Айтматова Ленин — «самый человечный человек». И его портрет рифмуется с образом самого учителя и вместе с ним становится воплощенной мечтой о добром мессии, который поведет всех униженных и оскорбленных в большевицкий рай.

Такой учитель не вызовет коллективной неприязни аила, вплоть до намерений расправиться с «мессией» за гибель его маленького ученика, спасавшего школу от пожара. Нет у Дюйшена повести такого количества врагов. И нет страшного жертвоприношения неведомому будущему.

Герой у Кончаловского другой. И аил другой: камни и глина. Ни одного деревца, кроме тополя Картанбая, который возвышается здесь испокон века. Он тотем, по сути, священный прародитель племени.

Режиссер ожесточает и ужесточает мир фильма, в сравнении с повестью. Героя делает некрасивым, тщедушным, страдающим комплексом своей нищей некрасивости, невежественности и неумелости. Кажется, его изнуренное тело поддерживает только жертвенный огонь ленинской идеи, тело это на самом деле и сжигающий.

Зачем же понадобилось Кончаловскому так жестко переставлять акценты? Неужели только влияние Куросавы и его «Семи самураев» или «Расёмона»?

6.

«Первый учитель» (1962) — одно из ранних созданий прозы Айтматова. Хранит наивный оттепельный лиризм, который тем и привлекателен, что век его измерен. Режиссер предугадал перемену участи этого лиризма в первой своей экранизации.

Кончаловскому всегда было важно почувствовать в произведении мир его создателя, на который можно было бы проецировать и другие художественные миры. В «Первом учителе» на мир Айтматова спроецирован мир не только Куросавы, но и Павла Васильева с его «Песнями киргиз-казахов» и поэмой «Соляной бунт», открывшими Андрею Казахстан и Киргизию.

Яркий, сочный фольклор взаимодействует в «Соляном бунте» (1932–1933) с общей для того времени тягой к масштабам древних космогоний, впервые после революции явленной в «Двенадцати»

Блока. Космическая борьба белого и черного в сочетании со стихией огня видна в поэтическом строе фильма «Первый учитель».

Внешне равнодушная демонстрация крови, страданий в поэзии Васильева объясняется уверенностью в том, что, по логике космогонии, это последние жертвы накануне окончательного преображения мира. Для большинства «трижды сирых и босых», еще недавно слепо уничтожавших друг друга, наступает желанный Рай. Рай, омытый кровью революционных сражений.

Павел Васильев — сродни Дюйшену, бывшему нищему пастуху, теперь комсомольцу, призванному революцией и Лениным учить детей в забытом Богом аиле. Для Дюйшена бай — всегда враг. А жители аила неизбежно должны переродиться или… погибнуть в огне преобразований. Масштабы задач отменяют милосердие. И это яростное бесчувствие героя режиссер переносит в свой художественный мир из мира Васильева вместе с космическими бесчувствием и жестокостью революции.

Совместный со Шпаликовым сценарий «Счастье» был отодвинут, как и лиризм айтматовской повести, закономерно. Время оттепельных влюбленностей и лирической расслабленности сюжетов проходило. Подспудно вызревал трезвый взгляд на отечественную историю, состоящую, кажется, из непрекращающихся революций и войн, на народ и его лидеров, на романтических «комиссаров в пыльных шлемах». Открывался действительный трагизм места и роли человека в мироздании. В «Первом учителе» эта трезвость обрела зрелую отчетливость на фоне кинематографа оттепели. Именно у него (впервые!) декорация приподнятого героизма Революции, «возвышающего обмана» оттепельных лет на глазах современников опадала.

Обозначилась тяга к эпико-трагедийному сюжету. Сам режиссер утверждал, что выбрал как раз жанр трагедии для киргизского материала. А от Куросавы воспринял, с одной стороны, театральную условность в манере древнего театра «Но». А с другой — эпику мифа с проникновением в фильм стихий природы, элементов, формирующих вселенную — воды, огня, земли и т. д.

Дюйшен приходит в мир «остановившегося времени», чтобы задать ему направление и смысл, еще очень туманные в девственном сознании неофита-ленинца. Формирование его личности только начинается. Но он с энергией новопосвященного готов отринуть традиции, которым сам недавно следовал. Главным инструментом преобразований становится поэтому революционный огонь.

Деяния Дюйшена самоубийственны. Его любовь к юной Алтынай, любовь и сострадание к детям — все подавляется его же фанатизмом большевика-недоросля.

Раскаленный, жестокий мир фильма требовал твердой этической позиции автора. И она недвусмысленно заявлена. Дюйшен хватается за топор, чтобы рубить священный тополь. На костях порушенной традиции хочет возвести новую жизнь, новую школу взамен сожженной. Он готов к смертельной схватке с теми, для кого старается. Мгновение отделяет его от гибели. И здесь, напомню, его спасает старый Картанбай.

Происходит то же, что и в финале «Расёмона» Куросавы.

Бездомные, разуверившиеся в ценностях жизни люди, скрывающиеся от буйства стихий под воротами Расёмон, находят брошенного ребенка. Кто-то из них срывает с младенца последнее, чтобы спастись от холода самому. А нищий крестьянин берет дитя и уносит к себе, где и без того не счесть детских ртов.

На той же нравственной опоре, замечу, забегая далеко вперед, держится и финал «Рая» Кончаловского. Слабый, измордованный насилием, физическим и моральным, человек, готовый поступиться всеми возможными моральными принципами, по какой-то далекой от идейной борьбы логике движимый силами, ему самому не очень внятными, совершает усилие добра. И спасает ценой собственной жизни каких-то там детишек, какую-то там не очень симпатичную больную тетку...

Это что? Это и есть, убеждает нас режиссер, чудо. Абсолютно немотивированное, бездоказательное пробуждение в человеке человечности.

Для художника очевидно, что никакая благая идея: ни политическая, ни религиозная — не может перевесить этого чуда, явление которого в человечестве и есть действительный залог его спасения.

7.

«Первый учитель» вместе с некоторыми фильмами других наших режиссеров (напр., «Зной» Л. Шепитько) стал, по существу, открытием не только нового киргизского, но и нового среднеазиатского кинематографа. По сценариям Кончаловского были поставлены лучшие фильмы казаха Шакена Айманова, киргиза Толомуша Океева, таджика (по отцу) Али Хамраева.

Особое влияние он оказал на выдающегося режиссера узбекского кино Хамраева, который учился во ВГИКе в то же время, что и Кончаловский, но в мастерской Г. Рошаля. «Первый учитель» эхом отозвался в историко-революционной трилогии Хамраева «Чрезвычайный комиссар» (1970) — «Без страха» (1972) — «Седьмая пуля» (1973, один из авторов сценария — Кончаловский).

Содержание трилогии — борьба неофитов революции с вековыми традиционными укладами народов Средней Азии. Хамраев, вслед за Кончаловским, осваивает «экзотический» материал как катастрофический итог революционных преобразований. В каждой из картин жертвами насильственных «обновлений» становятся дети, женщины, старики.

Нравственный пафос «Первого учителя», впитавшего этику Платонова и Куросавы, во весь голос заявляет о себе в фильме «Без страха».

Историческая основа — освобождение женщины Востока от религиозных предрассудков, в частности, от ношения паранджи. К финалу фильма намечается крупное мероприятие: коллективное сожжение этой части национального женского костюма в честь проходящего здесь автопробега. Мероприятие завершается кровавой бойней. Вновь гибнут невинные. Но гибнет и инициатор акции — представитель центра Усубалиев, роль которого исполняет Болот Бейшеналиев.

«Огня! Огня!», — вопит смертельно раненный Усубалиев. И вот уже пылает костер с брошенными в него паранджами. Вокруг ложатся тела и «наших», и «не наших». Тогда к скончавшемуся фанатику подходит старуха, снимает с себя злосчастную черную сетку и укладывает под голову погибшего. Так в фильме Хамраева откликается милосердный жест Картанбая. Поверх всех идеологий, поверх идейной борьбы, просто потому что и жалко несчастного «огненосца», и иначе нельзя. Спасительный милосердный жест прощения и прощания.

Комментируя свою экранизацию Айтматова, режиссер писал в 1965 году: «Основная проблема, которую мы старались исследовать, — проблема «герой и народ», исследование тех противоречий, которые возникают в народе в результате ломки старого, веками отстоявшегося мировоззрения, создания новых понятий, новых идеалов. Нам хотелось, чтобы в образе сконцентрировались все противоречия начинающих революционеров. Страстная убежденность подчас перерастает у Дюйшена в фанатизм. Неграмотность и неопытность подчас толкают его на неправильные, иногда даже жестокие поступки, желание как можно скорее достигнуть цели — к использованию неоправданных средств. Поэтому при всей чистоте помыслов Дюйшена исторически объективное добро порой субъективно выглядит злом...»

Сегодня из уст режиссера могло бы прозвучать и уточнение: Дюйшен берется за исторически бесперспективное дело, предпосылки которого еще не вызрели, а потому и жертвы этого дела невозвратимо катастрофичны.

8.

В атмосфере второй половины 1960-х что-то неуловимо, но неотвратимо изменялось... Объединяющая всех в единое целое вдохновенная цель оттепели — прекрасное светлое будущее — незаметно выветрилась. Маячило все более очевидно закупоренное, никуда не ведущее вечное «сегодня» — то, что гораздо позднее стали называть «застоем».

«Наличная реальность», неуклонно снижавшая температуру подъема, могла быть оправдана лишь прямым и непосредственным творением Истории в виде непосредственных же катаклизмов. Воплощенных, прежде всего, в стихии огня, которая, по наблюдениям историка кино Е. Я. Марголита, прорывается в сюжет некоторых картин оттепели. Кончаловский как художник «поразительной гармонии интуиции и свирепо независимого ума» один из немногих тогда смог вполне осознать тенденцию. Как результат — «Первый учитель». Первый фильм, открывший принципиально новый взгляд на традиционный историко-революционный материал.

Евгений Марголит дает развернутое толкование метафорам огня в картине.

Антитезой «раскаленной реальности» в фильме стал монтаж «мучительно длинных и статичных» пейзажных планов, призванных создать образ «остановившегося времени».

Неотвратимая включенность в извечный природный цикл грозит растворить человеческую индивидуальность в безличной жестокой натуре. В фильме, кроме того, пресловутый «жизненный поток» обретает вполне конкретное, почти тотемическое воплощение в виде речного потока. Герой является аилу в роли своеобразного культурного героя мифов. И в этом качестве он несет в мир камня, глины и воды противостоящий им огонь. Он не просто дарит людям огонь — он его навязывает силой. Посредством огня Дюйшен меняет мир, и огонь тем самым оказывается символом революционного насилия как способа преобразования жизни, внесения в нее индивидуального личностного смысла. Но вот что важно: именно огонь пожирает помещение, в котором устраивает Первый учитель свою первую школу для его маленьких апостолов. Школа гибнет в огне, который Дюйшен принес с собой. А на ее месте должна возникнуть новая школа как новая (вместо Тополя!) святыня, но уже коммунистических времен.

Повествование обретает черты мистерии. На экране возникает образ времени первопредков как начала времен.

Огню Ленина-Дюйшена в фильме противостоит не только неподвижная панорама окружающих аил гор, но и водная стихия. И это не только своенравный горный поток, который приходится круглый год преодолевать учителю вместе с учениками. Он борется с водой и когда сооружает каменную переправу через реку, уже покрывшуюся у берегов ледяной коркой. Как раз тогда появляется первый намек на эротическое сближение Дюйшена и Алтынай — в момент сражения с потоком. Вода сопротивляется революционеру, понуждая его подчиниться природе — стать мужчиной, мужем и отцом, носителем семени, которое испокон веку символизируют небесные воды.

Вспомним омовение Алтынай в том же потоке. После насилия, совершенного над ней баем. Вот натуральное возрождение-очищение девушки! Водные стихии неба и земли отвергают насилие и как бы замещают ее настоящего суженого — Дюйшена.

Из этих вод Алтынай выходит обновленной для брака именно с ним. Другое дело, что сам суженый не готов к супружеству в огне классовых битв. Дюйшен жертвует ролью мужа и отца ради исполнения миражных ленинских заветов, передавая Алтынай на воспитание безликому Государству.

Трагизм образа героя в том, что становление его личностного самосознания связано с неизбежными и значительными жертвами. Он порывает с традиционным миром, расширяя пространство своего существования. Но он несет этот мир в себе, во всей своей тщедушной фигуре. Огонь идеи, зажженный в нем, ведь это в первоистоке тот небесный огонь, который иссушает и его землю, каменистую, скудную, постоянно требующую влаги. Влаги, но не огня!

По аналогии невольно вспоминаю «Белые ночи...» и «Рай» подступающего к своему восьмидесятилетию режиссера. Первый из этих фильмов и есть торжество порождающей водной стихии. А вот второй... Второй вдруг проник в меня ощущением какой-то закупоренности, спертости, какой-то непереносимой духоты и гниения, вызывающей необходимость срочно открыть форточку, впустить воздух. Это и есть иссушенная земля, абсолютно лишенная влаги.

9.

В шестидесятые и Кончаловским, и Тарковским владела магия ФАКТУРЫ.

«Нам казалось, что мы знаем, как делать настоящее кино. Главная правда в фактуре, чтобы было видно, что все подлинное — камень, песок, пот, трещины в стене. Не должно быть грима, штукатурки, скрывающей живую фактуру кожи. Костюмы должны быть неглаженые, нестираные. Мы не признавали голливудскую или, что было для нас то же, сталинскую эстетику...»

Проникновение фактуры в кадр было равнозначно проникновению самой движущейся материи как жизненной энергии, независимо от режиссера формирующей образ.

Кончаловский с максимальным вниманием относился к работе фотографа на картине. «Застывшие, остановленные мгновенья актерской игры помогают понять, верным ли ты шел путем. Фотография, зрительный образ дает толчок режиссерской фантазии, помогает придумать, найти мир фильма».

Во время работы над первой картиной ему попались на глаза несколько снимков, которые стали ключевыми для решения ее образного строя. Один из них, снятый на Тибете, изображал две маленькие фигурки яков на фоне горного перевала. Снимок был сделан с высокой точки, отчего в кадр вошла и седловина перевала и огромная скала, а из-за длиннофокусного объектива возникли почти фантастические пропорции соотношения яков и сидящих на их спинах человеческих фигур с окружающим миром. Рождалось ощущение единства живого существа с гигантской глыбой камня, со всем бесконечным миром — единства, но и несоизмеримости. А именно этого и хотелось добиться в «Первом учителе».

Были и другие снимки, будоражившие режиссерское воображение Андрея. Например, длинный-длинный коридор с какими-то анфиладами и в этом коридоре виднелась чья-то рука. Только рука, сам человек не был виден. Но его можно было представить, как он стоит рядом, о чем-то говорит, размахивая рукой.

«Такого рода фотографии вызывают наше чувство показом не человека, но мира, где человек обитает, где остались следы его присутствия. Мы видим не прямой луч, а его отражение — отражение человека в вещественном мире. И это отражение может оказываться подчас сильнее луча, обретать особую глубину, настроение».

Приверженность фактуре поспособствовала и возникновению знаменитой формулы кинообраза у Тарковского: время, запечатленное в форме наблюдаемого художником факта.

Но, питаясь одним источником — идеей воспроизведения на экране неорганизованного потока жизни, художники пошли далее разными дорогами творчества. Если для Тарковского в киноизображении приоритетным было КАК, то есть ЯЗЫК, ФОРМА, то для Кончаловского — ЧТО, то есть СОДЕРЖАНИЕ. Отсюда чувственная музыкальность композиции у второго и умозрительная архитектурность у первого.

У Кончаловского фактура примирялась, как ни парадоксально, с тем, что он называет «возбуждающей красотой театральности» и что всегда творчески вдохновляло его.

Во взаимодействии фактуры и театральности складывался уникальный творческий метод режиссера.

Поделюсь некоторыми мыслями на эту тему.

Один из главных знаков театральной условности — декорация как оппозиция натуре (от лат. natura), или тому, что можно назвать и фактурой.

Декорация — своеобразная возгонка реальности до уровня символа. Превращение мира, внешнего по отношению к художнику, в мир его представлений и образов. Декорация особенно ощутима в кино, поскольку оно непосредственно документирует живую жизнь. Здесь она кажется чем-то искусственным. Но большие художники (Куросава, Феллини), в том числе и Кончаловский, активно вводят декорацию в свой художественный мир, создавая конфликтное противостояние «декорация — натура» внутри киноизображения.

Кинематограф занят мучительным очеловечением натуры — природного движения. Режиссер творчески превращает это движение в «жизненный дух» киноизображения. Такое движение и формирует изначальное единство киноизображения. А уже затем человек (зритель) выделяет в нем собственно природное (например, трепет листьев на ветру) и социальное (поезд, идущий по рельсам) движения. И не только выделяет эти формы движения, но и конфликтно сталкивает их. Так и возникает зародыш киносюжета — непреходящий конфликт социума и природы, декорации и натуры в зрительном образе.

Социальное в киноизображении предстает как форма человеческого существования, относительно организованного и завершенного, в сравнении с природным движением. Жизнь человека в киносюжете ограничивается, замыкается конкретным социумом как декорацией. Но сквозь завершенную форму социальной жизни прорывается объективная жизнь природы, естественная жизнедеятельность, чувствования человека как его натура. Натура пытается взять свое. Но тут же ограничивается, смиряется новой декорацией.

Натура и декорация — два противоборствующих начала в конфликтном единстве киноизображения, на что и опирается всякий киносюжет. Это, я думаю, закон. Им активно пользуется Кончаловский, всматриваясь в движение натуры, но и вдохновляясь красотой театральности.

Выразительный пример конфликта «натура — декорация» — фильм «Глянец» (2007). Соблазненная глянцем рекламы определенного свойства изданий девушка из провинции пытается завоевать этот искусственный мир, но жертвует так своей живой сутью, своей натурой.

Изобразительно пространство глянца решено как бесстыдно обнаженная декорация. По существу, мираж. Независимо от того, где происходит действие, само место действия лишено индивидуальности, запоминающейся детали. Среда — цельно скроенная декорация, но и какой-то призрачный лабиринт, бесовски мерцающий мир, сквозь который прорывается вдруг такой же безжизненный натурализм нашей провинции. И он, в свою очередь, декорация.

Фильм «Глянец» очень скуп не только на кадры живой природы, но и вообще на любое проявление натуральности в человеке. Здесь декорация одерживает, кажется, страшную над всем этим победу. Как это происходило, может быть, и в «Дяде Ване» (1971).

«Первый учитель» давался физически тяжко. Во время съемок режиссер заболел дизентерией, работал с высокой температурой. Приезжал отец, растрогавший сына своей неподдельной заботой.

Готовясь к картине, режиссер много ездил по Киргизии, в надежде почувствовать ее фактуру, ее дух, ее натуру. Слушал старых акынов, спал в юртах, пил кумыс с водкой. Однажды обронил в беседе с секретарем ЦК Усубалиевым, что хочет снять «настоящую киргизскую картину». А в ответ услышал холодное и строгое: «Вы должны снять настоящую советскую картину».

«Ну, конечно, я напозволял себе того, что в советском кино тех лет категорически не разрешалось. Обнаженная Алтынай под дождем входила в воду. И это — в мусульманской стране, где женщине и лица не положено открывать... Киргизские партийные власти картину не приняли. Как только она была закончена, ее с грохотом положили на полку... я отказался от любых поправок...»

За фильм вступился Айтматов, обратившийся к Суслову. Суслов, по словам Кончаловского, сказал Айтматову: «Мы вас в обиду не дадим». Картину разрешили. А затем она отправилась на Венецианский фестиваль. Здесь исполнительница главной женской роли Наталья Аринбасарова получила Кубок Вольпи.

глава вторая

Стык миров: конфликт натуры и декорации

*Меня интересовало только одно — создать
ощущение жизни и зафиксировать его на пленке.*
А. Кончаловский

*Надоела грязь... Очень захотелось снять что-то
красивое...*
А. Кончаловский

1.

Вторая половина 1960-х. На излете оттепели в отечественном кинематографе возникла первая и единственная попытка реформ — Экспериментальное творческое объединение при «Мосфильме» (1965–1975). Художественным руководителем его был Григорий Чухрай, снявший к тому времени лучшие свои ленты. Объединение опиралось на новые экономические принципы, в духе югославских реформ. Предусматривался хозрасчет, а не государственные дотации. Туда, в числе других известных режиссеров, был приглашен и Андрей.

Он и Фридрих Горенштейн успели написать для объединения сценарий «Басмачи», который сам режиссер собирался и ставить с участием Николая Губенко и Болота Бейшеналиева. Постановка не состоялась. Позднее сценарий был переделан в «Седьмую пулю для Хайруллы». Взамен же «Басмачей» взялись за другой сценарий, со временем превратившийся в фильм «Белое солнце пустыни». Но работу над ним оставил сам Андрей, соблазнившись прелестями коктебельского отдыха.

Андрею Коктебель всегда казался сказочным. «Я вообще сидел там каждое лето, — вспоминает он, — написал много сценариев — с Тарковским, с Горенштейном, с Эдуардом Тропининым. Жили в доме писателей, в уютных квартирках, по вечерам шли замечательные посиделки, застолья, потом шептанье по кустам...»

К тому времени Кончаловский был уже достаточно опытным сценаристом. Кроме названных, можно вспомнить сценарий

«Серый лютый» (по М. Ауэзову), превращенный в фильм «Лютый» Толомушем Океевым.

Было специально написанное для Аринбасаровой. «Ташкент — город хлебный» (по повести Александра Неверова), над которым работали вместе с Тарковским и который поставил классик узбекского кино Шухрат Аббасов. И «Песнь о Маншук», поставленный в 1969 году Мажитом Бегалиным.

Все названные ленты оставили заметный след в истории кино Средней Азии.

Трудная судьба была у фильма по Неверову. В кинопрокат он вышел в 1967 году в обрезанном цензурой варианте — одна серия. Авторы ленты чудом спасли копию оригинала. Ее хранил оператор Хатам Файзиев вплоть до 2013 года, когда фильм был оцифрован и показан на большом экране. Премьера двухсерийной версии состоялась в Ташкенте.

Ни в России, ни в Америке, ни во Франции найти сценариста, которому он мог бы дать идею и получить готовый результат, признается режиссер, не получалось. С удовлетворением он вспоминает работу с теперь уже покойным французом Жераром Брашем, с которым довелось сотрудничать, когда создавались сценарии, ставшие основой «Возлюбленных Марии» и «Стыдливых людей».

Во второй половине 1960-х пришло предложение из Англии написать сценарий по «Щелкунчику» для старейшего английского режиссера Энтони Асквита. К несчастью, Асквит скончался в феврале 1968 года — как раз тогда, когда шла подготовка к съемкам.

Лондонские впечатления, как помнит читатель, оставили глубокий след в сознании тридцатилетнего режиссера.

«Никто здесь не строил нового общества. Революция случилась триста лет назад, о ней вспоминают разве что на школьных уроках истории. Никто ничего не собирался рушить, ни до основанья, ни вообще. Все прочно, надежно. Все следует естественному, заведенному от века порядку. Капитализм ничуть не казался обреченным скатиться в пропасть, стоял неколебимо и незыблемо. Такой, думал я, была бы Россия, если бы не революция...»

Если до «Первого учителя» он чувствовал себя еще неуверенно в роли режиссера, то после международного признания картины и во время работы над «Асей Клячиной» пришло ощущение владения ремеслом. Но наступил 1967-й, и «Асю» положили на полку.

Пройдет еще немного времени — Наташа и Андрей разведутся. Накануне жена попросит мужа честно сказать, изменял он ей или нет. «Нет!» — ответит тот. Но женское чутье не обманешь.

Девушка со скуластым лицом, вздернутым носом, раскосыми татарскими, совершенно голубыми глазами, с темно-русыми волосами, по имени Маша Мериль, уже успела покорить воображение Андрея. Их знакомство состоялось на Московском МКФ в том же богатом событиями 1967 году.

После отъезда очаровательной француженки между ними наладилась романтическая переписка. Он признается, что именно Маша Мериль стала тем критерием, по которому окончательно оформился в его сознании образ идеальной супруги. Дворянка, княжна, женщина европейской культуры — вот чего жаждала отравленная мечтательным Парижем душа художника!

Много позднее, во время работы над парижской постановкой чеховской «Чайки», в которой Мериль должна была сыграть Аркадину, между режиссером и актрисой возникло странное напряжение. Все объяснялось тем, что после первого любовного свидания с ним, еще там, в Москве, Маша забеременела. Она пыталась сообщить ему об этом во время встреч в Праге. Многое говорила по-французски. А он, взволнованный встречей, по его словам, кивал, но не все понимал. Она казалась ему абсолютно недосягаемой. Молодая женщина ждала реакции. Не дождалась. Подумала, что ребенок ему не нужен. И вышла замуж.

Волнующие встречи с Мериль в Чехословакии происходили как раз накануне Пражской весны. Вспоминая об этом времени, Кончаловский говорит, что в его отношении к власти очень многое изменил Николай Шишлин, которого называли «самым нецековским цековцем» и с которым дружили и Кончаловский, и Тарковский. Шишлин работал в ЦК КПСС, в отделе Юрия Андропова, еще до того как тот стал главой КГБ СССР.

«Коля и люди его поколения — Бовин, Арбатов, Черняев — сделали максимум возможного для того, чтобы к власти не вернулось сталинское крыло партии. Это поколение людей пыталось сделать экономическую реформу и перестройку — в 1968 году! Тогда это не получилось из-за Дубчека...»

Андрей передает реакцию Шишлина на преждевременные, с его точки зрения, инициативы Первого секретаря ЦК КПЧ Александра Дубчека: «Мы двадцать лет готовились, ползли в темноте к окопам неприятеля, а Дубчек, мудак, решил, что уже время. Они нас всех и накрыли!»

«Коля — один из тех, кто изменил мое мнение о системе. Я чувствовал, что система не монолитна. Внутри нее существуют достаточно позитивные и разумные элементы».

К серьезным размышлениям на эту тему Кончаловский вернется в 2000-е в своем документальном цикле «Бремя власти».

2.

Второй полнометражный фильм Кончаловского «История Аси Клячиной, которая любила, да не вышла замуж» (1968) до сих пор остается непревзойденным образцом натуральности в отечественном кинематографе. Если «Романс о влюбленных» воспринимается нашими киноведами как абсолютное торжество декорации, то «Ася Клячина», напротив, возносилась как убедительная правда натуры. Фильм выглядел разоблачительным в своей естественности (фактуре!) по отношению к тем декорациям лжи, которые порождала сама историческая реальность.

Премьера состоялась в конце декабря 1966 года на «Мосфильме», затем в маленьком зале, в Доме кино. По впечатлениям киноведа Неи Зоркой, «это было больше, чем одна талантливая картина... ... вслед за «Андреем Рублевым» утверждало себя, поднимало голову русское кино». Тем не менее, фильм положили на полку.

Как это искони водится у нас, «мысль народная» совпала с точкой зрения начальства. Готовую картину привезли «на зрительскую и общественную апробацию» в Горьковскую область. Обсуждения состоялись в районном центре Кстово и в сормовском Дворце культуры. Для съемочной группы это был шок. Картину не приняли ее герои. «Асю» сравнивали с «Кубанскими казаками» и уверяли, что вот там жизнь тружеников села показана замечательно. Возмущались тем, что колхозники все в полевом да в грязном; что много людей с физическими недостатками, инвалидов; что нет механизации и комсомольских собраний. После этих просмотров картина куда-то исчезла.

«В 1969 году, — с печалью вспоминает Зоркая, — мне удалось выписать в Институт истории искусств фильм, отпечатанный в смехотворном количестве копий под иронически звучащим названием «Асино счастье». Впечатление было такое: вещь, сшитую лучшим портным из прекрасного материала, изрезал какой-то сумасшедший и сшил как попало...»

Сценарий Юрия Клепикова носил название «Год спокойного солнца», родившееся спонтанно. Может быть, по той причине, что 1964 год был назван так астрофизиками. Печатный экземпляр режиссерского сценария был утвержден к запуску в производство за подписью председателя худсовета Третьего творческого объединения М. Ромма в 1966 году. Затем — выход на натуру. Весь фильм сняли за период сбора урожая. 21 декабря 1966 года помечено окончание производства, 30 декабря — акт о выпуске. Небольшие поправки, предложенные студией. Заключение Художественного совета творческого объединения «Товарищ» звучало так: «В результате поразительного эффекта от сочетания профессиональных и непрофессиональных актеров, крупного и своеобразного таланта режиссера А. Михалкова-Кончаловского, пошедшего на эксперимент, высокого класса работы оператора Г. Рерберга и художника М. Ромадина... получилась картина не просто хорошая и даже отличная. Родилось произведение принципиально новое в нашем кинематографе».

Госкино потребовало сокращений и монтажных поправок. Произведенные поправки Главк не удовлетворили. Нея Зоркая констатирует, что «архивные документы не говорят правды о том, как и почему картина не только была полностью исключена из обращения, но запрещены были любые упоминания о ней. По так называемому „телефонному праву“...»

Интересны впечатления Зоркой от премьеры картины, состоявшейся через двадцать один год после первых показов. В конце 1980-х фильм выглядит едва ли не идиллическим ретро на темы давно прошедшей сельской жизни. А его создатели? Кончаловский предстал в глазах Неи Марковны победителем. Он «пересилил Фортуну, вписался в Голливуд, как ни трудно достается это русскому человеку. Он преуспел, в чем можно было и не сомневаться, имея в виду талант, ум и творческую культуру этого истинно «русского европейца». Но ни один из последующих фильмов, снятых и на «Мосфильме», и в Америке, ни шумно известные, многажды премированные «Романс о влюбленных» и «Сибириада», ни даже задушевный, тончайший чеховский «Дядя Ваня», ни, конечно, голливудский цикл не достигли качества «Аси Клячиной»...»

Только в 2014 году появится фильм Кончаловского, который профессиональная критика поставит рядом с «Асей» по художественному уровню — «Белые ночи почтальона Алексея Тряпицына».

Еще несколько штрихов к истории запрещения картины, почерпнутых уже из расследования В. И. Фомина «Полка» (М., 1992). Проблемы начались еще на стадии сценария. Во время обсуждения в ГСРК 5 февраля 1965 года подверглась критике «тема неустроенности его героев». Не нашли «мысль о том, как благороден труд», показанный «однообразно, монотонно». Сценарий нашли «путаным по философии», не достигающим «глубины постижения жизни». Не хотели «спокойно относиться к теме безотцовщины». Говорили, что «герои сценария не имеют выхода в большую жизнь» и т. п.

Решение о запуске картины искусственно оттягивалось, ибо уже в сценарии чувствовали «опасность». Возник вопрос о смене названия. В конце концов, сценарий под названием «История Аси Клячиной, которая любила, да не вышла замуж» был запущен в производство.

Посланная в экспедицию в качестве контролера, опытная сотрудница ГСРК Э. Ошеверова очень высоко оценила деятельность группы. Отмечалась «интересная работа режиссера А. Михалкова-Кончаловского с непрофессиональными актерами», «четкость режиссерского замысла, умение ввести актера в требуемые драматургией сценария состояния» и т. д. Отмечена была и «очень сложная и тонкая актерская работа» Ии Саввиной, исполнительницы главной женской роли. «Сложность этой работы объясняется... и тем, что актрисе приходится работать с партнерами-непрофессионалами...»

Высоко оценивалось «содружество режиссера и оператора». «Они работают как бы в одном ключе, на одной волне, являются подлинными соавторами этого фильма».

Картина, получившая 1 марта 1967 года разрешительное удостоверение, исчезла, поскольку правда об отечественном крестьянине, читаем у Фомина, не могла удовлетворить ни партийные органы, ни органы ГБ, никого из советского чиновничьего аппарата.

«24 июня 1968 года «Мосфильм» представил изуродованный вариант фильма, переименованный по указанию Комитета. Дальнейшая судьба картины покрыта мраком: нет документов, официально запрещающих ее, но и на экраны она не выходит. О ней не положено писать. Если не считать материалов, появившихся после завершения работы, — в книге «Парабола замысла» самого А. Михалкова-Кончаловского, усиленно обхаживаемого в ту пору комитетскими столоначальниками, возлагающими особые надежды на «Сибириаду»...»

3.

Предложение поработать над сценарием «Год спокойного солнца» от студента Высших сценарных курсов Юрия Клепикова поступило Андрею Кончаловскому еще тогда, когда он готовился снимать «Первого учителя». Режиссера это удивило. Но Клепиков сослался на сценарий об Андрее Рублеве, по которому он, оказывается, решил, что Кончаловскому будет интересно обратиться к его работе.

Коллега Клепикова, сценарист Наталья Рязанцева, которая помнит его со сценарных курсов, то есть как раз с лета 1964 года, рассказывала: «Тогда про Юру все знали, что он написал замечательный сценарий «Год спокойного солнца». Как мы ему завидовали! Несмотря на то, что сценарий был длинный, его взял Андрей Кончаловский...»

Режиссер сразу же отказался следовать сложившемуся к тому времени жанровому клише «колхозного фильма». «Я понял, что если буду снимать профессионалов, не преодолев штампа примелькавшегося «киноколхоза», и мне снимать будет неинтересно, и зрителю — неинтересно смотреть».

Примечательную оценку соотношения сценария и фильма находим уже на излете нулевых — в связи с сорокалетием картины.

«...Кончаловский ставил перед собой не задачу воплощения некоего духовного опыта, а профессиональную задачу моделирования аутентичности, того, о чем говорят «это про меня» или «так оно и было». Его не интересовала ни жизнь русской деревни, ни русская душа, ни, по большому счету, сама эта история про девушку, которая любила, да не вышла замуж. Главное — чтобы снята эта история была так, как будто бы она не придумана и разыграна, а утащена из жизни во всей полноте случайной фактуры. Для Клепикова подлинность этой истории лежала в этической плоскости, для Кончаловского — в эстетической...»

Стойким эхом раздается из 1960-х: «Как этот благополучный сын высокопоставленного советского деятеля, барчук смог такое снять?»

Ну, а как еще до этого попасть в соавторы «Андрея Рублева» и оказаться постановщиком «Первого учителя»? Ко второй половине 1960-х и в нем как в художнике созрела своя этика, отложившаяся и в «Первом учителе», и в «Рублеве», в том числе, и эпизодах сценария, не вошедших в фильм. Та самая этика, которая формировалась под влиянием трудов Дмитрия Кончаловского и которая уже в нулевые и на их пороге обрела вполне отчетливые как художественные, так и публицистические формы.

В первые десятилетия нового века он широко выступает как публицист, говорит об исторических судьбах России (все на ту же тему, что и в «Рублеве», и в «Асе»!), о возможных переменах в этих судьбах. Идеи серьезные и глубокие. Правда, реакция на все это остается неизменной. Хорошо ему, «барину», живущему чаще за ее пределами, чем в самой стране, рассуждать на тему родных и любимых наших бед и язв...

Барином его если и можно назвать, то только в том смысле, в каком были барами его деды Петр Петрович Кончаловский или Владимир Александрович Михалков. И в том еще, в каком барами были Пушкин, Чаадаев, Тургенев, Толстой. Тоже о судьбах России, о крестьянстве писали. Он оттуда, из чудом уцелевших остатков «белой», по его определению, России. Для него естественно воспринимать мир, как Чаадаев например, читая одновременно на трех языках, считая и заграницу пространством своим, обжитым и освоенным. Естественно для него в контексте своего нормального частного существования — иными словами, в контексте мировой культуры — осмыслять беды и язвы культуры родной. Другое дело, что, как он говорит, «не меняются только идиоты». Возможно, придет время, когда и его полюбят и правые и левые.

Напомню, что режиссер на долгие годы связал себя с реальными жителями села Безводное Горьковской области. Отжив-отыграв свое в «Асе», они еще не раз вернутся к нему, как и он к ним. Это случится в начале 1990-х — в фильме «Курочка Ряба». А затем, в середине 2000-х, в документальном телесериале «Культура — это судьба», поставленном по его сценарному замыслу. Там безводновцы — носители культурного генома нации.

В 2016 году после перемен во взглядах моего героя на будущее России, которых только ленивый не отметил, он твердо заявил, что «Россия не Западная Европа, не будет ею, и не надо стараться». И, что характерно, окончательное понимание невозможности нам войти в европейский опыт пришло к нему как раз в момент тесного контакта опять же с народом на Кенозере, в Архангельской губернии, где он снимал «Белые ночи...».

«Я снял три фильма в русской деревне, я живу в этой стране и знаю мой народ. Постепенно убедился — чтобы изменить страну, надо изменить ментальность. А чтобы изменить ментальность, нужно изменить культурный геном. А чтобы изменить культурный геном, надо сначала его разобрать на составные части вместе с величайшими русскими философами — то есть понять причинно-следственную связь, которая в нашей стране до сих пор не изучена. И только потом уже решить, куда нам идти...»

Итак, для «Аси Клячиной» режиссер набирает непрофессионалов и следует в создании картины логике их характеров, их мировидению — их натуре.

Так произошло, например, с удивительным Геннадием Его-рычевым, сыгравшим роль безнадежно влюбленного в Асю Сашу Чиркунова. Он был замечательно органичен, неповторим как личность. После утверждения на роль режиссер обнаружил у Гены на груди татуировки Ленина и Сталина и «просто пришел в восторг». Этого невозможно было придумать!

Татуировки были «отыграны» вначале в «Асе». Там Саша использует их в качестве наглядного пособия к «уроку» отечественной истории, которую он «преподает» деревенскому мальчонке. Второй раз герой Егорычева обнажит свою грудь уже в «Куроч-ке Рябе», отрекаясь от былых кумиров. Их портреты как иконы несут его односельчане, выступая на экспроприацию «кулака» Чиркунова. Портреты тех, чьи силуэты самой же отечественной историей врезаны в тело реального человека. Как тут не вспомнить: «Ближе к сердцу кололи мы профили, чтоб он слышал, как рвутся сердца»?!

Но настоящая правда заявила о себе не только с экрана. Она, спровоцированная фильмом, отозвалась и в шокирующей солидарности героев картины — крестьян — с начальственными чиновниками, отвергнувшими натуру «Истории Аси Клячиной». Иными словами, не признавшими в очередной раз соотечественников в тех, из числа которых сами вышли.

В «Асе» эта амбивалентность народного взгляда находит свое отражение. Фактически, картина рассказывала про то, какой субъективно счастливой жизнью живут объективно обделенные люди, не желающие, как ни странно, ничего менять в своем скудном существовании, удовлетворенные им. При этом автор картины не чурается субъективности мировидения своих героев, а с любовью принимает ее, отчего в картине появляются пасторальные интонации.

Особое доверие вызывают в фильме изустные автобиографические очерки бригадира Прохора, председателя колхоза, деда

Федора Михайловича (!), почерпнутые из реальной жизни исполнителей. Бытовые подробности историй страшны, а манера их изложения, вполне сказовая, иногда спокойно-отстраненная даже, свидетельствует о том, что и такая жизнь принимается вполне.

Истории внешне не связаны с любовным треугольником Степан — Ася — Александр. Но, по сути, они органично умножают художественный мир фильма. Все эти истории, в конце концов, о любви. Каждый из персонажей передает повесть о встрече с любимой женщиной, ставшей (или не ставшей) его супругой.

Их жизнь, обремененная тяготами, взваленными на плечи этих людей историей, окрашивается простой любовью, избавленной от киношного мелодраматизма и сентиментальности. В момент рассказов в просветленных этих ликах — оправдание их счастливой слепоты.

Так и весь съемочный коллектив переносился из унылого равновесия прозаически текущей жизни — в атмосферу праздника, в атмосферу творческого преодоления скудости колхозного быта. В этом контексте, вероятно, и возникла у режиссера мысль о смеховом, в духе Феллини, развитии сюжета картины. Но задумку эту, как ему кажется, Кончаловский не смог воплотить вполне. Режиссер остался в убеждении, что ему не хватило мужества «сталкивать крайности», отчего «сюрреалистическая сказочка ушла, а документальный рассказ остался».

Но уже само то, что режиссер доверился естественности индивидуального самовыражения крестьянской (народной!) натуры, приблизило его к задуманному. Комедийное здесь балансирует на грани печального, а печальное оборачивается смехом. Документ готов показаться гротесковой игрой, а игра обретает достоверность хроники.

Ию Саввину, исполняющую роль Аси, режиссер заставил жить в избе, которую потом и снимали. На стенах жилища висели фотографии, в углу — образ. Старухи, обитательницы избы, рассказывали актрисе, кто изображен на фото. Она запоминала и с первого дубля, без репетиций воспроизвела. Так рождалась история семейства Клячиных, почерпнутая из реальной жизни. И в неповторимости самих этих судеб, запечатленных на фото, проглядывала сюрреалистическая игра. В нее включилось и странно неправильное, но бередящее душу пение Чиркунова («Бьется в тесной печурке огонь...»), равнозначное, по смеховой провокационности, татуированным образам Ленина и Сталина на его груди.

Такой же провокацией стал и танкодром. В звукоряде картины он напоминал, что «наш бронепоезд» всегда «на запасном пути». Будто вынырнувшая из 1930-х оборонная тема откликнулась под звуки Гимна и появлением воинов Советской Армии в сцене родов Аси.

«Феллиниевскую» черту подвел празднично-тревожный финал ленты, прозвучавший прощанием с эпохой шаткой оттепельной свободы.

Художественный мир картины, расположившийся на границе декорации и натуры, был открытием в кино тех лет. Но открытие не восприняла даже «экспертная» публика, увидевшая только разоблачительную стилизацию под документ. И повзрослевшая на два десятилетия та же «умная» публика все еще не может разглядеть плодотворной амбивалентности произведения.

Единицы разглядели в картине по-настоящему счастливых людей. Как и то, что Кончаловский разделял настроение своих героев, любовно с ними сотрудничая и за ними наблюдая. Душевная приподнятость персонажей происходила из того, что первое послевоенное десятилетие в нашей стране прошло в постоянном ожидании праздника и веры в неизбежность его наступления как воздаяния за пережитое. На этой же волне появились и «Кубанские казаки», этим настроением живут простые люди у Кончаловского. «Между миром и человеком в этой картине нет преград, — писал Евгений Марголит. — Я не знаю другой ленты в нашем кино, где было бы достигнуто столь пронзительное ощущение общности, слияния всего со всем, всеобщего полета. Отсюда и отсутствие частной жизни. Есть жизнь общая — на миру. И миром. Им живы, то есть друг другом...»

Но эта цельность, общность эта — натура уходящая, уже миф. Уникальность взгляда режиссера в том, что он всегда снимает как раз уходящую натуру. То, что уходит, он снимает в первую очередь и только через него то, что приходит. А отсюда — этически пронзительное сочувственное переживание неизбежно уходящего времени как органической части твоего единственного и неповторимого бытия. Каким бы ограниченным и слепым оно ни было.

Самому режиссеру казалось все же, что искушенный зритель смог увидеть «реальную русскую жизнь, как она есть». Это не могло не потрясти, полагал он. «Ибо жизнь эта была чистая и светлая и в то же время пронзила своей болью, своей нищетой, своей замороженностью. Ибо нельзя было в той, Советской, России быть несчастным. Не разрешалось. Все были счастливы.

А кровь текла... А стоны не стихали...»

От потаенной боли выбивается из общего праздника Ася. Разрешенное счастье с кровью и стонами — вот что видит в глубине живущих «счастливым» общинным единством людей режиссер. И его видение проникает в образный строй картины, начиная с ее стартовых титров, развертывающихся на панораме ржаного поля.

...Женский голос окликает ребенка. Полное тревоги лицо актрисы Любови Соколовой. За кадром громыхают выстрелы. Танкодром. С самого начала возникает тема утерянного, забытого, брошенного ребенка. Тема сиротства. Ребенка-таки находят. Земля отдает его людям. Но тревога удерживается до самого финала — до того праздника, от которого, подобно подранку, отделяется-убегает Ася, оставаясь одна. Ведь праздник этот — проводы. Праздник, утративший соборность, еще до своего начала распавшись на одинокие человеческие судьбы.

Работа Кончаловского с непрофессиональными актерами — это не только работа над ролью, это и равноправный диалог, в результате которого человек выдвигается на крупный план достоверностью личной судьбы. Каждый из этих персонажей отщепляется от анонимной массы, хотя еще и остается внутри «счастливой» колхозной общины. Самой крупностью (чисто кинематографической, но и духовной) своего лица, личности они подрывают обезличенное равновесие колхозного праздника. Судьбы их действительно не устроены, отмечены общим отечественным сиротством. Но принимают люди свою неустроенность с невероятным стоицизмом, граничащим то ли с великой мудростью, то ли с великой слепотой.

Кончаловский называет свою героиню святой. Нея Зоркая — праведницей. За образом хромой деревенской святой угадывается образ родной земли.

В начале земля убаюкивает и прячет в своей ржи ребенка, как бы охраняя от угрозы, звучащей в громе танкодрома. Как земля вынашивает и отдает ею выношенный плод в положенный срок, так и Ася вынашивает и отдает миру своего ребенка. Сцена родов — из сильнейших в картине. Создается впечатление, что плод выходит из чрева самой земли. А вот принимает его не столько конкретный Степан, сколько абстрактные Вооруженные Силы страны.

Родина у Кончаловского, еще по памяти об «Андрее Рублеве», — юродивая, «дура святая». Не зря постаревшую Асю в «Курочке Рябе» играет Инна Чурикова, героиням которой еще со времен панфиловского дебюта «В огне брода нет» (1967) присвоен этот титул. Образ перекочует затем и в «Дом дураков», закрепившись в творчестве Кончаловского.

Родина более склонна любить непутевого, чем путевого; скорее Степана, чем Александра-победителя. От этой обреченности любить кого ни попадя состояние неприкаянности становится фатально непреодолимым. Но и плодотворным, поскольку колеблет общинное равновесие.

Как в «Первом учителе», так и в «Истории Аси Клячиной» низовой человек катастрофически выпадает из всех традиционных рамок — будь то рама крестьянского менталитета или рама советского образа жизни, что, в конце концов, абсолютно рифмуется. Такова и Ася Клячина, таков и Александр Чиркунов, которому нет пристанища.

Пик — финальный праздник. Проводы в армию подсознательно переживаются как праздник бездны на краю, бесшабашное бездомное цыганское веселье вечных странников в преддверии грядущих смещений и превращений.

Суть праздника — в разоблачении человека от всех социальных костюмов. Здесь не остается ничего постоянного, ничего раз навсегда установленного и завершенного. Вот и сарайчик-времянка — одновременно и декорация отошедшего в прошлое труда, и жилище героев — валится под откос. На что же опереться? А вот на это непрестанное превращение — в нем и есть настоящая правда натуры, которой живет художник. Все остальное — временная декорация, достойная исчезновения.

4.

Период особенно крупных раздоров в семье Натальи и Андрея — 1968 год. В это время как раз проходят съемки «Дворянского гнезда». На болезненный разрыв со второй женой накладываются, по воспоминаниям Андрея, его переживания от роковой встречи с Машей Мериль, отчего француженка «влезла в картину под своей подлинной фамилией — княжна Гагарина». Ее сыграла Лилия Огиенко, «чудная молодая киноведка из ВГИКа».

Фильм давался трудно. «Боялся сам себе признаться, что не знаю, как снимать...» В такие минуты им овладевало одно желание: «ощутить рядом прерывистое женское дыхание». Так начались романтические отношения с Ириной Купченко, дебютировавшей в «Дворянском гнезде» в роли Лизы Калитиной.

Можно сказать, что «Дворянское гнездо» не только жило памятью о недавней близости с Мериль, но и впустило в себя дух других женщин, в разное время близких его создателю. В фильме снималась давняя любовь режиссера — к тому времени уже яркая польская кинозвезда Беата Тышкевич, сыгравшая Варвару, жену Лаврецкого.

«Гнездо» выйдет на экраны в 1969-м, когда Наталья и Андрей официально расстанутся. Кончаловский женится на француженке русского происхождения Вивиан Годе. Получит французское гражданство. В 1970 году у них родится дочь Александра.

История знакомства с Вивиан, изложенная самим Кончаловским, вкратце такова. Николай Двигубский повел друга в гости к некоему банкиру, с супругой которого художник затеял роман. Банкир жил в «Национале». У его детей была няня — девушка с огромными зелеными глазами, похожая на актрису Ирину Купченко. Она училась в Париже в Институте восточных языков. И была, как Маша Мериль, русских корней. Чтобы поразить француженку, Андрей даже свозил ее в ту деревню, где еще не так давно проходили съемки «Аси» и с жителями которой у него сложилось что-то вроде приятельских отношений. За поездкой, как тогда было принято, внимательно следили органы ГБ. И это придавало романтическому путешествию особо острый привкус. В конце концов, все разрешилось женитьбой, и Европа становилась реальностью.

Желание покинуть страну вполне созрело в Кончаловском как раз к моменту работы над «Гнездом». Сыграли роль и мытарства, связанные с запретом «Аси». «Как хотелось не зависеть ни от какого Ильичева и всего его ведомства! Стать свободным! В 60-70-е это желание становилось буквально непереносимым. Идешь по коридору — я это на себе испытывал — с мягкими ковровыми дорожками, минуешь одну охрану, вторую, третью, читаешь надписи на дверях и чувствуешь себя все меньше и меньше. Меньше просто физически, в размере! Может быть, есть счастливые люди, подобного чувства не испытавшие, — я к их числу не принадлежу...»

Было страстное желание от всего этого избавиться. «Уехать. Выйти из системы. Избавиться от советского паспорта. Жить с ним стыдно. Советский паспорт — паспорт раба. Идешь по парижской улице, видишь клошара, спящего под мостом на газете, думаешь: „Он счастливее меня — у него не советский паспорт“».

Решение взять в жены Вивиан среди родных вызвало переполох. А он был счастлив: «Я женился на Франции!..»

«Я медленно переползал в иной статус — экзотический статус советского гражданина, женатого на иностранке. Для властей я становился «иностранцем». Я чувствовал себя человеком из Парижа. ОВИР стал самым родным местом, я перетаскал туда кучу подарков: там давали частную визу».

Андрей с жадностью поглощал парижские впечатления, всякий раз отмечая про себя отличие этой жизни от советской. Подробности быта натуральных французов западают в душу. Он внимательно наблюдает жизнь южной провинции Франции. Его, как всегда, умиляют картины крепко устоявшегося традиционного быта. Особенно впечатляет, сравнительно с отечественными примерами, налаженность повседневности, спокойное, веками упроченное существование.

Почему бытовая сторона зарубежной жизни производила на советского человека такое оглушительное впечатление? — спрашивал себя режиссер. И отвечал: отечественная бедность. Бедность, которая проникала в быт даже обеспеченных семей. Унылая скудость существования, въевшаяся в подсознание «родившихся в СССР». Причем бедность, идеологически утверждавшаяся государством как нравственное достояние советского человека, как классовое противостояние «незаслуженной» материальной обеспеченности буржуа, проживающего за «железным занавесом».

Жизнь с Вивиан не была гладкой. Женщина с характером, ревнивая, она чувствовала, вероятно, что играет роль, ей непонятную, отношения к буржуазной семейной жизни мало имеющую. Вивиан была воспитана иной системой отношений и «разнузданные выходки» своего супруга воспринимала по-другому, чем прежние его спутницы, по-другому мыслила обязанности и права мужчины.

В бытовом смысле в Москве они устраивались не очень уютно. Тем более — по французским стандартам. Снимали квартиру у друзей. Переехали в другую. Так что, забеременев, Вивиан должна была отправиться рожать в Париж. Там и появился на свет второй ребенок Андрея — дочь Александра. Крестили девочку в парижской квартире жены. «Была зима, купель с водой я спустил вниз, пошел по рю Вашингтон направо и у церкви вылил ее на зеленый газон. До сих пор помню эту медную купель, этот газон, вид на Сену...» — вспоминает Андрей.

С новой своей романтической привязанностью, актрисой Еленой Кореневой, Андрей встретится в начале 1970-х годов, будучи женатым на Вивиан. Совсем еще юная Елена должна была играть одну из главных ролей в «Романсе о влюбленных». О том, что у него появилась новая спутница, Кончаловский вскоре сообщил жене. Та не собиралась сдаваться. Кореневой довелось встретиться с Вивиан и даже сидеть с нею за одним столом. На Николиной Горе. Когда Андрей отвозил Елену домой, в машине обнаружилось письмо, адресованное девушке и завершавшееся категорическим: «Я люблю своего мужа и умею ждать».

5.

Экранизацию «Дворянского гнезда» восприняли не как изобразительное опровержение предшествующего опыта режиссера, а, скорее, как сдачу позиций, поражение крупного художника.

Запрет «Аси», а перед тем — «Андрея Рублева» поставил Кончаловского, хотел он этого или нет, как и Тарковского, в ряд гонимых инакомыслящих художников. Ему бы, для закрепления имиджа, продолжать двигаться в том же русле, а он ушел далеко в сторону. Не захотел наслаждаться положением страдающего гения, упорно сопротивляющегося начальству.

Да, «Дворянское гнездо» было, по существу, заказом. История возникновения замысла такова.

В 1967 году на Московском кинофестивале Андрей увидел «Леопарда» (1963) Лукино Висконти. Захотелось поставить нечто подобное, никак не связанное с баранами, юртами, овечьим дерьмом или избами, ватными штанами и проч. Что могло привлечь режиссера в более чем трехчасовой экранизации исторического романа Томази ди Лампедузы о судьбе сицилийского феодала князя Фабрицио в событиях начала 1860-х годов?

Фильм, снятый великолепным Джузеппе Ротунно, удивительно красив, несмотря на то, что речь идет о времени гражданской войны между республиканцами, сторонниками Гарибальди, и приверженцами правящей династии Бурбонов. Но вот что существенно: картина повествует о стыке времен, об уходе одной культуры и пришествии другой. Причем исторические катаклизмы увидены глазами людей с древней аристократической родословной. Это касается не только князя Салины, но и автора романа, и самого Висконти. Лирическое самочувствие режиссера, как писал киновед Леонид Козлов, «ощутимо в теме безвозвратно уходящего времени и его ценностей, в теме возраста, личного и исторического, в теме отношений между поколениями». Все это близко Кончаловскому, и все это есть в его «Гнезде».

Но вначале он подумывал о пьесе Тургенева «Где тонко, там и рвется». А Госкино, в свою очередь, предложило снимать к юбилею классика один из его романов — «Отцы и дети» или «Дворянское гнездо». Режиссер выбрал последний, хотя к произведению не обращался со школьных лет. Взрослое прочтение романа не вдохновило: «Пришел в ужас. Сентиментальный язык, романтические пейзажи, идеализированные герои, идеальная девушка Лиза Калитина. Стало не хватать запаха навоза, от которого так хотел избавиться. Полное отсутствие „низких истин“ — все сплошь „возвышающий обман“...»

Радикально подпитанный двумя предыдущими работами, сценарием об Андрее Рублеве Кончаловский не сразу ухватил скромную глубину тургеневской прозы, рисуя в своем воображении образ «певца дворянских гнезд». Суть прояснилась, когда художник, по свой привычке, стал «тащить все в дом», то есть собирать материал, населять «строительную площадку» будущего фильма. Начал читать подряд всего Тургенева. «Записки охотника» потрясли его и восхитили. В итоге, «Дворянское гнездо» стало первым фильмом в отечественном кино, где в центр сюжета поместился любовно воссозданный образ дворянской усадьбы, ее внутреннего строения и исторической судьбы, ее места в истории отечественной культуры, ее драмы, если хотите. Сквозь образ усадьбы прорастал и образ России.

Впечатления же от чтения Тургенева поначалу свелись к идее полярности эстетических вкусов писателя. С одной стороны, Кончаловский увидел «условный романтизированный мир его романов, с неправдоподобием дворянской идиллии, с другой — натурализм и сочность „Записок охотника“». Режиссер пришел к выводу, что существует как бы два Тургенева. Один — умелый мастер конструирования сюжетов, поэт дворянских гнезд, создатель галереи прекрасных одухотворенных героинь. А с другой стороны — великий художник, пешком исходивший десятки деревень, видевший жизнь как она есть, встречавший множество разных людей и с огромной любовью и юмором их описавший.

«Мне захотелось соединить эти два стиля в одной картине. Я задумывал ее как сопряжение двух миров, один из которых как бы дополнял другой. Последней частью сценария была новелла, в которой герои романа — Лаврецкий и Гедеоновский встречались в трактире, где шло соревнование певцов. Цветной, идеализированный, романтический мир «Дворянского гнезда» должен был столкнуться с черно-белым миром «Записок охотника», в какой-то мере пересекающимся с эстетикой «Аси Клячиной».

То есть я собирался создать мир цветов, сантиментов, красивый, роскошный — такой торт со взбитыми сливками, а потом хорошенько шлепнуть кирпичом по розовому крему. Взорвать одну эстетику другой. Преподнести зрителю ядреную дулю: после сладостной музыки и романтических вздохов — грязный трактир, столы, заплеванные объедками раков, нищие мужики, пьяные Лаврецкий с Гедеоновским, ведущие разговор о смысле жизни. И в том же трактире — тургеневские певцы. Как бесконечно далеки друг от друга эти баре и эти мужики: и все хорошие, любимые автором люди, а между ними — пропасть, проложенная цивилизацией и историей. В этой пропасти истоки и судьбы России...»

Вот что находилось в истоках задуманного сюжета. Это было зримо оформившееся зерно художественного метода Кончаловского, опирающегося на идею корневых противоречий национального мира России, а в диалектике формы — на условно-театральный стык миров.

В «Дворянском гнезде» замысел развить не удалось. Сам режиссер считал фильм в этом смысле неудачей. Но задуманное, тем не менее, не испарилось, не было выдавлено из поэтики фильма, поскольку выражало само существо творческого подхода режиссера к материалу.

На пути к фильму Кончаловского вдохновляло и содержание идейных сражений между западниками и славянофилами времен Тургенева, но соприкасавшихся, как вскоре выяснилось, с современностью рубежа 1960–1970-х годов.

Готовясь к съемкам картины, режиссер наткнулся на старую книжку, где описывалась ссора Тургенева с Достоевским, не простившим Ивану Сергеевичу Потугина из романа «Дым». В ответ на брань Достоевского в адрес немцев Тургенев заявил, что сам себя считает за немца, а не за русского и возвращаться в Россию не собирается.

Имидж немца был сознательно присвоен и самим Кончаловским. «Немец», по исходной этимологии слова, — немой, безъязыкий (иноязыкий). А в традиционно отечественной трактовке, — прежде всего, чужой, отторгаемый, в силу инакости своих взглядов, от крестьянско-общинной среды и ее идеологии. «Немец» — человек «не мой» («не наш»), а потому для нас и — «немой». Мысли «немца» Потугина, надо полагать, сыграли свою роль в становлении мировидения художника.

Отставной надворный советник Созонт Потугин неласково отзывался о дворянской интеллигенции, рассуждающей на темы особого пути России и разоблачающей «гнилой Запад». А его нерушимая вера в цивилизацию была созвучной мировоззрению Кончаловского: «... я западник, я предан Европе; ... говоря точнее, я предан ... цивилизации ... я люблю ее всем сердцем, и верю в нее, и другой веры у меня нет и не будет. Это слово: ци... ви... ли... зация... — и понятно, и чисто, и свято, а другое все, народность там, что ли, слава, кровью пахнут... Бог с ними!»

Споры, ушедшие, казалось, в прошлое, живо откликнулись в картине, поскольку касались духовных корней русского человека, его отношения к Родине. Отсюда — и резкое столкновение точек зрения современных Кончаловскому западников и славянофилов в дискуссиях о фильме, когда ни те, ни другие картины не принимали.

Фильм бескомпромиссно осудили авторитетные критики из двух разных, по «партийным» установкам, лагерей. С одной стороны, Вадим Кожинов, позднее идеолог литераторов, сгруппировавшихся вокруг журнала «Наш современник», а с другой, с либерально-западнической стороны, выступил один из лидеров шестидесятничества Станислав Рассадин.

Особенно Кожинова раздражала фигура немца Лемма в исполнении Александра Иосифовича Костомолоцкого. Его режиссер «позаимствовал» из легендарной курсовой короткометражки Рустама Хамдамова «В горах мое сердце». Актер начинал когда-то ударником чуть ли не в первом отечественном джаз-бэнде и снялся в фильме Г. Александрова «Веселые ребята» — среди буффонного сборища пародийных музыкантов.

Критик «разоблачил» «шутовского горбуна». «Нам внушают, что сейчас перед нами явится хор теней прошлого, хор людей, которых можно представить себе лишь в воображении, — и этот шут им дирижирует, как бы вызывая его из небытия. Но неужели же тургеневские герои, в которых отразились черты людей, причастных к созданию одной из величайших мировых культур, — всего лишь марионетки, которыми управляет этот фигляр?»

Кожинов пришел к выводу, что «режиссеру нечего пока сказать об эпохе, запечатленной в романе. Он взялся снимать о ней фильм, потому что она в «моде». Но ему оставалось лишь «поиграть» с ней».

Что касается противоположного взгляда, представленного Рассадиным, то он именно противоположный тому, что сказано было Кожиновым. Отчего публикация критика и называлось «Экскурсия в прошлое России». Его не печалили отступления от оригинала. Но беспокоило, что «нам дали взамен», то есть современный смысл в толковании классики. И тут Рассадин оставался таким же неудовлетворенным, как и Кожинов, ратующий за адекватное постижение героического прошлого России.

Автора картины эти споры страшно изумили. Такого накала он никак не ожидал. «Уж чего только мне не приписали: национализм, эстетизм, жеманство, почвенничество, русофильство, славянофильство, «антизападничество» и даже то, что я, видите ли, певец дворянства! Что касается русофильства и тому подобного, то у меня сложилось впечатление, будто авторы статей порой сами забывали о предмете своих рецензий и начинали выяснять отношения со своими старыми оппонентами...»

Но ни роман, ни, тем более, картина не были «партийно» ограниченными, становясь на чью-либо сторону в споре западников и славянофилов!

Книга проникнута глубоко тревожным переживанием распада дворянского гнезда как целого культурного пласта национальной жизни. В нем есть предчувствие чеховской проблематики. Персонажи — люди расшатанной, надломленной судьбы. Жизнь предков Лаврецкого, включая и его отца, — предыстория разрушения фамильного дома, определенного уклада.

Федор Лаврецкий — герой маргинальный. Сын «сыромолотной дворянки», бывшей горничной его бабки. Она, «тихое и доброе существо, Бог знает, зачем выхваченное из родной почвы и тотчас же брошенное, как вырванное деревце, корнями на солнце», скоро увяла.

Справедливо отмечал Александр Липков в рецензии на картину, что в ней (в соответствии с романом, кстати говоря) нет людей, крепко вросших в почву. Они все вырваны из нее, все не «почвенники», а, скорее, «скитальцы». Не в идейном, а в прямом смысле.

По Тургеневу, Федор Лаврецкий возвращается в Россию, чтобы обрести, наконец, дом, естественную жизнь взамен той искусственной, которой он жил до сих пор. Он как бы восходит к истокам натуральной русской жизни, к материнскому первоначалу, чтобы отсюда проделать путь своего возрождения-возвращения к родине.

Фильм Кончаловского берет за точку отсчета именно это состояние героя — нисхождение к материнским истокам, а отсюда уже — восхождение к осознанию своего единства с Россией, далекой, как и сам Федор Лаврецкий, от духовно-нравственного равновесия внутри себя. Родина в воображении героя представляется девочкой-ребенком, характер которой еще не проявлен и у которой впереди долгое и трудное взросление.

Действительно, именно Лемм открывает фильм в Прологе. Он как домовой призрачного усадебного мира. Федор и Лемм повязаны тесными интимно-дружескими отношениями. Они и общаются друг с другом с помощью музыкальных фраз, как бы уходя ото всех прочих в нишу духовной близости. Несколько иначе эти отношения изображены у Тургенева. Но и в книге, и в фильме фигура старого музыканта-немца — воплощение обреченности на вечное изгнанничество.

Когда критики обоих лагерей обвиняют режиссера в идейной легковесности картины, они пренебрегают его недвусмысленной позицией: чувство корней — чувство необъяснимое, алогичное и вряд ли адекватно артикулируемое на идейном уровне.

В картине снижается всякая попытка ограниченно «партийного» взгляда на судьбы России. Вот почему самый малосимпатичный здесь персонаж — Паншин. Его демонстративно идейные речи, как правило, иронически снижаются, как и весь его облик. Актер Виктор Сергачев загримирован под Гоголя. Так один из первых русских писателей, идеологически продекларировавших свою озабоченность судьбами России, в фильме пародийно преобразился в идейного манекена с французским, по выражению Лаврецкого, лицом.

Фильм представляет собой соотношение миров, некую изобразительную полифонию. Это, во-первых, Россия, куда возвращается Лаврецкий, усадебный мир. Во-вторых, мир парижских салонов. Наконец, мир ярмарки — как след замысла резко столкнуть усадьбу и деревню, барина и мужика. Принципиально то, что ни один из миров не исчерпывает художественного целого.

Ностальгическая красота дворянской усадьбы — скорее желанная, нежели действительная красота. Это образ, рожденный тоской возвращающегося сюда Лаврецкого. А может быть, выловленный и из утопических мечтаний Тургенева. Автор любит сотворенное им не менее, чем его герой. Но его авторское видение не исчерпывается интерьерами и пейзажами дворянской усадьбы.

Чтобы воспроизвести многомирие, режиссер пригласил трех разных художников. На парижские эпизоды — Двигубского. На имение Калитиных — М. Ромадина. На имение Лаврецких — А. Бойма. В качестве практиканта в картину пришел и Хамдамов, маньеризм режиссерских работ которого во многом определил, по признанию Кончаловского, стилевые решения фильма. Художник занимался костюмами, а в особенности — шляпками героинь. Хамдамовские шляпки станут позднее традиционной приметой фильмов и спектаклей Андрея.

Усадьба Лаврецкого — это, прежде всего, материнская обитель. Первое время пребывания здесь героя окрашено ощущением праздника. Дух домашнего пространства, как было сказано, — немец Лемм. Именно он запускает в начале птичью музыку. Комнаты усадьбы оживают, наполняются солнцем, как только в них входит Лаврецкий...

Другое дело усадьба Калитиных. Цветовые решения холоднее, приглушеннее. Только комнаты, где проживает бабушка Лизы Калитиной Марфа Тимофеевна, сохраняют теплые тона домашнего уюта. На эту роль режиссер пригласил старую «мхатовку» Марию Дурасову (скончалась в 1974 году), воспитанную на традиции реалистической театральной игры.

В гостиной же правит бал Паншин — здесь все искусственно, в том числе и слова, и поведение окружающих, кроме, пожалуй, Лизы. Но это опять-таки не авторская оценка, а точка видения главного героя. Точно так же, как и монохромное решение парижских эпизодов есть образ переживаний Лаврецкого, чувствующего себя в европейских салонах неуклюжим медведем, подобно Безухову в салоне Анны Шерер.

Каждый из миров — ограниченная в пространстве декорация, чего и не скрывает автор. Усадебная жизнь то и дело прерывается врезками парижских воспоминаний. Так обнажаются ее границы, но и границы парижской декорации тоже. Скрытая шаткость усадьбы ощущается, с одной стороны, в какой-то искусственной скученности вещей, а с другой — в том, что вещи часто оказываются не у места, на что обратил внимание Владимир Турбин в своей рецензии.

Картинки парижской жизни в фильме — это не столько пресловутый Запад, сколько искаженная, противоестественная жизнь русского человека вне родной почвы. Восприятие Лаврецким мира, в котором живет его супруга и где она чувствует себя комфортно, обостряется вследствие его мужицкого происхождения. Он все время на границе. Он должен был оказаться в прямом смысле на стыке миров, если бы Кончаловскому удалось воплотить свой замысел вполне. Большой эпизод, который должен был завершить фильм и не вошел в картину, заменен ярмаркой, возникшей на основе рассказа «Лебедянь» («Записки охотника»).

Здесь пьяный Федор бросает свой «мужицкий» вызов миру Нелидовых и Паншиных. Но этот вызов есть одновременно и проявление рабской неполноты Лаврецкого, от которой ему самому неловко. Его не покидают мучительные шатания маргинала. В этом его драма — уже чеховского покроя. Драма, которую очень хорошо чувствует и глубоко переживает Лиза Калитина.

И в книге, и в фильме она чуткий сейсмограф колебаний, которые происходят не только в душе Лаврецкого, но и в жизни самой России, весьма далекой от стабильного процветания, в которое так верил Кожинов. В фильме есть акцент на религиозности Лизы Калитиной. Но еще более в ней проявляется почти провидческая тревога не только о судьбе Лаврецкого, но и их родины. Ее уход в монастырь — жертва во имя спасения всего, что ею любимо, во имя предотвращения грядущих катастроф. И здесь стопроцентным попаданием в цель оказался дебют Ирины Купченко, которая позднее как бы продлевала в фильмах Кончаловского этот образ, но в разных ипостасях.

Предмет художественного постижения режиссера — внутренний разлад русской жизни. В этом смысле «Дворянское гнездо» — прямое продолжение, развитие «Аси Клячиной». Как самоопределиться в этих глубинных шатаниях, как сохранить в себе любовь там, где эту любовь все опровергает и сопротивляется ей?

Неустойчивость национального фундамента России отзывается конфликтной пограничностью происхождения самого Лаврецкого. Он в начале долгого пути, когда не угадать, произойдет ли взаимодействие, единение заключенных в нем конфликтующих начал. Роман завершает путь героя на закате его лет, перед резвящейся молодой жизнью. Иное дело фильм — здесь герой только делает первые шаги. Как и его родина, Федор, вместе с крестьянской девчонкой, только ступает на свою дорогу в эпилоге картины...

Но пролог открывает все же шут Лемм, дирижируя птичьим концертом!

Хочется вспомнить слова режиссера, сказанные по другому поводу: «В чистом виде клоун — это и есть человек, потому что он — ребенок». Ребенок Лемм — Россия-ребенок. Сюжет обретает совершенство круга? К сожалению, нет! Единству цикла не хватило внутреннего плодотворного противоречия, напряжения совершенства.

На рубеже 2000-х Кончаловский критически оценивает эту свою работу. Сценарий, полагает он, был хорош. А режиссер готов к нему не был — «не дотягивал до задачи».

Он чувствовал, что в картине «нет «мяса». Один «соус, внешность, декорация». «Может быть, свободные импровизации на «Асе» развратили меня? Может быть, я просто не готов?» — задавал себе вопросы постановщик. Сцену ярмарки в «Гнезде» готовил с особой тщательностью, продумывая каждый кадр. Пришло ощущение, что «мясо», наконец, появляется. «Зацепившись за это, я стал наращивать вокруг другие сцены — картина постепенно обрастала мускулами. Но все равно не покидало ощущение неминуемого провала».

Много надежд внушала задуманная кульминация — сцена в трактире, позаимствованная из «Певцов» Тургенева. Для этой сцены он и Геннадия Егорычева из Безводного пригласил. Был здесь и «чудный мальчик-студент, с лицом Христа» — Александр Кайдановский, который замечательно исполнил «Не одна во поле дороженька пролегла». Была и студентка второго курса ВГИКа для роли «русской мадонны» — Елена Соловей. Нечто подобное она сыграет потом в фильме Ильи Авербаха «Драма из старинной жизни» по «Тупейному художнику» Лескова. Крохотные роли согласились играть Ия Саввина, Евгений Лебедев, Николай Бурляев, Алла Демидова.

Однако «не удалось главное — выстроить драматургическое напряжение», хотя и «удалось выстроить атмосферу имения, дворянского быта». Но сама по себе эта атмосфера не выражала замысла в целом, ведь создавалась она для того, чтобы показать «грубость русской жизни, ее изнанку». Как раз грубость он и отрезал. Убрал вышеупомянутую новеллу и отдал ее на смыв.

«Мне казалось, что картина с этим финалом разваливается. А может быть, именно благодаря тому, что с черно-белым финалом другого стиля картина разваливалась, она могла бы стать явлением в кино того времени. Там был серьезный режиссерский замысел. Не формальный прием, не игра со стилем, а разрушение одним содержанием другого. Кишка оказалась тонка. Показалось, что картина слишком длинна, не хотелось осложнений с прокатом...»

Из случившегося Кончаловский делает серьезный вывод, касающийся своего творческого «я». Он поддался страху, который всегда мешал ему создавать настоящие шедевры. Страх переступить черту дозволенного. Преодоление этого страха делает человека гением. Таков, по убеждению Кончаловского, Тарковский, которому, кстати говоря, «Дворянское гнездо» «резко не понравилось». Но здесь преодоление чревато самоуничтожением.

«Все время я писал в своих дневниках: «Перешагнуть черту» — и никогда ее не переступил. Следовал здравому смыслу. Слишком много во мне его оказалось. А шедевры создаются тогда, когда о здравом смысле забываешь».

Но вот что интересно. В уже зрелом возрасте, после фильма «Глянец» и спектакля «Дядя Ваня» (2010), он говорит о том, что предпочитает эстетику разрушения выстроенного им мира — другим, возводимым на обломках первого. «Я против полутонов. Я не пользуюсь полутонами. Я пользуюсь чистым цветом. От цвета — к цвету. Как удар!». Эта эстетика полным голосом заговорила сразу после «Гнезда» — в «Романсе о влюбленных», где он перешагнул через все возможные на тот момент границы.

По окончании работы над «Гнездом» Кончаловскому довелось сотрудничать с классиком итальянского экрана Витторио де Сикой, прибывшим в СССР снимать «Подсолнухи» с Софи Лорен и Марчелло Мастроянни. В составе группы был и знаменитый продюсер Карло Понти. Он посмотрел «Гнездо», познакомился с режиссером — кандидатура его устроила. Де Сика Россию знал мало, и ему нужен был молодой талантливый помощник.

Андрей показал именитому итальянцу листы с плодами своих «творческих озарений». Тот похвалил и уехал в Монте-Карло на карточную игру, поручив русскому режиссеру снимать задуманное. «Ну, — мечтал Кончаловский, — сейчас такое для него сниму!» Весь свой опыт он вложил в этот материал. Получилось неплохо, но в картину вошло всего два кадра: крупный план Мастроянни и знамя. Зато за работу режиссер получил шесть тысяч долларов.

«Это казалось мне немыслимой суммой. Четыре тысячи рублей постановочных платили за картину, над которой надо было потеть год. И это по первой категории! А тут за две недели по курсу черного ранка тех лет — двадцать четыре тысячи рублей! На это можно купить две «Волги»! Деньги, впрочем, я потратил иначе — спустил их со своей французской женой на Ривьере».

В том же 1969 году Кончаловскому довелось впервые побывать в США по приглашению Тома Ладди, директора киноархива в университете Беркли. Звали на кинофестиваль в Сан-Франциско — с «Дворянским гнездом». «...Америка буквально обрушилась на меня. После просмотра ко мне подходили многие, я был редкой диковиной. Ведь это 1969 год, война во Вьетнаме, расцвет хиппи, „поколение цветов"».

Утех и впечатлений через край. Но вот одно из них, казалось бы, незначительное, врезалось в память надолго. Наблюдая как-то проезжающий мимо «фольксваген» с еще мокрой доской для серфинга на крыше, а за рулем молодого загорелого блондина с влажными волосами, тридцатидвухлетний советский режиссер думал: «Почему я не этот мальчик? Едет он на своей тачке и знать не знает, что есть где-то страна Лимония, именуемая СССР, что в ней живет товарищ Брежнев, а с ним и товарищи Романов, Ермаш и Сурин, что есть худсоветы во главе с товарищем Дымшицем, и неужели жить мне в этой картонной жизни до конца своих дней?»

Примерно такие же мысли возникли при встрече с режиссером Милошем Форманом, пару лет тому назад покинувшим Чехословакию, а поэтому возбудившем в Андрее сильное чувство какой-то особой близости...

Став мужем француженки, Кончаловский мог с полным правом назвать «запретный для советского человека» Париж своим. Но для жизни там нужны были деньги. Он взялся за сценарий «Преступление литератора Достоевского». «Заплатили мне за него копейки — шесть тысяч: рабский труд никогда высоко не ценится. Я работал без разрешения Госкино, а потому писал инкогнито, боялся неприятностей».

Позднее идею этого сценарного замысла использовал, кажется, итальянский режиссер Джулиано Монтальдо в постановке фильма «Демоны Санкт-Петербурга» (2008). Там Федор Михайлович знакомится в психушке с молодым террористом — после покушения на членов царской семьи. Ищет главу террористической группы, некую Александру, чтобы предотвратить дальнейшие смертоубийства. И, в конце концов, слышит обвинения в свой адрес: его произведения намного более провокационны, чем все революционные манифесты.

Супружеские отношения с Вивиан не складывались еще и потому, что она пыталась навязывать свою волю, а это «русскому человеку, особенно Кончаловскому, решительно противопоказано». У него, как помнит читатель, завязался новый роман — с юной Еленой Кореневой.

Уже в 1980-е годы, оказавшись в Америке, в центре Нью-Йорка, Елена неожиданно для себя встретит Вивиан. Когда-то оставленные любимым мужчиной женщины — предмета раздора уже не было — «весело обнялись, обменялись телефонами и пожелали друг другу удачи». Как заметила Елена в своих воспоминаниях, их встреча выглядела насмешкой над двумя женскими судьбами, поскольку никто из них ничего изменить в прошлом уже не мог. И никто ни в чем не был виноват — совсем как у Чехова. Все несчастны, всех жалко и некого винить...

6.

Герои чеховской драмы, по природе своей, едва ли не все клоуны. Или впрямую разыгрывающие на сцене клоунаду — как Шарлотта, Епиходов; или опосредованно — как прочие иные, как тот же Треплев.

Цирк и его атмосферу писатель любил. Он из жизни переносил эту атмосферу в свои произведения. Знаком был, например, с клоуном-жонглером, с большим комизмом разыгрывавшим неудачника. С ним приключалось «двадцать два несчастья». Антон Павлович, глядя на представление, хохотал неистово...

Персонажи Чехова, подобно жонглеру из «Аквариума», разыгрывают неудачников. В этой непредумышленной клоунаде они едины. Они как толпа клоунов на ярком пятачке цирковой сцены, но ничего о своем клоунском происхождении не подозревают. В этом и кроется глубокая драма. Под маской комических кривляний — трагедия.

Неумышленные клоуны в пьесах Чехова, как правило, интеллигенты. Их буффонные соло или хоровые выступления подразумевают некоего зрителя. А это часто так называемый народ. Образно говоря, простой народ у Чехова окружает сцену, где разыгрывается действо. А иногда и сам в ней занимает соответствующее цирковому замыслу место...

В прологе «Чайки», поставленной Кончаловским в Театре им. Моссовета уже в 2000-е годы, угадывались буффонные корни, критику возмущавшие. На сцену являлся «человек из народа», разоблачался и показывал публике голый зад. Затем сигал в воду того самого озера, на фоне которого вскорости должна быть представлена «декадентская» пьеса Константина Треплева...

Но такое понимание Чехова возникло только по истечении значительного времени. А тогда, на рубеже 1970-х, эта концепция едва мерещилась.

«Дядю Ваню» режиссер решил экранизировать с подачи Иннокентия Смоктуновского. Актера и режиссера «связывали и дружба, и ссоры, и ревность к актрисе Марьяне Вертинской, и обида, что Смоктуновский отказался играть «Рублева»...» Летом 1970-го зашли в кафе, выпили шампанского — и решили ставить «Дядю Ваню».

И вновь, по своей привычке, режиссер потащил в постановку «отовсюду, со всех периферий и окраин все, что могло здесь стать строительным материалом». Его вдохновлял мир Ингмара Бергмана: взаимодействие условного и реального в киноизображении, крупные планы, композиции мастера. «Достоинства моей картины, как, впрочем, и ее недостатки, во многом от Бергмана. Я делал по-бергмановски мрачную картину, в то время как Чехову свойственны юмор и ирония...»

Но уже и тогда режиссер склоняется к смеховой игре, как ни мрачна в его «Дяде Ване» бергмановская театральность.

Фильм занял видное место в постижении творчества Чехова отечественным кино. По существу говоря, он стал первой на отечественном экране серьезной интерпретацией чеховской драмы.

Перенося на экран «Дядю Ваню» (как, впрочем, и «Дворянское гнездо»), режиссер вступал в диалог с отечественной культурой завершающегося XIX столетия. Чехова он воспринимал как революционный переход от литературы нового к словесности новейшего времени.

С этой точки зрения и проза, и драма классика выглядит критической переоценкой романного мировидения, «голосами» которого были погруженные в мучительные идейные поиски «высокие» герои нашей литературы.

К началу XX века стало общим местом отчуждение такого героя от натуральной, природной основы жизни, от народа. Выражение этой коллизии — непримиримое в глубине противостояние в литературе и искусстве мужика-крестьянина и интеллигента-идеолога. Две составляющие, казалось бы, единого национального космоса не узнавали друг друга. Не понимали, говорили на разных языках, что с убедительной простотой показал Чехов в рассказе «Злоумышленник».

Чехов сам, подобно его Лопахину в пьесе, имел в отечественной культуре статус маргинала. Отсюда особое отношение как к интеллигенции, так и к феномену, запечатленному в понятии «народ».

«Пиетет перед народом, — пишет чеховед В. Б. Катаев, — искание путей к «почве», к мужицкой «простоте и правде», учение у народа — то, что было присуще Толстому и народническому направлению русской литературы в широком смысле этого слова, — чуждо Чехову-писателю. «Во мне течет мужицкая кровь, меня не удивишь мужицкими добродетелями», «не Гоголя опускать до народа, а народ подымать к Гоголю», «все мы народ» — эти и другие высказывания Чехова выражают новую для русской литературы форму демократизма, природного и изначального, для выражения которого писателю не надо было опрощаться, переходить на новые позиции, что-то ломать в себе».

«Природный и изначальный демократизм» позволяет Чехову по-новому взглянуть на героя-идеолога — центральную фигуру отечественной литературы и отечественной культурной жизни в целом.

Герои Чехова, располагаясь каждый в своей нише, выглядят чуждыми друг другу как обособленные в пространстве предметы. Их одинокость, обособленность усилены еще и тем, что у Чехова и предмет быта, и природа принципиально равнодушны к человеку в своей независимой, непостижимой жизни.

В фильме «Дядя Ваня» между Иваном Войницким и профессором Серебряковым идейного спора как такового нет. Идеи давно не движут ни тем, ни другим. Для Войницкого Серебряков — абсолютно материальное выражение его собственной несостоятельности, растерянности перед жизнью. Серебряков — тяжелый, нерушимый предмет, который не сдвинуть с места. Но и для Серебрякова все вокруг — предмет. И его молодая супруга. И дядя Ваня — надоедливый предмет, и Астров — предмет угрожающий, опасный.

Первоначально на роль Серебрякова был приглашен Борис Бабочкин. Но оказался творчески слишком самостоятельным. В результате актер и режиссер расстались. И это было естественно. Бабочкин уж никак не был бы безыдейной вещью, предметом в роли Серебрякова. Это был бы Серебряков со своей злой идеей, идеей разрушения. Вспомним роль Суслова в его «Дачниках» (1964). Не получилось бы как на шарнирах передвигающейся самодовольной, слепой к окружающему миру куклы, зациклившейся на реплике «Нужно дело делать, господа!». Именно это изображал Владимир Зельдин.

Выбор Зельдина на роль диктовался тем, что актер (а тем более его персонаж!) уж очень напоминал Андрею Сергея Герасимова. Режиссер предложил Зельдину в роли Серебрякова присвоить и герасимовский жест — поглаживание ладонью лысины.

И Смоктуновский устраивал Кончаловского, поскольку «своей концепции не имел». Но «как настоящий большой артист был гибок», верил режиссеру.

В фильме Кончаловского персонажи вступают в настоящее сражение с предметами. Сама декорация усадьбы как будто становится то ли теснее, то ли превращается в лабиринт, в котором они блуждают. Неуправляемо скрипучи двери.

А природа? Это или изнуренное, вытравленное человеком пространство, или мир, живущий недоступной свежестью там, за окном, вне досягаемости персонажей.

В период постановки «Дяди Вани» режиссер увлекся размышлениями театроведа Бориса Зингермана о природе времени в чеховской драме.

Ход времени очень тревожит чеховских героев. Часто возникает тема уходящих, пропащих лет. Кончаловский вслед за Чеховым, говоря словами Зингермана, воспроизводит не драму в жизни, а драму самой жизни, ее ровного, необратимого и ужасающе безысходного движения.

Время жизни героев пьесы и фильма сопрягается с вечностью. Вечность проглядывает в мгновении. В такие моменты, как в грозовую ночь в доме Серебряковых-Войницких, дистанция между мгновением и вечностью становится особенно короткой. Именно в эту ночь обнаруживается пронзительная духовная близость не похожих друг на друга Астрова и Войницкого. Разноголосие их характеров оборачивается унисоном в неожиданном дуэте: «Я тебе ничего не скажу, я тебя не встревожу ничуть...»

Есть в фильме и соотношение бытового хода времени с Историей. Историчность чеховской пьесы связана, кроме прочего, с драматизмом переживания рубежа веков. И в фильме Кончаловского, и, позднее, в его спектаклях по Чехову момент эпохальной переходности отмечен внедрением в произведения документов времени.

Для интерпретаторов чеховской драмы камнем преткновения всегда был специфический комизм писателя. Кончаловский успешно преодолевает этот барьер. Возможно, благодаря художническому чутью.

Комедия в своих истоках — перевернутая трагедия, осмеяние героизма в любой его форме. А для чеховской комедии наиболее авторитетный объект пародии — шекспировская трагедия, основополагающий признак которой — гибель героического начала. Персонажи чеховской драмы давно не герои, а тем более, не герои в трагедийном смысле. Напротив, здесь слышится насмешка над понятием героизма, которое у Кончаловского рифмуется с «возвышающим обманом».

И при этом во всех чеховских пьесах есть отзвук трагедийной гибели героизма как одинокого духовного противостояния миру. Гибнет герой «Безотцовщины» Платонов, гибнет Иванов из одноименной пьесы — оба «гамлеты», гибнет Войницкий в «Лешем», гибнет Треплев, на грани самоубийства дядя Ваня, гибнет Тузенбах, а «Вишневый сад» весь пропитан предчувствием погибели.

Персонажи Чехова больны вопросом «быть или не быть?». Они прозревают бесперспективность своего бытия, но как раз потому, что жизнь не героична, как надеялись в молодости, а безысходно прозаична. Прозрение ведет к гибели. Но и гибель далека от трагедийной возвышенности и значимости. Герои как бы растворяются в сюжете или исчезают за сценой, как Треплев, уход которого рифмуется с прозаически лопнувшей в докторской аптечке склянкой.

Низведение героического начала, «возвышающего обмана», носит у Чехова почти водевильный характер. С этой точки зрения, усилия человека смешны, поскольку ничтожны, в смысле своей малости. Одинокий человек смеяться не умеет. Смех, не успев родиться, гаснет, оставляя лишь гримасу ужаса на лице человека. Смеется вечность. Чеховская драма не комедия в традиционном смысле, а, скорее, плач по комедии, по полноценному человеческому смеху. Тоска по празднику, которой был так болен позднее герой Шукшина.

Фильм «Дядя Ваня» — плач (сквозь смех) по рушащемуся дому. В известном смысле, здесь находит новый поворот проблематика «Дворянского гнезда».

Едва ли не все персонажи жалуются на то, что жить в усадьбе Серебрякова невыносимо. Сам Серебряков называет имение склепом, теряется, блуждает в его комнатах. Елена Андреевна произносит вслед за супругом: «Неблагополучно в этом доме». Астров признается Соне: «Знаете, мне кажется, что в вашем доме я не выжил бы одного месяца, задохнулся бы в этом воздухе».

И Войницкий трудился в имении только потому, что где-то жил Серебряков, его духовный маяк. Но... не оправдал надежд! Драма дяди Вани — в его неосуществленности, как и в неосуществленности мира, в котором Войницкий живет и на удержание которого положил жизнь. Беда-то, конечно, не в Серебрякове, а в российской неустроенности, когда каждый «домочадец» переживает одну и ту же драму. Не зря же в прологе картины возникают страшные фотодокументы конца XIX — начала XX веков под жесткую музыку Шнитке.

«Дядя Ваня» — «сцены из деревенской жизни». То есть усадьба, деревня, населенная крестьянами. Словом, хозяйство, жизнь которого должна подчиняться естественным законам, скажем, земледельческого бытия. В самом начале произведения Соня говорит няне: «Там, нянечка, мужики пришли. Поди, поговори с ними...» А затем выясняется, что мужики приходили «опять насчет пустоши». Иными словами, где-то там пытается идти своим чередом крестьянская жизнь. Но уж каким-то тревожным намеком звучит слово «пустошь».

Слово «пустошь» конкретизируется в монологах Астрова на экологические темы, словесно урезанных в фильме, но восполненных за счет отечественной хроники, фотодокументов рубежа веков. Там — опустошенная природа, вырождающаяся родина.

Михаил Астров отягощен чувством вины. Он рисует апокалиптические картины погибели России, ее народонаселения: «В великом посту на третьей неделе поехал я в Малицкое на эпидемию... Сыпной тиф... В избах народ вповалку... Грязь, вонь, дым, телята на полу, с больными вместе... Поросята тут же...».

Натэла Лордкипанидзе отмечала, что в этом монологе — «все мотивы, все темы и едва ли не все определяющие обстоятельства жизни Астрова». «Если выслушивать монолог внимательно, не придется спрашивать режиссера и себя, почему Астров с такой настойчивостью возит с собой фотографию худенькой, наголо остриженной девочки, взирающей на мир печально и отрешенно. И эта девочка, и эти гробы в ряд, и эти убитые горем женщины — нет-нет да проходят перед мысленным взором земского доктора...»

«Дядя Ваня» — действительно, самая мрачная из всех картин Кончаловского этого времени. Может быть, поэтому на нее и откликнулся Никита Михалков в своем «Механическом пианино», попытавшись вернуть Чехову, в споре с братом, утраченные, как ему, возможно, казалось, тепло и смех.

Войницкий в финале фильма Кончаловского — тень мученика. А сама русская жизнь — холодом закованная земля. Сюда будто бы переносится та зима, которая неожиданно, по какой-то сюрреалистической логике возникает в «Истории Аси Клячиной», когда дед Федор Михайлович вспоминает о времени своего возвращения из сталинских лагерей.

Иная развязка у Михалкова. После кульминационной истерики Платонов, как и дядя Ваня, намеревается покончить с собой. Он это делает, бросаясь, при стечении зрителей, с обрыва в реку. И... конфуз: мелководье! Воды едва по колено. Клоунский прыжок — комическая цитата из Чаплина, снижающая героя.

Михалкову смеховое низвержение героя-идеолога необходимо, чтобы вернуть его к истокам, к женскому (супружескому и материнскому — одновременно) спасительному лону. В финале «Мишеньку» уводит с собой («по водам»!) жена Саша, сочувствуя ему и жалея его...

Торжество женского охранительного начала в рамках обломовской идеологии — тема принципиальная для Михалкова. Это очень серьезный аргумент в споре со старшим братом. Но это не аргумент в постижении Чехова. Чехов, как я думаю, все-таки не автор Михалкова. Чехов — автор Кончаловского.

Но в силу своей фамильярно-семейной теплоты «Механическое пианино» стало властителем дум, а «Дядя Ваня», с его трагедийно-фарсовой трезвостью, был воспринят холодновато. Его трезвость, гораздо более чеховская, чем «утепленность» «Пианино», осталась непочувствованной и неосмысленной.

Григорий Козинцев, оценивший бескомпромиссность Тарковского, Кончаловского не принял. Почему? Страдать, подобно Тарковскому, не желает. Вот и в «Дяде Ване» его «все поставлено, ничего не выстрадано». «К таким фильмам, пусть и хорошим, — замечает Козинцев в феврале 1971-го в своих рабочих тетрадях, — у меня классовая ненависть: запретили (да еще тихонько, вежливо) один фильм, а они, ах какие нежные, уже и не могут — только что-нибудь изящное, а то не пройдет. Что им всем жрать, что ли, было нечего? Ареста боялись? Что они такого видели, знали?..»

Точка зрения Козинцева продиктована советской привычкой к партийно-классовой оценке художественного явления, обязанного быть идейно безупречным. Кончаловский идейной борьбы не выдержал, костьми не лег. Но в словах Козинцева есть и затаенная обида, а может быть, и известная зависть жившего в вечном страхе и напряжении борьбы старшего перед свободным от всего этого младшим. А тот был убежден, что творчество не обязательно должно быть страданием. Он, кстати, и сейчас говорит, что работа режиссера — счастье. «Я не мучаюсь, я наслаждаюсь тем, что я делаю...»

Сегодня «Дядя Ваня» Кончаловского не кажется компромиссом. Напротив, он подводит суровую черту под развитием образа интеллигента в отечественной культуре на рубеже 1970-х годов. Дистанция между идеями либеральной интеллигенции и общинным мировидением народа становилась все более очевидной и непроходимой. Образ подмороженной России в финале картины призван был пробудить трезвость взгляда на исторические перспективы отечественного «народознания».

7.

Картина по Чехову шла легко. Особенно на фоне того, как снимал в соседнем павильоне своего Чехова Юлий Карасик. Собрат Кончаловского по прошлым венецианским победам ставил «Чайку», признаваясь, что все это ему до чертиков надоело.

Но возникали и конфликты. Замена Бабочкина — Зельдиным. Не соглашался с режиссерской трактовкой Астрова и Бондарчук. Актер пытался сделать из доктора «чистенького и трезвого борца за народное будущее». «Наш конфликт развивался. Бондарчуку казалось, и он открыто говорил об этом, что я снимаю не Чехова, а какую-то чернуху. Потом я даже выяснил, что Бондарчук ходил в ЦК и сказал: «Кончаловский снимает антирусский, античеховский фильм». Слава Богу, к нему не прислушались...»

Непросто складывались отношения со Смоктуновским. Театральный критик Елена Горфункель писала: «Режиссер и исполнитель преследовали разные цели. Смоктуновский тянул к «Шопенгауэру», пусть за конторкой, с очками на носу, со счетами в руках. Кончаловский не видел в Войницком даже приличного бухгалтера. Актер мечтал об одном, режиссер настаивал на другом, а результат получился третий. Внутренняя борьба отражалась на образе Войницкого. Режиссер принял желание героя быть кем-то или чем-то значительным, как вектор его характера, а изобразил как флюгер. Обаяние и искренность так же свойственны этому Войницкому, как никчемность и непонимание самого себя. В сцене скандала с выстрелом Смоктуновский искал драму, режиссер — трагикомедию. Войницкий неожиданно сближен с Серебряковым. Бунт дяди Вани — смешной и некрасивый семейный скандал. После такого расчета с собой Войницкий окончательно сникает и погружается в дремоту безразличия, — видимо, навсегда».

Хотя Смоктуновскому была не близка режиссерская оценка несостоявшихся судеб, он все же уступил, однако испытывал к Войницкому неутихающее любопытство. Режиссер видел в актере «человека рефлекторного, нередко в себя не верящего, жаждущего получить энергию от режиссера». А поэтому бывал с ним и груб, орал на актера, говорил, что тот кончился, иссяк. «Ему нужен был адреналин. Не пряник, а кнут. Может быть, потому, что он уж слишком много отдал. Устал. Во всяком случае, работали мы как друзья, и если я порой давал ему психологического пинка, то он сам понимал, что это необходимо...»

На этом фильме произошло печальное событие. Кончаловский расстался с Гогой — выдающимся оператором Георгием Рербергом, с которым начинал работать еще на «Первом учителе», а потом и на всех следующих картинах вплоть до Чехова. С ним Кончаловскому работалось легко. И он всегда считал Рерберга большим мастером, у которого много чему можно было поучиться. Например, созданию удивительных портретов...

Но большого мастера Гогу Рерберга подводила, по мнению Андрея, «мальчишеская наглость и мальчишеская огульность в оценках». «Бог с ним, что он появлялся на съемках нетрезвым — на качестве материала это никогда не отражалось, но меня всегда возмущало отсутствие у него тормозов».

На «Дяде Ване» Рерберг работал в дуэте с Евгением Гуслинским и очень критически относился к тому, что делал режиссер. «Говно... Снимаем говно». В конце концов, гениальный Рерберг был отчислен с картины. Они с Кончаловским расстались. «Дядю Ваню» доснимал Гуслинский.

С начала 1970-х заграничные вояжи для Андрея не были проблемой. В 1972 году, например, он устроил показ «Дворянского гнезда» в Риме, пригласив Антониони, Феллини, Лидзани, Пазолини, Лоллобриджиду. До конца просмотра остались все, кроме Феллини и Карло Лидзани. Как раз тогда режиссер завязал приятельские отношения с Джиной Лоллобриджидой. Актриса подарила ему книгу своих фотографий, специально для него напечатанную.

За время своих путешествий Кончаловский познакомился с Марком Шагалом, великим фотографом Анри Картье-

Брессоном, который и предложил Кончаловскому свести его с не менее любимым Луисом Бунюэлем. Встреча подробно описана в «Низких истинах».

Постоянные поездки за границу заставили Кончаловского серьезно изучать отечественное законодательство — искал способы «пробить советскую систему». Оказался только один: уехать как частному лицу на постоянное жительство, сохранив советское гражданство.

«Что за наслаждение, — восклицает в своих мемуарах режиссер, — быть «частным лицом»!»

глава третья

Там, за декорацией, или...

*Я вдруг почувствовал перед собой не стену,
а пространство. В него сначала протиснулась рука,
потом — голова и плечо, потом оказалось, что в него
можно войти...*
Андрей Кончаловский, 1977

1.

«Женщины, — делится в своих мемуарах Кончаловский, — постоянно присутствовали в моей жизни, были руководителями и организаторами всех моих побед...»

Елене Кореневой казалось, что Кончаловский каждую свою картину переживал, как бурный роман, страстно влюблялся в своих актеров, а в актрис особенно, превозносил их до небес.

Драматично соотношение женских образов в экранизации «Дворянского гнезда». Но и события вокруг картины рифмовались с ее вымышленными коллизиями. Съемки, как помнит читатель, не раз заходили в тупик. И режиссер, «от ужаса перед необходимостью идти на площадку и что-то снимать, выпивал с утра полстакана коньяка». В этом отчаянном состоянии начался недолгий роман с двадцатилетней дебютанткой Ириной Купченко. Во время съемок, наблюдая за актрисой, крупные планы которой в роли Лизы были наполнены неподдельной одухотворенностью, режиссер «чувствовал себя Лаврецким». «Сколько энергии дала мне Ириша Купченко!»

Молодой актрисе был подарен неувядаемый экранный имидж тургеневской девушки. Но сам же даритель его и разрушил в «Романсе о влюбленных». На развалинах бывшего идеального образа возникло нечто совершенно иное: подавальщица из совковой столовки начала 1970-х. Начиная с «Дворянского гнезда» Ирина Купченко снималась у Кончаловского вплоть до его отъезда за рубеж. И уже в 1990-е — в «Ближнем круге». Она появлялась как раз тогда, когда режиссер оказывался в некотором творческом тупике. Так было, например, во время работы над «Дядей Ваней». Не могли найти подходящую исполнительницу роли Сони. Бондарчук напомнил о Купченко: «У тебя же есть такая актриса!» Андрей позвонил ей: «Ира, выручай!» И та согласилась.

Женщины в художественном мире Кончаловского — одновременно действующие лица и этого мира, и реальной жизни художника, что, впрочем, всегда находилось в тесной взаимосвязи. Чувственное начало, всегда очень сильное в его произведениях, несомненно, откликается за пределами творчества.

Маша Мериль, как помним, не была занята в «Гнезде», а образ ее витал в атмосфере фильма. Она волновала воображение Андрея причастностью к дорогим ему кинематографическим именам. Француженка русско-княжеского происхождения (Мария-Магдалина Владимировна Гагарина), в качестве актрисы (Мериль — ее актерский псевдоним) она к тому времени уже снялась у Годара. Размышления Кончаловского о родине, об отношении русского человека к европейскому миру и своим национальным корням рифмовались с личными чувственными переживаниями, связанными с образом Гагариной-Мериль.

Противостояние русского и европейского откликнулись в «Гнезде» «дуэлью» героинь Беаты Тышкевич (Варвара Лаврецкая) и Ирины Купченко (Лиза Калитина). С точки зрения Федора Лаврецкого, в вокальном дуэте в усадьбе Калитиных спорят две его музы, две его жизни. С одной стороны, чуждая парижская: с княжной Гагариной, «чистокровной пензенской, степной, а по-русски ни слова», с изменами жены. А с другой, — его призывающая родина: с неброской духовной красотой, целомудренностью. Таков здесь образ Лизы, поданный с кроткой нежностью и сдержанным, но влекущим эротизмом. Другое дело — Варвара. Там опыт светской лжи, двойной жизни, в конце концов, предательство родных корней. Для самого Лаврецкого она эпоха пережитая, которая еще цепляет, но к которой он не хочет возвращаться. В фильме Варвару Петровну сопровождает ее камеристка Жюстин — манекен омертвевшей души героини.

Режиссер обостряет духовно-нравственное соперничество своих героинь как двух женских типов, волнующих его воображение.

«Все мучения Лаврецкого, все его мысли выросли из того, что я весь этот год чувствовал, думая о том, что там, в залитом светом Риме и Париже, ходит женщина, которую я боготворю и в которой я обманулся. Вся картина об этом — о том, где жить...»

Но сама Мериль, вспоминая в 2000-е годы о романе с Андреем,

не находит в нем этих мучительных терзаний. Ей кажется, что Кончаловский переживает единственный великий роман — роман с самим собой.

Во времена «Дяди Вани», когда Андрей жил миром Ингмара Бергмана, он впервые увидел Лив Ульман, уже снявшуюся в «Персоне» (1966) и после нее ставшую женой почитаемого режиссера. Образ этой женщины оставил в его душе чувствительный след.

Снимали «Романс», режиссер сильно захворал, и его вдруг потянуло туда, к «странному миру Бергмана — к Лив». Свою почти фантастическую встречу с прекрасной норвежкой режиссер подробнейшим образом описывает. Как он, почти в полубредовом состоянии, после ночных видений с участием желанной женщины, вздумал позвонить бывшей супруге Бергмана, а затем и встретиться с ней, находящейся в это время в другой, к тому же капиталистической стране. В конце концов, они стали друзьями.

В мемуарах Кончаловского женщина — один из главных знаковых персонажей. Ну, хотя бы во вставной новелле «Она», которую и сам мемуарист предлагает воспринимать как беллетристику.

Прибыв всего на три дня на отечественный кинофестиваль в Сочи, шестидесятилетний повествователь знакомится с молодой привлекательной актрисой, вполне соответствующей его женскому типажу. Ужинает с Ней и, конечно, приглашает к себе в гостиничный номер. Тогда он испытал редкое наслаждение от физической любви: по эмоциональности, по степени отдачи. Были женщины, с которыми в постели весело. Были — с которыми приятно. Были — которых он любил, но ревновать не мог. И только потому, что они были индифферентны в любви. Как можно ревновать женщину, когда понимаешь, что она так же спокойно, равнодушно отдается и другому? Иное дело та, которая отдает все и умирает, возрождаясь, поскольку страшно и больно вообразить, что она такая не только с тобой. После этой ночи он чувствовал себя победителем и гордился «своей кавалерийской победой». Но предупредил Ее, что у него жена и что он любит своих детей. И в тот же момент почувствовал, что покинуть Ее не может, не может и дать Ей уехать, не может не видеть Ее еще, не обладать Ею. Словом, он почувствовал, что влюбился...

Кроме беллетристики такого рода, в мемуарах Кончаловского можно найти и примеры философии, посвященные отношениям мужчины и женщины. Режиссер время от времени отсылает своих собеседников к замечательному философу американке Камилле Палья. Как и она, Андрей считает, что женщины и мужчины принципиально разные существа. Мужчина разрушает для того, чтобы построить, а женщина — строит. Если бы женщины правили миром, то человечество до сих пор ютилось бы в шалашах. Естественное место женщины — возле очага с ребенком. Даже если она не у очага, а в Совете Федерации, она остается существом, гораздо менее агрессивным, чем мужчина. В ней есть целомудренность, которая в мужчине должна отсутствовать. Мужчина — охотник. Он лучше ориентируется на местности, осваивает пространство. Но язык изобрели женщины, потому что сидели вокруг очага с детьми и от нечего делать общались. Известно, что девочки, как правило, начинают читать раньше мальчиков...

Кончаловский не перестает удивляться феномену эротических влечений, в которых мужчина и женщина опять же диаметральны, как Марс и Венера. Вот один из его главных тезисов. Мужчина в своих сексуальных проявлениях утилитарен. Траектория мужских вожделений, исследованная Кончаловским на практике, такова: все начинается гигантским замыслом, а кончается жалким итогом. «Гонишься, распаленный желанием, достигаешь цели и ровно через три минуты после того, как все произошло, думаешь: неужели нельзя придумать какой-нибудь переключатель, чтобы просто нажать кнопку — и она исчезла».

Другой тезис. Отношения мужчины и женщины — это игра, совсем не обязательно любовь. Пока у мужчины есть иллюзия, что он мужчина, а у женщины, что она женщина, мир воспринимается с надеждой. «Я говорю об иллюзии. Не важно, как обстоит в реальности. Для мужчины, если иллюзия жива, игра продолжается...»

Кончаловский с пониманием цитирует итальянского писателя Альберто Моравиа: у художника может быть только один недостаток — импотенция.

И, наконец, последнее, может быть, наиболее важное в этой философии. Кончаловский вспоминает высказывание Бернардо Бертолуччи о том, что секс — это убийство и одновременно страх смерти. Именно поэтому, кстати, ему так близок фильм «Последнее танго в Париже».

Страх — великое чувство в качестве могучего регулятора творческой энергии. «Мы не знаем, что там за чертой смерти. Для человека, как я, сомневающегося, не имеющего непоколебимой религиозной убежденности, черта самая страшная. От нее никуда не уйти. Ее нельзя отменить. Нельзя о ней забыть. Но, может быть, можно попытаться преодолеть? Как? Энергией творчества. Оставить после себя что-то, что «прах переживет и тленья убежит». Хорошо бы на века, но и на десятилетие — тоже ничего. Что оставить?..»

2.

Юношескую любовь героя «Романса о влюбленных» Сергея Никитина искали долго. Нашли среди детей киношников. Это оказалась девушка, похожая на американскую кинозвезду Ширли Маклейн.

Девятнадцатилетняя Лена Коренева, дочь известного кинорежиссера, сразу угадала не только соотношение сил своих и обратившего на нее внимание Кончаловского, но и судьбоносность происходящего. «Мне ничего не оставалось делать — только слушать и ждать, наблюдать, как разворачивается написанная кем-то заранее история моего будущего...», — писала в своем мемуарном романе актриса.

Для Елены первый приход в дом Кончаловского был сопоставим с посещением музея реликвий культуры. А его речи уносили в какие-то фантастические дали. Она отмечает в Андрее «что-то мюнхгаузеновское — в глобальном масштабе его планов, только с той разницей, что он мог действительно поехать и во Францию, и в Италию, в Америку. Дерзость его намерений передавалась слушателям, тем, кто оказывался в данный момент возле него...»

Елена была благодатным материалом для своего Пигмалиона и, надо сказать, многое восприняла из его учения. Одним из первых воспитательных актов было вручение брошюры под названием «Восток и Запад», отражающей тогдашние увлечения Андрея восточной философией, в частности, дзэн-буддизмом. Но в тот момент голова девушки кружилась вовсе не от интеллектуальных нагрузок, а от того, что обложка брошюры была пропитана ароматом его парфюма — «пьяный горьковатый вкус восточных благовоний».

На особую роль волнующих запахов в своих отношениях с Андреем обращали внимание и другие женщины. Актриса Ирина Бразговка через много лет после расставания с ним вспоминала: «У него в комнате стоял необычный запах, терпкий, ни на что не похожий. Я никак не могла понять, что это пахнет, пока однажды не обнаружила на столе маленькую бутылочку без этикетки. Когда стало ясно, что он вот-вот уедет, я эту бутылочку украла... Этот запах — единственное, что возвращает меня в те дни...»

В образовательную программу для Кореневой входило не только ознакомление с фильмами, фотоальбомами, живописью и музыкальными произведениями. Но также и рекомендации по здоровому питанию, тем более что у Андрея недавно открылась язва и он вынужден был сидеть на специальной диете. Кончаловский приучил юную актрису к сыроедению и вегетарианству.

В 1974-м они отдыхают в Коктебеле. Это был разгар увлечения здоровым образом жизни: разгрузочные дни, йога, традиционная трусца по утрам, нетрадиционное спанье на досках. Девушка постепенно втягивалась в спартанский режим. Скоро даже внешне стала походить на «учителя»: «внезапный оскал улыбки из-под темных очков, при кажущейся вальяжности — сдержанность и целомудрие в манерах; подчеркнутая особость поведения в любом из имеющихся коллективов».

Внимание как к собственному здоровью, так и к здоровью всех вокруг — было и остается особым пунктиком Андрея, поскольку он верен установке «любить себя», иными словами, любить ту жизнь, которая именно через него, через конкретного человека являет свою неповторимость. Сказывается здоровый эгоизм человека, организованного страхом смерти, старости.

Культивируемый Кончаловским, этот жизнеспасительный эгоизм иногда становится предметом иронической и даже саркастически злой оценки со стороны. Легкая ирония чувствуется и в повествовании любившей его женщины. Иные же его и вовсе не щадили. Известный писатель, сценарист Юрий Нагибин, соавтор Кончаловского по сценарию о Рахманинове «Белая сирень», человек, о котором Андрей всегда отзывался с уважением, в своем «Дневнике» довольно резко поминал знакомца, в том числе, и его, как казалось писателю, мнимое вегетарианство.

Сказалось не столько отношение Юрия Марковича к самому его соавтору по сценарию, сколько нелюбовь к родителю Андрея. Вот и в обаянии Андрону не откажешь, записывает Нагибин, и умен, и культурен, и «разогрет неустанной заинтересованностью в происходящем». Одна только беда — Михалков!

«Если бы он не был Михалковым, я решил бы, что он не бытовой человек. Но поскольку он Михалков до мозга костей, этого быть не может, просто сейчас он лукаво запрятал бытовую алчность. Надо решать иные задачи...»

Вспоминается письмо Юлиана Семенова Наталье Петровне в защиту юного Андрона, где говорилось, что многие смотрят на сына сквозь фигуру его отца. Вот и в поле зрения мудрого Нагибина образ Андрона традиционно колеблется на границе «Михалков — Кончаловский» («бытовое — надбытовое»). Но в интонациях писателя чувствуется нота некоторой растерянности оттого, что он не может окончательно припечатать приятеля хлестким определением, что в отношении других персонажей его «Дневника» удается вполне.

В эпоху работы над «Романсом» Кончаловский любил подчеркивать, что сам еще недавно был «грубым азиатом, способным из ревности ударить женщину», но со временем «начал превращаться в европейца, уходить от иррациональных страстей в пользу здравомыслия». Андрей ссылался на влияние жены-француженки, сам выбор которой казался ему «следствием его изменившихся воззрений».

Таким его слышала и видела Елена Коренева. Она замечала не только его рационализм, но иногда наблюдала, как он впадает, как ей казалось, в состояние мистической тревоги. Тогда видны колебания и сомнения, неуверенность.

Проходили съемки в Серпухове. Они шли по проселочной дороге. Вдруг перед ними вырос объятый пламенем дом. Андрей застыл, потрясенный зрелищем разбушевавшейся стихии, на глазах безжалостно пожиравшей человеческое жилище. «Весь вечер потом он находился в смятенном состоянии — то погружался в свои мысли, то принимался о чем-то рассказывать или вдруг осенял себя крестным знамением. Меня поразила его реакция: он воспринял пожар как зловещий знак, символизирующий, очевидно, сожженные корабли — сожженное прошлое...»

Окажись этот эпизод в биографии Андрея Тарковского, он, безусловно, был бы вполне определенно истолкован и самим режиссером и в том же эзотерическом духе тиражирован его почитателями и биографами, как это и на самом деле случилось со многими похожими происшествиями в жизни Андрея Арсеньевича. Ни сам Кончаловский, ни другой кто, кроме Елены, о вышеописанной мистике и не поминает. Между тем, в его творческой биографии это не первый и не последний эпизод такой окраски. Но не пристает к моему герою мистическая избранность...

Роман Кончаловского и Кореневой набирал обороты. Она сопровождала Андрея на Московском МКФ, видела его поведение в мире светских тусовок. Он успевал улыбнуться несметному числу знакомых, переброситься с ними несколькими фразами. Но легко избегал и настырности подобных встреч. Как замечает Елена, он был мастером сложной науки: не дать людям сесть тебе на шею и при этом не оставить никого в обиде.

Между тем девушка не могла не чувствовать, что их отношения колеблются на грани, как сюжет «Романса» между цветовой и серо-серой частью, в которой бывшей возлюбленной героя Тане делать уже нечего. Однако вернувшись в Москву с севастопольских съемок «Романса», Кончаловский принял решение, что они будут жить вместе. Поселились в небольшой квартире на Красной Пресне.

«Отчаявшись, как мне казалось, найти истину в вечном конфликте полов, — пишет Коренева, — Кончаловский-мужчина игнорировал предъявляемые ему обвинения морального толка, сосредоточив лучшее, что в нем было, на профессии. Он готов был пойти на любые жертвы... ради воплощения своей мечты — кино. И даже отъезд на Запад, как я тогда понимала, был задуман им для поиска большей свободы в профессии — на том единственном поле боя, на котором он готов был сразиться с пугающей его реальностью. Проезжая как-то по Красной Пресне, он взглянул за окно своего «Вольво» и робко признался: «Я этого совсем не знаю!» «Это» — спешащие после работы советские служащие, перекошенные сумками и заботами. Встретить в Советском Союзе человека, который «это» не знал, само по себе было большой ценностью. Он знал другое — чего не знали те, кого он видел из окна своей машины...»

Кончаловский боялся советской реальности тогда, страшился он и постсоветского отечественного раздрызга, может быть, еще более. Но это вовсе не означало и не означает, что он не знает того и другого. Знает. Или, как говорит он сам, чувствует мозжечком. И, чувствует-знает, как я могу судить, лучше, чем эта реальность себя самое. Он действительно сражался с нею своими методами и на знакомом ему поле боя. Каждый из его фильмов, в большой степени тот же «Романс о влюбленных», был любовно-разоблачительным укором стране за страх перед ней.

Ну, а в последнее время, как мы уже слышали, он говорит, что любит и знает свой народ. Мало того, полагает, что все действительное ныне — разумно.

Оттого что роман Андрея и Елены складывался на стыке с художественным миром и испытывал его несомненное влияние, отношения приподнимались на некие «котурны». Она верила, что может остаться для него ангелом-хранителем навсегда. Особенно в те моменты, когда они были наедине, и ее тридцатипятилетний возлюбленный исповедовался перед ней, как она выражается, девятнадцатилетней нимфеткой. Она стремилась выглядеть в пространстве воображенного им мира «гением чистой красоты», «бестелесной Музой». Полтора года она обращалась к нему на «Вы», ощущая в нем породившее ее отцовское начало.

Тем не менее, просыпаясь иногда ночью от того, что чувствовала его бессонницу, она слышала: «Ты мой ангел, помни это, ты нужна мне, я очень плохой человек, не будь хуже меня!»

Ни супругой, ни матерью ни в его художественном мире, ни в реальности Кореневой не суждено было стать. Она так и останется маленькой клоунессой, напоминающей Ширли Маклейн, на пороге того мира, в котором может править и смерть. Так происходит и в «Романсе», и в «Сибириаде» — она остается по эту сторону, не переходя грань миров, а оставаясь на ней.

К моменту завершения работы над фильмом у Елены появились опасения за свое психическое состояние: слишком резкие переходы от экзальтированного счастья к необъяснимой тревоге. Андрею, с которым она поделилась своей обеспокоенностью, пришло в голову окрестить молодую женщину, что и было сделано с привлечением его матери. Но тревоги не исчезали...

...Осенью 1974 года «Романс о влюбленных» шел в рамках Недели советского кино в Париже. В составе делегации были Кончаловский, Киндинов и Коренева. Режиссер и актриса путешествуют по Европе со своим фильмом. И годы спустя она будет взахлеб вспоминать, как любимый человек знакомил ее со своими парижскими друзьями. А среди них были поэт, композитор и певец Серж Генсбур и актриса Джейн Биркин; актриса, певица и астролог Франсуаза Арди и ее муж — актер и певец Жак Дютрон...

Вслед за Парижем «Романс» отправится в Рим. Здесь актриса познакомится еще с одним приятелем Андрея — Бернардо Бертолуччи. Он покажет им свой «XX век». Во время прощания с итальянцем Андрей прослезится. Бертолуччи, оказывается, скажет ему: «Я люблю тебя и всегда думаю о тебе». В то же время маститый итальянец «Романса» не примет, посчитав его буржуазно-конформистской картиной.

В новом, 1975 году роман Андрея и Елены еще продолжался, будто бы вопреки предсказаниям «доброжелателей». Но ей самой перспективы казались все более туманными. Он всегда и во всем был безусловным лидером, ревнив, а вернее, как казалось ей, властен в отношении своей женщины. Придерживаясь норм личной свободы на западный манер, он «хотел видеть рядом с собой умную, талантливую, образованную женщину и при этом желал ее полного подчинения собственной воле».

...Весной 1976 года начались хлопоты по обеспечению Елены собственным жильем. И едва ли не сразу вслед за этим они расстанутся.

Охлаждение отношений с Еленой Кореневой после «Романса» и в период «Сибириады» Кончаловский объясняет тем, в частности, что ему хотелось домашнего уюта, жены, которая рядом. А Елена «не для этого была создана: самолюбивая, порывистая, талантливая, она любила поэзию, не любила прозу быта». Было ясно, что ей, как и ее Тане, не дотянуться до героини Ирины Купченко — Люды.

Летом 1979 года состоялась премьера «Сибириады». А вскоре Андрей покинул страну. После отъезда Кончаловского за рубеж сама Елена, оформив фиктивный брак, осенью 1982-го отбыла в США. Смогла вернуться оттуда только в 1986 году. За границей она несколько раз встретится с Кончаловским. Режиссер пригласит ее на маленькую роль в «Возлюбленных Марии», а позднее — в массовку на фильм «Гомер и Эдди», предоставляя возможность заработать какие-то деньги.

«Гомер и Эдди» был закончен в 1990-м. Небольшое время спустя у Андрея появится новая семья. Родятся дочери. А потом наступит разрыв и с этой женщиной.

В мемуарных рассказах Кончаловского о женщинах, с которыми сводила его судьба, находится место как «низким истинам», так и «возвышающему обману». Заканчивается же дилогия очень лиричными и, по-своему, загадочными строками, которые намекают на некое особое, может быть, даже мистическое место, занимаемое женщиной в духовной жизни автора мемуаров...

«Есть в деревне Уборы Одинцовского района под Москвой церковь XVII века, изумительной красоты, работы крепостного архитектора Бухвостова. В начале 50-х она стояла разоренная, облупившаяся, зияющее напоминание о варварстве коммунистов.

В церкви тогда был сеновал. Чисто, пахло душистым сеном, жужжали шмели. Одним из любимых развлечений ребят с Николиной Горы было пробраться через окно в церковь, залезть на хоры и прыгать вниз, соревноваться, кто выше залезет и сиганет в мягкое пыльное сено, принимающее бережливо потные детские тела. Визг, крики, смех... Потом приходил сторож и палкой гнал всех прочь...

Так вот: самым большим счастьем было прыгать вдвоем с девочкой, в которую влюблен. Держась за руки, глядеть в ее расширенные глаза и проживать эти считанные мгновения как вечность, с перехваченным от счастья дыханием.

Однажды, прыгая вдвоем с девочкой, я своим же коленом разбил себе нос. Он распух и посинел. До свадьбы зажило...

Этот эпизод я вспомнил недавно... и вдруг запнулся, словно меня током ударило...

Я подумал, что вся моя жизнь, может, и есть один такой прыжок. Ведь что такое несколько десятилетий, даже сто лет с точки зрения жизни нации, мира, земли? Так, считанные доли мгновения. Но мне они кажутся достаточно долгими, растянутыми во времени. Вот так бы и лететь, с перехваченным духом, падать, держась за руки, глядя в любимое, нет, родное лицо... Жаль лишь, что невозможно в конце не расквасить носа, как ни ловчись...»

3.

«Романс о влюбленных» появился в 1974-м.

Явление, резко поворотное как в творчестве Кончаловского, так и в творчестве сценариста Евгения Григорьева (1934–2000). Может быть, потому, что он в первый (и в последний, пожалуй) раз встретил режиссера, всерьез пытавшегося постичь его, Григорьева, уникальный художественный мир. Диалог-спор со сценаристом продолжился и после картины. Так на свет появилась первая книга Кончаловского «Парабола замысла» (1977), целиком посвященная одному фильму.

Похоже, режиссер и сам пытался осознать, что же такое он сделал, основательно перепахавшее его как художника, но обрушившее на его же голову невиданное доселе количество упреков и разоблачений. Именно после «Романса» последовал поток его теоретических посланий о природе кино, о сценарном и режиссерском творчестве, об актерском мастерстве, о специфике жанров комедии и трагедии. Происходило, я думаю, осознание и закрепление Метода.

Встреча с Евгением Григорьевым. В начале 1970-х сценарист

обратился за советом к Кончаловскому: кто из режиссеров мог бы взяться за его «Романс о влюбленных сердцах», лежавший на «Мосфильме», кажется, с 1968 года. Кончаловский решил сам познакомиться с произведением.

«Начало чтения оставило ощущение бреда. Но чем дальше я углублялся в сценарий, тем более он захватывал меня. Я уже заразился авторской эмоцией, проникся удивительным настроем вещи. А когда дошел до сцены смерти героя, то не мог сдержать слез. Я был потрясен. Сценарий стал преследовать меня. Какой-то непостижимый, сказочный мир мерещился мне за страницами григорьевской поэмы в прозе. Страстный. Чистый. Неповторимый. Яркий. Я уже чувствовал, что не могу не снимать этот фильм. Решение ставить сценарий Григорьева было зигзагом совершенно неожиданным. Взялся потому, что был в него безоглядно влюблен, не видел и не хотел видеть в нем никаких недостатков...»

Внешне фабула сценария казалась расхожим общим местом. Юноша уходит в армию. Девушка ждет, не дождавшись, выходит замуж и т. д. До «Романса» нечто похожее было создано, например, во Франции. «Шербурские зонтики» (1964) Жака Деми то и дело упоминались рядом с фильмом Кончаловского с прозрачными намеками на плагиат. Язык сценария выглядел абсолютно противным кино: высокопарный, странный для слуха гекзаметр. Но покоряло мироощущение, ярко и ясно выраженное.

«О простых вещах он говорил с поистине первозданной чистотой, страстью, и нельзя было не поразиться мужеству и таланту автора, взявшегося открывать новое в самом обыкновенном... Сценарий уже предлагал совершенно определенный мир. Не надобно было никаких усилий, чтобы его разглядеть, — надо было его осуществить. Собственно, это и есть, пожалуй, главная задача режиссера — развить, умножить мир сценария...»

Кончаловский, подготовленный опытом своих предыдущих работ, нашел в сценарии Григорьева столкновение миров: мир счастливый, праздничный, увиденный глазами влюбленного, и мир, потерявший смысл, цвет, душу, — мир без любви. «...Это и было для меня главным: стык миров...»

Так и строит свою картину режиссер: на столкновении первой, цветовой части картины со второй, серо-серой, по его выражению, частью, как бы опровергающей первую.

Неповторимость и остроту сценарного хода «Романса» режиссер видел в том, что «безоблачность первой части снималась скепсисом второй. Здесь автор и его герой прозревали. Когда жизнь била Сергея в поддых с такой силой, что в глазах темнело, к нему возвращалась способность видеть вещи такими, каковы они есть. Он обнаруживал бездну пустоты вокруг себя и свое одиночество в мире, который еще вчера был для него единой семьей друзей и братьев. То есть и Григорьев, и я вслед за ним шли по пути героя — от ослепления к прозрению...»

4.

Особенность композиции «Романса о влюбленных» в том, что его сюжет плодотворно обращен к жанровой памяти мировой художественной культуры. Древний обряд инициации, героический эпос, шекспировская трагедия, роман — вот вехи становления, взросления-прозрения героя фильма.

Жанровое содержание картины действительно, как замечал режиссер, напоминает слоеный пирог.

Идя путем героя, снимем слой за слоем, постигая смысл превращений на этом пути — и его собственных, и его мира.

Первый слой — обрядовый.

Фильм начинается в первозданности утра. Герой пробуждается-рождается в начале картины как в начале мира, обновленного, готового для единения с ним в любви и благостности. И это мир детства, юности не только самого Сергея Никитина, а всей страны. В начальных кадрах можно расслышать и эхо оттепели, эйфорической легкости ее лирического кинематографа.

Первые эпизоды не только отсылают к обрядовому прошлому человечества, но и воспроизводят ритуальность советского образа жизни. Здесь счастливый коллектив — мерило для любого его представителя. Простой парень Сергей Никитин не может не быть счастливым, ежеутренне пробуждаясь под торжественный мажор Государственного гимна.

Вот влюбленные герои, омываемые-очищаемые коротким летним дождем, в посвежевшей, пронизанной солнцем зелени, где так естественно звучат признания в любви, сливаются с природой. Мир первозданного бытия, чуждый рефлексиям. С обвалом чувств, с бессвязной, как и положено «природным» существам, речью. Ее высшее проявление — пение. Виртуозная камера Левана Пааташвили захватывает зрителя и несет его в потоке стихий.

Пролог любовного слияния с природой завершен.

Сергей и Таня перемещаются в мир их дома-двора. Обряд всеобщего единения продолжается.

Из уст героя с одинаковой, все приемлющей радостью звучит и языческое восхваление природных стихий: «Какое солнце! Какие облака!» И бравый отклик будущего воина на призывную повестку: «Долг выполню, что должно выпить — выпью...»

Двор — образ страны, как ее чувствуют и видят герои. Соответственно подбирались костюмы для обитателей страны-двора-семьи. «В единой теплой гамме, они составляли одно большое лоскутное одеяло — старое, выцветшее, но опрятное, приглаженное и очень уютное». Так возникал мир патриархально-крестьянской общности, рифмующейся с мифом советского образа жизни.

Мир двора-семьи — декорация советской общины. Режиссер очень скоро и безжалостно разоблачит условность созданной им идиллии общинного мира.

«В кадре вдруг появился ДИГ, чуть приоткрывая, что мы показываем не жизнь, а поставленную жизнь. Потом даже показали самих себя у съемочной камеры. По выходе фильма я не раз объяснял интервьюерам, что все эти ДИГи в кадре нужны для того, чтобы по-брехтовски обнажить прием, показать, что на экране некое разыгрываемое действо, „возвышающий обман“, напомнить, что показываемое — „ложь“...»

Следующий слой — синтез обряда инициации и героического эпоса.

Подступает осень. Герой должен исполнить долг, нести бремя армейской службы. Режиссер воспроизводит сюжет древнейших посвятительных обрядов, чтобы показать переход своего героя из одного социального состояния в другое.

Советская Армия — в своем роде страна предков. Ритуал подразумевает суровые испытания, в которых герой обретет новую — и возрастную, и общественную — роль.

Здесь правит бал миф о героических предках, в том числе и предках героя. Им живет дом Никитиных. Семья за ритуальной трапезой: мать и три ее сына. Старший — под портретом покойного отца. Отец отошел в страну предков, но присутствует в ритуале как незримый жрец.

Армейская служба героя — жанровый слой уже героического эпоса. Зритель видит былинно-гиперболические учения, перемежающиеся с фрагментами любовной игры героя и героини по логике фольклорного параллелизма: битва-трапеза, битва-любовь.

Морская пехота, в которой служит герой, — привилегированная часть обрядового коллектива страны, воплощение мифа о фронтовом братстве, перешедшем в мирное время из былых сражений.

Герой, согласно посвятительному обряду, пройдет испытание временной смертью. Он «погибнет», исполняя долг перед государством, чтобы получить право войти в пантеон предков, завершив свою ритуальную героическую миссию. Но — «морская гвардия не тонет!» И советский воин победит даже смерть.

Однако вначале семья получит извещение о его гибели в этой ритуальной схватке. Только позднее придет весть о неизбежном воскрешении.

Былинный героизм Сергея Никитина на поприще служения государству зеркально отражается в героической же сюжетной линии хоккеиста Игоря, давно влюбленного в Таню. Спортивные подвиги хоккеиста выглядят великими сражениями богатыря, но уже не со стихиями (как в случае с Сергеем), а, в рифму им, с иноплеменниками. Распространенный в советское время спортивный киносюжет.

И девушка, в свою очередь, должна пережить посвящение. Жизнь в Тане после утраты Сергея замирает. Затем она возрождается в ипостаси невесты. Но уже для нового, давно прошедшего инициацию жениха. Им и оказывается как раз хоккеист — победитель чужеземцев. Кончаловский шел за своим любимым Довженко. Вспомним финал «Земли» (1930): героиня обнимает нового жениха, явившегося взамен ее Василя, погибшего в сражениях с классовым врагом, будто не замечая подмены.

И у Довженко, и у Кончаловского воспроизводится древнейшая метафора обрядовой взаимозаменяемости женихов в традиционных обществах.

По обрядовой логике двора-семьи встреча и брак Татьяны и Игоря вполне легитимны, а потому — не могут быть оспорены. Но согласится ли с этим «воскресший» Сергей?

Так завершается эпико-героический цикл. Его персонажи или уходят из сюжета, или неузнаваемо преображаются.

Наступает трагедийный слом.

Кончаловского уже в те годы очень занимал вопрос «о содержании и условиях возникновения чувства трагического». Ему было интересно, органично ли появление трагедии именно тогда, в середине 1970-х.

Он пытается дать свое определение социально-исторической почвы, на которой вырастает жанр трагедии: революции, эпохи социальных сдвигов. В такие моменты отдельный человек переживает свою причастность к мировому процессу, а значит, рождается чувство трагического. Такая «сопричастность с процессами внутри собственной страны», «умение их оценить», пускай ошибочно, подчиняясь иллюзиям революционной эйфории, «есть явление, связанное с трагическим».

Режиссер, убежденный, что пафос трагедии определяется гибелью героя «во имя чего-то», трактует эту гибель как переход скорби в радость. Необходимая черта трагического — праздничность. Смерть, порождающая чувство праздничного перерождения, обновления.

Коллективное героическое, олицетворенное в подвигах Сергея, становится историческим прошлым. Герой погружается в трагедийное одиночество. На первый план выходит ЛИЧНОЕ переживание происходящего, отодвигая нормы коллективного МЫ. Герой покидает мир анонимного единства с его пафосом общегосударственных побед-преодолений.

Равновесие в мироощущении героя сохраняется только до тех пор, пока в нем удерживается баланс природного и общественно-государственного, любви и долга. Но вот родной коллектив требует от героя личной, а не ритуально-уставной жертвы — безропотно отдать возлюбленную «подменному» жениху. Во имя долга перед двором нужно пожертвовать любовью.

Герой прозревает ложность картины мира, которую он держал в своем сознании. Нет и не было гармонии взаимопонимания в его отношениях с двором!

Открытие потрясает. Он бросает вызов всем, всему миру, с которым недавно накрепко был слит. Он всех обвиняет в разладе и противопоставляет себя целому как его отторгнутая часть.

В трагедийном разломе сюжета проступают масштабы замысла Григорьева — Кончаловского. Создатели фильма задумываются о феномене исторического становления мировидения советского человека. О трагедийном переходе этого человека от коллективистских ценностей к ценностям частного существования.

Как в образцовой трагедии, герой произносит свой кульминационный монолог. В устах простого парня Сергея Никитина, водителя троллейбуса и старшего сержанта морской пехоты, он звучит почти пародийно. Но, с другой стороны, и оправданно. Ведь он только что пережил эпику своего богатырского вознесения к пантеону предков! Исполняя долг, он представительствовал от лица всей страны, сосредоточенной для него в пространстве его единого и неделимого дома-двора. И вот — его, исполнившего безличный долг, лишают заслуженной личной награды!

Космическое восстание Сергея Никитина не может не разрешиться его символической гибелью — гибелью богатыря, представительствовавшего от лица государства, от имени «МЫ», гибелью героического.

Гибель этого героизма, завершающая цветовую часть «Романса о влюбленных», есть прекращение общинно-коллективистской предыстории героя.

А по отношению к реальности, в которой жила страна в 1970-е годы, — это объективное предчувствие событий, грянувших через десять лет.

Сцену ритуальной смерти Сергея Никитина снимали на железнодорожной платформе. Зимой. «Хотелось, чтобы во всем были библейская простота и яростность трагедии, чтобы пахло эпосом».

Сцена на платформе — предчувствие грядущей бездны, если не сама бездна. Холод. Темень. Мертвые лучи прожекторов. Различаются лишь главные лица: Сергей, Трубач, Альбатрос, младший брат, Таня, Игорь. Остальные — стертые светом пятна. Общее ощущение пронизывающего холода делает сцену трудной — в смысле преодоления всего этого каменно-металлического пространства. А вырывающийся пар изо рта Сергея, который шатается, падает, вновь поднимается, — это ведь последний след исходящей жизни...

Случайно возник и финальный отъезд от платформы — как в темноту небытия.

«Мы кончили снимать объект, была какая-то грусть во всем окрестном пространстве, да и нам самим было печально расставаться с этим прекрасным условным миром, с героем, способным умирать от любви. И от этого родилась мысль снять прощание — уехать с камерой вдаль от этой платформы, где праздничная жизнь и праздничная смерть, сделать этот праздник угасающим островком среди бездны тьмы. Так мы и сняли...»

...Островок света исчезает. Подземная тьма Аида. Трагедийная смерть любви, героя, героики этого мира.

5.

Один из опорных образов фильма — мать, но в разных ипостасях. Вот первая — мать братьев Никитиных.

«Мать — не просто мать, а праматерь, наставница своих сыновей. Она аристократка духа. В такой семье муж не мог бросить жену. Он мог погибнуть на войне или умереть от фронтовых ран. В доме Сергея — ни одной лишней мелочи, даже занавесок там нет. Во всем прямолинейная ясность. На столе молоко и хлеб — не еда, а причастие. И три сына, как три библейских отрока...»

Отцы в картине отсутствуют — как физические лица. Но присутствуют как миф — память о долге перед предками.

Во время работы над фильмом режиссер спрашивал у автора сценария: «Где в этом доме мужчины, где отцы?» — имея в виду и дом Тани, и дом Сергея. «Ты понимаешь, — отвечал Григорьев, — эта картина не только современная — она символична. В ней для меня — история нашей нации. А у большинства из нас отцов не было. Погибли — кто на Гражданской, кто во время Отечественной. В общем, последние пятьдесят лет вся тяжесть лежала на матерях...»

В фильме портрет отца в доме Никитиных как икона. Зритель видит его, когда мать сообщает сыновьям о гибели их старшего брата, исполнившего свой долг перед Отечеством. Тогда она и произносит фразу, позаимствованную режиссером из кубинского гимна: «Смерть за Родину есть жизнь».

Так акцентировалась высокая ритуальность происходящего. Потомок пошел дорогой предка — исполнил свой долг, погиб на службе государству, обеспечив себе вечную жизнь в пантеоне предков.

С окончанием первой части фильма ритуальные отцы покидают сюжет. Теперь уже сам герой должен отстоять право на свое, действительное, а не ритуальное, отцовство.

Если на живых отцов в «Романсе» дефицит, то женщины, взвалившие на себя и отцовский груз, как раз в изобилии его населяют.

Мать Тани едва ли не насильно принуждает дочь исполнять природное предназначение женщины, когда та утрачивает интерес к жизни, узнав о гибели возлюбленного. Ее монолог дышит матриархальным пафосом.

Мать — естественное наше начало. Как природа, земля... Здесь истоки и рода, и народа. В то же время это естественное начало жизни травмировано всей нашей историей. С наибольшей силой откликается эта травма в образе матери Сергея Никитина.

Ее наставления иные, чем те, которые звучат из уст Таниной матери. Она призывает к неукоснительному исполнение государственного долга. Образ сына и отца сливаются в представлении этой матери в образ служения. Воссоединяя сына с погибшим отцом, мать как бы отдает его в жертву Отечеству.

И еще один женский образ — Люда, жена Сергея. Тоже — мать. Ее реплика, кульминационная в развитии образа, стоит в отчетливой оппозиции к цитате из кубинского гимна, которую произносит мать Сергея. Люда, обращаясь к младшему брату мужа, говорит: «Ты еще не знаешь, что жить большее мужество, чем умереть». По сути, она отвергает запрограммированную необходимость жертвы на алтарь государства.

Новый сюжетный слой — романная проза.

Сергей Никитин пережил трагедийную гибель. И оказался в серо-сером мире. В мире «эпоса частной жизни», то есть романа.

Унылая столовка средины 1970-х годов. Ее суета и незатихающий гул. Человек, сосредоточенно и тупо пережевывающий пищу. Затем этот же человек — водитель троллейбуса. Звучат названия остановок: школа, нарсуд. Вехи короткой жизни, тонущей в непроглядных буднях.

Это Сергей Никитин. Ему надлежит узнать, как достаются дети в прозе повседневного существования. Собственно, эта проза повседневности может прочитываться и как царство мертвых (герой ведь умер!). Иными словами, образ той самой страны предков, из которой выветрился пафос первой части.

«Мне и хотелось показать эту столовку как царство теней, людей в ней — тенями самих себя. Здесь у героев не отношения, а не более чем иероглифы отношений. Идет привычный автоматизм жизни...»

Застой. Жизнь муравейника, знакомого по первой части, но увиденного иными глазами. Здесь нет прошлого любовного единения. Рушатся дома старой, патриархально-общинной жизни. В этом муравейнике люди друг от друга отделены частными хлопотами, бедами, радостями.

Именно здесь совершенно автоматически в Сергее рождается: пора обзавестись семьей. Но даже тогда, когда на руках у Сергея появляется его ребенок, он, подобно Степану из «Аси», не вполне понимает, а что же далее. Нет готовности взять на себя груз отцовской ответственности.

«В начале второй части мы показали мир без любви, мир, вроде бы неспособный дать человеку ничего, кроме материального достатка. Но затем надо было показать, что и в этом мире человек может найти свое счастье. Очень важна мысль о том, что легче идти до конца в отрицании чего-то, вплоть до гибели, чем принять выстраданную необходимость терпеливо преодолевать трудности, соразмерять себя с окружающим миром, с обществом, делать для живых то, что в твоих силах, и стараться менять к лучшему то, что можно изменить. Понимание всего этого и есть выстраданный результат зрелости, которая приходит на смену категоричности и нетерпению юности. С этой вот точки зрения и хотелось проследить, как постепенно, медленно вырастает в человеке приятие мира, помогающее найти силу жить».

В этой философии авторов картины отозвалась коренная переоценка идеологии шестидесятничества. Она заключалась в переходе от романтических иллюзий овладения миром к стоическому примирению с ним. Причем такое примирение могло состояться только как результат индивидуального выбора, осуществленного частным лицом. К этой философии Андрей Сергеевич вернется в канун своего восьмидесятилетия, о чем и объявит публично.

И вот — новоселье семьи Никитиных. В новой квартире героя собрался весь бывший двор. Казалось бы, реанимируется единый мир обрядового прошлого. Мир двора. Но нет, люди отделены друг от друга. Крупные планы. Каждый как бы в ожидании чего-то, в предчувствии перемен.

Люда находит Сергея у кроватки ребенка. Он вновь говорит жене слова любви и благодарности. Похоже, кроме своего дитяти, женщина все это время вынашивала и супруга. Герой произносит слово, с которым и возвращается в серо-серый мир долгожданный цвет.

Эта сцена — кульминация становления самосознания героя.

«...Бывают такие паузы, наполненные неуловимостью и трепетностью ощущений, о которых в старину говорили: «Ангел пролетел» — люди растворяются в вечности и друг в друге. Я написал себе в тетради: «Весь фильм — это ожидание чего-то. Это пристальное внимание друг к другу. Из глаз — в глаза. Переглядывание, словно узнают друг друга, словно видят друг друга в первый раз. А вернее — как в последний раз.

...Мне достаточно было, чтобы зритель ощутил минуту просветления. В картине должно быть слово «вечно». Я хотел, чтобы конец картины был размытым, просторным для дыхания, рождающим ощущение незавершенности...»

У кроватки дочери муж говорит жене то же, что и при первом свидании. Но это уже итог пережитого, выражение накопленного личного опыта. Только теперь он является перед женой в том качестве, в котором она ждала его: отцом ее ребенка. «Я так долго ждала тебя!» — говорит она с благодарностью.

И тогда Сергей, на фоне довольно унылого экстерьера за окном, произносит: «Ничего. Мы посадим здесь деревья. И лет через... десять здесь будет сад». В этот момент и возникает неяркий, но глубокий цвет. Возникает он одновременно с детьми, шумно врывающимися в комнату, где у окна, обнявшись, стоят Сергей и Люда. Дети застывают у порога, глядя на взрослых.

Это драма не только возрастного преображения человека, но и переход из одного возраста эпохи — в другой. В этом эпизоде много от Чехова, с его паузами, в которых проглядывает вечность. Сопряжение мгновения и вечности. Оттого и цвет — тихий цвет перерождения. Звучит колыбельная Люды («Бродит сон...»). Сергей возвращается к общему столу. Окидывает взглядом лица. Подходит к окну. Он смотрит на свою руку, будто бы от него отделенную, чужую. Он смотрит на нее, еще не узнавая себя нового.

Образ строгой силы! Передающий драму отчуждения от человека его дела и одновременно — прозрение этого отчуждения, назревшую жажду его преодоления...

Финальные кадры фильма — неторопливая панорама лиц. Состояние глубочайшей медитации. Люди еще не вошли в ту реку, которая для них уже иная жизнь. Они лишь на берегу. Но для реальности, которую они духовно покидают, они уже тени.

Последние кадры — своеобразное вознесение дома Никитиных. Поэтому люди действительно смотрят друг на друга (и в глаза зрителя) как в последний раз — на пороге иного этапа их исторической жизни. И в этой новой истории советскому человеку предстоит осваивать ценность одинокого частного бытия.

В фильме Григорьева — Кончаловского не локальный конфликт вроде того, который есть в мелодраме француза Деми. Здесь масштабная социально-историческая коллизия пробуждения частного самосознания в простом советском человеке. Событие, чреватое, как выяснилось уже и на рубеже XX–XXI веков, мировыми катастрофами.

С момента появления «Романса» Кончаловский сознательно культивирует в своем творчестве стык миров. Выстраивает художественное пространство и на границе языков разных культур. У кого-то возникает иллюзия отсутствия у режиссера примет авторской речи.

Кончаловский не монологист формы, подобно Тарковскому. Его пристрастие — полифония. Любую языковую систему он воспроизводит как чужую и в этом смысле не полную, не охватывающую мир человека целиком, не способную исчерпать его. Любой язык в его системе требует другого, в противовес. Содержание его вещей — разно- и многоязычие художественных, культурных форм.

Отсюда: «Язык — вторичен, смысл — первичен».

Отсюда и ода разрушению как одному из главных принципов, как ни парадоксально, построения-созидания художественного мира. Находясь в чрезвычайно узком пространстве между умножающимися чужими мирами в составе его собственного, автор произведения видит не только начало грядущего, но и конец, гибель уходящего.

Есть еще один образ, к которому прибегает Кончаловский, когда хочет дать определение своему методу. Образ жизни как лабиринт, в котором блуждают и автор, и его герой в надежде постижения сути этой жизни. Но всякий раз делая открытия в форме тупика — там, где, может быть, ожидался свет выхода.

Так что же, выход невозможен? Возможен. Как взгляд на лабиринт сверху, что и происходит в «Романсе». По существу, и в любом другом его фильме. Взгляд с высоты вознесенной души на ею оставленное тело.

В стыке миров своего лабиринта Кончаловский, оглядываясь на порушенное, на то, что осталось в прошлом, то и дело искренне удивляется: «Неужели это был я?!» И, пренебрегая опасностью, бросается вперед, к очередному открытию... Тупика? Не важно. Захватывает сама энергия броска.

6.

Мне уже приходилось говорить о том, с какой фатальной предопределенностью сходятся друг с другом «Зеркало» и «Романс о влюбленных», две такие разные картины таких разных, но невозможных порознь художников. Смысл их сближения, с моей точки зрения, усиливается звучащим рядом голосом третьей картины, созданной так же близким и далеким для первых двух мастером, как и они друг для друга.

Речь идет о Василии Шукшине и его «Калине красной».

Сам тип «низового» человека, которого я бы назвал «шукшинским типом», — феномен, объединяющий большое пространство отечественного кино. И здесь тесно соседствуют и герой Кончаловского, и герой Шукшина. Их родство легко обнаружить в «Асе» и «Сибириаде». «Сибириада» дает зрелую ипостась типа с его культурным геномом. Корни происхождения такого героя уходят в толщу архаической крестьянской массы. Когда появились «Белые ночи...», их тут же объявили продолжением крестьянской трилогии Кончаловского, куда входит еще и «Курочка Ряба». Теперь и критика, чего раньше не было и в помине, спешит сопрячь Кончаловского с Шукшиным.

Но еще в советский период и тем более позднее очевиден интерес Кончаловского к деревне и ее жителям. В силу озабоченности судьбами России, опирающейся на фундамент крестьянской культуры. В самое последнее время он называет это вслед за Александром Ахиезером «архаической плитой» национального менталитета.

А в 2012 году, фактически, пытается дать ответ на мучавший Шукшина вопрос: «Старая деревня уходит, но куда она приходит?».

«Новейшая история России показывает, что перемещение огромных крестьянских масс в города не обязательно делает из них горожан и граждан, — это изменение места прописки, а не ментальности, даже усиление негативных черт той же крестьянской ментальности. Город как скопление незнакомых в основном людей — анонимен. Люмпенизация русского крестьянина, после революции массово бегущего из деревни в город, наделяла этого крестьянина прежде незнакомой ему анонимностью: ведь в деревне все друг друга знают — чужаков нет. Наполнение города массой людей, сознание которых не претерпело формирования правосознания европейского векового горожанина, создавало для этих людей незнакомую им прежде анонимность и легко превращало их в криминальный элемент, который паразитировал на этой почве. Это может быть просто нарушение того или иного правила, несоблюдение закона, легкая нажива за счет незнакомого соседа или анонимного государства — в любом случае, это действие, которое не мог себе позволить право сознающий европейский горожанин. Если бы западный психолог мог проникнуть в русскую голову, он поразился мотивациям и действиям русского, легко идущего на нарушения любого рода, на сотрудничество с криминалом ради выгоды или собственной безопасности. То, что для русского человека кажется понятным и естественным, — с западной точки зрения характеризуется как проявление криминального мышления. И это мышление в России свойственно ВСЕМ — от лифтера до государственного мужа!»

Если брать за точку отсчета 1974 год, когда в советском кинематографе определился упомянутый тип героя благодаря появлению картин Василия Шукшина и Андрея Кончаловского, и отсюда следить его дальнейшее становление, то легко увидеть, что катастрофичность и гибельность стали его определяющими чертами в уже значительно омоложенной ипостаси.

Начало этому я вижу в картине В. Пичула и М. Хмелик «Маленькая Вера» (1988). А 2007 году вышел на экраны «Глянец». В нем катастрофой завершился женский вариант судьбы такого типа героя. Замечу попутно, что в прозе Шукшина уже был намек на подобный сюжет — в повести «Там, вдали» (1968).

Замысел «Глянца» начал оформляться, когда режиссер узнал о бизнесе Петра Листермана, владельца эскорт-агентства, организующего знакомства самых богатых бизнесменов с молодыми девушками. Затем размышления Кончаловского перешли в область превращений простого советского человека крестьянской ментальности.

«Это русский человек, но им правит советская ментальность: „Дорваться!". У человека западного, да и у российского человека дореволюционного такого желания не было: потому что не было такого отсутствия возможностей, какое было при советской власти. „Глянец" в определенном смысле — картина распада. Это декаданс в варварском государстве. Это даже не римская империя, это или „до", или „после". Я задумал комедию, а получилась черная сатира...»

В центре картины молодая женщина Галя, живущая в российской глубинке, где-то под Ростовом-на-Дону. Отец-пьяница. Замордованная домашней работой, угрюмая, озлобленная мать.

Галино сомнительное изображение попадает на последнюю страницу «Комсомолки». Это подталкивает героиню к поискам счастья в столице. Она покидает дом, родное швейное производство. Ее дремучее сознание травмировано рекламой, невероятно разросшейся виртуальной стороной современного существования простого человека. Она мечтает покорить желанный мир глянца, заняв свое место там...

Легко различить в этой фабуле архетип сюжета с «шукшинским» героем. Существенно, что в путь, в данном случае, отправляется женщина. Герой-мужчина исчерпан на этом пути. И неутешительные варианты странствий с их финалами хорошо просчитываются. В том, что женский персонаж отправляется в «посвятительное» странствие, я вижу предчувствие полной катастрофы. Женщине странствовать не пристало. Ее изначальная миссия, по убеждению того же Кончаловского, — дом и место, место в доме. Пространство инициации для нее — поиск себя в роли жены и матери.

Ни Ася Клячина в исполнении Ии Саввиной, ни постаревшая Ася Инны Чуриковой из дому не бегут, хотя там и дома-то никакого нет, по сути. Бежит кто? Галя из «Глянца» и героиня «Белых ночей...» Ирина. Тоже на зов миража.

Что касается Аси, то она места ни за что не покинет. Травка она и есть травка, она и тысячу лет назад была травкой и сегодня травка, растет, корешками к почве привязанная. Что ей сделается? По логике такого сюжета, странствие женщины — окончательное разрушение дома.

Галя «травкой» быть уже не хочет! Не может оставаться в том месте, которое лишь формально дом. Что делать на этом пепелище совсем молодой женщине, пусть с глянцевой, но мечтой? Есть у нее ухажер — бандит новой формации. Мать предлагает роль, испытанную всей ее жизнью: козу подоить, дров наколоть надо, яйца на рынок снести.

Из этого круга не выскочить? Не лучше ли все-таки сорваться и бежать, куда глаза глядят? Результат почти предугадан уже в начале сюжета.

Фильм Кончаловского ожидаемо карнавален. Персонажи напоминают маски ярмарочных увеселений. И вновь сюжет держится на условно-театральном, резком стыке миров. Вызывающе стыкуются столичный мир глянца и чудовищный до гротеска в своем убожестве мир российской провинции.

Однако ни один из стыкующихся миров не является истиной в последней инстанции. Мир провинции — та же условная декорация, что и мир глянцевый. Ад провинции — оборотная сторона глянцевого рая. Это тот ад, откуда и прорастает отечественный глянец. Почва глянца — убожество и холопская нищета простого народа.

Андрей Сергеевич не устает повторять, что такому народу никакие санкции не страшны в силу вековой привычки жизни в условиях предельно экстремальных. Глянец, куда прорвалась «Московия», — противоположный экстрим.

Едва ли не все персонажи глянцевых тусовок, которые носят здесь маски модной светскости, происхождением оттуда, откуда вылупилась Галя Соколова. Все они бывшие «крестьяне», не расставшиеся со своей ментальностью. Влюбленный в Галю местный ростовский «авторитет» Витек возвышается до статуса одного из «быков» Миши Клименко, миллиардера, владельца алюминия, портов и проч., дублируя путь и самого Клименко из тех же провинциальных глубин. А критик мирового класса, знаток моды и обладатель гениального чутья на конъюнктуру ее рынка Стасис — тот самый, которому принадлежит концептуально определяющий для фильма афоризм «То, что нельзя продать, — то не искусство», — и он в столицу прибыл из тех же мест.

Эти два мира — кентавр российской жизни. Только на отечественном дне можно поверить в сказку сладкой жизни на рекламной поверхности страны. Уподобленный кентавру мир «Глянца» — итог вырождения, распространяющегося из советских, а может быть, и досоветских времен.

Мир глянца — мерцающая потусторонность, готовая каждую минуту обернуться адом российской провинции. А дирижирует (правит бал!) этим миром маленьких и больших бесов, похоже, именно Стасис, который в исполнении Алексея Серебрякова и в придуманной для него маске, действительно, напоминает юркого, хитрого, умного Беса, хорошо знающего всему цену, в том числе — и себе. А ведь в прошлом он скромный интеллигент, прибывший в Москву без гроша и с тремя книгами — Вольтером, Бердяевым и Камю.

Все персонажи фильма живут в пространстве ложном, выморочном. Но оно — продолжение реальной столичной тусовки. На экране знакомые все лица. Точнее, не сами лица, а — имиджи.

Модельера Марка Шифера играет неунывающий Ефим Шифрин, заслонив глаза огромными в пол-лица очками. Модного пластического хирурга — музыкальный критик Артемий Троицкий. Среди мелькающих на экране масок зритель видит хорошо известные по телеэкрану и изрядно поднадоевшие личины. Авторы фильма как бы выворачивают наизнанку их имиджи, обнаруживая действительную пустоту этих образов.

Но гораздо важнее многолюдного парада масок те, кто выступает по сюжету на первый, крупный план. Они, подчиняясь законам глянца, осознают в то же время его пустоту и убожество, но освободиться из этого капкана не могут. Их драма приобретает неумолимую очевидность, когда становятся насущными вещи, которые не купишь за деньги: молодость, любовь, жизнь. Тогда сквозь маску проступает человечность лица, надломленного болью.

Драма эта фокусируется в образе главной героини фильма и так значительно укрупняется.

В начале сюжета молодая швея Галя Соколова, казачка по происхождению, все наличные силы души и плоти прилагает к тому, чтобы вырваться из нищеты провинции. Сил у нее немало: «Я казачка, я упертая!»

В финале, освоив мир глянца, героиня фактически возвращается на круги своя, утратив те силы, ту начальную святую наивность, которые и хранили ее до сих пор. Галю продают хозяину ее бывшего покровителя и любовника Витька. И продают под маской принцессы Монако Грейс Келли.

Происходит омертвение души. Натура человека, его естество, его душа не в состоянии сопротивляться декорации глянца.

Когда Галя после ночи, проведенной с Клименко, прозревает всю меру своего душевного опустошения, она бежит. Оказывается в чахлом придорожном лесу. Идет к какому-то мутному озерцу, захламленному приметами пластиковой цивилизации. И это уже не природа, не натура — это ее жалкие останки. Природа издыхающая. Здесь тоже нет спасения. И то небо, которое простирается над головой героини, туманно-белесое, пересеченное безжизненными ветвями иссушенных деревьев, — это небо без Бога. Некому молиться. Точно так же, как пьяный Клименко не находит Бога в небе, простирающемся над декорацией Рио-де-Жанейро (сбылась мечта идиота?), его не находит и Галя.

Выразительная сцена следует далее. За Галей бросается Витек, обуреваемый ревностью и желанием отомстить. Он видит ее у озерца. Целится, чтобы выстрелить. Но убийства не происходит. Героиню убить нельзя, поскольку она уже мертва. Мертва душой.

Кончаловский фактически цитирует финал «Бесприданницы»

Островского. Трагедия Ларисы — в ее открытии. Она понимает, что ею манипулируют как вещью, что вот-вот она сама превратится в вещь. Определение найдено! На этой грани застает выстрел Карандышева. Не дает превратиться в вещь! Героиня погибает живой.

Юлия Высоцкая играет свою героиню в момент ее полного «овеществления». Здесь выстрел ничего не решит. Может быть, поэтому живая сущность героини, ее душа, представшая фигуркой девочки (это она сама в детстве), прощально машет Гале рукой и скрывается вместе с еще молодой ее матерью среди деревьев. Таково последнее видение героини. А на крохотную роль Гали в детстве Кончаловский взял дочь Машу...

Трагедийные конвульсии души перед смертью даются в фильме на уровне фарса. Она, голая, полупьяная, в слезах, будто исповедуется перед своим хозяином, ползая на четвереньках по его спальне. Невольно вспомнишь один из источников «Глянца» — «Сладкую жизнь» Феллини.

Юлия Высоцкая выдерживает напряжение этой пограничной игры, возвышая героиню в этот миг до трагедийной исповеди. Не перед Клименко, конечно, а перед Богом и зрителем. Чувствуешь, с ней происходит нечто жизнеопределяющее, что она переходит в какое-то новое качество, переходит безвозвратно.

В своей актрисе режиссер обнаружил то, что всегда ценил в актерском даре: сочетание клоунессы с энергией трагедийного взлета. На этом держится ее роль в «Доме дураков». И в первых эпизодах «Глянца» она действительно клоун — и в откровенно нелепом макияже, и в манерах поведения, и в речи. Но в этом качестве она еще вполне живая!

Героиня переоблачается, надевая на себя все новые и новые «костюмы», предлагаемыми миром глянца. Становится все более серьезной, все более деловой, все более хваткой, подавляя в себе буффонную стихию, природой заложенную в ней. И когда она надевает на себя маску и костюм прекрасной принцессы Монако, приобретая нужный товарный вид для «покупателя» Клименко, небесный облик Грейс Келли окончательно заглушает в ней клоуна.

Такова логика сюжета. Но в героине происходит серьезная борьба жизненной энергии, которой она держится, и требований глянцевого мира. Эту борьбу и показывает актриса, подтверждая независимую от режиссерской концепции меру своего дарования. На грани клоунады и трагедии.

Ни одна картина Кончаловского не вызывала у меня столь мрачных переживаний. Каков будет его следующий творческий шаг? Как выйти из этого тупика? Может быть, как раз естественно то, что Кончаловский уже начинал ставить сказку — гофмановского «Щелкунчика»?

Для героя шукшинского типа ситуация «Глянца» — тупик в его историческом становлении. Он оказывается в мире перевернутых, ложных ценностей, в тенетах карликовых иллюзий, в плену подмен, на которые он охотно соглашается в силу дремучей девственности своего сознания. Но вот декорации опадают. Какая натура выступит из-под них? Какое лицо явится? Об этом мы получили право судить только после фильма «Белые ночи почтальона Алексея Тряпицына».

...или Умножение миров

...Каждый думает, будто знает, что хорошо, а что плохо, но, в конце концов, как и в жизни, всегда ошибается. Мир изменили шестеро евреев. Моисей, Соломон, Иисус, Фрейд, Маркс: каждый принес свою истину. Потом появился Эйнштейн, который сказал, что все относительно...

Андрей Кончаловский

1.

В одном из номеров журнала «Искусство кино» за 1997 год я наткнулся на монолог про сказку, принадлежавший одиннадцатикласснице московской школы Дарье Бразговке.

Девушка писала, как хочется удержать и не отпускать от себя сказку, потому что никто не желает взрослеть, а сказка всегда напоминает о детстве, о маминых поцелуях на ночь. О том, как сказка создает внутри человека целый мир фантазии, где свои законы, свои жители, свои злыдни. Она и сама, став постарше, стала придумывать сказки для младшей сестры, начиная всегда «жили-были три гномика в маленьком пеньке...» и еще не зная, чем все закончится... Сказкой, писала Даша, можно назвать все, где реальностью становятся превращения, которые пока в жизни не встречаются, потому что кто знает, может, эти чудеса станут возможны...

Гораздо позднее я узнал, что размышления о сказке принадлежали дочери Андрея, третьему его ребенку.

Дарья уже давно не дитя. У нее самой четверо. Она носит фамилию «Михалкова». Какое-то время жила в Сан-Франциско, где должна была совершенствовать свой английский. В Москве окончила лингвистический факультет Международного университета. Жила в квартире, купленной отцом.

«Она всегда была достаточно эгоистична, — признается ее мать. — Ей нравилось общаться с людьми активными, красивыми, веселыми, немножко не нашего круга. Для меня это было в диковинку. Я нерешительная, закомплексованная. Все время кажется, что не знаю того, сего, не справлюсь, недостойна... А Даша знает все. И всегда идет напролом. После Америки она стала еще проще относиться к жизни. Нет проблемы — хорошо, есть проблема — она ее решает. Надо улыбаться, общаться с людьми весело, бодро, и тогда у тебя будет много друзей. Это все здорово, правильно, но я так не умею...»

Тут, конечно, угадываются отцовские гены.

Некоторые события в жизни Даши отчасти напоминали сказочные, но с привкусом горьковатым. Ее мать, Ирина Бразговка, сниматься начала с детства. Окончила актерский факультет ВГИКа. Считалась одной из самых красивых актрис Москвы. Оказавшись еще студенткой на концерте фольклорного ансамбля Дмитрия Покровского, была околдована тем, что увидела и услышала. После ВГИКа распределилась в полюбившийся ансамбль. Проработала там двадцать пять лет.

Как-то, в конце 1970-х, накануне отъезда Кончаловского из страны, ей позвонил актер Александр Панкратов: «С тобой хочет познакомиться Андрей Сергеевич Кончаловский...».

Ирина отказывала, пока не позвонил сам Андрей. Первая встреча произошла в Доме кино, и девушка сразу почувствовала, какого рода интерес испытывает к ней известная личность. Было ясно и то, что все это скоро закончится, что она просто маленький эпизод в его жизни.

В более поздних многочисленных интервью Ирина Владимировна признается, что особенным в Кончаловском ей показалось все. «И в глазах огоньки, и улыбка совершенно удивительная, и голос — вкрадчивый, бархатный... Но больше всего мне нравилось, что он умный. Нормальный мужчина, как все — я имею в виду определенные отношения, но за этим стоял очень мудрый, глубокий человек. Он говорил, что на самом деле хотел бы стать доктором. И мне кажется, из него вышел бы хороший врач. Помню, однажды я к нему пришла, Андрей поднес руку к моему лицу, и я вдруг почувствовала жар. У него руки излучают какие-то биотоки — врач из него точно получился бы. Психиатр...»

Она не пыталась занять в его жизни какое-то особое место, соперничать с другими его женщинами. Радовалась тому, что есть. На людях вдвоем они появлялись редко — и это ей нравилось. Но с матерью Андрей Ирину познакомил. В этом, возможно, было безотчетное сравнение новой подруги с эталоном, каким для него всегда оставалась мать.

Ирина признается, что с Кончаловским она никогда не была естественной, хотя тот держался просто. Но все связанное с его судьбой, семьей, фамилией не давало вести себя, как обычно. «Он был для меня далекой звездой, а в интимных отношениях это очень мешает. Но все произошло так, как должно было произойти, и я об этом абсолютно не жалею...»

За месяц или два до отъезда из страны Андрей оповестил о своем намерении и Ирину. Она уехала на гастроли, а когда вернулась, его уже не было. К тому времени они встречались довольно редко, потому, как ей казалось, что он хотел «обезболить расставание». «И все-таки я сильно переживала, было такое ощущение, что меня лишили дорогого мне мира. Нюансов не помню, потому что рождение Даши и ее страшная болезнь вышибли из головы все начисто...»

Девочка родилась в 1980-м, у нее обнаружили тяжелое вирусное заболевание. «Полгода мы провели в разных больницах. Через год болезнь вроде бы ушла, а потом все началось сначала. При переливании крови Дашу заразили гепатитом нескольких видов. Выкарабкивались мы очень долго...»

Почему же в трудный час не обратилась к отцу ребенка? «Было четкое ощущение, что это моя жизнь, мои проблемы, в них не виноват никто, кроме меня самой». Она и отца своей второй дочери, Саши, ни в чем не обвиняла, хотя претензии к нему были. «Если Кончаловский — очень красивая теория, то тут была полезная практика».

О Даше Андрей (к тому времени у него появились еще две дочери — Наталья и Елена) узнал в год своего 60-летия.

Род занятий Ирины сильно изменился. Поскольку жили очень трудно, приходилось заниматься ювелиркой. Потом она устроилась на фармацевтическую фабрику, освоила профессии секретаря, менеджера... «Дети выросли, мы жили втроем, дружной такой семейкой. Поэтому звонок Кончаловского я восприняла как катастрофу: было совершенно очевидно, что в семье начнется если не война, то полный разброд и шатание...»

Андрей и Ирина встретились. Ей казалось, что он не очень верит, что Даша его дочь. Но сама она никаких требований, а тем более претензий не выдвигала. Разговор завершился предложением Кончаловского помочь дочери получить нормальное образование в Америке.

«Но для этого Дашке надо было выучить английский язык. Мы нашли лучшие языковые курсы в Москве. Даша начала учиться, донимая меня вопросами: «Откуда деньги?». Я поняла, что мое молчание странно и смешно, и все ей рассказала. Она тут же побежала с этой новостью к Сашке, не пощадила сестру. Вместо радости — оцепенение: что дальше? Как мы будем жить?

...Даша, естественно, хотела общаться с отцом. А дистанция-то была очень велика. Это потом она стала сокращаться, а тогда... Кончаловский ей признавался: он не верит, что она его дочь. Не часто, но пару раз об этом говорил...»

...Ирину Андрей не видел семнадцать лет. По его словам, именно от нее он узнал всю историю мытарств женщины после их расставания. Узнал и о болезни дочери. О том, как у Ирины появился мужчина, ставший отцом Дарьи, а у девочки — сестра. О том, как мать заметила, что старшая дочь уж очень пристально интересуется творчеством режиссера Андрея Кончаловского. Продолжение истории услышал уже из уст самой Даши. Записал на магнитофон. А потом перенес в свои воспоминания. Более всего Андрея тогда поразило, что девочка лет в пятнадцать, без чьей-либо подсказки со стороны, стала серьезно интересоваться его творчеством и даже изучать его. Когда начал звонить им, девочка уже, конечно, узнавала. По голосу. И ее мучила обида, что отец не интересуется, кто поднимает трубку...

В тот момент, когда он встретился с Ириной после стольких лет разлуки, ему было все равно, его это дочь или нет. Он думал о том, что если женщина в течение стольких лет не позволила ему узнать, что имеет от него ребенка, то для него теперь уже и не важно, чья эта дочь. Но сделать что-то для девушки хотелось... Однако отцу было страшно увидеть дочь, отделенную от него такой дистанцией. Он очень волновался, откладывал встречу...

«Когда готовил на Красной площади действо к 850-летию Москвы, я очень хотел, чтобы Ира с Дашей пели в этом шоу. Попросил пригласить их, когда увидел Дашу, сразу понял, что это моя кровь. Вот так неожиданно у меня оказалась семнадцатилетняя, взрослая, умная, обаятельная, красивая, замечательная дочь. Я отправил ее учиться в Америку...»

Ну, чем не кинематографическая сказка в духе текущего столетия? «Почти неправдоподобная история», признается и сам ее непосредственный участник.

2.

Начинался новый период жизни. «Сибириада» была мостом ТУДА. Но в то же время хотел встряхнуть современное ему отечественное кино. Объективно — встряхнул. Заметили ли? Пожалуй, нет. «Плита» не шелохнулась. Но звание Народного артиста РСФСР он, тем не менее, получил...

В 1978-м, за год до выхода «Сибириады», ему довелось быть членом жюри Каннского кинофестиваля. Это было похоже на рекогносцировку местности, куда предполагалось отбыть.

На кинофоруме, где было предъявлено лучшее, его более всего поразила картина Эрманно Ольми «Дерево для башмаков». Снят был фильм на ничтожные деньги с участием непрофессиональных актеров, игравших, по сути, самих себя. Бесспорный победитель фестиваля, этот фильм был близок советскому режиссеру «бесконечным гуманизмом», точностью выбора типажей на главные роли, достоверностью атмосферы жизни этих людей, «простотой и бесхитростностью». Тут, пожалуй, обнаружились и его исконные предпочтения в искусстве как таковом. Характерно, что на фоне гуманиста Ольми Кончаловский абсолютно не принял картину «Прощай, самец» другого итальянца, Марко Феррери, из-за ее «претенциозности и безнадежности».

Подводя итог своим наблюдениям над мировым кинопроцессом, режиссер предсказывал тогда появление интересного кино в странах, испытавших важные общественные перемены, — в Греции, Испании, Португалии.

«Сибириада», оказавшаяся в тех же Каннах год спустя, начиналась летом 1974-го.

Кончаловский как раз собирался делать экранизацию русской литературной классики с Лоллобриджидой в главной роли. Но прекрасной итальянке пришлось отказать, за что она запустила в режиссера только что снятым с ноги сапогом.

Кинопоэма повествовала о двух старинных родах — Соломиных и Устюжаниных. «Соломины — крепкие люди, накопители, строители, охранители нажитого и приобретенного. Устюжанины — бунтари, мечтатели, вечные искатели правды. Но и те, и другие нужны истории, все они имеют свою правоту, все делают свое полезное дело — одни тем, что строят, другие тем, что разрушают. Это две стороны единого процесса: невозможно разрушение, если не было уже построенного, как невозможно строительство нового без разрушения отжившего. Соломины и Устюжанины ненавидят друг друга, но не могут друг без друга жить. И из этой любви-ненависти, из единства противоположностей, из столкновения правд, из ошибок, вольно или невольно совершаемых каждым в борьбе за свою правоту, и рождается драматический накал фильма, движение его сюжета».

Съемки начались в Томской области. Искали обобщенный образ всей Сибири.

В 1978 году режиссер говорил, что драматизм картины вытекает из «конфликта между цивилизацией и природой». «Эта картина многому меня научила. Она потребовала выхода на иной пласт размышлений — о человеке и среде, породившей его. Нефть, как и все прочее, на что направлены усилия производства, не самоцель. Она лишь средство сделать жизнь на земле лучше. А это значит, что она должна способствовать прогрессу в человеческих взаимоотношениях — между человеком и человеком, между человеком и природой».

В постсоветское время он так комментировал материал фильма: «Еще не было Чернобыля, но результаты неграмотной политики уже давали кошмарные плоды. Именно тогда я открыл для себя работы Александра Чижевского, ученого, десятилетия проведшего в ссылке, не публиковавшегося, не переиздававшегося. Он писал о неразрывности связи человека и космоса, о «земном эхе солнечных бурь», о взаимосвязанности существования человека, его психологии с породившим его миром...»

Съемки проходили с 1976 по 1978 год. Вот воспоминания некоторых участников.

Людмила Гурченко (Тая Соломина в зрелом возрасте) о своем первом съемочном дне — после тяжелейшей травмы на советско-румынском фильме «Мама»:

«...Я первый раз стояла без палки... Здесь, в картине, долго переносили сроки съемок — ждали, когда я начну ходить. В этой группе я еще никого не знала, с палкой стыдно было как-то приезжать. И вот я в первый раз стою без опоры.

Я потеряла форму, чувствую себя совершенно беспомощной. В ноге сидят шесть шурупов и титановая пластинка — они держат осколки сломанной ноги, и я думаю о них постоянно.

Нога болит нестерпимо. А мне сейчас нужно быть победоносной, эксцентричной, разбитной и завлекательной. Мой партнер

(Михалков) моложе меня на десять лет. Теперь ему тридцать, он сильный, красивый, здоровый. Нам сейчас предстоит дуэль-состязание, мы должны вот-вот сойтись в сцене и подняться на самую высокую ноту, попасть в «жанр».

Нет сил доказывать, нет желания. Такая разбитая, хочется скорее лечь...

Стою за домом. Меня никто не видит. Отсюда я пойду на камеру, навстречу роли, партнеру, людям, которые мне потом станут родными, навстречу режиссеру, который заставит меня писать про папу и мое детство. Ой, ну не могу... ну нет же сил...

— Ты прекрасна, ты самая красивая. Ты все можешь, все. Не думай об этом, пусть твоя героиня хромает. Это даже интересно. За двадцать лет с человеком Бог знает что может произойти, а тем более с ней. Ты моложе выглядишь, чем он. Посмотри, у него уже и складки у рта, и лоб... Ты не бойся, дави его. Возьми его и задави — ты же актриса! Раскрепостись, делай, что хочешь. Захочешь закружиться — кружись, отвернись от камеры, смотри в камеру — что хочешь. Для этой сцены мне пленки не жалко. Ну, давай, милая моя, красавица моя... Я тебе доверяю полностью — делай что хочешь, в любую сторону, — говорил, отходя все дальше и дальше, режиссер.

Какой он красивый, как прекрасно улыбается. Какие прекрасные люди живут на земле! Я посмотрела на себя в деревенское окошко. Свет падал мягко, теней под глазами не было. А я вроде сейчас действительно ничего, вполне, а? Ведь он прав — я и пою, и играю! Почему я все время в себе копаюсь, сомневаюсь? Что это со мной? На улице жарко, а по спине, между лопатками, поползла ледяная струйка. Вот и во рту пересохло, вот уж и забил озноб. Началась знакомая трясучка — уже сигналит актерский профессионализм моему разбитому больному организму, что он уже готов... Сейчас, сейчас, подождите. Я сейчас соберусь... Я вспоминаю, что кумиром Таи мы с режиссером решили сделать звезду пятидесятых годов Лолиту Торрес.

Мотор!..»

Каскадер Николай Ващилин вспоминает о разработке с режиссером сцен драки на берегу, войны, взрывов на нефтяной скважине и гибели в огне героя.

«Так творчески и доброжелательно я еще не работал ни с одним режиссером за десять лет. В июле 1976-го начались съемки в Твери. Андрон определил мне несколько дней для репетиций драки на берегу с актерами Сергеем Шакуровым, Виталием Соломиным, Александром Потаповым и Леонидом Плешаковым.

По замыслу Андрона, все должно было сниматься одним кадром, с использованием внутрикадрового монтажа. Экспрессию драки в кадре было решено подчеркнуть опрокинутой корзиной с живой прыгающей рыбой. Рыбу привезли, она оказалась свежей, но неживой. Когда посмотрели материал, драка тоже была без нерва. Рыбу Андрон велел пожарить со сметаной и устроил маленький пир. Приехала Лив Ульман и какие-то французы. Я был приглашен на ужин. Появился Никита Михалков и, увидев меня за столом, спросил Андрона, кто я такой. Я чуть не вышел из-за стола. Андрон одернул Никиту и уговорил меня не обращать на него внимания.

Обдумав материал, я предложил Андрону сцену драки переснять, внес предложение разжечь на берегу костер и уронить туда героев, потом за это «порвать» Устюжанина и убить его веслом, но, промахнувшись, залепить удар своему брату, и т. д., и снимать все одним кадром, но с руки, двигающейся камерой... Пересняли. Вышло замечательно.

Главная трюковая сцена фильма — взрыв на нефтяной скважине. Андрон хотел снять что-то невероятное. Гибель Алексея в сценарии была прописана как конец света, проваливался герой вместе с трактором под землю, в горящий ад.

Я ничего сверхъестественного предложить Андрону не мог. Работа с огнем была и остается самой сложной и опасной не только для кинематографа...

Ситуацию спасли операторы. Леван Пааташвили... предложил кадры комбинированных съемок монтировать с натурой на фоне ночной темноты. Да к тому же вся земля была залита водой и давала живописные блики огня. В итоге снимали общий план основного пожара в Тюмени, взорвали «фок» с тонной бензина... А сцены пожара с людьми снимали во дворе «Мосфильма» на фоне забора, завешанного горящей паклей. Темнота, блики в лужах, горящий забор на фоне создали на экране атмосферу ошеломляющей катастрофы...

...За годы работы на «Сибириаде» я приобрел статус высокого профи и получил приглашения на многие известные фильмы...»

Актер Сергей Шакуров (Спиридон Соломин) убежден, что в постсоветское время такую картину уже «поднять невозможно». «Она по тем временам чудовищно тяжелая... И режиссер с этим замечательно справился и работал очень легко. Да, как ни странно. Есть очень мучительные режиссеры, которые все вымучивают и себя в том числе. И с языком на боку потом заканчивается каждая съемка. А Андрей работал очень легко, весело, играл в футбол с нами в перерывах между съемками».

3.

«Романс о влюбленных», а вслед за ним и «Сибириада» предугадывали события, когда социальная активность (или, напротив, пассивность) простого советского человека должна была определять как сего собственную, так и судьбу страны. Уже в 1980-е годы и следующие за ними десятилетия.

Отработанная социалистическим реализмом фабула сибирской эпопеи преодолевалась. «Сибириада» следовала тем же принципам слоеного пирога, что и «Романс». «Ода Сибири» была песнью, но не славящей государство. Она была, скорее, реквиемом природе — и в человеке, и вне его.

Сибирь — метафора природы. В более узком понимании, речь шла о естественной родине героев (Соломиных и Устюжаниных), из которой они вырывались в странствие, грозящее невиданными и часто для них катастрофическими превращениями.

Эпос, поэма подразумевают развитое героическое начало. Героями социалистических преобразований кажутся в первое время Николай Устюжанин и Филипп Соломин. Но их богатырство как исполнителей государственной воли терпит крах, невозможный в «чистом» советском эпосе. В «Сибириаде» традиционная героика строителя коммунизма развенчивается. Она образ исчерпанной социальной формы.

В «Сибириаде», как и в «Романсе», гибель героического начала трагедийна. Гибелью Алексея Устюжанина в пламени нефтяного фонтана, вырвавшегося из недр Елани, исчерпывается его слепая роль исполнителя государственной воли. Его смерть — символ исторического завершения эпохи отечественного социализма.

Фильм Кончаловского прощается с отечественным социализмом как с изжившим себя социумом, а потому и погибающим в пламени собственных слепых преобразований. Поглощает этот социум, по образной логике картины, взбунтовавшаяся против него природа. Вечная натура погребает конечную декорацию.

В противовес слепому героизму простого советского человека авторы дают образ героики иного типа. Если эпос как таковой смотрит вперед, утверждая приоритет государственного начала, то «Сибириада» обращена назад, к природным первоосновам человека.

Фильм Кончаловского героизирует Елань — проклятую, по выражению самих еланцев, но все же родную землю. Сибирская природа в фильме говорит своим, нечеловеческим, голосом. Ее возмущенная «речь» — это и «грифон», ведущий к судному пожару, поглотившему еланского отпрыска.

Елань, родовое место Соломиных — Устюжаниных, — область скрепления человека и природы пуповиной взаимопользования. Режиссер подчеркивает, что село в «Сибириаде» — «архетип всей жизни». «Вырывание из села, насильственное или добровольное, есть вымывание из жизни, прямой путь к смерти».

Афанасий Устюжанин слышит, как жалуется тайга на «беззаконную» дорогу, которую он торит «на звезду». Но если отец в состоянии внять жалобам родной природы, то его отпрыску Кольше это уже не под силу. Для него сосны не «сестрички», а просто — глухое и немое дерево. Тем более зыбка связь следующего потомка Устюжаниных, Алексея, с Еланской землей. Весь фильм пронизан тревогой, порожденной неизбежностью отрыва человека от материнского тела природы, а уже поэтому — и родины.

Образы звезды и дороги определяют суть коллизий фильма: «Дорога на земле, звезда в небе, падают со стоном деревья, звезда задает дороге направление и приводит ее на Чертову Гриву, в непролазную топь, к дьяволу. Дорога, которая должна была увести из этой деревни к жизни, приводит в самую смерть. Герои жаждут вырваться отсюда. Но убегание ведет к смерти. Те, кто покинул село, погибают...».

«Сибириада», как и «Курочка Ряба», как «Дом дураков», утверждает консервативную приверженность дому в любых жизненных испытаниях. Тревога неизбежного отрыва всякий раз подкрепляется обрядово-свадебной песней, сопровождающей уходы-бегства героев. Песня, по отечественной традиции, такова, что в ней звучит и оборотная сторона свадьбы — обряд погребальный. Причем погребальная тема не найдет в фильме существенного опровержения. Похороны девичества и невозможность для невесты стать супругой — одна из сторон развития женского образа в картине. Женщина (Настя ли, Тая ли) так и останется брошенной, как бы выключенной из естественного цикла.

Соломиным и Устюжаниным не суждено обрести единство в браке. Их брак всякий раз оборачивается похоронами. Не исчезает противостояние, которым открывается фильм. Не только противостояние классовое, но и природное. Противостояние мужского (отцовского) и женского (материнского) начал, обострившееся в ходе исторических коллизий.

«И здесь, как и везде, в вопросе о свободе и рабстве души России, о ее странничестве и ее неподвижности, мы сталкиваемся с тайной соотношения мужественного и женственного. Корень этих глубоких противоречий — в несоединимости мужественного и женственного в русском духе и русском характере. Безграничная свобода оборачивается безграничным рабством, вечное странничество — вечным застоем, потому что мужественная свобода не овладевает женственной национальной стихией в России изнутри, из глубины. Мужественное начало всегда ожидается извне, личное начало не раскрывается в самом русском народе...» (Николай Бердяев)

Соломины — консервативная прочность материнского очага, почвы; стремление удержать, остановить, в пределе — оставить в самой земле (убийство Спиридоном Соломиным Николая Устюжанина) разрушительную, увлекающую от ворот Елани энергию Устюжаниных («чертова племени»).

Устюжанины — воплощенная энергия отцовского (мужского) социального порыва, обернувшаяся фанатизмом исполнителей государственной воли, во имя миражного Города Солнца (тоже ведь — звезда!).

За революционные порывы платят дорого: насильственным отрывом и погибелью в чужих краях. Николай Устюжанин, увлекая с собой Анастасию Соломину, образно говоря, сжигает ее в огне своей революционной страсти. В судьбе Анастасии отзывается судьба Аси Клячиной. Хромоножка отдает себя Степану, обрекая тем самым свое дитя быть хронической безотцовщиной.

И дитя Насти — Алексей, человек вне рода и племени, — доходит до предела сиротской доли, как и мать, гибнет в огне революционного преодоления натуры.

Алексей, не успев познакомиться с Таей Соломиной, поспешно оставляет ее и устремляется, подобно отцу, в объятия государства, отправляющего своих сыновей на убой под чутким присмотром Отца народов. Возвратившись на материнскую землю в шестидесятые, Алексей, надорванный сиротским странствием, демонстрирует дурную холостую силу: сковыривает трактором вековые ворота Елани. А позднее так же поспешно и жалко овладевает Таей. И, конечно, предает ее, за что получает от ворот поворот. После этого и работа «бурилы» не ладится. Тоже ведь своего рода насилие над матерью-землей. На буровой происходит авария.

В фильме речь не только о натуре женщины, но и о женщине как натуре. Брачная тяжба Соломиных-Устюжаниных — это спор природы и государства. Открывается трагедия так и не состоявшегося в новых социально-политических условиях брака между природой и социумом.

Крушение утопических космостроительных претензий рода Устюжаниных намечается еще в истории Афанасия. Он творит свой эпос как настоящий богатырь: превращает тайгу в мощеную дорогу. Но вместе с бревнами и себя укладывает туда, цели так и не достигая. Он оставляет полуразрушенным свой дом, подтачивает и свою, и сыновнюю родовую плоть, обрекая мальчика на жизнь в абсолютном сиротстве.

Афанасий — последний бунт первобытного богатырства. Манящая звезда еще не Город Солнца. Афанасий и боевик Родион Климентов (Достоевский + Платонов?) движутся из разных социально-сословных пространств, но — в одном направлении, к бунтарскому истреблению традиционного уклада. Родион, поманив мечтой маленького Николая Устюжанина, становится невольным «могильщиком» Афанасия. Ведь он первый распахивает ворота села для ухода.

Смерть Афанасия — конец архаичной богатырской сказки. Конец досоциалистической предыстории крестьянства. Конец мифа и начало эпоса. Нового Святогора погребают в муравейнике. Коллективное пиршество насекомых, потребляющих бездыханное тело богатыря Афанасия, рифмуется с «человейником» коллективистской эпохи, где такому богатырству уже нет места. В фильме муравьиное погребение Афанасия сменяется хроникой других похорон — похорон Ленина, из-под гроба которого выныривает новая государственная армия, армия «тонкошеих вождей» во главе с их Хозяином.

Действующее лицо нового витка истории (1930-е годы) — Николай Устюжанин. В наследство от кровного отца он получает сиротскую маету по звезде. А от «духовного» отца, боевика Родиона Климентова, — мечту об утопической цивилизации Города Солнца. За Николаем закрепляется доля бездомного мечтательного странника и одновременно исполнителя государственной воли.

Николай — тень крепнущего тоталитарного монстра. Именно таким — миражом, дурной тенью — всплывает он в ядовитых испарениях Чертовой Гривы перед замутненным взором перепуганного сына. Одурманенный таежным болотом мальчик не узнает в этой тени отца. Сама природа как будто обнажает подмену: вместо родной крови Алеше видится призрак, передавший (предавший) отцовскую за сына ответственность государству.

Алексея Устюжанина, по выражению Таи Соломиной, мать родила, да не облизала. Он целиком дитя государства — детдомовец. И родная земля не принимает Алексея, грозит ему смертью. Образ смерти то и дело возникает в кадре к финалу картины, как бы сопровождая Алексея. Прозрение ужаса бездомья наступает, когда его отвергает женщина, в утробе которой уже начал свой путь ребенок Устюжанина.

Предрекающая погибель тень отца, смешавшись с образом Хозяина, явится Алексею в болотах Чертовой Гривы уже в 1960-е. В фильме этот эпизод окрашен мистической тревогой, рифмуясь с походом отца и сына в эти же странные и страшные места еще в 1930-е.

Трагедия конкретной человеческой судьбы Алексея Устюжанина в том, что ему не дано увидеть дитя, которое носит в себе Тая. Он весь остается в том социуме, которым и был порожден. Под его обломками и гибнет.

События «Сибириады» хронологически завершаются 1964 годом, ясно обозначившим конец недолгой оттепели. В этом же году явятся на свет дети Алексея Устюжанина и Таисии Соломиной, Степана и Аси Клячиной. В момент выхода на экраны фильма (1979) этому поколению исполнится 15–16. А в нравственно-психологической атмосфере общества, несмотря на всю унылую убедительность застойной «стабилизации», уже будет витать предчувствие катастрофы, уловленное художником еще в первой половине 1970-х.

«В «Сибириаде», — комментирует уже в конце 1990-х свой фильм режиссер, — все жертвы. Картина о том, как история, революция, веления государства, цивилизация за волосы отрывали человека от родного дома, от земли. Он стал перекати-полем, ценности этой земли оказались ему чужды и недоступны. Вот тогда он эту землю и сжег.

...Это была история о том, как техническая цивилизация убивает культуру, природу и человека. Когда в финале картины нефть сжигает все — кресты на кладбище, могилы, где покоятся поколения жителей села, отцов и дедов героев, из глубин земли, от самого ее духа возникают души погибших и похороненных — для меня совсем уже мистический и поэтический ход, своей сущностью отрицающий идею госзаказа и политпропа».

Комментарий сильно запоздал, конечно. Что же касается носителей официальной идеологии, они исполнению заказа уже тогда отчасти изумились. Директор «Мосфильма» Н. Т. Сизов после просмотра первых двух серий вызвал к себе постановщика и сказал: «Ты понимаешь, что ты делаешь? Ну, хорошо, я на пенсию уйду. А Филиппу (*Ермашу.* — *В. Ф.*) куда деваться, ему как это расхлебывать?..»

И Косыгину — после «дачного» просмотра членами Политбюро — картина, в свою очередь, не понравилась. Премьер вынес следующую резолюцию: «Мы не позволим Кончаловскому учить нас, как развивать индустрию и строить социализм».

Но кому-то из Политбюро фильм все же пришелся по душе. Может быть, Андропову? Во всяком случае, его заместитель, начальник идеологического отдела КГБ Бобков, заключил: «Хорошая картина. Глубокая. Ничего антисоветского в ней нет».

Остановлюсь еще на самом, может быть, сомнительном образе картины — партийном функционере Филиппе Соломине. Секретарь обкома партии, по своему соломинскому (женственному) происхождению, склонен к терпеливому приятию жизни. Нелегко ему даются индивидуальные решения, стремление говорить от себя, а не штампами советского новояза. Филипп Соломин должен разделить с Алексеем Устюжаниным груз трагедийной вины за слепую веру в нерушимость развитого социализма. Именно ему и суждено принять последний парад-прощание родных душ, когда запылает кладбище Елани. Прозрение-постижение невозможно без катастрофы самосожжения, без жертвы «проклятой, но все же родной» земли.

В этой катастрофе — образ последних времен системы, которой Соломин служил. За этим образом зритель увидел бы, если бы хотел и мог увидеть, конец всякой государственности, производимой на отечественной «кухне». Как видит (прозревает) это государственный человек Филипп Соломин, когда для прощения и прощания являются души его народа из глубин самых древних исторических времен и по время его собственной жизни.

Финальный эпизод на Еланском кладбище переходит в монтаж хроникальных кадров, запечатлевших трогательные встречи-расставания разных времен и разных народов. Последние кадры — объятие мужчины и женщины. Зритель оказывается как бы у начал бытия, когда еще ничего не случилось — и все впереди.

4.

В Каннах фильм соперничал с «Апокалипсисом» Копполы, который выразил готовность поделить с Андреем «Золотую пальмовую ветвь». Он уже знал, что ее получает, о чем доверительно и сообщил коллеге.

«Жюри разделилось. Говорили, что нельзя делить «Золотую пальмовую ветвь» между Россией и Америкой, надо дать европейской картине. В итоге разделили ее Коппола и «Жестяной барабан» Шлёндорфа. Франсуаза Саган, в тот год президент жюри, заявила, что уйдет из жюри и устроит пресс-конференцию, если «Сибириада» останется без «Золотой пальмовой ветви». Чтобы как-то успокоить ее, а, возможно, и кого-то еще, спешно придумали Гран-при спесиаль. Такого до «Сибириады» не было...»

«Сибириада» — завершение отечественного периода кинематографического творчества Кончаловского. Созданное им после «Аси» не стыковалось ни с официальной, ни с либеральной идеологией, оформившейся на короткой волне оттепели. Неосознанно отвергалось главным образом мировидение его низового героя. Либералы не приняли его, потому что таким не знали. Таким он выламывался из представлений, воспитанных опытом оттепельной борьбы за демократические приоритеты.

Кончаловский не ограничился освоением психологии низового человека и отношениями с породившей его средой, как это гениально делал Шукшин. Кончаловский взял «шукшинский тип» вместе с его культурной почвой в контексте культуры мировой. Он посмотрел на него глазами «немца». Иными словами, взглядом человека, освоившего и другой опыт жизни и отношения к миру, для крестьянской культуры страны, в известном смысле, чужого, но плодотворно чужого.

Передовая общественность если и в состоянии была воспринять в отдельности Тарковского, вечно противостоящего начальству, и Шукшина, приговоренного к «съехавшему с корней» крестьянству, то стык полярных полюсов отечественной культуры в одном флаконе кинематографа Кончаловского она на ту пору осилить не могла.

ЧАСТЬ ЧЕТВЕРТАЯ

Сотворение мира. Антитезис

*...Он беспощадно современен, но что-то человеческое
живо в нем. Он сам освободился от своей огромной семьи,
бывших и действительных жен, детей, полудрузей,
знакомых и способен жить так, но, видно, не может
человек, чтобы к нему совсем не поступало тепло
из окружающего...*
Юрий Нагибин о Кончаловском, июнь 1985 г.

глава первая

Человек в белых носках сероватого цвета

*...Я тогда еще не знал, что если носки белые,
то должны быть ослепительно белыми...*
Андрей Кончаловский, 1999 г.

1.

Еще ближайшие предки Андрея, как мы помним, свободно пересекали границы своей страны. С 1930-х как отрезало. Уже первая волна эмиграции ощутила резкий дискомфорт, хотя для нее европейское пространство никогда не было чужим. Отбытие за границу эти люди воспринимали как изгнание. Складывался комплекс, с которым вжиться в чужое пространство, пусть и гостеприимное, было непросто. Александр Вертинский, например, говорил, что эмигранты этой волны «стали настоящими бродягами».

С утверждением советского режима Россия оказалась для своих заграничных чад вдвойне потерянной. Для насильственно убывших превратилась в «бывшую» родину. Оставшихся замуровали, лишили глубокого осознания своего, отрезав от чужого. Во второй половине 1960-х отбытие за рубеж либерально-демократической интеллигенцией положительно воспринималось только в форме политического изгнания. На законно убывшего взирали как на идейного отступника, предателя. И власти смотрели на такой феномен с недоверием, как на лицо, подозрительное по определению. Уезжает, значит, недоволен, держит фигу в кармане...

Когда со средины 1980-х годов замаячила возможность просто путешествовать в те пределы, стереотип восприятия отбывающих за бугор, сформированный советским образом жизни, преобразовывался все же медленно и трудно.

Киновед Владимир Дмитриев, размышляя в 1988 году на темы rendez-vous отечественной кинематографии с пресловутым Западом, утверждал, что там не нуждаются в талантах наших актеров, режиссеров, операторов. Вспоминая об эксклюзивной попытке Кончаловского, снявшего к тому времени в Америке четыре полноценных картины, киновед заметил с акцентированной печалью: «Мне очень хочется, чтобы Михалков-Кончаловский сделал картину о Рахманинове, поскольку ничто так не разрушает художника как невозможность воплощения одного из главных замыслов жизни. Но, признаюсь, я заранее боюсь американской картины с американским актером в роли Рахманинова, американской конструкции биографического фильма, американского взгляда на русский характер. Словом, боюсь тех же правил игры, ленты-полукровки».

«Рахманинова» режиссер на момент написания этих строк еще не снял. Только собирается. Но когда в 1992 году появился его «Ближний круг», всецело обращенный к отечественной проблематике, он вызвал среди соплеменников, как помнит читатель, именно ту реакцию, которую предсказывал Дмитриев. Да и в последующие годы созданное режиссером воспринималось как «чужое письмо» равнодушного к «нашим» болям иностранца. Может быть, «письмо», действительно, было чужим исторически запоздавшему в своем взрослении соотечественнику режиссера?

Расширение профессионального полигона было, наверное, не из последних аргументов в решении Кончаловского, когда он покидал Союз. Но было и другое. Мы помним про «обожженность» Западом после знакомства с Венецией и Парижем. Он даже дачу пытался отделать на парижский фасон, что оказалось неосуществимым. Помним и про «рабское чувство униженности перед начальником», от которого трудно было избавиться на родине. От желания сказать начальнику: «Пошел ты...» Но ведь и это «признак рабства». «Когда люди разговаривают на равных, ни у кого не возникает желания посылать собеседника „на" или „в"».

Андрей «отыгрывался», получив право, при жене-француженке, законных выездов за границу. Когда официально это свершилось, он, полный ощущения вдруг явившейся независимости и свободы, где-то в горах отплясывал лезгинку. Любые невзгоды *там* казались пустяком на фоне общения с кинематографическим начальством, вроде Филиппа Ермаша, на родине.

Кончаловский, на первых порах, вовсе и не собирался связывать свою творческую судьбу с Голливудом. Был готов сценарий, написанный с Фридрихом Горенштейном. Наладились деловые связи с Симоной Синьоре. Была договоренность с французскими продюсерами. И тут с «легкой» руки Даниэля Тоскана дю Плантье, который должен был помочь финансами, пополз слух, что Кончаловский — агент Лубянки. Как полагал Кончаловский, это была реакция на его вовсе не восторженные слова о последних фильмах Тарковского. А дю Плантье Андрея Арсеньевича как раз «боготворил и считал, что не любить того могут лишь завистники и эмиссары КГБ». Деньги на фильм со звездой Кончаловский не получил. Да и Синьоре как-то засомневалась, сможет ли у него сняться.

Продюсер, прокатчик, актер, критик, в последние годы глава Unifrance Даниель Тоскан дю Плантье, скончавшийся в феврале 2003 года, написал книгу о своей профессии продюсера — «Bouleversifiant» («Опрокидывающий представления»). Там в двух-трех абзацах он рассказывает о давних связях с Тарковским. В частности, и о том, как во время неофициального визита в Советский Союз он пытался вытащить за рубеж «Зеркало».

«Используя шантаж и большое количество долларов, я получил фильм, а также добился приезда режиссера на премьеру в Париж. Я встречал Тарковского в аэропорту. Он выехал на Запад впервые, был бледен, одет в костюм, который был ему явно велик, и тотчас стал умолять не устраивать публичные обсуждения. Тарковский боялся, что не сумеет вернуться домой...»

В январе 1978 года Тарковский на самом деле был на премьере «Зеркала», организованной фирмой «Гомон», после чего в апреле слег с инфарктом. Но это был отнюдь не первый выезд режиссера на Запад.

Историю с фиаско во Франции Кончаловский прокомментировал следующим образом: «Бывает больно, бывает обидно. Но когда ты знаешь, что подозрение никак тобою не заслужено, оно больнее и обиднее в тысячу крат. Никому ничего не объяснишь. И подозревающие к тому же имели кое-какие основания: из советских (или бывших советских) за границей в то время жили или диссиденты, или агенты КГБ. Практически я был первым нормальным человеком, нормально приехавшим жить за рубеж, не клял Россию, не хвалил ее — просто нашел способ уехать...»

Решили попытать счастья в Америке с несостоявшейся во Франции картиной. Но и здесь в смысле известных подозрений было не все гладко. Режиссер долго сидел без работы. Приходилось подрабатывать. Преподавал теорию и историю кинодраматургии в каком-то маленьком американском университете. А тут вдруг появилась публикация «Выкормыш КГБ» — в «Лос-Анджелес Уикли» — с его большой фотографией на обложке. «Было так плохо, что я чуть на вой не срывался от бессилия. Что делать — оправдываться, каяться?..»

...В начале перестройки Михаил Горбачев спросил у Элема Климова, тогда занимавшего пост секретаря Союза кинематографистов, кто из работающих на Западе российских режиссеров представляет интерес. Ответ был: «Тарковский». Горбачев назвал Кончаловского. Климов категорически отверг: нет.

«Сегодня отношусь к этому спокойно, — говорил Андрей в мае 1998 года, — но тогда меня это действительно потрясло. Был и еще один эпизод, связанный с Элемом. Я вернулся в Москву, пришел в кабинет к нему и говорю: «Хочу снимать „Рахманинова“... — «Снимай. Только не в России. Здесь мы тебе этого сделать не дадим». Я чуть со стула не упал: как? Элем мысль развил: мол, ты нас бросил, когда было трудно, теперь не жалуйся. Я лишь спросил: «А Тарковский?» Климов пожал плечами: „Андрей — другое дело“».

2.

Заметную роль в дальних странствиях Кончаловского сыграла знаменитая американская актриса, сестра не менее знаменитого актера, продюсера, режиссера Уоррена Битти Ширли Маклейн, на которую так была похожа Елена Коренева.

Знакомство состоялось во время поездки режиссера в Нью-Йорк (подбирал документальный материал для «Сибириады») и при посредстве Лив Ульман. Вместе с Лив, которую пригласила американка, они оказались на концерте актрисы. Восхищенный ее танцевальным даром, Андрей преподнес Ширли трехкилограммовую банку драгоценной черной икры. Советский режиссер не предполагал, конечно, что совсем скоро Ширли Маклейн станет тем прибежищем, которое будет спасать и оберегать его, когда он сделает свои первые шаги вне пределов Отечества. Через какое-то время после этой первой встречи он позвонит ей и предложит сняться в «Сибириаде» в роли Таи Соломиной, которую потом в разные возрастные периоды сыграют Коренева и Гурченко. Ширли откажется.

И вот уже в Америке, когда Андрей ощутит «страшную пустоту одиночества — ни мамы, ни родных, ни друзей — никого», и на него навалится депрессия, Ширли появится. «Она вытащила меня из этого состояния. Отношения с ней для меня стали отдушиной, я нырнул в них...» В депрессивную пору он жил в гостинице, где в основном обитали звезды богемы. Режиссер описывает это место как мрачную крепость, в которой ему, под шум проливного весеннего дождя, приходилось писать сценарий, а перед ним лежало письмо матери о том, что нельзя жить без Родины, нельзя отрываться от дома...

С Ширли Маклейн он встретился на просмотре «Сибириады», который организовал для голливудских коллег актер Джон Войт, чтобы продемонстрировать уровень русского режиссера. Естественно, актриса отреагировала на свое сходство с Кореневой. Прошло время, Андрей и Ширли стали жить вместе.

«...Вокруг каждой звезды существует какое-то число людей, при ней пасущихся и кормящихся. Я как бы попал в ту же когорту, чем вызвал неприязнь к себе ее окружения. Появился новый человек, посягающий на их кусок. В это время я выпивал каждый день — от возбуждения и оттого, что возбуждение надо было погасить. Я вел себя как русский любовник. Часто ревновал Ширли, особенно когда выпивал. По натуре я человек независимый, устраивать через Ширли свою карьеру мне и в голову не приходило, я и сам себя считал звездой, хотя было ясно, что в Америке я никто. Я пытался работать. Писал для Ширли сценарий, получалось интересно, с отличной для нее ролью. Она выступала по всей Америке. Мы много раз ездили в Нью-Йорк, жили в Лас-Вегасе, в Неваде, на озере Тахо. Почти каждый вечер я ходил на ее шоу. Приятно было сидеть в самой лучшей ложе, с ледяным мартини в руке, слушать ее пение. „А теперь я пою, — каждый раз непременно говорила она, — для моего сладкого медведя"».

Чтобы держать уровень независимости, нужны были деньги. Он преподавал в университете Пепердайн, получал гроши. Заработанное тратил на обеды с Ширли. Нет, он не был содержанцем! «Я не так воспитан. Я — мачо. Американцы считали, что с ее помощью я пытаюсь сделать себе карьеру. Бесконечно это продолжаться не могло. Я сказал Ширли, что с меня хватит...»

Пройдет немного времени, и русский режиссер получит, наконец, предложение снимать в Голливуде полноценное кино. На его пути в американский период будут встречаться разные женщины, но едва ли в такой роли, в какой выступала Маклейн, — в роли необходимой опоры на время трудного освоения чужого, но все-таки желанного мира.

Андрей отправился в Америку из Франции с обычным советским заграничным паспортом, но как частное лицо. Никого не спрашивал, не ставил в известность, не регистрировался в консульстве. Он оказался в Голливуде с французами. Жил в доме художника-постановщика Тавулариса, работавшего с Копполой. Замечательно почти животное ощущение свободы, которое переживал на какое-то время прибывший в Калифорнию русский режиссер.

«Помню, я взял на кухне сэндвич, вышел в трусах из дома на улицу... Сел с сэндвичем на газон и понял: это моя страна. Здесь я буду жить. Было ощущение свободы и пространства. Это ощущение немыслимого пространства и немыслимой свободы каждый раз поражало меня в Америке...»

Гораздо позднее к нему на съемки «Гомера и Эдди» (1990) явится Юрий Нагибин для работы над сценарием о Рахманинове. Фильм снимался в штате Орегон, местах, по ощущению первозданности напоминающих Западную Сибирь. Обозревая пространство, писатель видел и реку, похожую на отечественную, и тайгу такую же, и чайку — и все это было беспартийным, в отличие от родного, российского. От осознания этого, признавался режиссеру Нагибин, на душе у него становилось гадко. Тогда никто, кроме Кончаловского, не мог ни услышать, ни понять этих переживаний писателя. Отношения их были достаточно близкие и доверительные. Тем более трудно было Андрею воспринять ту, совершенно «партийную» неприязнь, какую Нагибин изливал к его семье, к отцу в обнародованном своем «Дневнике».

В то же время из этих записей писателя видно, что никакие иные мотивы отъезда за границу, кроме частных планов и намерений, Кончаловским не владели. Безрезультатность попыток вернуть его назад была продиктована еще и его собственным нежеланием менять в своих планах что-либо. Вернуть, а вначале удержать очень хотели — с помощью того же «Рахманинова». На пышной премьере «Сибириады» Ермаш предлагал ему: «Сейчас запущу, если хочешь!..» Он отказался.

Резонанс, произведенный отъездом Андрея, имел две стороны. В официальных кругах — настороженность, попытка удержать, потом оставленная, а с перестройкой и вовсе канувшая в Лету.

Точка зрения либеральной интеллигенции в основном совпадала с позицией Элема Климова. Но многие из тех, например, кто работал на «Сибириаде», были искренне огорчены.

Вот какой обрисовал ситуацию в начале 1984 года тот же Нагибин: «...Очевидно, семья сплотилась против него и сумела перетянуть на свою сторону мать... И все же, надышавшись тем воздухом, невозможно вернуться в нашу смрадную духоту. И я начинаю думать, что он пойдет на все: на разрыв с семьей, потерю наследства, на смертельный риск, лишь бы не возвращаться к тому медленному самоубийству, которым является наше существование, точнее сказать, гниение».

Кончаловский «тем воздухом» начал дышать, образно выражаясь, еще до своего рождения как воздухом предков. И надышался достаточно, чтобы, живя в своем Отечестве, ощущать себя гражданином мира. Так случилось — и этого Нагибин, при всей его проницательности, не мог угадать, — что «гниение» вошло в ту фазу, когда не могли не произойти превращения. Словом, жизнь Андрея за границей не имела тех мрачных последствий, какие рисовал его суровый друг-писатель. Были другие проблемы. Получалось так, что с одной системой он расстался (расстался ли?), чтобы принять правила игры другой. Не сразу, но довольно скоро пришлось убедиться, что «Голливуд — тот же самый ЦК КПСС, только в зеркальном отражении». «Голливуд — это собрание хорошо выглядящих или старающихся хорошо выглядеть загорелых, наглаженных, наманикюренных перепуганных людей».

Сам он явился здесь с иллюзиями, но вполне основательными. Приехал с континента, где его уже признали. В 1978 году был членом жюри Каннского кинофестиваля. В 1979-м — реальным претендентом на Гран-при того же фестиваля. Полагал, что искусство в состоянии смести все преграды. В перевальные сорок лет он готов был строить свою американскую карьеру. Но выяснилось, что ничего из этого не имеет веса. А действуют аргументы совсем иного рода. Он рассчитывал на помощь здешних друзей. Поэтому прежде, чем отправиться к президенту «Парамаунта», попросил Милоша Формана написать ему рекомендательное письмо. У Формана к этому времени за плечами уже были «Полет над гнездом кукушки» (1975), получивший «Оскара», мюзикл «Волосы» (1979), «Рэгтайм» (1981). Он удивился, но письмо написал. Письмо не имело последствий.

Бывшему советскому режиссеру подсказали: хочешь построить карьеру, заведи бухгалтера, адвоката и агента. Все это нашлось, но взыскующий искусства продолжал жить по совковым законам. В конце концов, понял, что не умеет продавать свой талант.

В его окружении были такие же, как и он, неудачники. Жили весело, интересно, но работы ни у кого не было. Для Кончаловского, с его жаждой деятельности, это было трагедией. К тому же исчезали деньги. Замаячила депрессия. Какие-то средства добывались с помощью фарцовки. Из Москвы, куда он, правда, ездил нечасто, привозилась черная икра. Шесть килограммов — шесть тысяч долларов. На полгода этих денег хватало. Дома как такового, естественно, не было. Снимал маленькую комнатку за чертой Лос-Анджелеса. Ходил в одних и тех же джинсах. Купил подержанную машину.

Если бы не отсутствие работы, угнетавшее его деятельную натуру, то чувствовал бы себя вполне счастливым человеком. Опять же по причине неиссякаемой жажды жизни и ощущения (все-таки!) свободы. Он радовался поглощению впечатлений, приобретению опыта. Словом, учился — и это вселяло надежду, тем более что недостатка в идеях и творческой энергии не было. Угнетала смутность его гражданской ситуации. В Париже он написал в советское посольство заявление с просьбой выдать паспорт на постоянное проживание за рубежом, поскольку он хочет остаться на Западе. Это, кроме всего прочего, позволяло бы ему заключать зарубежные контракты, и окончательно прекращалась бы зависимость от советской системы.

3.

Наконец появился первый большой заказ. Режиссер был в полной к нему боевой готовности. Оказалось кстати желание актрисы Настасьи Кински, которой нравились фильмы русского режиссера, сниматься у него. Ей на ту пору было чуть более двадцати. Долгие странствия с семьей по миру позволили ей овладеть английским, немецким, французским и итальянским языками. Испанский и португальский она знала в рамках бытового общения. Известной в киномире актрису сделал фильм Романа Полански «Тэсс». Тогда ей было 18 лет. В 1979 году фильм вышел в Америке и получил шесть оскаровских номинаций. Ее снимали Коппола, Тобэк, Шрёдер в фильме ужасов «Люди-кошки». С таким багажом она пришла в картину «Возлюбленные Марии».

Но вначале Андрею предложили сделать с Кински спектакль по чеховской «Чайке», в котором позднее Заречную сыграет Жюльет Бинош, другое кратковременное увлечение Кончаловского.

Встретившись, режиссер и актриса направились в ресторан. Кончаловский напряженно прикидывал, хватит ли ему наличных ста долларов на обед с Кински. В разговоре выяснилось, что актрисе очень хотелось бы сняться у него. И он предложил ей уже готовый сценарий по «Реке Потудани» Андрея Платонова.

Гораздо позднее, находясь в России, Кински так рассказывала о фильме Андрея, о дружбе и сотрудничестве с режиссером: «Это особенный фильм, пронизанный любовью к человеку. Война уничтожает не только тех, кто погибает физически, — многих выживших она превращает в живые трупы, которыми руководит одно — желание мести. Что может вернуть к жизни солдата, переполненного тяжелыми военными воспоминаниями? Любовь — единственная сила, дающая человеку надежду, особенно в моменты, когда кажется, что жизнь закончилась... Кончаловский — очень близкий для меня человек... Меня всегда восхищала способность Кончаловского к сопереживанию. Когда мне было двадцать с небольшим, он помог мне понять, что невозможно всегда и во всем быть безупречной. Каждый человек имеет право на ошибку. Но важно помнить, что существует момент истины — когда каждое твое слово имеет значение, когда нельзя обманывать и бросать в беде. С Кончаловским связано одно очень дорогое мне воспоминание: мне тогда было двадцать два, мы оба работали в Америке, много общались, говорили о жизни, вере. Однажды он подарил мне православный крестик, украшенный фигуркой голубки. Я сказала, что хотела бы принять крещение, и Андрей отвез меня в маленькую русскую церковь в Пенсильвании. Меня крестил русский православный священник. Все произошло спонтанно. Я была очень счастлива...»

Замысел упомянутого сценария возник еще в середине 1960-х годов. Написан был позднее в соавторстве с французом Жераром Брашем, сценаристом «Тэсс» и французских фильмов Отара Иоселиани. Писался для Изабель Аджани. Но денег на съемку не дали. Все из-за слухов, что режиссер — агент КГБ.

Кончаловский с Кински отправились в Канны продавать сюжет. Состоялось знакомство с продюсером Менахемом Голаном, который согласился подписать контракт. Так началось сотрудничество режиссера с компанией The Cannon Group, которой вместе с Голаном владел и его кузен Йорам Глобус. Затем появились исполнители: Джон Сэвидж, Роберт Митчем, Кит Кэррадайн. Бюджет был небольшой — около трех миллионов долларов. Притом Кончаловский сильно удивил своих продюсеров, когда закончил картину на два дня раньше срока.

Режиссер работал как никогда ранее: «Двенадцать часов — это у группы, у меня — пятнадцать, три часа на репетиции, на отсмотр материала. Напряжение непередаваемое. Как в профессиональном боксе». От этого зависела, по его словам, сама жизнь. За сорок два дня была снята актерски сложная картина, с массовкой, с приметами послевоенной жизни сербской общины в Америке. Фильм снимался в маленьком городке, недалеко от Питтсбурга (штат Пенсильвания).

Владельцы «Кэннона» — аутсайдеры кинематографического мира Америки. Они «гнали поток коммерческой макулатуры», фильмы серии «Б». В то же время работалось у них легко, хотя и платили немного.

В 1984 году картина «Возлюбленные Марии» была показана на Венецианском МКФ. И вслед за этим Глобус предложил Кончаловскому контракт на миллион долларов за одну картину поставленную и одну — спродюсированную.

«Передо мной открывалась карьера режиссера с миллионом долларов в год. Пусть ненадолго, но я ощутил себя нормальным преуспевающим человеком Голливуда. Мне дали кабинет, секретаршу, место для парковки машины, выделили бюджет на разработку проектов. Я уже был своим в американской киноиндустрии...»

Он снял небольшую однокомнатную квартиру в Лос-Анджелесе «за свои, профессией заработанные деньги». Купил новую машину. И это было счастье.

Рассказы Андрея о его работе в Штатах вызывают двойственное чувство. С одной стороны, речь идет вроде бы об удовлетворенности профессионала, человека, владеющего ремеслом и истосковавшегося по нему, нашедшего, наконец, рукам своим работу. Человек этот получил возможность более или менее прилично жить (частным образом!) на честно заработанные деньги. Тут нет ни слова о высоком искусстве. Но, с другой стороны, есть привкус некоторой самоиронии: «Я как бы стал тем, кем хотел быть...». Это очень созвучно по интонации рефрену его мемуаров: «Неужели это был я?»

Вряд ли пределом его мечтаний был портрет на обложке «Миллионера». В самооценках он как бы со стороны моделирует реакции именно советского режиссера, попавшего в Голливуд и неожиданно, может быть, для себя самого одержавшего первую, скромную по тамошним меркам, но значительную, в совковом толковании, профессионально-коммерческую победу.

Не будем забывать, что слова эти произносит большой художник, с мощной родословной, знающий свои силы, обладающий притом чувством независимости и определенной внутренней свободы. В костюме советского режиссера, попавшего в Голливуд, — это волк в овечьей шкуре. Это не сразу, может быть, разглядели там, а вероятнее всего, вообще не увидели. Но суть прочитывалась в фильмах — о чем позднее.

Строго же говоря, контракт с «Кэнноном» особой радости не внушал, поскольку права работать ни с кем другим режиссеру не давал. Ограничение свободы выбора при неограниченности свободы творчества.

«Возлюбленные Марии» в американском прокате провалились. А в Европе фильм прошел успешно. В Париже, по свидетельству режиссера, картина встала в ряд постоянно идущих престижных фильмов Ренуара, Феллини, Уэллса. В отечественном прокате в год своего выхода и ближайшее к нему время картина идти не могла. Да и позднее голливудские ленты Кончаловского, кроме, может быть, «Танго и Кэша», не были абсолютно доступными нашему зрителю.

Но вот критическая оценка картины, оформившаяся в момент ее появления, хотя и обнародованная уже в конце 1980-х. В ней выражена некая общая точка зрения на творчество Кончаловского этого периода. Она принадлежит киноведу Андрею Плахову.

В 1984 году ему довелось впервые побывать на Венецианском кинофестивале, где были представлены Отар Иоселиани и Кончаловский. Однако советской делегации настоятельно не рекомендовали ходить на фильмы отщепенцев. Плахов и режиссер Сергей Бодров пренебрегли предостережением.

«Перед нами, заинтригованными метаморфозой Кончаловского, его первая зарубежная картина множила вопросы и не давала ответов. Его было принято держать за интеллектуального режиссера, и хотя, по моему убеждению, уже в Союзе им были сделаны два компромиссных фильма, верилось, что он еще себя покажет. Не хотелось следовать обывательской логике, объяснявшей уход Кончаловского на Запад тщеславием и тягой к плейбойской жизни».

Следует уточнить, что ко времени, как Плахов закончил ВГИК (1978), уже вышел «Романс о влюбленных», поставивший крест на репутации Кончаловского в среде либералов, поэтому интеллектуальным режиссера, якобы решившегося на компромисс с властью, вряд ли могли считать. Суровое отрицание усугубилось после «Сибириады». Действовала не столько обывательская, сколько логика латентной партийной принципиальности советских интеллигентов.

В 1984 году «Возлюбленные Марии» разочаровали критика по всем статьям. На его взгляд, фильм никак не соответствовал духу рассказа Платонова. История «была выстроена по канонам классической, апробированной Голливудом мелодрамы — с контуром любовного треугольника, с легким фрейдистским изломом прямых и сильных страстей, с умелой дозировкой сентиментальности и роковых велений плоти».

Особенно шокировала Плахова сцена, где герою фильма сербу Ивану Бибичу «на грудь пробирается крыса, ползет, залезает прямо в рот». «Собрав остатки сил, человек хватает мерзкое животное, разбивает его об пол, делает из него кровавое месиво...» Критик не соглашается сопрягать эту, очень выразительно описанную им сцену с аналогичным эпизодом у Платонова. «Разительное несоответствие между «наивной» натурфилософией Платонова и натуралистическими шоковыми эффектами современного кино, — пишет он, — налицо».

Позднее Плахов «точнее ощутил предложенные режиссером правила игры». Он увидел, как в картине «смешиваются органика и экзотика: славянский и американский элементы». В нелицеприятной, но ожидаемой критике киноведа особенно существенным кажется наблюдение над смешением «языков» в кинематографе Кончаловского, замеченном только после вторичного просмотра. Плахов так и не смог вынести решающее определение «продукту» (то ли то, то ли это), отметив лишь единство его «иммиграционной» атмосферы.

Самой большой удачей своей голливудской практики Кончаловский считает «Поезд-беглец», поставленный по сценарному замыслу Акиры Куросавы. О том, что Куросава ищет американского режиссера, который мог бы заняться его сценарием, Андрею сообщил, со слов Копполы, Том Ладди.

Известно, с каким почтением и любовью относился Андрей к великому японцу, занимавшему место одного из авторитетнейших учителей в его становлении как кинематографиста. «Когда что-то не получается, не ясно, как снимать, смотрю Куросаву. Достаточно двух-трех его картин, чтобы пришло понимание, как решать эту сцену, этот образ. Шекспир, шекспировский художник — по силе. По ясности, по мужеству взгляда на мир». Можно представить волнение русского режиссера, собиравшегося на встречу с японским гением. Куросава согласился. Но после окончания работы отказался от встречи с ним, полагая, как считает Андрей, что постановщик переписал сценарий и пошел на соглашение с «империалистической идеологией» США.

Снимать приходилось в апреле на Аляске. Один из пилотов разбился вместе с вертолетом. Но работа радовала: снимал то, что хотел, и с кем хотел. На этом фильме, кстати говоря, режиссер познакомился с Эдвардом Банкером (1933–2005), писателем, отсидевшим в свое время восемнадцать лет в тюрьме, где он и начал сочинять свою первую книгу. Кроме того, что Банкер участвовал в написании настоящих тюремных диалогов для фильма, он сыграл в «Поезде», а затем — в «Танго и Кэш». Он привел на фильм и Дэнни Трехо, хорошо известного нашему зрителю по фильмам хотя бы Родригеса.

Дэнни в молодости сам грабил банки, а находясь в тюрьме, стал чемпионом по боксу среди заключенных Калифорнии. Вначале ему предложили сыграть зека в «Поезде-беглеце», затем тренировать Эрика Робертса, который по роли должен был боксировать на тюремном ринге. А уж затем посулили 320 долларов в день, чтобы он сразился с персонажем Робертса.

«В общем, — рассказывает актер, — когда Кончаловский впервые крикнул «Мотор!», я почувствовал тот же прилив адреналина, что и в молодости, когда грабил банки. Только оружия для этого не нужно, и в тюрьму за съемки не попадешь! А когда мне впервые еще и деньги за это заплатили — я вообще выматерился. Твою мать, раньше меня сажали в тюрьму за то, что я плохой парень. А сейчас отваливают кучу денег за то же самое!»

После «Поезда-беглеца», говорит режиссер, началось его восхождение. Фильм выдвинули на «Оскара» по трем номинациям: Джону Войту — за лучшую мужскую роль, Эрику Робертсу —

за лучшую мужскую роль второго плана, Генри Ричардсону — за лучший монтаж. Никто ничего не получил. Все по причине, полагал Андрей, отношения американской общественности к компании «Кэннон». Не смогла кинокомпания обеспечить фильму и достойный коммерческий прокат. «Поезд-беглец» в американском прокате «был убит, как и все, что я для них снял».

По выходе картины у нас ее многие восприняли как типично американский фильм. Плахов, например, в уже процитированной статье «Метаморфозы Кончаловского» обнаружил несоответствие между «почтенным» именем Акиры Куросавы и «вполне добротным триллером, разыгранным на пустынных пространствах Аляски... Вольно видеть здесь метафору заблудшей цивилизации, но Кончаловский ни на миг не забывает об эффектах и специфике триллера, о его брутальной ауре. И все-таки вместе с инеем на стенках холодильной камеры оседают совсем не американские, а чисто русские комплексы. Комплексы несвободы, страха, ущемленного достоинства...»

Характерно, что критик вновь отмечает стилевую разноязычность Кончаловского: с одной стороны, жесткие жанровые требования Голливуда, а с другой, наша родная маргинальность. Однако на вопрос, что же, в конце концов, формирует художественное целое кинематографа Кончаловского, критик не дает ответа.

Между тем, материальное положение режиссера укреплялось. В значительной мере помогала еще и реклама, которой определенное время успешно занимался Кончаловский. Он купил квартиру в Париже, дом в Лос-Анджелесе. А в произведениях его не исчезала глубокая печаль, может быть, от ностальгии.

Следующий фильм Кончаловского лежал в совершенно, кажется, иной плоскости — и по атмосфере, и по жанру, — чем предыдущие два. «Дуэт для солиста». Пьеса Тома Кемпински, с креном в психоаналитическую проблематику, имела успех на театральной сцене, что и привлекло внимание Голана. Однако Кончаловский, погружаясь в материал вещи, нащупал иную логику и стал лепить свой мир. Режиссер расширил пространство жизни героини-скрипачки, наполнил его людьми. По его словам, вещь приобретала «чеховско-бергмановские черты», противоположный пьесе настрой. Фильм говорил о бессилии психоанализа перед живой жизнью, в смыслы которой перед смертью и пытается проникнуть героиня.

В фильме, кроме Джули Эндрюс, снялись прекрасные, даже выдающиеся актеры вроде Макса фон Сюдов, Алана Артура Бейтса.

Сыграли здесь и будущие звезды — Руперт Эверетт и Лиам Нисон. Будучи сам музыкантом, Кончаловский требовал предельной достоверности во всем, что касалось этой области. Так, Эндрюс, чтобы сниматься в картине, училась играть на скрипке. «Но в игре на скрипке движения очень сложны: поэтому на крупных планах мы сажали актрису на стул, рядом с ней снизу садилась профессиональная скрипачка с хорошей рукой: Эндрюс правой рукой водила смычком, а левой — играла скрипачка... планы эти снимать было очень сложно, но они дали фильму подлинность».

В американском прокате картина, чего и следовало ожидать, провалилась. Оказалась излишне русской, излишне «чеховской». Может быть, поэтому в нашем Отечестве те немногие, кто ее видел, считали удачей, пусть скромной.

Режиссер не был удовлетворен. По внешним признакам, он проигрывал Голливуду, который демонстрировал своему неофиту, что завоевывать этого монстра нужно всякий раз заново. Набор определенной высоты с «Поездом-беглецом» еще не обеспечивал твердой карьеры...

«Возвышающий обман, иллюзия — то, что ты добился успеха и отныне уже навсегда ТАМ!.. После «Поезда-беглеца» все дороги были для меня открыты. Я мог бы делать все, что хочу. Первой моей глупостью был эксклюзивный контракт с «Кэнноном». Я не мог понять, почему карьера не складывается. Не складывалась, потому что я делал авторские картины и потому что «Кэннон» не умел их прокатывать...»

Что мы видим? Кажется, режиссер твердо нацелен на самоутверждение в системе Голливуда. Переживает, что ему не удается это сделать вполне, полагая, по недомыслию «Кэннона». И вместе с тем упорно возвращается в рамки собственной темы и собственного кино как раз вопреки голливудским нормам. Не покидает чувство, что режиссер назло системе, как это было и в Союзе, делает то, что ее требованиям не отвечает. Он и внутри голливудской «бойни» действует по своим правилам. Он и здесь остается на стыке, не поглощенным махиной ширпотреба.

Таков и следующий его фильм «Стыдливые люди» (1987). Картина еще менее голливудская, нежели все предыдущие. Замысел ее рождался в период съемок «Сибириады». А снималась она в местах, где и в конце XX века могли царить патриархальные нравы — на юге Америки, в Луизиане.

«...Болота, аллигаторы. Идет старик, тащит через плечо за хвост аллигатора. Такие вот картинки можно увидеть из окна машины. Особая психология. Порцию раков в луизианском ресторане накладывают в тарелку выше головы. Во всем — безумство юга. Жара. Все влажные. Чувственность обострена. Блюз. Диксиленд. Мне очень хотелось передать это ощущение в картине. Но по философии это было во многом продолжение «Сибириады»: в мире луизианских лесов и болот разлит такой же пантеизм, метафизика природы, человек так же ощущает себя лишь частицей этого мира... Полкартины происходит в болоте. На воде очень трудно снимать. Пока поставишь свет, кадр, все уже уплыло, все поменялось — с ума сходишь...»

Этот фильм, как и «Дуэт для солиста», мало или совсем не знаком отечественному зрителю. В статье Плахова, едва ли не единственной в отечественном киноведении, пытающейся обрисовать контур голливудской практики Кончаловского в целом, отмечается, прежде всего, что «Стыдливые люди» были показаны в Каннах вместе с «Очами черными» Никиты Михалкова (от Италии) и «Покаянием» Тенгиза Абуладзе — от советского кино. С некоторой иронией критик восклицает: «Надо было стать американским режиссером и добраться до Луизианы, чтобы выкроить на экране причудливую параллель и нашему „Прощанию с Матерой“, и даже нашему „Покаянию“».

А далее следует концептуально акцентированный пересказ ленты. Позаимствуем его.

«...Забытый богом цивилизации уголок земли, наполовину затопленный водой и заросший буйной растительностью. Там и обитают вдали от центров и столиц «застенчивые люди» — вдова-воительница Рут, настоящий рабовладелец в юбке, и трое ее сыновей, знающих только тяжкий физический труд, не испорченных ни телевизионной болтовней, ни наушниками с дикой музыкой, ни коварными наркотическими штучками. Правда, патриархальная идиллия грозит не сегодня-завтра накрыться медным тазом: в национальном парке уже орудуют браконьеры, тяготится убогой жизнью невестка героини, а четвертый сын Майкл, предав освященный традицией уклад, бежал в город. И все же крепки устои доморощенной мифологии: недаром в семье принято считать Майкла мертвым, зато ушедший из жизни папаша Джо остается полновластным хозяином Ноева ковчега. Его образ зримо витает над топями и разливами... в этом имеет возможность убедиться даже пришлая гостья — журналистка из Нью-Йорка, приехавшая сюда вместе с дочкой к дальним родственникам.

Последовательности противопоставления города и деревни у Кончаловского могут позавидовать наши ортодоксальные деревенщики. Журналистка, продукт интеллигентной богемы, давно потеряла контакт с дочерью, та без пяти минут наркоманка и едва не сбивает с пути истинного забитых диктатом матери парней. Но самонадеянной Грейс вскоре придется поплатиться за эмансипированность. А вовремя вернувшаяся Рут с помощью железных прутьев быстро приведет в чувство взбунтовавшихся сыновей. И даже отщепенец Майкл после двенадцатилетнего пребывания в городе вернется в родную обитель и разобьет источник мирового зла — ввезенный происками невестки телевизор.

Когда в финале происходит откровенный женский разговор, выясняется, что отец-хозяин был на самом деле пьянчугой, мотом и садистом. Однако эта правда не важна ни для вдовы, ни для журналистки, готовящей статью о реликтовой семье из Луизианы. Жизненно важнее оказывается миф о папаше Джо (напомню: так на Западе называли Сталина), так же как на семейных фотографиях проще затушевать лица «грешников», чем разбираться в их действительных или мнимых грехах.

Вот такая американская вариация на тему корней, экологии, морали и наследия сталинизма! Это-то и есть в фильме самое интригующее, ибо с точки зрения художественной он «оставляет желать»... Снята картина грубовато, словно бы наспех, что вообще нередко сопутствует зарубежным опытам Кончаловского...»

Несмотря на традиционные иронию, скепсис в оценке творчества Кончаловского, здесь видна увлеченность сюжетом, оттого и многое верно угадано. Тогда, в 1989 году, Плахов мог догадаться, если бы внимательнее смотрел в свое время «Сибириаду», что не столько с «Прощанием...» Климова, а тем более не с «Покаянием» Абуладзе перекликается американская лента Кончаловского, сколько с его собственным отечественным фильмом. Оттуда в луизианский эпос перешла коллизия природа — человек. Причем в этой оппозиции образ цивилизации рифмовался как раз с цивилизацией советской, сформировавшейся на разрушительном авторитете Отца-Хозяина.

В замысле предполагалось столкнуть две семьи: одна основана на принципах свободы, другая — на долге и любви. Сначала планировали снимать в Греции. Но затем в Америке стали искать места, где могла бы возникнуть полярность психологий. Было ясно, что представительница цивилизации должна быть из Нью-Йорка. Вторую поселили в Луизиану.

В противопоставлении семейных миров Кончаловский видел метафору двух государственных устройств — России и Америки. «Я делал картину о взаимоотношениях, принятых в разных культурах, о необходимости взаимной терпимости. Демократия — это прежде всего терпимость. Терпимость, думаю, — чуждое России понятие. Терпение — да! Терпимость — нет...»

Нью-йоркская семья — модель США, где члены семьи друг друга уважают, но не любят. А семья из Луизианы — модель России, где люди друг друга не уважают, но и любят, и ненавидят. «Луизианская семья, — разъяснял замысел режиссер, — имеет своего «Сталина» — отца, который то ли умер, то ли жив — призрак его витает над болотами. В этой семье были свои диссиденты, своя Чехословакия, свое подавление восстания — все как в социалистическом лагере...»

Уже эти черты замысла говорят о том, что фильм может быть и значителен, и глубок. Он органически вписывается в кинематограф Кончаловского как художественное целое, никак не претендуя на звание голливудской продукции. Это еще одно «пограничное» детище режиссера, в котором отразился спор мировидений, культур, стилевых языков, что вовсе не сулит кассовой прибыли.

«Стыдливые люди» «казались мне тем главным, что я так долго вынашивал, самым сокровенным, что более всего хочу высказать. Но по зрительскому восприятию не чувствую, что сказанное мной нашло отклик. Может, я слишком пересимволизировал картину, может, загнал важные для себя мысли в слишком семейную историю, может, был слишком рационален, решая проблему выбора — любовь или свобода. Но не оставляет ощущение, что я что-то утерял...»

4.

Пришло время освобождения от эксклюзивного контракта с «Кэнноном». Хотелось иметь прокат, который компания не умела организовать. Появился продюсер, предложивший снимать фильм «Гомер и Эдди».

Вся картина — это дорожные странствия простодушного Гомера, получившего в детстве травму бейсбольным мячом и после этого нелепого случая оставшегося «вечным ребенком», которого бросили родители, люди весьма зажиточные. Он как раз и направляется к своему больному отцу, с глубокой, почти неосознаваемой надеждой вернуться в семью.

Утратив в странствии жалкое имущество, натыкается на Эдди, взбалмошную неуправляемую негритянку с опухолью в мозгу. По дороге она совершает несколько внезапных убийств. Два, по сути, несчастных человека, два юродивых объединяются и уже вместе продолжают свой путь, завершающийся гибелью Эдди...

Сюжет заинтересовал режиссера. Он видел в нем мотивы феллиниевской «Дороги», «Очарованного странника» Лескова, мотивы творчества Андрея Платонова, Фолкнера, «даже беккетовское жестокое обаяние». Привлекала странность сценария, его вдруг открывающаяся в финале мистика, связанная с появлением фигуры символического Христа, изображаемого бродячим актером во время каких-то празднеств.

«Я не снимал таких картин — из современной жизни, где сюжет развивается в путешествии. Мне захотелось показать американскую природу, жизнь провинции. Мы ездили по стране, искали натуру. В каком-то городке снялись у фотографа-пушкаря, выставив головы в прорези размалеванного холста — совсем как было в лучшие годы на наших базарах. Постепенно нащупывался стиль будущей картины... Хотелось попробовать себя в жанре черной комедии...»

Кончаловскому кажется, что на этой картине он сильно ошибся с исполнителями. Сначала хотелось сделать дешевую, по американским стандартам, картину, с неизвестными актерами. Но потом на сценарий клюнули звезды и, в конце концов, пришли Джеймс Белуши и Вупи Голдберг.

Белуши сыграл совершенно противоположный его собственному темперамент. Гомер — человек «асексуальный, абсолютный ребенок». «Для меня этот характер был очень важен. Ведь вся культура XX века строится, по сути, на возмездии, на том, что добро должно покарать зло силой. А герой Белуши обладает той же способностью, что дети и святые, — он прощает. А сила прощения, терпимость — это то, что нам, по-моему, необходимо, ибо мы привыкли нынче защищать духовность дубиной. Как говорил Достоевский, легко обвинить злоумышленника — трудно его понять».

Большая ошибка, считает режиссер, произошла как раз с приглашением Голдберг. На этом месте планировался мужской персонаж. Но, в силу обстоятельств, пришлось резко поменять ситуацию. С Вупи отношения сразу не заладились. Нужно было стать дипломатом, «чтобы как-то утихомирить страсти».

Вупи «из породы самоиграющих актеров» и не любит, чтобы постановщик вмешивался в то, что она делает на съемочной площадке. «Думаю, на съемку она шла с ощущением тяжелой повинности. Считала, что я фашист, что нельзя так жестоко обращаться с актерами. После расслабленной американской режиссуры подарком я, конечно, не был».

«Сценарий был о том, как эпилептик с приступами неконтролируемой ярости верит в Бога, ищет пути к нему. Но начинается приступ, и Бог забыт. Конечно, это должен был играть актер, от которого исходит опасность. А от Вупи физическая опасность исходить не может. Она очаровательна, смешна, обаятельна. Она талантливая актриса, большая звезда. Но не Эдди...»

Не был доволен режиссер и продюсером, который зажал постановщика в бюджете. Продюсеру не нравилось, что картина получается грустная. Пришлось переснимать финал. «Нелегкое испытание — смиряться перед силой обстоятельств, выслушивать неумных, вульгарных людей — с такими в Америке мне пришлось сталкиваться намного чаще, чем дома...»

«Гомер и Эдди» получил «Золотую раковину» в Сан-Себастьяне, но от фильма остался горький осадок. Лента в сравнении с замыслом оказалась, в представлении режиссера, на несколько порядков ниже. Проката в Америке не имела никакого.

Между тем, Андрей Кончаловский уже до нее фактически подписал себе приговор: взялся снимать блокбастер «Танго и Кэш».

...Читатель помнит, что, оказавшись в Штатах, Андрей три года мыкался в поисках работы. А выполнять любую работу, на что и следует жестко ориентироваться прибывающим сюда, он не был готов. Самое большее, что удалось сделать за это время — короткометражный фильм «Сломанное вишневое деревце» (1982) для образовательной программы. И это казалось даром свыше. «Я был счастлив, что мне доверили камеру, что я опять режиссер, что могу показать всем это».

Фильм, поставленный по рассказу Джесси Стюарт, был номинирован на премию «Оскар» по разряду короткого метража.

На ту пору у него уже развился комплекс бедного человека. Стали появляться мысли о возвращении в Москву. Так что компания «Кэннон», пристроившаяся на обочине голливудских магистралей, в этих условиях была Божьей милостью.

Кончаловский так описывает опыт, вынесенный им из условий американского кинопроизводства: «Я понял одну простую вещь: смотрят и знают кино совсем не те люди, которые дают деньги на него. Эти не знают режиссеров, актеров. Единственный критерий для них касса. В американском кино горбят спину не за совесть, а за страх. Нужно гнать и гнать, а если потребуется хоть день досъемки, получить не надейтесь... Можно ли при этом сохранить свой авторский мир?.. На площадку надо приходить, зная досконально от «а» до «я», готовым пусть по минимуму, но все же сделать задуманное в пределах отпущенных возможностей. И тогда со временем, может быть, удастся завоевать право работать в условиях, позволяющих чувствовать себя художником. Я на себе испытал, как голливудские условия, необходимость быть все время мобилизованным, сказываются на самом языке фильма. Какой бы опытный, сверхпрофессиональный режиссер ни делал картину, стилистика всецело утилитарна... Американский кинематограф, очень эффективный с точки зрения производственной и коммерческой, расплачивается за это тем, что лишь немногие его мастера сумели в какой-то степени сохранить свободу самовыражения. Я понял, что нет иного выхода, как жертвовать своим авторским языком во имя содержания, которое хочешь выразить. Чтобы хоть отчасти сохранить свою орфографию, свой синтаксис, приходилось преодолевать огромное давление...»

Философия, которую приходилось усваивать, была чрезвычайно проста: «Не в деньгах счастье, а в том, что они есть». А зарабатывание денег — занятие не для слабаков.

«И если ты уже на этом ринге, если рвешь зубами чье-то мясо, продираясь к контракту, считай себя счастливцем. Все другие стоят в бесконечной очереди, и им никто ничего не предлагает. Ну, может быть, есть контракты поменьше, но суть, в общем и целом, такова. Снаружи цивилизованный лоск, фраки и смокинги, внутри джунгли, где каждый каждого норовит съесть...»

Кончаловский вышел на ринг и сошелся один на один с правилами игры, так сказать, Большого Голливуда. Победил или проиграл? Или закончил ничьей?

Он очень подробно рассказывает о том, как снимался фильм «Танго и Кэш», желая, вероятно, и сам понять, каков был результат генерального сражения.

От имени «Уорнер бразерс» была предложена постановка с Сильвестром Сталлоне. Сценарий показался наивным, но не лишенным юмора. Ставший популярным полицейский боевик представляет двух вечно конфликтующих копов, роли которых исполняют Сталлоне и Курт Рассел. Рэя Танго и Гэйба Кэша, полицейских-соперников из Лос-Анджелеса, объединяет стремление каждого быть лучше другого. Мафия решает избавиться от них: засадить за решетку и там прикончить. Копы оказываются в тюрьме, но совершают побег. За ними организована погоня. Пока их не настигли, они должны снять с себя обвинение и покарать мафию.

Кончаловский надеялся облагородить трафаретную фабулу стилевой элегантностью, профессиональным подходом к сценарию. Помимо прочего, режиссер соглашался работать только на том условии, что Сталлоне, известный своими капризами, не станет вмешиваться в процесс создания картины.

И вот встреча с продюсером Джоном Питерсом, пришедшим в Голливуд с улицы в качестве парикмахера. Так познакомился с Барброй Стрейзанд. Началась его головокружительная карьера. «Обессмертил» себя продюсированием «Бэтмена» Тима Бёртона. В беседе с Андреем Питерс заверил, что любит его кино, пообещал сработаться и в результате выдать грандиозную картину. Питерс убеждал режиссера, что Сталлоне он не даст и пикнуть. Однако все уверения его не успокаивали, а напротив, настораживали. Во время встречи со Сталлоне выяснилось, что звезде, в свою очередь, нравится все, что режиссер говорит о картине. Они друг другу понравились.

Сроки были, по разным причинам, сжатыми. Фильм должен был выйти к Рождеству. Питерсу выгодно было выпустить картину в поставленные сроки, поскольку, по прокатным прогнозам, рынок к Рождеству оголялся. Свободное пространство нужно было занять во что бы то ни стало. Это и был фактор решающий.

Между тем сразу же возникли проблемы со сценарием. Сценарист Рэнди Фельдман прибыл в Париж, где в это время Кончаловский работал над спектаклем по чеховской «Чайке», и сразу же огорошил режиссера, доложив, что имеет инструкцию все выслушивать, но ничего не писать. Предложения, которые высказал Кончаловский, в сценарий так и не вошли.

Фельдман записывал все, что надиктовывал ему Питерс, а потом переписывал с учетом предложений Сталлоне. И после этого переписывал еще раз, реализуя новые идеи продюсера. Уже сложилась съемочная группа, но сценария все не было. Он только писался. Бюджет картине был дан по существующему варианту сценария, в то время как режиссер ориентировался на новый его вариант, до конца съемок так и не появившийся.

Затем выяснилось, что Питерс склонен манипулировать всем. В том числе и самим Кончаловским. А с другой стороны, наседали звезды...

С картины сняли оператора и заменили другим. Был сменен сценарист. Новый, опытный и очень дорогой вскоре запротестовал, не желая больше менять в сценарии ни строки.

Все это, рассказывает Кончаловский, походило на сновидение. Происходило нечто неподконтрольное, нерегулируемое...

В конце концов, Андрей лишился возможности личного влияния на результат работы, хотя им по-прежнему, по его выражению, «руководило глупое желание или утвердить себя как режиссера, добивающегося реализации своих идей, или уйти с картины».

Фильм монтировался без режиссера. Он то и дело оказывался в вынужденном простое. А перерасход по фильму составлял двадцать миллионов долларов. Финал Кончаловский описывает так:

«Руководители «Уорнер бразерс» понимали, что аналитики с Уолл-стрит наверняка заинтересуются, откуда такой перерасход, запросят совет директоров, тот, в свою очередь, потребует отчета, что происходит, почему так затягиваются съемки, так непроизводительно работает группа? И тут все факты будут не в пользу Питерса». Они «не подозревали, что Питерс уже их предал. Они хотели его защитить, им нужен был козел отпущения. Козлом был выбран я. Мне предложили уйти...»

Но обязывались претензий не предъявлять, следовать контракту и фамилию Андрея оставить в титрах. Фильм был завершен другим режиссером.

Так, почти анекдотически, была подведена черта под голливудской одиссеей Кончаловского. А как начиналось?

«...я на Беверли-Хиллз, выхожу из агентства, которое почему-то согласилось меня представлять. Хожу в белых носках сероватого цвета (я тогда еще не знал, что если носки белые, то должны быть ослепительно белыми), делать нечего, работы нет, по советской привычке заходишь в какую-нибудь организацию и, как в отечестве, хочешь с кем-нибудь потрепаться. На тебя смотрят как на эксцентрика... Так вот, выйдя из агентства, вижу человека, катящего по улице тележку с сэндвичами. Денег — ни копейки. Перспектив на работу нет. Что делать? Неужели продавать сэндвичи?..»

Сэндвичи, ясное дело, продавать не стал. Стал снимать. Но в систему все же не вписался. Так и остался — в носках сероватого цвета...

▲ Василий Иванович Суриков
с внуками Наташей и Мишей

▼ Петр Петрович
Кончаловский

▲ Наташа Кончаловская
в Риме

▶ Детские годы

С младшим братом
Никитой

▲ С отцом

▶ В музыкальном училище

Первый шок.
Путешествие в Италию

▲ В чемоданчике — бесценный груз: две бутылки «Столичной»

▶ С мамой и братом

После прилета из Америки — на праздновании своего пятидесятилетия: с отцом Сергеем Владимировичем и сыном Егором

◄ С мамой

На юбилее отца Сергея
Владимировича Михалкова

▲ На мастер-классе
во ВГИКе

▲ С Андреем Тарковским —
   в работе над сценарием
   фильма «Андрей Рублев»

▲ На съемках «Андрея Рублева»
с Андреем Тарковским
и Вадимом Юсовым

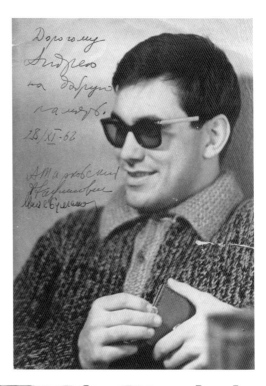

◀ Фото с автографом Андрея
Тарковского, Майи Булгаковой
и Алексея Габриловича

На съемках фильма
«Первый учитель»

▲ В Японии
у Акиры Куросавы

▼ В Америке
с Эдуардом
Артемьевым

▲ Андрей
Кончаловский

▶ С Юлией Высоцкой на съемках
«Дома дураков»

С женой Юлией Высоцкой

▲ С женой Юлией Высоцкой
и детьми — Машей и Петей

Наши люди в Голливуде

Я думаю о том, что вернусь домой.
«Возлюбленные Марии», 1984

Да, я странник до конца. Я в пути. Дело в том, что горизонт для меня — самая важная вещь. Если нет перспективы, причем во всем, мне неинтересно жить...
А. Кончаловский. Из интервью. Октябрь 1997 г.

1.

Андрей Кончаловский оставался если уже не советским вполне, то все же русским человеком. В нем не унималось отечественное стремление к поискам правды-истины, превратившись в какую-то маниакальную страсть достучаться уже с открывшейся ему правдой до сердец и умов соотечественников.

В творчестве это откликнулось интересом к нашему низовому человеку с его крестьянским менталитетом. Ведь и все его ленты, созданные за пределами России, так или иначе, возвращаются к этому маргинальному типу, но только в условиях иной культуры, однако в чем-то главном родственной культуре отечественной.

Прототип «Возлюбленных Марии» — «Река Потудань». Но если у Платонова это рассказ о событиях конца гражданской войны в России, то в фильме — 1946 год. Герой-серб спешит домой, в Америку, из японского плена. Вместе со своими собратьями он, вероятно, мог переживать и те чувства, какие владели и платоновским Никитой Фирсовым.

«Они шли с обмершим, удивленным сердцем, снова узнавая поля и деревни, расположенные в окрестности по их дороге; душа их уже переменилась в мучении войны, в болезнях и в счастье победы, — они шли теперь жить точно впервые, смутно помня себя, какими они были три-четыре года назад, потому что они превратились совсем в других людей и почувствовали внутри себя великую всемирную надежду...»

«Точно впервые жить» шел из плена и Иван Бибич. А главной идеей и надеждой и его, и всех, кого выгнала из-под родной крыши война, было именно возвращение домой как очищение от грязи и крови мировой бойни и утверждение новой жизни. И так же, как у Платонова, возвращение затягивается на все произведение. Возвращение окажется сюжетом не только этой картины Андрея, но всех сделанных в Америке. Его Голливуд — эпос страннического возвращения домой.

Герои, как правило, люди пограничной психологии и такого же существования. Гомер — то ли ребенок, то ли взрослый, то ли наивный Иванушка-дурачок, то ли мудрец; «стыдливые люди» принадлежат одновременно и природе, и цивилизации, располагаясь на границе культур; Иван Бибич — серб, но проживает в Штатах, а возвращается из японского плена...

Как в рассказе Платонова, так и в фильме Кончаловского слышится отзвук мифа о непорочном зачатии. Травма, нанесенная Ивану войной, становится преградой на пути к семейному счастью. Он не в состоянии оплодотворить Марию. В фильме, как, впрочем, и в рассказе, речь идет не об импотенции героя в медицинском смысле, а о неспособности в обезображенном войной мире вернуться к себе, к родной почве. Его сознание тревожит призрак отвратительного животного. Крыса, увиденная им в плену, питающаяся жертвами войны. Мерзкий, страшный образ мировой катастрофы заставлял его, пленного, спасаться в любви к Марии, в воображении овладевая ею.

Агрессивная животная плоть мира противостоит Ивану Бибичу и в образе его отца, иных мужчин, посягающих на девственность Марии. Тема отца-соперника — тема не столько фрейдистская, как полагал Плахов, сколько платоновская. Тема старого мира, посягающего на начала мира обновленного. Для Кончаловского же тема отцовства-безотцовства, поиск героем самоосуществления — одна из самых важных едва ли не с первой картины.

Отец в исполнении опытнейшего Роберта Митчема получился не таким, каким задумывался. Из картины пришлось вырезать многие куски именно с этой ролью, с ролью отца героя. «Я видел его чудаковатым, странным, все время пьяным, земным, плотским, сумасшедше плотским. Это должен был быть террорист-бабник, врубелевский Пан с корявыми руками или Вечный дед из «Сибириады», но только с угадываемой в нем могучей эротической потенцией... В сценарии он страшно свиреп, узнав, что Мария все еще девушка. Он бил сына и орал: «Что ж ты делаешь! Да я ее за три дня обрюхачу! А ты, дурак, не можешь! Я внуков хочу!» И начиналась драка, они в кровь били друг друга. В конце отец падал на колени, с расквашенной мордой, и говорил: «Нет, все-таки ты — мой сын». Ренессансный характер. Митчем этого не мог сыграть. Он играл американский характер, а у меня был написан славянский...»

Что же такое произошло с Иваном в плену, отчего он не может духовно собрать свою плоть, разваливающуюся, по его словам, на части из-за великой любви к Марии, не может собрать плоть дома?

Герой рассказывает об этом, истязая свою больную память. И рассказывает, кстати говоря, женщине, которая гораздо старше его и, вероятно, любовница отца, еще полного мужской силы. Рассказывает, оказавшись с ней в постели, но так, как если бы он исповедовался матери.

«...Мы были в лагере. Японцы каждому провинившемуся сносили башку. Когда ночью шел дождь — там все время шел дождь, как будто в комнате кипел чайник — было так сыро, что пальцы распухали, и между ними образовывалась плесень. Я услышал этот крик. Они схватили одного парня. Все произошло за десять секунд. Он кричал будто целую вечность. А затем воздух рассек меч. Послышался хруст. Затем глухой стук, будто спелый арбуз упал в грязь. А потом опять тишина. Только шум дождя. Я лежал на циновке и думал: может, это померещилось мне. И тут я увидел крысу. Я подумал, что это самка. Беременная. Она волочила лапы и оставляла кровавый след. Шерсть ее была в крови. Брюхо ее было так набито, что она еле волочила лапы. Я понял, что она ела на обед. После этого я... Я женился на Марии. Нет, это, конечно, было только в мыслях. Потому что я не хотел больше видеть лагерь, я везде видел Марию. Днем я работал для нее, ночью я занимался с нею любовью. Да, в мечтах...»

Война сталкивает далекие друг другу национальные миры, обостряет их враждебное разноязычие. Зритель фильма легко вспомнит, что в том же, 1946 году, когда Иван Бибич возвращается из плена, на Японию будут сброшены две американские атомные бомбы. Образ этой трагедии режиссер мог пережить, когда смотрел полюбившийся ему фильм Алена Рене «Хиросима, любовь моя» (1959).

Речь, в данном случае, о том, что человеческая индивидуальность в XX веке, с какой бы национальной культурой она ни была связана происхождением, оказывается в пересечении силовых полей культуры мировой. И Кончаловский это хорошо понимает, сопрягая через историю своего героя эти силовые поля.

Монолог Ивана перекликается с образным строем платоновской прозы. Герой «Чевенгура» на краю погибели орошает своим семенем родную землю, как бы воссоединяясь с нею в последнем порыве плоти. Понятно, что абсолютной рифмы у «Возлюбленных Марии» с Платоновым нет и быть не может. Платоновский мир поднимается из абсолютной разрухи, восстает из пепла в самом элементарном, материальном и, конечно, духовном смыслах. Там люди на грани выживания. Они спасают друг друга еще хранящимся в них теплом тела. «Люди умирают потому, — говорит героиня «Реки Потудани» Люба, — что они болеют одни и некому их любить, а ты со мной сейчас...»

У Кончаловского мир иной, где люди живут, будто ничего не ведая о разверзшейся под их ногами пропасти мировой катастрофы. Там не умирают от голода. Но и Иван, и Мария безотчетно больны предчувствием беды, и их, как и героев Платонова, спасает любовь. Мария, как и Люба, вполне готова сказать: «Как он мил и дорог мне, и пусть я буду вечной девушкой!.. Я потерплю...»

Мария в фильме как ждущая и жаждущая (по-платоновски!) оплодотворения земля, плодоношение которой приторможено мировой катастрофой. Поэтому так агрессивно требовательны по отношению к ней все мужчины — герои картины. Но она не может их любить, поскольку эта агрессия и есть, на самом деле, война человека с человеком. Вот почему она остается кристально чиста даже тогда, когда отдается «бродячему цыгану» Кларенсу. Это воплощенный странствующий фаллос, лишенный, кажется, и намека на духовность. Но именно ему принадлежит зонг «Глаза Марии», сочиненный самим режиссером.

Иван возвращается домой только тогда, когда приехавший к нему отец сообщает о предстоящей своей кончине, как бы уступая свое место сыну. Он возвращается к уже беременной Марии. Но в том образном контексте, в каком разворачиваются события, это зачатие выглядит и воспринимается героем как непорочное. Воссоединение мира, разъятого катастрофой войны, происходит с появлением ребенка, которого рожает Мария, оставаясь, в высшем, нравственном смысле, девственницей. Это дитя как бы от «святого духа», возлюбившего Марию в образе ее мужа Ивана.

Так прорастает этика Кончаловского, формировавшаяся еще во времена «Первого учителя». Жизнь заслуживает приятия в любой своей форме — в этом смысл феноменального подарка Природы и Бога, к чему, в конце концов, склоняется и сам автор картины. Жизнь — вечное возвращение домой, в женское лоно, в материнскую утробу, в утробу матери-земли. Перед жизнью мы безоружны. И бросаемся на зов о ее продлении-спасении безотчетно.

Финальные кадры «Возлюбленных Марии» — цитата из последних сцен «Романса о влюбленных». Сергей и Люда у колыбели ребенка. Вот итог постижения того, что есть жизнь.

2.

Бег, вечное странничество — состояние героя и следующего фильма Кончаловского «Поезд-беглец». Закоренелый рецидивист Манихейм бежит из неприступной тюрьмы на Аляске в тридцатиградусный мороз, захватив молодого заключенного Бака Логана. Беглецы садятся на случайный дизель, который по пути следования теряет управление и несется в беспредельность, подобно дьявольской стихии. Вместе с двумя заключенными на потерявшей управление машине случайно остается и девушка-уборщица. Взбесившуюся громадину настигает начальник тюрьмы, фанатик сурового режима, у которого личные счеты с неукротимым Мэнни. Но после короткой схватки начальник оказывается прикованным наручниками к приборам поезда и должен погибнуть вместе со своим противником после того, как тот отцепит дизель от вагонов, где находятся его молодые попутчики.

Образ загадочного, как сама стихия, Мэнни родился в воображении режиссера под воздействием светлой и трагической «Глории» (Gloria in excelsis Deo) Вивальди.

Художник видел перед собой мохнатого человека, с всклокоченной бородой, голым торсом. Видел его стоящим среди волн на спине дельфина, а может быть, кита. «Я подумал, что Мэнни в конце должен как бы укротить это дикое существо — поезд, и представил его на крыше этого дизеля, стремительно несущегося к гибели. Соединение этого образа с героем фильма и дало толчок к рождению финальной метафоры «Поезда-беглеца». На крыше локомотива, несущегося сквозь снег под музыку Вивальди, стоит сумасшедший человек с развевающейся бородой, гордо и по своей воле летящий навстречу смерти. Чудовищная скорость, но при этом — никакого грохота. Бесконечность, тишина и Вивальди. Только когда возник этот образ, я всерьез понял, про что снимаю кино...»

Откуда и куда бегут герои картины Кончаловского?

Мэнни — воплощение неуправляемой стихии. Голая натура. В тюрьме он демон беспокойства и хаоса. Всякая попытка покорить его, ограничить его свободу оборачивается взрывом. Тогда он не щадит не только того, кто на его свободу посягает, но и себя, и тех, кто рядом. С ним рука об руку ходит погибель. Он готов слиться с хаосом природы, иными словами — умереть. Мэнни принципиально одинок поэтому. Куда бежит он? Да он просто не хочет и не может остановиться!

Конфликт картины можно толковать как противостояние Мэнни начальнику тюрьмы Рэнкену, тоже, в своем роде, пленнику страсти. Его страсть — всех закрыть, закупорить в железобетонной декорации порядка. По той простой причине, что человек — дерьмо. Но между ними находятся, во-первых, все иные заключенные, а они — разные. И, во-вторых, молодой заключенный Бак и юная уборщица. Появляется важный как в творчестве, так и в жизни самого режиссера мотив хрупкости человеческих контактов, взаимоотношений старшего и младшего, опять же — отца и сына, а может быть, брата и брата.

Манихейм ведет Бака в ту бездну испытаний, которые в состоянии выдержать только он один. Все это — испытания не столько для Мэнни, сколько для Бака. Способен ли он выдюжить тяжесть истинной свободы, которая есть уже свобода стихии? Нет! И это естественно для нормального, обыкновенного человека. Его «отцепляют» — и младший, по существу, остается в тюрьме, откуда пытался совершить побег, абсолютно для него невозможный, потому что это побег в смерть.

Для Кончаловского здесь, вероятно, был очень важен опыт испытания последней свободой — свободой от страха смерти. Тема смерти как критерия в последнем, решающем определении смысла жизни — постоянная тема его картин. И, кстати говоря, в большей степени тех, которые сделаны в Штатах.

«Быть вместе со мной глупо — я воюю со всем миром. И тебе не поздоровится...», — наставляет Мэнни своего юного спутника.

На глаза Бака наворачиваются слезы, когда Мэнни растолковывает ему свое кредо. Может быть, он чувствует, что его кумир говорит правду. Что нет ничего, что соответствовало бы его, Бака, игрушечным мечтам, а есть унылая проза повседневной жизни, сама по себе тюрьма, выдержать бытовой груз которой — тоже в своем роде подвиг. Вырваться из этой тюрьмы, чтобы попасть в ту, из которой совершен побег? А полная свобода — это то, что ждет Мэнни — свобода от всего, осознанный полет в неминуемую гибель...

Но ведь и Мэнни вроде бы соглашается на повседневное прозябание: хотел бы так жить, но не может. В чем тут дело? А в том, что в «унылой прозе» осуществляется естественное («чеховское») течение нашей жизни. В ней — наличие оседлости, своего места — того, к чему человек может вернуться, где его ждут. И в такой жизни Мэнни оставляет своих юных спутников. Жизнь, прикрепленная к месту, — клетка, тюрьма. Но вне ее — погибельная стихия.

Пространство значительной части картин Кончаловского организовано как противостояние закрытой для большого мира среды и самого этого мира, влекущего, но и угрожающего. Герой пытается преодолеть закрытое пространство. Зажатый горами аил, отгороженное от мира тайгой селение, затерянную в болотах Луизианы лачугу. Герой хочет выйти в просторный, много обещающий, но и много требующий опасный мир. Такой выход часто чреват погибелью.

Сам режиссер заражен тягой к иным пространствам, к авантюрному их освоению. Он то и дело пересекает границу дома, отправляясь в опасное странствие — как в прямом, так и переносном смыслах. Однако на путь, избранный Мэнни, его создатель вряд ли решится, хотя и примеряет эти одежды на себя. Пожалуй, это путь гения, вроде Микеланджело, скажем. А может быть, Высоцкого или Тарковского.

«Поезд-беглец» стал экспериментом с героем, претендующим на абсолютную свободу (на волю!), у которого пристанища не может быть по определению. Такое существование пугало, грозило растворением в злой стихии мироздания — подталкивало к возвращению в дом как единственную ценность, каким бы он ни был.

3.

Но как дом этот укрепить, если он лишен отцовской опоры? Если отец — не любовь, не спасение, а призрачный ужас жестокого насилия, витающий над домом? Этот вопрос тревожит, когда смотришь одну из самых значительных, на мой взгляд, голливудских работ Кончаловского — «Стыдливые люди» (1987).

Обе семьи — и нью-йоркской журналистки Дианы Салливан, и ее луизианской дальней родственницы Рут — именно таковы. Ни у той, ни у другой нет мужей. Правда, их объединяет мистическая мрачная фигура покойного мужа Рут — Джо Салливана.

Диана согласилась с «половинчатостью» семейного существования. И она, и дочь живут каждая сама по себе — по сути, одиноко. Диана, то ли следуя принципам демократии, то ли от материнского бессилия, предоставляет Грейс полную свободу. И когда дочь практически умоляет мать забрать у нее наркотик, Диана отказывается, ссылаясь на то, что Грейс свободный человек, должна жить без полицейского за спиной.

Другое дело — Рут. Эта хранит и культивирует в семье миф патриарха. Все основано на суровом подчинении авторитету матери, заместившей собой умершего (или погибшего?) отца, портрет которого неусыпным всевидящим оком висит в доме. (Далекий отголосок отцовских портретов в «Романсе».) А сам Джо в виде призрака инспектирует водную окрестность и как бы соблюдает нерушимость ценностей мира, основанного на его, отцовском, авторитете. Не случайно рифма этому образу видится и Кончаловскому, и его критикам в фигуре Сталина.

Образ мужа-отца, переплавленного в миф, роднит «Стыдливых людей» с «Романсом» и «Сибириадой». Как и в картинах 1970-х годов, в «Стыдливых людях» зритель видит саморазрушение матери, взявшей на себя отцовский груз. Однако и мужчина как опора жизни становится все менее основательным и все более призрачным. В «Стыдливых людях», как и в «Сибириаде», отец — тень, подмененное призраком живое начало.

В «Сибириаде» все мужчины устюжанинской ветви погибают, а у мужчин соломинской нет детей. Отцовское начало повреждено собственной разрушительной силой. Тема отцовского саморазрушения из «Сибириады» переходит в фильм, созданный в Америке. «Отечественная» тема Кончаловского становится темой общечеловеческой.

Так и хочется напомнить в связи с этим последние кадры «Сибириады», когда зритель слышит вздох облегчения Спиридона Соломина после гибели Алексея: «Наконец прекратился род Устюжаниных-разрушителей». «Нет! Не прекратился», — опровергает его Тая, поскольку она уже носит под сердцем ребенка Алексея. И здесь у меня — постфактум, правда — рождается чувство, что в утробе женщины из рода Соломиных зреет нечто подобное тому, что носила в себе и отчего удавилась другая героиня Кончаловского — из «Ближнего круга».

Каков тот самый отец, семейный миф о котором блюдет Рут, читатель помнит по описанию Плахова. В дополнение скажу, что

Джо Салливан прибыл с Севера. Взял Рут в жены, когда та была подростком. «Я жила в его аду», — рассказывает женщина своей родственнице. Беременную младшим из сыновей, он избил ее так, что сын родился слабоумным. Она боялась его и ненавидела. Но именно потому, что он был не теплым, а холодным и жестоким, семья спаслась в тяжелых испытаниях перед лицом природы Юга.

Мать строго блюдет миф отца, чтобы не нарушить природные основы дома. Она пытается удержать то, что удержать уже невозможно. В этом великий героизм Рут в сдержанно-суровом исполнении Барбары Херши, в этом ее слабость и сила. Под прикрытием маски, умноженной стоицизмом давно изжившей себя отцовской суровости, эта женщина скрывает необыкновенную нежность и любовь даже к отщепляющимся от семьи своим сыновьям.

Таков Майкл, старший из сыновей. В этом образе отдаленно откликнулась история самого Андрея, покинувшего семью для манящей свободы Запада. Можно сказать, что режиссер примеряет его судьбу на себя: «И я бы мог...»

Майкл ушел из семьи в город, не принимая идеологии папаши Джо, культивируемой матерью. «Они сумасшедшие. А я нормальный. Я сбежал вовремя. Теперь независимый. Свободный!». Но эта свобода оказывается, в конце концов, в тягость. И в финале фильма он возвращается в семью, фактически занимая место патриарха. Но взгляд, брошенный на него матерью, выражает сомнение в том, что сын потянет этот груз.

...В фильме есть эпизод, когда три женщины, Диана, Рут и ее беременная невестка Кэнди, отправляются из заповедного угла семьи в город, некий Вавилон цивилизации. Не случайно по пути их следования видим нефтедобывающие строения, напоминающие о родстве картины с «Сибириадой». Одновременно их проезд на моторке мимо городских пристаней можно воспринимать как цитату из «Соляриса» Тарковского с проездом Бертона и его сына по фантастическому городу XXI века. И там и здесь город в метафорическом сопоставлении с природой становится чудовищным символом бессмысленного саморазрушения человека.

В кинематографе Кончаловского уже не только его родина страдает хроническим безотцовством, порожденным революциями, гражданскими и отечественными войнами. Трагедия эта затронула мир, разорвав его надвое. И теперь мать должна взять на себя умноженный, а потому непосильный груз сохранения фундамента человеческого мироздания от его неминуемого разрушения.

Наиболее часто звучащая в картине фраза: «Есть как есть, и по-другому не будет. Здесь живу, здесь и умру». В конце концов и Диана принимает эту стоическую философию Рут как единственную опору в безопорном мире.

И в этой ленте Андрея есть начало, противоположное разрушительному. Это сама Рут, удивительно нескладная фигура в огромных мужских ботинках, придающих ей нечто чаплинское. Женщина, героически сражающаяся с подавляющей ее мужской ролью — на грани трагедийной клоунады.

4.

Простодушную буффонаду разыгрывает и Гомер («Гомер и Эдди», 1989). Он типично русский персонаж, своеобразный Иван-дурак, из тех, кто населяет смеховой мир Древней Руси.

Вновь киносюжет у Кончаловского превращается в дорогу, ведущую к дому. И как ни опасна дорога, на которой Гомер встречает безумную и угрожающе разрушительную Эдди (не вполне состоявшаяся рифма Мэнни?), еще менее гостеприимным оказывается его дом. Именно здесь нанесли ему травму, из-за которой он превратился в идиота. Именно здесь от него отказались, когда это случилось, и состоятельная семья избавилась от своего отпрыска. И именно здесь, через двадцать лет, возвратившись, он застанет гроб с телом отца и поймет, что в этих краях не будет ему приюта...

Так же, собственно говоря, бездомна и Эдди из Окленда, ничуть не более гостеприимного для странников, чем Орегон. Пронзительно трогательна сцена ее прощания с матерью на кладбище.

Тот мир, в котором оказываются Гомер и Эдди, — огромное пространство, населенное сиротски блуждающими людьми. Может, права Эдди, когда бросает обвинения Богу в неустроенности мира, где несчастны и она, и ее неожиданный попутчик Гомер, которому ни за что ни про что вышибли мозги?..

Но, как бы опровергая неверие Эдди, в Орегоне, среди какого-то очередного местного праздника, очень напоминающего грустно-карнавальный сумбур картин Феллини, ей то и дело является видение: некто в терновом венце, несущий на себе крест. Эту фигуру видит только она. Видит она ее и в финале картины. Уже с пулей в животе, видит своим угасающим взором: действительно, Иисус, весь в сиянии, склонившийся над ней и все ей прощающий.

Это потом, когда мятущаяся негритянка затихнет навсегда, зритель узнает, что не Иисус вовсе предстал перед ней, а полусумасшедший бродяга, изображающий Спасителя, вроде того Бога из психушки, который появится в фильме Кончаловского «Дом дураков». А, может быть, и того, который напутствует Ольгу из «Рая»: «Тебе нечего бояться. Входи!»

Вслед этому, с крестом на плечах, из уст какого-то старика, вышедшего посмотреть на происходящее, раздастся: «Жалко чудака...»

Правда, не совсем ясно, к кому это больше относится. К странной фигуре с распятием на спине? Или к несчастному блаженному Гомеру с остывающей Эдди на руках? Или к самой безбашенной Эдди, до конца своей жизни сражавшейся с робко проклевывающимся внутри нее Богом?

Хочу напомнить, что для самого режиссера его Гомер — как лакмусовая бумажка терпимости и всепрощения в мире, где никто никого не терпит, никто никого не склонен прощать даже на пути к Богу. Гомер — сниженный Лев Николаевич Мышкин. А мир, спешащий к своей погибели, как Эдди, безумен по определению. И мало утешительного, кажется, в сцене, описанной выше...

И все же глубокая печаль по поводу происходящего едва ли не на грани отчаяния сопровождается и глубоким состраданием, жалостью к человеку, не по собственной воле оказавшемуся на земле, на вечно мучительном пути к дому. Но ведь явился все же перед затуманенным смертью взором человека долгожданный Бог! Финал, заставляющий вспомнить чеховскую «Палату № 6» и последнее видение Рагина.

Очень трудно понять, по каким показателям описанные здесь фильмы были отнесены к голливудской продукции, не предусматривающей ничего, кроме крепкого, не склонного к рефлексиям ремесла? Для такой продукции незащищенная человечность картин Кончаловского — очевидный избыток. Та этическая нагрузка, которую не перешибить никаким Голливудом, не замутить никакой критической близорукостью.

Кончаловский пришел в кинематограф второй половины XX века с ощущением жизни на сломе двух эпох — и это было главным предметом его художественного постижения.

«...Мучительное ощущение распада привычного дома-мира, которым жило наше кино 1970-х, превращается у него в знание. Он напоминает человека, который стоит на пороге родного дома, пока прочие мечутся, пытаясь наладить разваливающийся быт, поскольку в отличие от всех твердо знает, что всем без исключения предстоит покинуть его навсегда. И там, где для остальных — провал, обрыв в никуда, для него — стремительно развертывающееся, абсолютно необжитое пространство, дыхание которого он постоянно чувствует. Он уже не здесь и еще не там. Он — между. Он — бездомный. В этом смысле Михалков-Кончаловский — самый диалогический режиссер нашего кино. Даже в фамилии это запечатлено. Он одновременно — и Михалков, и Кончаловский, наследник двух традиций, противоположных, неслиянных, и с обеими — кровная связь. Он неизбежно и неизменно двоичен во всем...»

Мне близка эта формула, выведенная Евгением Марголитом. Пограничность творений режиссера и создает необходимую искусству «темно́ту стиха», не исчезавшую в его кинематографе никогда. Речевая двоичность американских картин Кончаловского была неизбежной уже потому, что сюжет большинства из них формировал наш маргинальный герой, но поставленный в условия стыка миров разных национальных культур.

ЧАСТЬ ПЯТАЯ

Сотворение мира. Синтез

Все, что не имеет традиции, становится плагиатом.
Эухенио д'Орс, каталонский философ

глава первая

Судьба и культура

*Свобода есть драгоценный дар, но не абсолютное благо,
доступное всякому и всякому нужное.*
Д. П. Кончаловский. Пути России. 1945–1949

Неразвитость — это состояние ума...
Лоуренс Э. Харрисон. 1985 г.

На рубеже 1990-х Андрей создает новую семью. Родятся дочери Наталья (1991) и Елена (1993). Четвертой его женой стала Ирина Мартынова, диктор московского телевидения. Познакомились они в Москве, потом он пригласил ее в Америку, потом поехали еще куда-то. Поженились. Их дом в Штатах чем-то напоминал дачу на Николиной Горе. Во всяком случае, так он выглядел в описании журналистов, посетивших режиссера в начале лета 1992 года.

Встретившись здесь с гостями, Андрей искренне признавался: «У меня годовалая дочка. Очень желанный ребенок! И что интересно: когда ребенок желанный — он непременно счастливый, улыбается все время. А ведь я уже в возрасте дедушки. Мой брат Никита, кстати говоря, уже стал дедушкой. Я значит, двоюродный дедушка. И когда в таком возрасте появляется ребенок — это абсолютно другое ощущение! Я никогда не был так счастлив в семье, с детьми. В молодом возрасте женишься — дети становятся как бы будущим препятствием к разводу, почти всегда предполагаемому. Хотя о нем еще вроде и не думаешь...»

Примерно то же приходилось слышать от него, когда он уже женился на актрисе Юлии Высоцкой и имел двоих детей — Машу и Петю. Он говорил о том, что раньше чуть дотягивал до времени, когда его ребенку исполнялось шесть, и уходил. Теперь — совсем другое дело. Теперь он привязан к семье и счастлив...

Однако к быту в его повседневном течении Кончаловский, как видно, не привычен. К тому же работа у него на первом месте и только на втором — семья. «Это достаточно горькое признание». Профессия, требующая, с одной стороны, производственной и общественной публичности, а с другой, — перемещений по миру. «Так и живу, между Москвой и Америкой... Францией... Англией...» Но внутренний диалог-спор с родной стороной никогда не прекращался: с покойным Тарковским, с родственниками — с братом, прежде всего, по поводу того, прав был или не прав, что уехал...

«Я часть русской культуры, и ничего с этим не поделаешь. Я по ментальности русский человек, и с этим тоже ничего не поделаешь. Русская ментальность связана с двумя вещами: во-первых, жить миром и никакого индивидуализма — индивидуализм презираем в России. Все в деревне знают про всех, и все смотрят друг на друга. Обрабатываемая земля была вокруг, а все жили в центре ее вместе, миром. В Америке же в центре надела стоит мой дом, я. Это индивидуальное сознание: если кто-то ступит на мою землю, я буду в него стрелять! Мой дом — моя крепость. А в России моя деревня — моя крепость. «Мне обувки на коже не надо, но и ты, сука, на кожимите ходи!» Вот и я хочу снять фильм о человеке, вырвавшемся из этого круга и пытающемся кем-то стать. А его все ненавидят...»

1.

История с «Танго и Кэшем» — финиш капиталистической инициации моего героя. Открылось последнее десятилетие XX века, отмеченное неожиданными преобразованиями на Родине, перспективы которых не были ясными. Но, казалось, можно и нужно возвращаться, хотя бы потому, что Америка ничего нового не обещала.

Вехами на возвратном пути были «Ближний круг» (1992), «Курочка Ряба» (1994), «Одиссея» (1997).

Возникший на исходе оттепели «Первый учитель» показал драму фундаторов идеологии доморощенного коммунизма в самых истоках ее происхождения. «Ближний круг», на новом витке исторических превращений, уточнил корни этой идеологии и подвел итог ее исторического пути в формуле: «иванизм» породил сталинизм.

В «Курочке Рябе» «иванизм» обрел новые формы, воплотившиеся в гротесковом образе русской деревни конца XX века. Оказалось, что в ментальности ее жителей мало что изменилось за последние несколько веков. Травка так и осталась травкой вопреки либеральным и иным прочим политическим чаяниям и усилиям.

Но аналитический опыт режиссера, сложившийся в последние десятилетия XX века, в том числе и за пределами родины, в Отечестве был истолкован как отрицательный.

«Когда Кончаловский отъезжал на Запад, — писал Андрей Плахов, — ему наверняка виделись перспективы Милоша Формана. Действительность не воплотила этих ожиданий. Но и не опровергла правомерность предпринятой попытки. Он сам выбрал свой путь, сам заплатил за это, и никто не вправе его осуждать. Что из того, что из фильмов, снятых Кончаловским в Голливуде, ни один не отличается той творческой оригинальностью, которая побуждала видеть в нем когда-то режиссерскую звезду будущего? Да, теперь он делает заведомо коммерческое кино. Стараясь при этом, чтобы оно было интеллигентным. Иногда это удается, иногда — нет...»

Милош Форман, упомянутый в пику «буржуазному примиренчеству» Кончаловского, оказался за рубежами родной Чехословакии, как известно, не в начале 1980-х, а в конце 1960-х, на пороге известных августовских событий. Время было другое, иными были и песни. Иначе на Западе принимали художников, покинувших лагерь социализма. И Голливуд становился, но еще не стал тем, каким его увидел Андрей.

Уже в 1971 году Форман получил приз в Каннах за фильм «Отрыв». Но жесткая картина о странствиях по Нью-Йорку сбежавшей из дому девочки-подростка в американском прокате провалилась. Мало того, режиссера по обвинению в неуважении к американскому флагу грозили выдворить из страны. А в первой половине 1980-х и Форман сильно сомневался, что его русский коллега приживется в Голливуде. Но сразу после «Возлюбленных Марии» сказал: «Я думал, ты не выдержишь. Думал, ты уедешь в Европу. Тут мало кто выдерживает — практически никто».

Значит, все-таки выдержал?..

Опыт его поныне остается уникальным. Голливуд не знает русской режиссуры вообще, не знал и не знает и такой режиссуры, какую предложил Кончаловский. Осевшие за границей Иоселиани и Тарковский работали во Франции, Италии, Швеции.

В Голливуде была возможна ситуация, подобная истории со съемками «Танго и Кэша», но вряд ли повторилась бы такая, как на съемках картин Тарковского «Сталкер» или «Жертвоприношение». Америку Тарковский стойко не принимал. Но и в Европе, кажется, неожиданно для себя почувствовал жесткую капиталистическую хватку. Он попал в совершенно непривычную для него среду. Столкнулся как режиссер с проблемой чисто финансовой, которой у него не было в Союзе. Оставалось, как пишет А. В. Гордон, только ждать. «Необходимость писать гневные письма отпала. Там травили, но деньги давали. Здесь превозносят, но денег нет».

После смерти Андрея Арсеньевича вся его творческая деятельность в Европе воспринималась и продолжает восприниматься как тяжкий путь страстотерпца, не отступившего от своего лица. В противоположность этому и отъезд Кончаловского, и его «тамошние» картины порицаются, что глухо угадывается даже в статье доброжелательного Плахова. «Теперь он делает заведомо коммерческое кино...»

Какое коммерческое, позвольте, если ни один из фильмов, созданных им там, не имел настоящего проката?

Наша неподкупная критика скептически воспринимала зарубежный опыт Кончаловского. Во-первых, сокрушались по поводу отрыва мастера от отечественных корней, а во-вторых, ностальгировали по эпохе «Аси Клячиной», сменившейся в творчестве Андрея, как казалось, сплошным компромиссом.

Виктор Божович, сурово разоблачив «муляжность» «Ближнего круга», не может забыть, что «поставил его создатель „Аси Клячиной“, произведения, где были потрясающая прозрачность фактуры, где происходило неповторимое самораскрытие жизни на экране». Ах, сколько тогда надежд было связано с именем Андрея Сергеевича! Не меньше, чем с именем Тарковского. Не оправдал...

В начале 1990-х годов режиссер Алексей Герман, один из тех, чье творчество в советское время подвергалось постоянному прессингу, говорил: «...Вот Кончаловский уехал и научился снимать американское кино. Но представить, что автор «Гомера и Эдди» и автор «Аси-хромоножки», и он же автор сценария «Рублева» — один и тот же человек, невозможно... Конечно, от Кончаловского нет ощущения, что он уже мертвый художник. Он настолько талантлив, и кто знает, быть может, еще снимет своего нового «Дядю Ваню»… Но сейчас он себя вот так ограничил, загнал в такие ужасные тиски — американские рамки. Кончаловский замечательный режиссер, и я себя с ним не сравниваю, но только мне кажется, что на сегодня мы с ним покуда оба проигравшие. Потому что, с одной стороны, так, как я, который давно ничего не снимал, но с другой стороны, так, как он, кому, быть может, не обязательно было снимать то, что он снял в последние годы? Ну, деньги — это, конечно, хорошая вещь. Я бы тоже хотел снять в той же Америке кино, заработать много денег и все такое прочее. К чему тут фарисействовать? Хотя я вряд ли сумел бы снять так, как Кончаловский. Но эти его американские картины я не люблю и никаких достоинств в них не вижу…»

В отличие от Тарковского ранее, а позднее и от Германа, которыми каждое их создание переживалось как последнее — от страха скатиться в неудачу, «предать» божественный дар неверным движением, — в отличие от них Кончаловский не боится ошибки, не боится сделать неудачное кино. Он профессионал (делатель, а не пророк!) и в этом смысле. Он отважно начинает с нуля, иногда идет почти вслепую, поскольку ремесло и есть его жизнь, а в профессии (не в миссии!) может случиться всякое. Притом, и его неудачи — это неудачи мастера, в которых видна высота и значительность замысла.

Когда самого Кончаловского спрашивают по поводу его американского опыта, он, как правило, говорит о том, что «лишился иллюзии о западном образе жизни как о некоем феномене, противостоящем нашему». Он убедился, что «их» образа жизни не существует — «есть бесконечное количество разных ментальностей, образов мышления, восприятия жизни, искусства, кинематографа. Итальянец от шведа или американец от француза отличаются не меньше, чем русский от любого из них». Отсюда у него, у художника, появляется «более дифференцированное ощущение мира: по-разному любишь разные нации и по-разному их не любишь». В то же время весь этот период в нем продолжало формироваться свое ощущение России и русского народа. И вряд ли этот процесс был бы более интенсивным, живи он дома. Вводится новая точка отсчета. «Я просто размышлял. Читал. Думал о том, о чем все эти годы не осмеливались говорить у нас в России. О русском народе. Нам еще предстоит познать нашу скверну, как сказал один философ…»

Режиссер научился смирению. И это самое важное, на его взгляд. «Такого понимания себя, своего места у меня прежде не было. Мы все же привыкли к деформированной системе ценностей. Режиссер в России — борец, страдалец, диктатор, художник, артист. Он борется за свободу творчества, его давят. Чем больше давление, тем сильнее его ощущение собственной значительности».

В Штатах же режиссер увидел, что его никто не знает. Мало того, он понял, что в глазах окружающих как режиссер он стоит ровно столько, сколько вложено фирмой в фильм, создаваемый им. «Тут-то и выясняется, кто ты есть, иллюзии испаряются, приходит иной взгляд на жизнь. Приходит способность к смирению».

Мне американский период Кончаловского представляется временем жесткого самоанализа — хотя бы с точки зрения феномена творческой свободы, к которой он так стремился. В «Поезде» он ставил вопрос об относительности свободы. В «Стыдливых людях» задумывался «о конфликте между свободой и обязанностью, между любовью и уважением, между правами человека и теми обязанностями, которые накладывает на него культура». «Бывает, человек пытается освободиться от обязанностей и не может, а случается и наоборот: человек страдает от свободы, хочет и не может обрести обязанности, готов отказаться от свободы, чтобы узнать любовь». И какой бы ответ ни находил он на поставленные вопросы и тогда, когда он его просто не находил, его герой возвращался. Возвращался к исходной точке пути — домой.

Новый этап его творчества, начиная, может быть, с «Ближнего круга», в философском смысле куда более глубокий, нежели времена «Первого учителя» и «Аси Клячиной». Я бы отнес его к периоду синтеза, когда зрелость собирает в единое целое все, о чем думалось на протяжении долгого пути домой.

Другое дело, оказался ли он на самом деле дома, то есть там, где его любят, среди своих? Ответ на этот вопрос существен, поскольку именно он — в положительном смысле — позволяет надеяться на рождение высокого синтеза, действительной гармонии, какой живут великие творения.

В сентябре 1989 года, когда уже маячило фиаско с «Танго и Кэшем», в одном из интервью им было сказано, что если бы он задумал сейчас снимать в России, то выбрал что-то вроде «Голубой чашки» Гайдара. Затем поправился: «Нет, сначала надо сделать

«Рахманинова», «Киномеханика» («Ближний круг»). А «Голубая чашка» — потом».

Что же подтолкнуло включить Гайдара в этот совокупный образ возвращения домой?

Проза Аркадия Петровича, которая искони считалась детской, на самом деле пронизана недетской трагической тревогой, эхом уже навсегда, казалось, отгремевших сражений, предчувствием грядущих катастроф. Его дети — одинокие дети, лишенные матери (чаще всего) или отца, а то и той и другого. В «Голубой чашке» (1936) отец и дочь как бы в шутку покидают мать, уходят из дому, обидевшись на несправедливое обвинение, что они якобы разбили материнскую любимую голубую чашку (мечты?). Но даже в шутке, как говорят, лишь доля шутки. И здесь — совсем малая, поскольку в рассказе хорошо слышен голос близко громыхающей войны.

«Голубая чашка» по настроению удивительно напоминает «Историю Аси Клячиной». Благостность летней природы, трудового единства колхозников — и одновременно тревожный гром танкодрома невдалеке.

В «Военной тайне» (1934), в «Судьбе барабанщика» (1938), «Тимуре...» война — вот она. Оставленные без родителей дети или сочиняют сказки о близких битвах, или сами в них участвуют, то сражаясь с врагами, едва ли не ими самими в тревожных снах воображенными, то выступая «благородными разбойниками», защищающими таких же, как они, осиротевших — стариков, старух, детей и женщин.

Все это очень напоминает атмосферу и «Щелкунчика», между прочим. Как и эта картина, создания Гайдара, погибшего в самом начале Великой Отечественной войны, — предчувствие катастрофы, порожденной тем самым мироустройством, которое поначалу виделось избавлением от всех бед, чуть ли не раем. В этом смысле и творения Аркадия Петровича, и фильм «Щелкунчик» настолько же детские, насколько и взрослые.

Поясняя в своем дневнике, какие ценности отстаивает его «Военная тайна», Гайдар говорил, что повесть его стоит «за любовь к нашим детям. И просто за любовь». Эта любовь была смешана с тревогой за очень близкое будущее нового, уже вполне советского поколения детей. За будущее, которое ясно видел писатель и которому в глубине души ужасался. Переживая этот страх, он посылал своих одиноких мальчиков и девочек навстречу очень близкому и ужасному завтра. Именно так пытался, с одной сто-

роны, приучить своих «барабанщиков» к тому, что их ждет, при-
вить им иммунитет к близящемуся завтра. А с другой — надеялся, что их детский зов услышат взрослые и проникнутся той
самой трагической тревогой.

Три замысла — фильмов о Рахманинове, киномеханике
и экранизации «Голубой чашки» — сопрягаются, в моем представлении, как подступ к образному воплощению коллизий первой половины XX века в истории нашей страны.

Гайдаровские персонажи вечно на стыке миров. Вообража-
емый рай всеобщего благоденствия и реальность настоящего,
в котором набухает близкая, очень близкая катастрофа. Но поскольку они люди и так же любимы своим создателям, как
и персонажи Кончаловского своим, дорога их — из дому и в дом.
Трудная, жертвенная дорога туда, где семья всегда вместе, где
золотая луна сияет над садом. И где «жизнь, товарищи, ...совсем
хорошая!»

2.

В пространстве-времени «Ближнего круга» и «Курочки Рябы»
и собственно коммерческий проект экранизации поэмы возвращения, «Одиссеи», кажется закономерным.

«Одним из существеннейших для меня моментов был образ
матери. Мать — синоним Родины. Она провожает героя, уходящего на войну. Мать упоминается у Гомера не единожды, но в событиях участия не принимает. Сильнее всего тронуло меня то,
что она, не дождавшись сына, скончалась от отчаяния. Удивительно человеческая деталь! Она позволила мне развить образ.
Мать не выдерживает и от отчаяния кончает с собой, а потом
сын находит ее в Аиде...

Мы хотели сделать эту историю понятной всем. Одиссей —
муж, воин, вождь, мужчина, отец, сын. У него есть друзья, есть
враги. Есть обязанности — перед семьей, перед племенем, перед
страной. Он уходит на войну — таков его долг человека, воина,
вождя. Он воюет, становится героем. Мать ждет его. Ждет жена.
Ждет сын. Герой сталкивается с волей, которая сильнее его, вынужден идти наперекор ей. Он стремится домой, но уже не надеется вернуться. И дома уже перестают верить в его возвращение.
Появляются женихи, убеждающие Пенелопу перестать ждать.
Абсолютно понятные земные вещи. «Одиссея» вполне может
происходить и в наши дни. Это путешествие человека к самому

себе. Делая первый шаг от дома, мы одновременно делаем его к дому: земля круглая и уходим мы, чтобы вернуться».

В пересказе сценарного замысла — смысловой сгусток пути, который прошел сам художник. Формула опыта, приобретенного в перемещениях, на границе разных культур, разных миропониманий. Уходим, чтобы вернуться преображенными.

К работе над картиной Кончаловского подтолкнул Коппола еще в 1992 году. Вернулся он к этому предложению в тот момент, когда застопорился проект экранизации «Королевской дороги» Андре Мальро. И только на том условии, что со сценарием он может делать все что угодно. Режиссер погрузился в изучение эпохи, стараясь понять мир гомеровских героев и их творца. Захватила культура Средиземноморья, где скрещивались, обогащая друг друга, Азия, Африка и Европа.

«Взаимодействие культур — вот что захотелось передать в фильме... Законы взаимоотношений вождя и племени не изменились со времен Одиссея. Не было никакой возвышенной роскоши, белого мрамора, люди ходили голые, а потому — чистые. Были закалены, открыты солнцу, ветру. Я подумал: «Одиссея» — о вожде и племени...»

Гомеровская поэма не сказка, а миф. Действуют, с одной стороны, выдуманные чудовища, а с другой — реальные люди и реальные боги. Нужно было соединить фантазию, миф и реальность, чтобы не возникало ощущения эклектики.

Особая проблема — образное решение фигур античных богов. Хотелось избежать «оперности», наделить их реальными чертами. Греческие боги к людям «относятся как к малым детям, толком еще ничего не понимающим». Поэтому «решали богов как людей, современных нам». На эти роли «искали актеров, способных сыграть человека, глядящего на далекую эпоху с высоты всей человеческой истории».

«Одиссей», как когда-то «Ася», а потом и «Курочка Ряба», снимался «на автопилоте».

В картине было много звезд, в том числе Арман Ассанте, с которым сложились особые отношения. Он подписал контракт только на том условии, что фильм будет снимать именно Кончаловский.

«...Если б не он, я не смог бы добиться того сценария, который хотел снимать. Мне бы выломали руки, и я, скорее всего, ушел бы с картины, как это позднее случилось на проекте «Клеопатры». Притом что наши отношения бывали и очень напряженными, мы остались лучшими друзьями».

Первый опыт работы на телевидении оказался удачным. Фильм получил «Эмми» за лучшую режиссуру 1997 года. Это был самый дорогой проект в истории телевидения. Европейская премьера фильма состоялась на Московском МКФ и была названа самым громким событием фестиваля.

На телевидение Кончаловский вернется в начале 2000-х годов и снимет вместе с американцами фильм «Лев зимой» (2003) по пьесе Джеймса Голдмена. Впечатляюще яркая Гленн Клоуз, сыгравшая в картине супругу Генриха II Элинор Аквитанскую, получит приз «Золотой глобус-2004» в номинации «Лучшая женская роль в телесериале».

Ремейк знаменитой ленты 1968 года Кончаловский, по его словам, сделал «по найму». Инициатива исходила от исполнителя главной мужской роли в фильме, Патрика Стюарта. «Он считается в Англии одним из серьезнейших шекспировских актеров и думал, что будет великолепен в роли короля Генриха». Правда, по меркам режиссера, «Стюарт оказался актером ограниченным — ни страсти, ни юмора, ни обаяния. Зато самовлюблен, самоуверен, упрям...»

Бродвейская пьеса Джеймса Голдмена казалась неглубокой. Кончаловский поставил задачу «решительно увести эту историю с Бродвея в XII век. Происходящее на экране должно было «обрести вкус и запах канувшего времени, чтобы герои были такими, как люди этой эпохи, — неуемные, края не знающие, хорошо приспособленные к тогдашнему диковатому миру. Голые на морозе. Как викинги. Животные. Прекрасные!»

Кончаловского страшно возбуждает «живописание эпохи, вкус и запах иного мира», который он ощущает, готовясь к картине. «Если искать в моих картинах что-то общее, то это страсть к живописанию эпохи в ее плоти и подробностях — будь это сталинское время в «Ближнем круге» или мир Одиссея». Вспомним, что его прадед Василий Суриков «очень серьезно занимался изучением исторических корней и реалий, когда писал свои полотна. Его картины — «Боярыня Морозова» или «Утро стрелецкой казни» — как многосерийные фильмы».

Тем не менее, преодолеть комплекс узко семейной драмы Голдмена не удалось, хотя режиссер и старался.

Старания не пропали даром: материальность времени, его вкус и запах в фильме хорошо ощущаются. Тогда, например, когда Генрих II поднимается утром с супружеского ложа и перед умыванием взламывает корку льда в тазу с водой. Или тогда, когда, собираясь покинуть замок, король на ходу хватает только что испеченный хлеб и ломает его, а на морозе видно, как вкусно поднимается пар из надломленной булки.

Главное в этом фильме, может быть, то, что здесь есть своеобразная проба на создание атмосферы шекспировского мира, что вскоре и понадобится режиссеру в спектакле по «Королю Лиру». Конфликты королевской семьи в фильме вырастают из языческой неуемности диких характеров. Здесь все страсти открыты, все они — на стыках. Эти люди и друг друга любят самозабвенно, и за власть друг с другом борются не менее отчаянно, отчего конфликт между зовом крови, зовом любви и жаждой власти оголяется, принимает масштабно обостренные шекспировские формы.

3.

Годы дальних странствий, кроме кинематографических работ, пополнились и оперными спектаклями («Евгений Онегин» и «Пиковая дама»), драматической «Чайкой».

Театральные опыты были для режиссера внове, хотя и влекли. К своей первой опере — «Евгению Онегину» Чайковского — он пришел по приглашению директора Ла Скала. Постановку предложили вначале Никите Михалкову. Но тот был занят — позвонили старшему брату. После «Онегина» (1985), спустя три года, Кончаловский вернулся в Ла Скала — делать «Пиковую даму», премьера которой состоялась в июне 1989-го.

Когда предложили сценарий «Танго и Кэша», он работал, напомню, над постановкой чеховской «Чайки» (парижский театр «Одеон», 1987). Почти через десять лет режиссер повторит этот опыт, но уже на сцене Театра им. Моссовета и с Юлией Высоцкой в роли Нины Заречной.

Возвратившись, режиссер продолжает так же интенсивно работать — и не только на поприще любимого кино. На сцене Мариинского оперного театра в Санкт-Петербурге появляется его спектакль по «Войне и миру» Прокофьева (2000 г., музыкальный руководитель и дирижер Валерий Гергиев), в 2002 году показанный в Нью-Йорке в Метрополитен-опера. Перед отечественной премьерой оперы режиссер, выступавший на родине в непривычном амплуа, был атакован интервьюерами, тем более что на спектакле обещались быть тогдашний премьер-министр Великобритании Тони Блэр с Владимиром Путиным.

Режиссер говорил, что не привык тщательно отрабатывать концепцию своих постановок, не любит знать, что создает: «...важен процесс делания, а не реализация...» И если говорить о подготовке к спектаклю, то ею можно считать все прожитые годы. А с этой точки зрения, в конце концов, не имеет значения, что ставить. «Никому не важно, что движет мной. Важно, что получается в итоге. Конечно же, патриотическая тема — основа романа и оперы. Война всегда была в России моментом возникновения национальной идеи. Как только война кончалась — идея исчезала. Русских всегда объединяла война с иноземными захватчиками».

«Нужно сделать спектакль, который бы создал впечатление, будто композитор сначала посмотрел его, а потом написал музыку».

Уже позднее, на официальном сайте режиссера, можно было увидеть такой комментарий к постановке: «Соединить XIX век с современной музыкой непросто. Вдобавок эта опера написана по роману гигантскому, написана как киносценарий: эпизоды сменяют друг друга так быстро, что статическая оперная традиция затянула бы эту оперу на лишних два часа. Мне нужно было создать текучесть действия, его трансформацию из одной декорации в другую, происходящую на глазах у зрителей и незаметную для них. Эта текучесть сцен требует очень больших усилий режиссера и художника-постановщика. Нужно было создать архитектуру пространства. Земля и небо — вот два пространства, две сферы, первичных для человека. Они и существуют в моей постановке этой оперы как ее идея».

Оригинальные режиссерские поиски были замечены и отмечены критикой.

Через год Кончаловский ставит «Бал-маскарад» Верди — в рамках Вердиевского фестиваля в Парме, а затем — и в Мариинке.

Комментируя замысел этой последней работы, далековатой от русской как оперной, так и литературной классики, к которой всегда так влекло художника, он заметил, что во время создания спектакля его «не оставляла идея мечты, пронизывающей оперу», «мечты возвращения домой».

В 2002 году появляется фильм «Дом дураков» — еще одно убедительное подтверждение последовательности в разработке главной темы Кончаловского. И эта тема — судьбы его страны в потоке мировой истории, судьба общенационального дома и возвращения к нему.

Замысел возник в 1995 году, когда режиссер увидел телерепортаж о том, как в одиноком интернате для психически больных во время военных действий на границе Чечни и Ингушетии власть перешла в руки населения больницы. Ни врачей, ни медсестер не осталось — все сбежали.

«...Не было различий в том, кто наш герой — чеченец или русский, военный или штатский, начальник или рядовой. Рубеж проходит не по линии фронта, не по ограде психлечебницы, главного места событий картины, а внутри каждого из героев. Мы не хотели потрясать зрителей ни ужасами войны, ни воспеванием героизма любой из сторон. Самым важным было привести зрителей к самой простой и необходимой во все времена истине: человек и в самых сложных обстоятельствах должен и может оставаться человеком».

По некоторым сведениям, прототипом героини Юлии Высоцкой, «Христовой невесты» Жанны, была реально существовавшая девушка с тем же именем. За пять лет до съемок она начала звонить режиссеру домой и молчать в трубку. Обычно это происходило глубокой ночью. Но Кончаловский телефон не выключал. А через полгода девушка заговорила. Она рассказала о себе, о жизни, о своей любви к режиссеру. Общение продолжалось и во время съемок. Пять лет Кончаловский мечтал использовать этот характер в каком-то из своих фильмов — наконец, нашел.

Фильм был удостоен ряда наград на международных кинофестивалях. Особо отмечалась работа исполнительницы главной роли. На родине картину оценили в рамках традиции попинать «папина сибиряка», как именовал моего героя покойный Михаил Козаков.

Режиссер с грустью замечал, что в России «принято оценивать кино, исходя не из его художественных достоинств, а с точки зрения того, кто именно его сделал. Раньше, в советские времена, про меня говорили — папа ему помог. Сейчас говорят — брат ему помог...»

Целый ряд проектов был осуществлен Кончаловским в рамках его Фонда (позднее — Продюсерский центр). Один из них — телецикл «Гении». Это были повествования о вершинах русской музыкальной классики: Прокофьеве, Рахманинове, Стравинском, Скрябине, Софроницком и Шостаковиче. Телесериал предполагал «провести параллели между той жизнью, которая окружала каждого из героев, и той музыкой, которую он писал». У каждого из них по-своему трагическая судьба, творчество каждого значительно повлияло на мировой музыкальный процесс.

Первый фильм цикла, посвященный Сергею Прокофьеву (сценарий и художественное руководство Кончаловского), интерпретировал трагическую жизнь композитора как «беготню от страшилищ». В 1917 году Прокофьев уехал за границу, но не смог там организовать свою творческую судьбу. Возвратившись в конце 20-х на родину, он не имел больших иллюзий «относительно революции и всего, что за ней последовало». «От одного страшилища он бежал к другому». Пришлось ему пережить и драму взаимоотношений «гений и тиран», подобную той, которую пережил в свое время Сергей Эйзенштейн.

Как автор сценария и режиссер Кончаловский выступил в создании еще двух фильмов цикла — о Скрябине и Шостаковиче.

Через год появились первые картины нового документального кинопроекта «Бремя власти», в котором Кончаловский принимал участие как их полноправный автор. В интервью режиссер говорил, что содержание цикла связано с именами крупных государственных деятелей, принимавших в разные времена и в разных странах непопулярные решения. Алиев, Андропов — вот некоторые из этих имен. «Хотя их решения были далеки от демократических, — замечает режиссер, — но, тем не менее, эти люди жили и действовали во благо своего народа». Проект возник, когда в сознании художника оформилось концептуально целостное представление о взаимоотношениях власти и народа в разных национальных культурах. Кончаловский пытается постичь природу власти — основы ее приятия или неприятия народной массой.

Постижением национального менталитета соотечественников, роли народа в формировании социально-политического пространства жизни страны можно назвать и телецикл «Культура — это судьба» (2006).

4.

Время, прошедшее с момента дебюта Кончаловского было и временем созревания его оригинальной философско-культурологической концепции, связанной с историческим прошлым, настоящим и будущим России. Этого нельзя было не увидеть и не услышать, наблюдая выступления Андрея Сергеевича в последние двадцать лет в СМИ.

Уже шла речь о воздействии на молодого Кончаловского идей его двоюродного деда Дмитрия Петровича. Были тогда и другие влияния. П. Я. Чаадаев, русские философы начала XX века, в том числе Бердяев, Гершензон, идеи, высказанные в сборнике статей о русской интеллигенции «Вехи».

Новым источником культурологической концепции, оформившейся к концу 1990-х годов, стал, кроме прочего, труд американского ученого и государственного чиновника Лоуренса Харрисона «Кто процветает? Как культурные ценности способствуют успеху в экономике и политике», предлагавший критерии успешности или, напротив, отставания народа в экономике в связи с сущностью его культуры.

Харрисон выделяет четыре фактора культуры, способствующих или препятствующих реализации творческих возможностей людей и воздействующих на продвижение универсальной модели демократического капитализма, либо ухода от нее.

Радиус доверия, то есть степень отождествления себя с другими членами общества, чувство общности; строгость этической системы; способ реализации власти в обществе; отношение к труду, инновации, бережливости и прибыли.

В большинстве бедных стран радиус доверия ограничен рамками семьи. Там правят бал кумовство, семейственность и прочие формы коррупции, в том числе и антисоциальное поведение.

Корни этической системы, как правило, уходят в религию. Бог кальвинизма, например, в понимании Макса Вебера, требует от верующих целой жизни, которая объединит в систему их хорошие поступки. Там «нет места для весьма гуманного католического цикла греха, раскаяния, искупления и отпущения, вслед за которым позволяется новый грех».

Авторитарная власть предполагает иерархическую картину мира, в котором воспитываются патернализм (отношения «патрон-клиент») и социальная жесткость, обычные для стран третьего мира.

Позитивное отношение к труду предполагает, во-первых, веру в то, что при рациональном подходе к вещам можно манипулировать миром и увеличивать богатство, во-вторых, важную роль образования и, в-третьих, ориентацию на будущее, что поощряет планирование и бережливость и т. д.

Харрисон считает, что существенные различия в политическом, экономическом и социальном развитии стран мира обычно можно объяснить различной мерой доверия, разницей в этических кодексах, методах реализации власти и ценности, присваиваемой труду, нововведениям и планированию. Он ссылается на аргентинского коллегу и журналиста Мариано Грондону, который разработал типологию, определяющую около двадцати культурных или идеологических факторов, оказывающих различное влияние в общественной среде в зависимости от того, способствует или препятствуют такая среда процессам развития.

Грондона считает, что прогрессивная культура уважает индивидуума и доверяет ему, на чем и строятся равноправие и децентрализация. Культура, препятствующая прогрессу, с подозрением смотрит на человека. Так возникает благодатная почва для недоверия, авторитаризма и централизации. Способствующее прогрессу общество характеризуется системой этики, основанной на ответственной за свои поступки личной нравственности и взаимном уважении. В «положительной» культуре человек получает спасение на том свете, совершая добрые дела на этом. «Отрицательная» же культура гласит: «Спасение души — в уходе от всего мирского, в отстранении от рисков и опасностей этого мира».

В «положительном» обществе способность к совершенствованию всегда присутствует как цель, над которой надо постоянно трудиться и которой очень нелегко достигнуть в полной мере. При этом следует ожидать и принимать возможные неудачи и недостатки. В «отрицательной» культуре все неизбежные промахи и ошибки используются духовными и политическими лидерами как предлог объявить того или иного человека или целый народ врагом.

Уважение к закону — характерная черта способствующих прогрессу обществ. Здесь закон является основой власти. В культуре, противостоящей прогрессу, закон подчинен власти, а зачастую и диктуется ею. При этом к власти приходят, как правило, силой.

В «положительной» культуре демократия — неизбежный исход развития. Она растворяет силу авторитаризма и консолидирует плюрализм. В «отрицательной» культурной среде так называемая демократия превращается в витрину, прикрывающую собой новые формы авторитаризма.

Таким образом выделяются определенные ценности, мировоззрения и институциональные уклады, которые схожи в крестьянских сообществах по всему миру и созвучны с типологией Грондоны. Это дает право говорить о феномене универсальной крестьянской культуры.

Для Андрея Кончаловского определение этого феномена принципиально. Он твердо убежден, что отечественная культура как раз и относится к типу культуры крестьянской.

Крестьянин рассматривает свою социальную, экономическую и природную вселенную как место, где все нужные для жизни вещи существуют в постоянном дефиците. Поэтому отдельная личность или семья могут процветать исключительно за счет других. Типичный крестьянин практически не видит взаимосвязи между трудом и технологией, с одной стороны, и приобретением достатка-богатства, с другой. Он трудится для пропитания, а не для накапливания богатства.

Крестьяне — индивидуалисты. Каждая их общественная ячейка видит себя в непрерывной борьбе с соседями за свою долю дефицитного достатка. Преуспевающие личность или семья — угроза стабильности общины. Крестьяне избегают занимать лидерские позиции, боясь, что их мотивы вызовут подозрение. В таком окружении вовсе не удивительно, что они ищут богатых покровителей.

Крестьянские общины кооперативны лишь в той мере, в какой они уважают взаимные обязательства. Совершенно чуждыми для них являются концепции общинного благосостояния и общинной ответственности. Взаимная подозрительность ограничивает выработку кооперативных решений.

Культура не только является существенным элементом, помогающим формировать общество, но и самым важным фактором из всех. Такова исходная установка реального консерватизма, исповедуемого Кончаловским.

Формула «Культура — это судьба», вытекающая из вышеописанных и других источников и составных частей культурологической концепции национального домостроя Кончаловского, — фундаментальная для него мировоззренческая опора, которая к 100-летнему юбилею Октября не изменилась.

Почему из так замечательно задуманных российских преобразований либо не получается ничего, либо получается черт знает что?

Убежденность реформаторов, что политика способна изменить культуру, безосновательна. Наша история как процесс развития культуры еще не создала ментальности, готовой к принятию идеи как социализма, так и капитализма. Культура формирует политическую реальность, а не наоборот.

Поскольку культура русского народа относится к крестьянскому типу, постольку она очень консервативна и малоподвижна. Отсюда и грязь общественных туалетов, и страсть к неуплате налогов. И то, и другое — выражение безответственности индивида перед обществом. То, что можно назвать анонимной ответственностью человека, чуждо крестьянскому сознанию. Русское крестьянство исповедовало уравниловку, воспринимало государство как врага, поскольку оно всегда было чем-то внешним по отношению к крестьянину, чужим, насильственным. А раз государство враг, то и ответственности перед ним нет.

В России, в отличие от стран протестантской (или конфуцианской) культуры, к закону всегда относились без уважения. А раз человек относится к закону легко, то и закон пишется так, чтобы его не могли выполнить. Отсюда — особая истовость русского человека в вере. Русский человек так истов в вере, потому что не уважает законов — в том числе и Божьих. Поэтому русскому человеку ближе Бог прощающий.

Вот почему в России бороться, например, с коррупцией можно только путем устрашения. Иначе не достичь стабильности. Ведь у крестьянской ментальности либерализация законов ассоциируется со слабостью власти, а слабость власти провоцирует анархию.

По убеждению Кончаловского, после либерализации законов в постсоветское время в стране развалились силовые структуры. Страх исчез. Хорошо еще, с горькой иронией замечает он, что русские до сих пор живут в XVI веке, а не организованы в классы. Поэтому вероятны только стихийные восстания, не способные всколыхнуть всю страну.

В России происходит сращивание политической власти с предпринимательством, что открывает огромные возможности для коррупции. Это очень свойственно азиатской авторитарной традиции. Осваивая западный стиль капитализма, народы этого региона далеки от борьбы за права человека, потому что людям здесь в массе своей права не нужны. Коррумпированность и сращивание капитала с политикой неизбежны. А значит, неизбежно и возникновение новой аристократии, которая формируется из простых людей, не важно, кем они были — профессорами или бандитами. Новый российский высший класс не знает кастовости. Движение снизу вверх нигде не стопорится. В этом отношении потенциала у России современной заметно больше, чем у России дореволюционной.

Поскольку в России никогда не было буржуазии, жить здесь, как в Европе, невозможно. Но в этом нет исторической обреченности. Просто нужно ставить реальные задачи. Можно хорошо жить и в обществе без демократии. Но для этого, полагает Кончаловский, народ нужно перевоспитать. А тут необходима государственная воля. В этом смысле возврат к «сильной руке» может быть и благотворным. Есть вещи важнее пресловутой свободы.

Главное: нужно знать себя. К сожалению, поясняет режиссер, мы всегда думаем о себе, что мы либо лучше, либо хуже, чем есть на самом деле. Человек в серединке себя реально понимает. Каждая нация должна понять себя, чтобы куда-то двигаться. А уж правительству тем более надо знать нацию. По левой стороне в стране с правосторонним движением ехать очень опасно.

«Думаю, у нас не получится ни успешной экономики, ни самодостаточной национальной политики до тех пор, пока не возникнет потребность в осуществлении самого грандиозного национального проекта — реформы национального сознания...»

5.

Мысль о том, что «можно хорошо жить и без демократии», нашла отражение в документальном цикле «Бремя власти». Во всяком случае, в двух первых фильмах, посвященных Юрию Андропову и Гейдару Алиеву.

Третий и пока последний фильм цикла под названием «Битва за Украину» был посвящен деятельности Леонида Кучмы на посту президента Украины.

Первые два — аргумент в споре с отечественными либералами на тему необходимых преобразований в России.

Исходный тезис автора таков: «В истории немало примеров, когда люди, наделенные абсолютной властью, использовали ее во зло. Но время все ставит на свои места, и то, что современники воспринимали как зло, в исторической перспективе нередко оказывается не только необходимостью, но и благом. Власть — это не только права, это и обязанности. Они тяжким грузом ложатся на плечи государственных деятелей...»

К таким деятелям режиссер и причисляет Юрия Андропова и Гейдара Алиева.

Кончаловский пришел к парадоксальному для уха многих убеждению, что со средины 1960-х КГБ из органа подавления инакомыслия постепенно становился инструментом борьбы с коррупцией и в обществе, и в высших эшелонах партийной элиты. В его недрах возникло «осознание необходимости перестройки и гласности», что и привело к власти Михаила Горбачева. Главную роль в изменении функций ГБ Кончаловский отводит Ю. В. Андропову.

Каждый из фильмов цикла держится на конфликте государственного деятеля, носителя благих помыслов, и той политической системы, внутри которой ему приходится их реализовывать.

Андропов начинал свой путь в рамках советской системы и был предан ей. В фильме его путь как зачинателя преобразований начинается после смерти Сталина. С того момента, как в октябре 1953 года он назначается советником-посланником в Венгрии и становится участником венгерских событий. В результате у Андропова и сформировалась идея необходимости реформы политической системы социализма.

Андропов, находясь в ЦК КПСС, окружает себя прагматиками-интеллектуалами, чуждыми системе — ее чиновничьему аппарату. Среди них Кончаловский называет Николая Шишлина, Александра Бовина, Георгия Шахназарова, других, многих из которых он знал лично.

Постепенно Юрий Андропов начинает понимать, что наиболее сильным тормозом в проведении реформ в стране является сам партийный аппарат. Но логика косной системы принуждала играть по ее правилам. Андропов же и не помышлял жертвовать карьерой аппаратчика. У него были далеко идущие амбиции — стать Первым лицом государства.

И при этом он понимал, что без технологического раскрепощения экономики нельзя выиграть соревнование с Западом, нельзя развить и укрепить военно-промышленный комплекс, главную опору в этом соревновании. Такого рода реформы были невозможны без отделения сталинского партийного аппарата от его властного влияния на все сферы жизни в стране.

Сделать серьезные шаги в этом направлении у Андропова получается, когда Брежнев ставит его во главе КГБ СССР.

Фильм показывает, в какую сеть бюрократических интриг попадал Андропов, если он и на самом деле всерьез думал о реформе аппарата. Сквозным образом картины становится неверный подвесной мост, по которому, инстинктивно хватаясь за канаты, пытается двигаться аппаратчик Андропов.

Основательно встроенный в систему, Андропов не мог не быть ее охранительным инструментом: «Андропов должен был делать то, что требовала власть. Иначе бы она его выкинула. И это тоже бремя власти».

В начале 1980-х годов Андропов, наконец, получает возможность осуществить свои грандиозные планы. Он занимает место Генерального секретаря. Но горькая ирония исторической ситуации в том, что он смертельно поражен болезнью почек. Карьерная борьба и борьба за власть источили силы.

Если видеть в Андропове человека, глубоко обеспокоенного идеями реформ и только ждущего момента, когда у него будут развязаны руки в должности Главного лица страны, то драма его — в простодушном, как ни странно для опытного аппаратчика, «возвышающем» самообмане. Ибо какие бы то ни было постепенные реформы внутри партийно-государственной системы обречены, как полагал, вероятно, и сам автор фильма, без коренного преобразования самой системы, а значит, и без реформ в культурном геноме нации.

К этой мысли автор фильма то и дело возвращается в 2000-е годы. Иные из его публичных выступлений на эту тему объявлялись речами «русского барина о невежестве русского народа».

Ни одна модернизация со времен Петра Великого и до сих пор не изменила ментальности русского мужика, говорил «русский барин». «Есть нации, которые легко идут на изменения, и нации, которые им сопротивляются. Без гражданского общества какая может быть модернизация? Кущевская по всей стране. Средневековье...»

Статью «Страна братков», имевшую шумный резонанс, он начинал так.

«В РОССИИ НЕТ ГРАЖДАН, А ЗНАЧИТ, НЕТ ГОСУДАРСТВА. Вернее, государство есть, но оно само по себе — оно не может опереться на своих граждан в решении каких-либо вопросов, касающихся строительства более совершенного общества. Вот где можно увидеть драму Высшей Власти!»

И какая разница, Путин — не Путин... У России свой генетический код, и к нему Путин не имеет никакого отношения. «Это страна XVI века — такой была, такой осталась. При нас было другое, это называлось советской властью, хотя было, по сути, инквизицией. Советская власть прижала зверя раскаленной решеткой. И никому не объяснишь, что при всех ее издержках и кошмарах она была все-таки рывком вперед в будущее, ко времени, когда зверь дикости и эгоизма будет загнан на место.

Сейчас он вырвался и ликует. Никакого атеизма при советской власти не было — это было то же православие с той же нетерпимостью к инакомыслию и призывом «верить, а не размышлять», только поставленное с ног на голову...»

С тех самых пор мой герой находился в тревожном и многообещающем ожидании, когда же появится Тот, Кто почувствует гравитации «архаической плиты» крестьянского менталитета и двинет страну в соответствующем ее культурному генотипу направлении, по дороге реформируя этот генотип. У меня рождается даже предположение, что Андрей Сергеевич где-то в самой глубине души надеется впервые со времен Державина занять место интеллектуала-советчика властей, чтобы «истину царям с улыбкой говорить». На это никто из числа отечественной интеллигенции, в советском XX веке во всяком случае, не решался.

Андропов, конечно, не дотянул до уровня лидера соответствующего масштаба. «Но у него были цели, у него были идеалы. Он верил в то, что систему можно улучшить. Он был человеком чести. Он был человеком долга. Так он понимал свою миссию и так служил своей стране. И за это мы должны его помнить и быть ему благодарны».

6.

Второй фильм, посвященный Гейдару Алиеву, по сути, о том же. С той разницей, что перед нами иной человеческий тип. Иная культура, его взрастившая. А главное — народ иной ментальности, не успевший социально и психологически состариться в ходе своей исторической жизни.

Начало картины. Алиев является в переломный момент своей политической карьеры — как спаситель народа во время так называемого Черного января 1990 года. На пресс-конференции в постоянном представительстве Азербайджанской ССР в Москве он осуждает ввод советских войск в Баку и обвиняет Михаила Горбачева в нарушении Конституции. Он и представился здесь с далеко идущим смыслом. Персональный пенсионер, бывший глава КГБ АзССР, бывший Первый секретарь ее Коммунистической партии, бывший заместитель Председателя Совета Министров СССР и т. д. Алиев демонстративно сбрасывал с себя все высокие чиновные одежды Союза и выступал уже не бывшим, а настоящим политиком, готовым принять из рук своего народа груз новой миссии.

«Человек, раздавленный тоталитарной системой, он бросил вызов этой системе. Он знал, что он нужен своему народу, и это придавало ему силы. Я не знаю другого государственного деятеля в советской истории, которому хватило бы смелости сделать подобный шаг и при этом победить...»

Кончаловский искренне восхищается Алиевым как глубоким, мудрым человеком, политическим гением. И все последующее движение сюжета не что иное, как развитие и утверждение этого тезиса. Герой картины на наших глазах оформится в образ мудрого патриарха большой народной семьи.

Автор фильма противопоставляет политической мудрости и в то же время смелости Алиева близорукость и легкомысленность Горбачева в решении сложнейших задач, вставших перед страной. Кончаловский убежден, что, подстегиваемый доверием Запада, Михаил Горбачев затеял реформы поспешно и непродуманно. В картине резко критически оценивается деятельность Горбачева у руля СССР. Он прямо обвиняется в тех кровавых конфликтах, наиболее полным выражением которых была проблема Нагорного Карабаха.

Торопясь с реформами, Горбачев, убежден автор картины, лихорадочно очищал поле деятельности от настоящих и мнимых своих противников. Целенаправленно вытеснял из власти Алиева, что, в конце концов, обернулось для того инфарктом и последующей отставкой.

Однако ж, герой фильма пережил эти драмы и возродился в облике народного лидера. Собственно, все, что ни совершает Алиев как политик, толкуется в фильме с точки зрения дальней перспективы выживания и укрепления блага народа. «Для многих планы этого великого человека могли казаться тайными. Не каждому дано видеть политические процессы в их исторической перспективе. Любить свой народ недостаточно, только глубокое понимание и знание своего народа делает лидера истинно великим».

Очень трогательно звучат в финале слова Мстислава Ростроповича. Он приехал в Баку, где родился, как раз в дни визита в Азербайджан Путина. «Когда мы встретились здесь с Алиевым, я все понял. Я понял по его глазам, по его рукопожатию, по тому, как мы с ним обнялись, что он вернул мне мою родину. Этот человек — подарок Бога моей стране!..»

Лучшего финала не придумаешь! Слово, произнесенное большим художником, да если вспомнить еще, что в событии принимал участие Президент России, дорогого стоит.

Кончаловский часто вспоминает первого премьера Сингапура покойного Ли Куан Ю как образец выдающегося государственного деятеля, который «неправильными» авторитарными методами совершал правильные дела, вывел свою страну из упадка и нищеты. Вероятно, образ сингапурского премьера вдохновлял его и в процессе работы над первыми фильмами цикла «Бремя власти», а может быть, был исходным толчком и в самом замысле сериала.

Культурологические идеи Андрея Кончаловского получили концентрированное выражение и в просветительно-педагогической акции — этнографическом фильме-исследовании «Культура — это судьба». Фильм и вправду выглядит многосерийным открытым уроком, который проводит перед телеаудиторией учитель Кончаловский, озабоченный будущим своей страны.

Россия, с ее крестьянской по происхождению культурой, предстает в сопоставлении с культурами народов планеты — индуистской, конфуцианской, протестантской, другими, — получая возможность самоопределиться, взглянуть на себя самое со стороны.

В этом смысле, сериал «Культура — это судьба» — явление уникальное. Фильм позволяет человеку, живущему испокон веку в России, хорошо почувствовать, а главное — трезво осознать, что он живет, как выражался в свое время Михаил Бахтин, на границах культур.

Причем речь идет не только о современном социально-психологическом самочувствии разных этносов. А и о том, что многие из них имеют историю, уходящую в глубину тысячелетий, — народы Китая, Египта например. Таким образом, современный зритель помещается еще и на границу исторических времен, определяющих этапы развития разных культур, разных цивилизаций.

Зритель вместе со своим гидом, ведущим и одновременно путешественником, совершает странствие от серии к серии, получает возможность сопоставить себя с точки зрения фундаментальных основ социальной жизни, культуры с другими народами. И такое удаление от своего национального дома есть одновременно и возвращение к нему, но обогащенным. Своеобразная одиссея, если хотите.

Одна из завершающих картину реплик ведущего — его любимая цитата из чеховской «Дуэли»: «Никто не знает настоящей правды». Она очень плодотворна здесь, поскольку утверждает позитивную полифонию мира, заключенную в единстве его человеческого многолюдья. Нужно принять и понять это разноликое многолюдье и войти в него собственным домом.

«Возбуждающая красота театральности»

*Кино... единственно способно сверстать
в обобщенный облик: человека и то, что он видит;
человека и то, что его окружает; человека и то,
что он собирает вокруг себя...*
Сергей Эйзенштейн

*...У любого большого художника театральное
непременно присутствует...*
Андрей Кончаловский. 2003 г.

1.

Андрея издавна влечет театр.

«Я кинематографист, но красота театральности всегда очень сильно меня возбуждала. С детства театр стал для меня миром мечты. Еще в первые послевоенные годы я приходил в Детский театр, помещавшийся тогда на Большой Дмитровке, у папы там ставились пьесы. Меня пускали в зал и за кулисы, я с восторгом смотрел спектакли, но еще больший восторг вызывала возможность прикоснуться в бутафорском цехе к волшебному мечу, с которым сражался герой-горбун в «Городе мастеров» Тамары Габбе. Никто из сидевших в зале не держал этот меч в руках — я его держал! С этого времени чудо и счастье театра было со мной...»

Народная площадная игра проникает едва ли не во все картины режиссера — то в собственно комедийном, даже фарсовом ключе, то в трагедийном. Дюйшен Бейшеналиева балансирует на грани печальной клоунады, когда пытается убедить жителей аила в своей правде. Не случайно его появление то и дело сопровождается смехом. Смеховое преображение мира есть и в «Истории

Аси-хромоножки». Режиссер шел вслед за приемами шагаловской живописи, в которой видел «народный лубочный сюрреализм». «Мне этот жанр казался очень интересным, особенно если этот лубочный сюрреализм переплетался с хроникальным материалом...»

Ему близок метод самого театрального, на его взгляд, художника — Федерико Феллини. Он убежден, что у Феллини аттракцион, площадное действо — формы, присущие раннему кинематографу, — стали инструментом постижения человеческой души. Феллини — абсолютно цирковой режиссер, говорящий о самых не цирковых вещах. При этом итальянский маэстро смотрит на людей, прощая им все пороки. Он смотрит на них всепрощающим, шекспировским взором: «Увы, не осуждаю вас. Вы — люди». Он видит бренность мира. Понимает конечность человеческой жизни. Он сострадает человеческой беззащитности, оставаясь при этом художником-провидцем. Этический пафос итальянского коллеги русский режиссер считает для себя образцом. Особенно всепрощающую человечность Феллини.

Финал «Аси Клячиной» был подсказан фильмом «Восемь с половиной». Сама жизнь, в феллиниевском духе, как бы пошла режиссеру навстречу. Неподалеку от села Безводного, где происходили съемки, на Волге, была цыганская деревня. Цыгане и подтолкнули к финальному празднику. К нему стал двигаться весь сюжет картины. В том же духе создавался и заключительный эпизод «Сибириады».

«Карнавальный финал, — поясняет режиссер, — где смех сквозь слезы и слезы сквозь улыбку. Именно Феллини со своим феноменальным прозрением, с этим выплеском карнавала дал толчок рождению двух финалов. В «Сибириаде» — восставшие из могилы мертвые, трактора, огонь. Очень русский праздник. Вдохновленный итальянским гением...

Великий возвышающий обманщик Куросава! И он, и Бунюэль, и Феллини, и Бергман, мои кумиры — все великие возвышающие обманщики! Они великие именно потому, что создают свою реальность, очень непохожую на жизнь. Но эта придуманная реальность волнует. Заставляет смеяться и плакать. Ибо в этой театральности — жизнь духа, абсолютная убедительная правда...»

2.

Когда в творческой практике режиссера возникли драматические и оперные спектакли, это, кажется, совпало с его внутренним творческим настроем. Существенно, что, обратившись к опере, пусть и совершенно, как он утверждает, случайно, он берется одновременно и за русскую литературную классику как концентрированно выраженное национальное мировидение.

«Ставить «Онегина» я соглашался, леденея от ужаса», — признается он. Но на проекте собралась крепкая команда. Дирижером был Сэйдзи Одзава, Татьяну пела Мирелла Френи, Гремина — Николай Гяуров, Онегина — Бенджамин Люксон.

По убеждению Кончаловского, оперный театр в своих проявлениях — это Феллини. В то же время дистанция между кино и оперой, которую пришлось пройти художнику, была непростой. Но оперная условность не столько пугала, сколько возбуждала. Влекла ее магия.

Режиссера пугала не условность, а оперная музейность, которую, как глухой ритуал мертвых, он все время стремится преодолеть. И здесь ему помогает чувство природы кино. Соглашаясь с требованиями оперы, режиссер, тем не менее, сопротивляется известной ее архаичности, консерватизму. Борьба начинается на уровне либретто. Режиссер чутко улавливает, например, пародийную интонацию пушкинского романа в стихах. И в своей трактовке оперы Чайковского «Евгений Онегин» возвращает к пушкинскому тексту фигуру Ленского, сделав его на сцене поэтом-дилетантом, наивным ребенком.

Режиссер акцентирует в оперном спектакле обрядово-фольклорные корни пушкинского романа, его народную фантастику — особенно в линии Татьяны. Вспомним хотя бы сны Татьяны — с медведем, смыкающимся в ее видениях с самим Онегиным. И режиссер вводит в спектакль эту фигуру. В очередной раз медведь появляется на балу у Лариных как маска среди других ряженых. Он подкрадывается к Татьяне, снимает маску, и тут открывается, что это Онегин.

Еще один лейтмотив оперного спектакля был позаимствован Кончаловским из его «Дворянского гнезда». Качели. Этот же образ был использован и в «Сибириаде». И у него есть своя обрядово-мифологическая предыстория. Качели, как и катание с горок, связаны с символикой плодородия, рифмующейся, в свою очередь, со свадебным обрядом.

Мотив качелей у Кончаловского многозначен. Вначале он опирается на эротику весенних обрядов. Ленский на качелях объясняется Ольге в любви. В этой части оперы мотив окрашивался наивным романтизмом Ленского. Но у качелей происходит и дуэль. А это уже зимняя сцена. Как фигура поэта, так и образ качелей помещаются в иную смысловую плоскость: качели, занесенные снегом, увядшие цветы, Ленский поет свою знаменитую арию, раскачиваясь и как бы обращаясь к Ольге, которая когда-то здесь сидела.

Режиссер не только переводит свадебный обряд в его противоположность — в обряд погребальный. Но и сопровождает печально-ироническим комментарием к монологу-элегии Ленского.

В финале оперы Онегин остается один. «Позор! Тоска! О жалкий жребий мой!» — поет он и опускается на диванчик в позе убитого Ленского. Падает снег, открывается мраморная колоннада — в глубине ее зимний пейзаж: русское поле, качели, на них — засыпанный снегом труп Ленского.

Кончаловский заставляет спектакль заговорить не только звуками музыки Чайковского, но и голосом пушкинского романа.

3.

Между операми «Онегин» и «Пиковая дама» поместилась чеховская «Чайка». Кстати, «Пиковая дама» ставилась в миланской же Ла Скала, но при содействии французов. Как раз с французского спектакля «Чайка» в «Пиковую даму» пришел художник-декоратор Эцио Фриджерио. Он принес с собой серьезную часть концептуального решения оперы. Образной доминантой декорации, придуманной им, были колонны, которые сильно «задели» Фриджерио во время его поездки в Петербург.

И в случае с «Пиковой дамой» Кончаловский вел режиссерские поиски, отталкиваясь от пушкинского текста, а значит, вступая в спор с классическим либретто. Его не устраивали искажающие Пушкина переделки, когда Германн в финале кончал жизнь самоубийством, и точно так же поступала Лиза. Режиссер собирался «насытить спектакль фантастическим реализмом пушкинской повести». Помимо колонн, еще одним сквозным образом спектакля становилась женская скульптура в скорбной позе — своеобразное надгробие. За ним угадывался образ смерти, витающей над Германом.

Тут Кончаловский двинулся уже в сторону Достоевского. Герман оперы — фигура куда «монументальнее» Германна повести. Он действительно напоминает Раскольникова, вовсе не пародийно примеривающего наполеоновские одежды.

«Мне хотелось сделать не екатерининский Петербург, а Петербург Достоевского. Чтобы в воздухе веяло предощущением смерти. Сцену бала я ставил так, как видел действие сходящий с ума Герман. Герман был на авансцене. Когда он смотрел на танцующих — все вели себя совершенно нормально; как только отворачивался — поведение их странно менялось, все начинали изгиляться, корчить ему в спину рожи. Под конец появлялись даже какие-то странные создания — монстры, почти из Гойи, то ли люди, то ли ящеры, несшие канделябры. Под музыку выхода императрицы вместо ее появления по Неве при лунном свете приплывала на ладье гигантская, в два человеческих роста, смерть в короне, в императорском платье, со скрытым под развевающейся вуалью лицом. Все почтительно замирали, в первом ряду стояли монстры с канделябрами, Герман хватался за голову, безумно глядел в зал, как бы вопрошая: „Я что, схожу с ума?"»

4.

Режиссер еще раз обратится к оперной интерпретации Пушкина, к «Борису Годунову» Мусоргского. Премьера спектакля состоялась в октябре 2010 года на сцене туринского Театра Реджо.

По словам Кончаловского, музыка Мусоргского не создавала каких-либо трудностей, однако жанр оперы сам по себе весьма сложен для постановки. Ведь «Борис Годунов» — эпика, серьезное философское произведение. За дирижерским пультом был на этот раз Джанандреа Нозеда. А две главные партии исполняли болгарин Орлин Анастасов и солист Большого театра Владимир Маторин.

Вернувшись в Россию, Кончаловский, напомню, ставит «Войну и мир» Прокофьева, которой, как и «Балом-маскарадом» Верди, дирижирует Валерий Гергиев.

Забавно, но постановка Кончаловским первых опер, особенно их выход к аудитории, окрашивался иногда феллиниевской атмосферой. Дело в том, что обе его миланские оперные премьеры пришлись на футбольные матчи миланской же команды. Уже на генеральной репетиции в оркестре появились маленькие телевизоры, куда то и дело косили взглядом музыканты. А в кулисах у экрана толпились рабочие, осветители, ассистенты, хористы. На премьере «Онегина» зал потряс дикий ор из-за кулис: во время арии Ленского итальянцы забили гол... Ну, и далее все происходило в том же духе. Так что режиссеру приходилось приводить себя в чувство стаканом итальянской водки...

В творческой деятельности Кончаловского нашел свое место и цирк, давнее его пристрастие, связываемое, напомню, с именем Феллини. Еще во время работы над «Онегиным» в содружестве с дирижером Одзавой родилась мысль поставить действо для фестивальных празднеств, которые каждое лето устраивал Одзава вместе с Бостонским симфоническим оркестром. Перед режиссером витал образ спектакля-концерта в духе светомузыкальных композиций Скрябина.

Проекту не дано было осуществиться. Но эскизы и желание сделать нечто подобное сохранились. Так что к тому времени, как поступило предложение ставить на Красной площади спектакль к 850-летию Москвы, в воображении режиссера сформировалось нечто вполне грандиозное и готовое к воплощению. Кончаловский пригласил своих зарубежных друзей, специалистов по масштабным зрелищам, и работа закипела.

Идея площадного действа выразилась в формуле «история города — история страны». Там нашли свое место как элементы религиозные (ибо религия — основа русской культуры), классические (классика — иллюстрация движения истории и манифестация русской культуры), так и, естественно, фольклор, грубый, низкий, тот самый, которому место на площади. Или в цирке. Соединение цирка, консерватории и храма «несло в себе наибольший риск, было самым большим вызовом любым устоявшимся канонам».

В массовом празднестве, которому Кончаловский придавал столь серьезное значение, действительно в чистом виде был явлен его метод. В основе — площадь народного праздника, цирк, ярмарка, балаган. Духовное превращение и вознесение площади через образы русской классической словесности, через высокую культуру. Единство открытого чувства и духовных интенций. Целое зрелище формируется как сочетание, на первый взгляд, несочетаемых, противостоящих друг другу сущностей, объединенных чувством и идеей... Дома, города, страны.

5.

Вслед за оперными экспериментами Кончаловский обращается к театру любимого Чехова.

«Чтобы понять по-настоящему чеховского героя, — размышляет он на исходе 1990-х, — нужно представить себе Россию конца XIX века. Разночинец-интеллигент нянчил в себе чувство вины за несправедливое общество, за крепостное право. Для чеховского героя вина перед народом — общее состояние ума. Крепостничество кончилось за 30 лет до того, как Чехов начал писать. Оно, по сути, еще жило — в умах тех, кого от крепостного права освободили, и тех, кто были крепостниками. И это чувство вины, как то не раз бывало в России, перерастало в кликушество...»

Наследованный Кончаловским скептицизм Чехова по отношению к русской интеллигенции вызван ее неизбежной «партийностью». «Речь идет о негласном своде законов, которым она следовала, которые предписывали ей всегда быть в оппозиции к власти. Из этой интеллигенции вышли и народники, и народовольцы, и нечаевцы, и марксисты, и анархисты. Все они были убеждены в своей единственной правоте и нетерпимы друг к другу. Россия — страна глубоко ортодоксальная: православие в буквальном смысле и есть ортодоксия. Партийность в России означает одно: нетерпимость ко всем иным, отрицание чьей-либо правоты, кроме собственной. Роль интеллигенции в истории России далеко не так позитивна, как то казалось нам в былые годы. Нигилизм — ее порождение. Реальность отрицалась — утверждалась утопия, светлое будущее, которое придет через сто или двести лет. Эти поиски рая на земле — тоже глубоко в русской традиции...»

На родине спектакль по чеховской «Чайке» (Театр им. Моссовета) критика восприняла самым скандальным образом, как, впрочем, и следующую за «Чайкой» постановку пьесы Августа Стриндберга «Фрекен Жюли» (Театр на Малой Бронной), которая называлась у режиссера «Мисс Жюли».

На «Чайку» Кончаловский собирал артистов по двум качествам. Первое — клоунский дар. Другое качество — интеллигентность, которая означает здесь способность понять Чехова, его время, замысел спектакля, способность разделить замысел с режиссером.

Чехов, убежден режиссер, писал о нормальных людях. Они могут быть эксцентриками, дураками, претенциозными, но все это — нормальные люди. В этом чеховская специфика. Очень трудно сделать спектакль, где больно, страшно, где плачешь, смеешься и видишь трагедию нормальных людей. У Чехова нет отрицательных героев. Он их всех любит, несмотря на то что они могут быть глупыми, ничтожными — и разными. Он их всех любит, потому что они все умрут...

У Кончаловского и Стриндберг преобразился в «русского Стриндберга», приобрел, можно сказать, чеховские интонации. В результате приблизился к зрителю, наполнился знакомыми переживаниями отечественных «проклятых» вопросов.

Когда зритель спектакля «Мисс Жюли» видит, например, как катастрофически разрушительна для душ его героев Жана и Жюли сословная дистанция между слугой-хамом и его молодой барыней, разрушительна для всего их мира, то совершенно определенно чувствует: здесь дышат наши «почва и судьба». И граф-фантом, овеществившийся в виде его сапог для верховой езды, идолом вознесенных надо всем, напоминает о гоголевских или, может быть, щедринских фантасмагориях. И то, что сама Жюли не вполне аристократична, а с червоточинкой простонародности, — вполне близко и понятно зрителю, воспитанному на русской классической словесности.

Спектакли «Чайка» и «Мисс Жюли» сложились в своеобразную дилогию — вплоть до цитатной переклички мотивов, подсказанной текстами пьес. Это ощущается в родстве фигур главных героинь — фрекен Жюли Стриндберга и Нины Заречной Чехова. (Обе роли у Кончаловского исполняет Юлия Высоцкая.) И за Жюли, и за Ниной в глубине сюжета будто бы угрожающе маячит невидимая фигура отца. И там и здесь возникает тема фатального сиротства, беззащитности поколения детей. Ну, и мотив подстреленной или погубленной птицы (души)...

Присущая режиссеру кинематографичность творческого мышления откликается в спектаклях через укрупнение детали или подробности, далековатое от театральной условности. Остается в памяти финал «Мисс Жюли» — льющаяся из кухонного крана вода. Такая деталь слишком натуралистична для сцены. Возникает острое желание закрыть кран — как бы из чисто бытового побуждения. И тогда обнажается уместность образа. Потому что это безотчетное движение своим происхождением обязано глубокому чувству истекающей, уходящей жизни. Это ведь уходящая живая вода, кровь...

Как у Цветаевой — по иному поводу: неостановимо, невосстановимо хлещет жизнь.

И в том, и в другом спектакле (как и в своем творчестве в целом) режиссер опирается на фундаментальные в жизни человека архетипы. Семья, дом как определяющие основы частного и общенационального бытия индивида, закрепляющие и укрепляющие его в мироздании. Мужское и женское, отцовское и материнское... Почти мистический образ отца-хозяина витает и здесь как призрак угрожающий, требовательно вопрошающий.

В «Мисс Жюли» акцентирован страх перед скрыто довлеющей властной силой отца и господина в одно и то же время. Из-под пресса этой мистической власти стремится освободиться не только Жюли, но (и еще более!) ее соблазнитель Жан, травмированный своим рабским происхождением. Суть существования Жана на сцене (в исполнении Алексея Гришина) — суетливое подражание хозяину, имитация власти господина в отсутствие последнего. На деле же — это корчи раба, его унижение, а не торжество и укрепление. Оба несчастны, оба заслуживают сострадания — и Жюли, и Жан.

Призрак отца ощутим и в «Чайке» — и не только за спиной у Нины. В ее отношении, может быть, менее отчетливо, чем в случае с Треплевым. Гамлетовская тема в чеховской комедии дает о себе знать, начиная со спектакля у озера. Ведь это перевернутая цитата сцены с «мышеловкой» — пьесой, которую датский принц разыгрывает перед родными, чтобы выведать тайну смерти отца.

Константин Треплев носит фамилию отца, но все время ощущает сиротскую пустоту с этой стороны. Не случайно Костя то и дело припадает к груди немощного дяди, ища и не находя там мужской, отцовской поддержки. Треплев — дитя, мучающееся из-за своей несостоявшейся взрослости. Но ведь и остальные мужские персонажи не выглядят вполне созревшими. Оттого-то так одиноки и растерянны женщины, ищущие, но не находящие действительной мужской опоры...

Роль Треплева — открытие режиссера, поворачивающее весь спектакль именно в русло чеховской комедии, что так редко удается другим интерпретаторам классика.

Треплев — портрет определенного типа русского интеллигента, поддавшегося чарам «возвышающего обмана» о своей миссии на грешной, живущей «низкими истинами» земле. Самообман как бы приподнимает человека над его средой, но заставляет требовать от нее постоянного признания своей гениальности, чаще всего мнимой, как в случае с Треплевым, что он все более и более начинает осознавать по мере приближения к финалу.

Но дело здесь не только в творческой обделенности в общем-то даровитого юноши. Тут дело еще и в фатальном сиротстве

Треплева. И у Чехова, и у Кончаловского Треплев — подросток, со всеми комплексами этого возраста. Стоит повторить: он осиротевшее дитя русской интеллигенции, погруженное в переживание своей неполноты и неполноценности. Именно ему намечено судьбой полной мерой пережить и духовный, и социальный кризис своего класса на рубеже веков, безвинно расплатившись жизнью, образно говоря, за грехи отцов.

Спектакль — о пути русской интеллигенции в небытие, о социально-психологических, культурных предпосылках этого пути.

6.

Кончаловский не был бы самим собой, если бы в его спектаклях не прозвучала пресловутая тема народа. Но как?!

Действие пьесы Стриндберга происходит в Иванову ночь. По замыслу драматурга, на сцене предполагался крестьянский балет с танцами и эротическими песнопениями. Крестьяне и графский сад у шведского писателя — символ неуправляемой природной стихии, которая, в конце концов, овладевает и фрекен Жюли. Звучит этот мотив и в спектакле. Но никакого балета в нем нет. Есть заурядная пьянка простонародья. А затем на кухонном столе, вокруг которого сгрудятся празднующие, возникнут, как по волшебству, графские сапоги, и рабы разбегутся в ужасе при виде этого символа власти их господина.

Страх перед отцом-хозяином — это страх, засевший в подкорке народа и разрешающийся иногда бессмысленным и беспощадным бунтом.

Вместе с образом народа возникает и образ природы. Но не в рифму тайне народной души, а в противовес классической традиции трактовать «мысль народную» как результат действия глубинных природных сил. Заросший сад, если речь идет о «Мисс Жюли», или парк с озером в «Чайке» — это символ тайны бытия, но равно удаленной от всех персонажей действия, в том числе и от народа.

В «Чайке» тема народа звучит в каждом новом появлении на сцене слуги Яши. Это долговязая, но неестественно скрюченная, неуклюже переваливающаяся по сцене фигура, вечно занятая каким-нибудь необязательным делом и явно мешающая всем. Это кривое зеркало, в котором преувеличенно болезненно отражается пластика Треплева. Да и вообще весь надломленный мир персонажей пьесы.

Работает в «Чайке» Андрея Сергеевича и чеховское сопряжение времен. Оно находит выразительное решение в изображении течения исторического времени, за которым угадывается и темень вечности. Между третьим и четвертым актами возникает пауза, и в затемнении зритель видит на экране фотокадры из жизни родной интеллигенции рубежа XIX — XX веков, куда вмонтированы и снимки сцен из спектакля, но сделанные в натуральной, чаще, кажется, природной среде. Это фрагменты забав героев пьесы в первом-втором актах, когда они едва ли не парят в своих белых одеждах, напоминая скорее бумажных ангелочков, чем реальных людей. Блок фотографий завершается резким ударом — снимком огромной босой крестьянки, стоящей на разрыхленной земле и как бы из этой земли проросшей. Натуральный Вий — хтонический демон.

В спектакле фотокадры — словно документ давно прошедших событий, ставших уже историей. Поэтому временное расстояние между третьим и четвертым актами переживается не как два года, по чеховской ремарке, а как десятилетия, может быть, века. От этого, да еще от звука печальной скрипки (композитор Э. Артемьев) как-то само собой складывается ощущение, что между двумя последними актами — зияние вечности. Во всяком случае, люди, возникающие на сцене в четвертом акте, кажутся призраками...

Чеховская комедия в интерпретации Кончаловского лишает русскую интеллигенцию героического ореола, подаренного ей классической романной эпохой. Вместе с тем подвергается сомнению безусловность рожденных той же интеллигенцией мифов об особой миссии русского народа в отечественной и мировой истории. Но снижение мученической героичности русского интеллигента не оборачивается унижением его человеческой индивидуальности. Напротив, индивидуальный мир человека интимно приоткрывается, доверяя зрителю сокровенное, со всем — плохим и хорошим, — что есть в его мятущейся душе.

7.

В 2009 году режиссер в очередной раз вернулся к Чехову и поставил на сцене Театра им. Моссовета уже знакомого ему «Дядю Ваню». Спектакль сначала показали в Италии, а затем — в Прибалтике. И только после этого состоялась московская премьера — 27 декабря 2009 года.

Итальянская театральная критика и тамошний зритель отзывались о спектакле восторженно. Наш зритель в свою очередь не остался равнодушным. Мне довелось не раз наблюдать живую реакцию зала: и смех, и слезы, и напряженную тишину. Наша критика же, напротив, в большинстве случаев режиссера не щадила. Во многих отзывах слышалось раздражение: слишком не оправдан, а то и просто бессмыслен сдвиг пьесы к эксцентриаде. В том же, кстати говоря, упрекали ранее и постановку «Чайки».

Между тем, смеховая сторона творчества Чехова давно не подвергается сомнению. Но до сих пор с недоверием встречают комедийные интерпретации его драмы и на сцене, и в кино.

Напомню, однако, о том, о чем уже приходилось говорить выше. Если Пушкин открывает романную эпоху в нашей словесности, то Чехов закрывает ее. Воплотившееся в русском романе мировоззрение нового времени получает в творчестве Чехова радикальную смеховую переоценку.

Уже в ранних рассказах писатель выводит на поверхность литературы пока непривычную для нее по своей разноголосице толпу. Герои юмористических сценок — традиционные «маленькие люди». «Маленький человек» у Чехова находится в непрерывном сражении с прозаической повседневностью и смешно проигрывает ей. Мало того, в конце бытовых начинаний его часто поджидает катастрофа, даже смерть.

Но быт никогда не исчерпывает чеховского сюжета. Сквозь обыденность в какой-то момент проглядывает вечность. Человек должен заглянуть в ее равнодушные очи, ощутив — поверх всяких идей — и ужас, и трагическое величие своего пребывания в мире. Бытовая эксцентриада разрешается у Чехова «диалогом с богами». Водевильный смех оказывается чреват мировой печалью.

Откуда это?

Комедия в своих истоках — голос природы, природного изобилия. Обрядово-праздничное (дионисийское) осмеяние богов и героев. А по сути, перевернутая трагедия, снижение трагедийного героизма. Вот и у Чехова — смех передоверяется необозримому внечеловеческому миру. Сам автор как бы прячется за природное, предоставляя ему обнажать и осмеивать человеческие иллюзии. В итоге, праздник оборачивается печалью, и — подчеркну еще раз! — чеховская драма звучит плачем по полноценному человеческому смеху.

«Персонажи пьес Антона Павловича — клоуны на кладбище», — говорит Кончаловский. Драматург совершает титаническую попытку удержать праздник, вернуть животворящую мощь смеха, утвердить иллюзию бессмертия, но останавливается, бессильный, перед неизбежностью. Эксцентрика превращается в пронзительную лирику. Рождается глубокое сострадание к беззащитному обыкновенному (массовому) человеку, «мелюзге», вдруг обнаружившей себя на краю земного бытия в преддверии вечной ночи.

Чехов дарует обыкновенному человеку прозрение неполноты повседневного существования. Дарует, как правило, на пороге небытия, хотя сама смерть выглядит очередным проявлением бытовой рутины. В рассказе «Палата № 6» у Рагина в последний миг просыпается надежда: а вдруг бессмертие есть? «Но бессмертия ему не хотелось, и он думал о нем только одно мгновение. Стадо оленей, необыкновенно красивых и грациозных, о которых он читал вчера, пробежало мимо него...»

В предсмертной мечте об иной, новой жизни обыкновенные люди Чехова являют свою уникальность. Эти мгновения — кульминация его сюжетов. «Начать бы жить сызнова...» В этих прорывах проявляется способность малых сих к духовному взлету. Так в русской словесности параллельно, может быть, с поисками Анатоля Франса в литературе Франции формируется новый тип героики. Она заключается в терпеливом проживании персонажем повседневности. С осознанием своей обреченности, но и с чувством причастности к вечному. «На стекла вечности легло мое дыхание, мое тепло...»

Кончаловский шел к постижению природы чеховского смеха, следовательно, и к полноценному освоению классика едва ли не с самых первых шагов в кинорежиссуре. А поздний его кинематограф и вовсе не скрывает своей смеховой природы. Сам режиссер уверяет, что комедийный дар его скромен. Но последовательность и упорство в творческом освоении этой стороны жизни говорят как раз о естественной эксцентричности его мировидения.

8.

Вернемся к спектаклю.

Прежде всего, к существенной для постановщика проблеме единства дома и в узком, и в широком смыслах.

Образ усадьбы на сцене театра Моссовета отмечен явными следами вырождения. Но еще чувствуется живая печаль по ушедшему. В том, с каким вниманием перебираются на огромном экране снимки из семейных альбомов конца XIX века: лица, лица, лица. А на сцене как призрак невероятно давнего прошлого, сошедший с этих фото, раскачивается на качелях, может быть, главная символическая фигура спектакля — покойная сестра дяди Вани Вера Петровна Войницкая-Серебрякова. В самом начале спектакля она является как сновидение няньки Марины. А затем — как воспоминание других домочадцев. Таким им видится, возможно, идеализированное прошлое их дома...

Это воспоминание-призрак, этот образ перейдет и в следующие после «Дяди Вани» спектакли Кончаловского по Чехову.

...А вот Серебряков не любит этого дома. Он ему кажется лабиринтом, в котором он чувствует непривычную для себя заброшенность. Неуютно здесь чужакам, пришельцам: Серебрякову и его второй жене. Астров отвергает это обиталище, может быть, именно из-за присутствия профессора. И никому из чужаков не дано увидеть призрак почившей хозяйки.

Драма дяди Вани и в неожиданно открывшейся ущербности дома, в котором и ради которого он живет. Когда-то усадьба рифмовалась с почвой, питающей под его, Ивана Войницкого, наблюдением духовный подвиг профессора Серебрякова. Но никакого подвига нет, а есть эгоизм, ограниченность и нарциссизм. Следовательно, жертвенная жизнь дяди Вани, потомка тайного советника Войницкого, дяди Вани, удерживающего дом от разорения, — служение пустоцвету.

С появлением Серебряковых деревенская жизнь дяди Вани, его племянницы, всех исконных обитателей усадьбы выбивается из привычного цикла. Она потревожена и расшатана бесплодными чужаками. Кстати, когда-то, когда была еще жива сестра Войницкого, и для Астрова дом не был чужим.

По мере развития сюжета понимаешь, что травма имеет предысторию, что она глубоко внедрилась в существование дома и разъедает его. И дело не только в чужаках и не только в служении иллюзиям. Язва глубже — в почве: в природе и народе. Образный ряд спектакля выстраивается так, что из судеб усадьбы и деревни прорастает судьба страны.

В давнем своем фильме (да и в спектакле) Кончаловский отгораживает место действия персонажей от природы. Мы не видим тех лесов, которые на словах воспевает подвыпивший доктор и которые, величавые, может быть, еще живут где-то далеко за пределами усадьбы.

Когда режиссер выпускает экранного Астрова из стен уже не любимого им дома на волю, то и там зритель видит страшную картину уничтожения человеком природы. В финале же экранизации Сонино «Мы отдохнем!» парит над обледеневшей, заснеженной страной.

Первозданная природа живет только в сознании главным образом Астрова. Ее последний всплеск, ее будто упреждающий голос слышен в заоконных звуках и проблесках грозы, шуме дождя, даже, кажется, свежем дыхании деревьев после него. Может быть, так мироздание хочет напомнить людям о себе...

Кончаловский добивается метафорического воплощения природного, усиливая метафору образами фотодокументов. Это созвучно Чехову, у которого равнодушная природа дается, как правило, в неравнодушном восприятии персонажей.

Астров в фильме — персонаж не от пространства усадьбы. То, чему он хотел бы принадлежать и, может быть, по духу еще принадлежит, — лес. Но и он чувствует себя исчерпанным, как былинный Святогор, покинувший естественные для него горные вершины. Поколение богатырей духа сходит (и уже сошло!) со сцены. «Пошлость жизни», поглотившая, по словам Астрова, героев, проявляется как бы на фоне того леса, который где-то невидимо шумит живой силой. Но в реальности и лес перестает быть, хотя фигура его пропагандиста в исполнении Бондарчука еще сохраняет след львиной осанки.

Поминая в «Параболе замысла» свой чеховский фильм, режиссер писал, что, если бы пришлось ставить пьесу вторично, он готов был прочитать ее как комедию и с такими персонажами, которые появились на сцене театра Моссовета только в 2010 году. «Дядю Ваню показал бы бесконечным, изумительным ничтожеством, и доктора Астрова тоже ничтожеством, пьяным, мятым человеком, несущим какую-то ахинею. И Елена Андреевна была бы похотливой женщиной с влажными чувственными руками, неумело пытающейся изобразить скромность. И Соня выглядела бы нелепой идиоткой...» Но при всем при том «сквозь все это прорезалась бы великая любовь к этим людям. Как они несчастны! Как никчемны и жалки! Как смешны! Как трогательны! Как они прекрасны!..»

Такой (или ему подобный) дядя Ваня появился у Кончаловского через тридцать лет. И ведь та самая великая любовь прорезалась! Да она прорезалась уже в фильме. И в этом смысле режиссер подыграл Смоктуновскому в роли Войницкого, сопротивлявшемуся исходному замыслу постановщика. И не только ему, а и другим — Бондарчуку, Купченко, Мирошниченко. Он любил их — как их самих и как чеховских персонажей.

9.

Остается режиссер верным и чеховскому смеху, и чеховской серьезности, его чуткости к голосу мироздания. Оттуда проступают видения и недавнего, кажущегося таким светлым прошлого. Таково призрачное явление матери Сони. Вспоминая о ней, герои застывают, будто пробивают оболочку быта. Возникает длительная пауза — миг прорыва к вечному, к объединяющей их всех неизбежной (и, может быть, счастливой) доле, что «они все умрут».

Астров, вспоминает нянька Марина, появился в имении, когда мать Сони еще жива была. Воспоминание откликается в реплике Астрова о «скучной, глупой, грязной» текущей жизни, которую он не любит, хотя любит «жизнь вообще». И о том, главное, что у него «с железной дороги стрелочник» «возьми и умри... под хлороформом». И провалы окаменелости, в которые погружается Домогаров-Астров каждый раз, когда вспоминает умершего на хирургическом столе, вызывают многозначное чувство то ли безотчетной вины, то ли безысходности «жизни вообще». Во всяком случае, что-то давно и мучительно сидит в нем и не проходит. Под знаком смерти стрелочника разворачивается все существование Астрова не только на сцене, но, кажется, и за сценой.

Явно проступает формула чеховского сюжета: люди, проживая свои обыкновенные жизни, подспудно ожидают конца. Событие — повседневная жизнь в таком ожидании. В этом и заключен героизм обыкновенного же человека, но с неизбежным мгновенным прорывом в нечто большее, чем быт. Человек, который пережил миг причастности к Вечному, тонет в беспамятстве.

В спектакле переживание экзистенциальной драмы для Астрова стало, кажется, привычным. Он, правда, пытается держать марку, прикрываясь снисходительностью некоего знания, иронией скептика. Но когда в подпитии прорываются его «лесные» идеи, чем он и сам отчасти смущен, видно, насколько неустойчив он внутренне. И к той обреченности, которую переживает доктор, привыкнуть нельзя!

Пьяный Астров Александра Домогарова несколько раз как заклинание произнесет слова о том, что он никого не любит и что ему не нужен никто. Но доктор остро нуждается в опоре, в той же Соне! Оттого таким тяжким — как на краю могилы — выглядит финальное их расставание, отодвигаемое то жестом, то словом. Печаль до невозможной боли. Астров, который здесь является, вряд ли возможен где-то, кроме как у Кончаловского. Он плачет, скрывая слезы! Героиня Астрова в спектакле — Соня-Высоцкая, но никак не Елена Андреевна.

В спектакле и в фигуре Астрова, и в Соне чувствуется человеческая беспомощность, «ничтожество» перед роковой безысходностью каждодневной борьбы за существование.

10.

Смертное одиночество «кладбищенских клоунов» подчеркнуто и авторской сценографией. Освещенное пятно помоста в центре просторной сцены театра Моссовета, на котором сиротливо и растерянно теснятся персонажи, напоминает цирковую арену.

Герои чеховских пьес не просто клоуны на такой арене. Они разыгрывают свой бесконечно повторяющийся сюжет в виду особой публики. Эта публика — молчащий как всегда народ, равнодушный к интеллигентской клоунаде и оставленный драматургом где-то за пределами действия. На арене же народ «превращенный»: лакеи, няньки, горничные. Нянька спектакля уже не источает той домашности, теплоты уюта, какие еще угадывались в фильме Кончаловского. В этой неестественно скрюченной старухе, в резкой жестикуляции, отрывистых, каркающих репликах есть и вправду что-то от смеющейся (карнавализованной) Смерти. Тем более что Марина, взяв в партнеры нелепого Вафлю с голоском кастрата, то и дело создает для героев вполне абсурдистский смеховой фон.

Выделяя, ограничивая помост (арену) в «Дяде Ване», режиссер, без сомнения, намекает на какое-то особое содержание и пространства за пределами светового пятна. Зрительный зал в данном случае подразумевается как участник театральной игры. А вот какого качества то, что находится в противоположной от зрителя стороне и за пределами освещенного помоста? Чей взор, условно говоря, обращен сюда из темени за спинами действующих лиц?

Может показаться, тут нет никакой загадки. На огромном экране задника возникают, в частности, кадры нынешней Москвы, отстраненной от происходящего на сцене и в зале. Намек на равнодушие современности к мукам чеховских персонажей?

Но когда картинку на заднике сменяет глухая темень, то начинаешь подозревать в ее непроглядности пустые очи небытия. Ничего живого, человеческого оттуда не ожидается. Ощущение усиливается от того еще, что от этой темени пятнышко света на сцене отделяется ненадежными легкими шторками — отдерни их и утонешь в бездне. Страшновато!

Смена явлений и перевоплощение актеров в персонажей происходит на глазах у зрителя. Наши современники-артисты как бы воскрешают ситуации давно прошедшей жизни. Затем, отыграв свое, не уходят со сцены вовсе, а остаются здесь же, за ареной, и сами превращаются в зрителей разворачивающегося действа, но при этом не окончательно освобождаются от своих персонажей.

Разыгрывается жизнь, с точки зрения нынешнего дня абсолютно призрачная. Создатели спектакля почти насильно выхватывают ее приметы из реки времен. И вот тогда, когда призрачность персонажей уже, кажется, и не преодолеть, в зрителе вдруг рождается сострадание к ним — к клоунам. Мало того — пробивает слезу! Уж слишком по-детски беззащитны они на своем беззащитно хрупком помосте — люди, мятущиеся в световом пятнышке земного бытия. Они все острее ощущают приближение потусторонней ночи, тяжелый шаг которой угадывается за легким занавесом театра жизни. В смятении и страхе не смолкают их речи о быстротекущей жизни, о несостоявшихся надеждах, о грядущей старости, о близкой кончине, которую они и сами готовы ускорить.

11.

Герои Чехова, как в известной сказке Евгения Шварца о потерянном времени, кажутся неожиданно состарившимися детьми, заигравшимися в жизнь и вдруг обнаружившими ее неотвратимую необратимость.

В финале Войницкий, обряженный в какой-то затерханный, едва не больничный халат, выглядит то ли вечным жителем палаты № 6, то ли Поприщиным. Его финальная клоунада вызывает не смех, а скорее горькую жалость. Дядя Ваня в спектакле — абсолютное дитя, едва достигшее подросткового возраста, как и Треплев в «Чайке». Павел Деревянко в роли Войницкого — новое открытие Кончаловского. Как в свое время Алексей Гришин в роли Константина Треплева. Их персонажи — духовные недоросли.

Дядя Ваня и ведет себя соответственно: доверился дутому авторитету Серебрякова и в его жену влюбился как подросток. Мечтательно, с наивной навязчивостью и раздражающей откровенностью. Он более всех заслуживает определения «клоун-дитя». И его детский бунт по поводу крушения всех возводимых им фантомных авторитетов вырождается в духовную анемию, из которой уже, вероятно, не выкарабкаться. Герой превращается в призрак — как и вся эта жизнь среди пней, оставшихся от давно порубленного леса. Не зря спектакль как открывается, так и заканчивается призрачным же явлением Веры Серебряковой.

Вызывающе откровенная клоунада дяди Вани как раз и есть отчаянный всплеск умирающего смеха, по которому и устраивает своеобразные поминки в своих комедиях Чехов.

Что же такое в спектакле главный оппонент Войницкого Серебряков в исполнении Александра Филиппенко? (Этого замечательного эксцентрика потом сменил в роли Войницкого Владас Багдонас — и Серебряков стал другим.)

Серебряков-Филиппенко уж никак не злейший враг! Здесь все без вины виноватые. Сохранивший и в пожилом возрасте мужицкую крепость, обезоруживающе наивный эгоизм, он скорее бессознательно симулирует недуги, чем ими страдает. Но старости и смерти страшится. Тем более, что его приучили к обожанию и поклонению, к постоянной о его персоне заботе, как бы негласно обеспечивая особое право на долговечность. Похоже, недолгая деревенская жизнь рассеивает эти его иллюзии, отчего он больше всего и страдает.

Однако и другие мужчины в спектакле нуждаются в заботе и уходе. И не просто в заботе, а в постоянной материнской жертвенной опеке. Нуждаются в няньке.

Серебряков в исполнении Филиппенко иногда кажется страшным и безжалостно самоуверенным, но вдруг в отдельные моменты видишь его другим — беспомощным, зависимым от жены, которую он любит и «хочет хотеть». Видишь его страх перед неумолимо надвигающейся немощью и смертью. Особенно очевидно это в сцене ночной грозы и всеобщей бессонницы. Почти приговором звучит для профессора реплика жены: «Погоди, имей терпение: через пять-шесть лет и я буду стара».

Елена Андреевна, уже не в силах сдерживаться, в истерике выкрикивает эти слова. Серебряков застывает, как пригвожденный, пронзенный отчаянным криком молодой женщины, с пузырьком лекарства в руке, не зная, куда его поставить без посторонней помощи. И в глазах пожилого человека вдруг появляется растерянность, детский страх от своей беспомощности. Возможно, он заслуживает к себе даже большего сострадания, чем Елена Андреевна.

В фильме «Дядя Ваня» образ жены Серебрякова был иным — одухотвореннее, что ли. Тема несостоявшейся жизни была определяющей не только для Сергея Бондарчука или Иннокентия Смоктуновского, но и для Ирины Мирошниченко.

В спектакле Наталья Вдовина играет «красивого, пушистого хорька» — кажется, такой Елена задумывалась режиссером еще в 1970-х.

В какой-то момент доктор понимает, что перед ним существо, хоть и красивое, но абсолютно глухое к его мыслям и переживаниям. В отличие от той же Сони, которая еще в начале спектакля увлеченно переводит на вдохновенно-торжественный язык уже почти невнятные речи подвыпившего доктора, давным-давно заученные ею.

Здесь «профессорша» — влекущая, но глухая плоть. Она влечет Астрова физически, но внутренне отвергается им. В этом смысле, очень выразительна сцена так и не состоявшегося прощального поцелуя. Какой-то неосуществленный эротизм, который всегда сильнее и острее завершенного. В спектакле звучит и тема вырождения женского (материнского) начала. Она касается и няньки, давно забывшей об этой своей роли, и престарелой «маман», нелепо прикрывающей профессора, свою единственную любовь, от выстрела, и, конечно, Сони. С этой точки зрения, Елена — пустоцвет. Такой же, как и Серебряков в роли мужчины, отца. Красноречиво звучит ответ Серебрякова на вопрос жены в момент почти инстинктивного заигрывания с ней, что ему нужно. «Ниче-го!». Они и разрушительны, потому что бесплодны.

12.

Герой Домогарова не таков, каким был Астров Бондарчука. На мой взгляд, домогаровскому Астрову не хватает «лесной», дикой силы. Именно той, которая проглядывает у Чехова, может быть не в «Дяде Ване», а в его предтече — комедии «Леший».

Чеховский Астров еще таит в себе почти стершуюся память о веке героическом. Эта память прорывается в его пьяных речах о жизнеспасительном лесе. Персонаж Домогарова, кажется, весь из железного века, как, впрочем, и сам исполнитель. Но и в нем есть проблеск присущего таланту высокого героизма, деформированного временем. Астров, особенно когда трезвый, знает гораздо больше того же дяди Вани об исчерпанности их надежд. Его пошляческая философия оправдана этим знанием.

И в фильме, и в спектакле Кончаловского видна отшельническая неухоженность героя. В спектакле этот мотив разворачивается до целой сцены, когда Астров, произнося один из самых идейно нагруженных своих монологов («Во всем уезде было только два порядочных, интеллигентных человека: я да ты...»), кладет ноги на стол. Зритель видит его дырявые носки. Для убедительности персонаж еще и шевелит выглядывающими из прорех пальцами ног. Чисто чеховская деталь, почерпнутая, кажется, из его же писем.

Наверное, эта деталь должна снять излишний пафос с печальной констатации неизбежного опошления русского интеллигента в условиях жизни в России. Комедийный, по сути, образ бытовой неустроенности делает серьезное заключение Астрова еще более серьезным. Деталь эта развивается в целый сюжет. Несколько позднее Астров смущенно положит в требовательно протянутую руку Сони дырявый носок. Та с улыбкой (все будет по-старому?) наденет его на руку, и в прорехе покажутся пальцы героини.

Соня опекает проницательного скептика Астрова, похоже, уже по устоявшимся правилам. Немой диалог между ними, блистательно выстроенный режиссером и проведенный Домогаровым и (особенно!) Высоцкой, по своей трогательной лиричности, по щемящему чувству неизбежной разлуки, может быть, самое пронзительное в спектакле.

Отчетливо понимаешь, что любит не только Соня, но и Астров далеко не равнодушен к ней. Они-то как раз в самом прямом смысле друг другу необходимы. И в том, что эти судьбы не могут соединиться, высокая печаль происходящего с человеком.

Соня жаждет воплотиться в естественной роли жены-матери. Но остается девкой-вековухой. Тема невоплощенной женской судьбы, существенная для русской литературы и уже затем —

для отечественного кино, для творчества Кончаловского в том числе, здесь дана в предельной концентрации.

В угловатой, иссохшей, подобно обезвоженной почве, фигуре Сони, в ее плюшкинском наряде, в том, как она прячет свои руки, пальцы в бинтах (кто-то из рецензентов говорил о намеках на попытки суицида), — во всем видится напряженное до умопомешательства ожидание суженого. А он — вот он, но — постоянно исчезающий за пределами этого дома.

Кончаловский нагружает свою героиню, как никого в спектакле, всей тяжестью исторически пережитого нашими соотечественницами. И в этом смысле она становится едва ли не главной героиней постановки вкупе с Астровым, желанной, но недосягаемой звездой.

Соня в исполнении Юлии Высоцкой решается на бунт, почти истеричный — от невыносимости такого существования и от осознания своей невоплощенности. Но вот что симптоматично для трактовки финала. Если интонации Сониного монолога едва ли не на всем его протяжении угрожающе требовательны, то последняя фраза, когда все существо героини уже на грани безумия обращается к небу, звучит робким вопрошанием: «Мы отдохнем?». И здесь не то чтобы примирение, а почти слепая, безнадежная надежда, которая, однако, свидетельствует о неисчерпаемости в человеке человечности.

Юлия Высоцкая — большая актриса, которой по плечу масштаб античной и шекспировской трагедии. Можно представить, какой могла бы быть она в роли, скажем, леди Макбет — и здесь бы проступила пронзительная до юродивости человечность героини, несмотря на ее очевидную, кажется, преступность.

Интонации, с которыми звучит «Мы отдохнем?» Сони, настолько многосмысленны, что никак нельзя ограничиться одним толкованием. Слышится здесь и надежда, и примирение, и мольба об упокоении, о котором мечтают бездомные тени чеховских героев, так и не нашедших посмертного покоя из-за беспамятства предков.

Нынче смерть в ее, так сказать, физиологии — факт рутинный. Как, впрочем, и у Чехова. Но у Чехова обыденная правда самого факта исчезновения, ухода в никуда преодолевается проблеском вечности, подаренной человеку, наделенному душой. На фоне современного беспамятства, обрекающего человека на бесследное исчезновение безо всяких проблесков, освещенный пятачок сцены у Кончаловского превращается в катализатор душевного очищения.

Спектакль «Дядя Ваня» есть возвращение к чеховскому пафосу трезвой любви к человеку, право которой утверждается тем простым обстоятельством, что человек намерен во что бы то ни стало жить даже на исходе времен, хотя в их начале осужден быть прахом и в прах возвратиться. Как сказал Наум Берковский, в чеховском трагизме нет силы, сокрушающей навсегда. Повседневность выживает. Он назвал это бессмертием повседневности.

13.

За несколько лет до «Дяди Вани» Кончаловский ставит на польской сцене шекспировского «Короля Лира» с Даниэлем Ольбрыхским в заглавной роли.

Поворот к Шекспиру носил почти заказной характер. Подступало 60-летие пана Даниэля. В связи с юбилеем актеру предложили сыграть главную роль в любом выбранном им спектакле и пригласить любого режиссера для постановки. Он остановился на Шекспире и Кончаловском.

Премьера (естественно, на польском языке) состоялась 21 января 2006 года в Варшавском Театре на Воли.

В этой работе метод стыка миров и страстей нашел, может быть, наибольший разворот. Стыкуются часто принципиально нестыкуемые вещи. Из героев неудержимо выплескивается противостояние взаимоотрицающих намерений, порывов, чувств. И такой Шекспир кажется режиссеру наиболее отвечающим его настоящей природе. Спектакль ошеломляет с завязки, которая, кажется, выходит за рамки всего, до сих пор виденного в постановке этой трагедии.

Как правило, постановщики «Короля Лира» строят развитие действия трагедии исходя из толкования именно завязки.

Будет ли доминантой доверчивость Лира-отца, потрясенного ответом младшей дочери? Или он предстанет взбалмошным стариком? Или, наконец, избалованным раболепием самодуром на трудном пути от короля до человека?

Чаще отдавали и отдают предпочтение образу Лира-властителя, Лира-деспота, который «в своем самодержавии, доходящем до самодурства», «опирается не только на безличную силу своей королевской прерогативы», но и на иллюзию личного превосходства над другими, доходящую «до крайней степени самообожания» (А. Аникст).

Внешне Кончаловский склоняется к образу державного самодура. В Лире Ольбрыхского, не зная удержу, играют стихийные порывы. И они вовсе не безобидны. Но не потому, что Лир якобы старчески слабоумен и взбалмошен. В неукротимой стихийности этот Лир даже ритуален. Его выходки одновременно и неожиданны, и привычны для королевского окружения. Он держит двор в постоянном напряжении и страхе. И не может не видеть разброда и вражды, рабского страха и двуличия созданного им мира. Но именно таким этот мир, кажется, и устраивает Лира, ибо он — привычное выражение собственной натуры владыки.

Так вот — завязка.

Еще до начала раздела владений Лира между дочерями зритель видит спящего под троном шута — его ноги в колокольцах и дурацкий колпак, лежащий здесь же. Первым на сцене появляется побочный сын графа Глостера Эдмунд, пинает шута, усаживается на трон, как бы примеряя его на себя. Далее — диалог Глостера-старшего и графа Кента. Наконец, выходят дочери короля, мужья двух старших со свитой. Между ними, герцогами Альбанским и Корнуэльским, происходит, по инициативе последнего, безобразная стычка. Внутренние язвы двора очевидны.

Но главное — впереди. Выход короля. Все склоняются перед ним. Государь неожиданно хватается за грудь и начинает падать. Первой бросается к нему младшая дочь. Но вошедший вовсе не Лир, а переодетый королем шут! Лир же — тот, кто валялся под троном. И вот уже он на троне, но с дурацким колпаком на голове.

На шута бросаются с колотушками. Его любимица, младшая дочь Лира Корделия, вспрыгивает Дураку на спину. Шут прокатывает ее до трона. Помогает королю натянуть сапоги, которые по ходу спектакля будут обыграны как знак королевского величия.

Наконец, Лир в шутовском колпаке приступает к первому монологу, который утрачивает, конечно, обрядовую торжественность. Разве не должен зритель еще до монолога засомневаться в определенности (не говоря уже об искренности!) намерений этого Лира «разделить край», переложив заботы со своих «дряхлых плеч... на молодые»? Растерянность при виде странной королевской забавы поселяется в зрителе.

Лир Ольбрыхского затевает карнавальную игру в раздел владений. Образ Лира — на грани: то ли шут, то ли юродивый, то ли вызывающий страх владыка, то ли заигравшийся властью самодур, то ли коварный и проницательный тиран. Он не исчерпывается ни одной из этих характеристик.

Независимо от установок режиссера, смеховой зачин спектакля заставляет вспомнить финал второй серии «Ивана Грозного» Эйзенштейна: дикая пляска опричников, угрожающая смена масок и костюмов самодержцем. Кровавый карнавал Смерти, подавляющий возрождающую силу смеха, превращался в антикарнавал, в издевку царя над мировым порядком, подчиняя его стихиям властной забавы.

Отечественная история подсказывает, что наша власть всегда была склонна поиграть с низовой стихией. Но поиграть, не забываясь, чтобы не закрыть пути возвращения наверх. Играл, как правило, лишь монарх (будь то Грозный или Петр Великий) с послушным подыгрыванием записного дурака. Остальные были покорными лицедеями-статистами, движимые не столько смехом, сколько страхом.

Вот что писал о лицедействе Грозного Д. С. Лихачев: «Для поведения Ивана Грозного в жизни было характерно притворное самоунижение, иногда связанное с лицедейством и переодеванием... Свою игру в смирение Грозный никогда не затягивал. Ему важен был контраст с его реальным положением неограниченного властителя. Притворяясь скромным и униженным, он тем самым издевался над своей жертвой. Он любил неожиданный гнев, неожиданные, внезапные казни и убийства».

Такие забавы государей не что иное, как присвоение ими народного праздника, по природе чуждого власти. Особенно явственно эта тенденция просматривается в советский период, когда власть беззастенчиво и откровенно начинает именовать себя народной и в этом виртуальном качестве не эпизодически, а тотально присваивает себе исконно народную форму неофициального бытия и неофициальной идеологии — праздник с его смеховой многозначностью и свободой.

В государевых забавах Лира на варшавской сцене можно увидеть упомянутую отечественную традицию.

14.

Итак, Лир затевает шутовскую игру. Но в шутках владыки — лишь доля шутки. Шутовство (или юродство) оборачивается вовсе не шуточными жертвами. И тогда возникает вопрос: какую же роль в этом государевом шутовстве выполняет сам шут?

Театральный критик Джон Фридман писал: «Шут в исполнении Цезария Пазуры, как и все остальные персонажи, испытывает неприязнь к Лиру. Саркастичный и часто распущенный, он не может убежать ни от Лира, ни от собственной участи. В одной сцене они оба связаны веревкой, на которой король тащит шута во тьму, в другой шут неоднократно пытается исчезнуть, но неизменно некий рок выкидывает его обратно на сцену. Этот дурак знает, что должно произойти, но не в силах ни предотвратить этого, ни поделиться своими опасениями».

Шут в спектакле и вправду обречен. И в какой-то момент, кажется, сам постигает свою обреченность.

У Шекспира шут знает свой мир, видит людей насквозь, поскольку он — воплощение глубинной народной мудрости. В «Короле Лире» дурак появляется на сцене уже после изгнания короля, когда он жизненно необходим герою.

У Кончаловского присутствие шута ощущается еще до начала действия как такового. Возникает дурак и как маска короля, и как исполнитель роли в государевом театре. Но как только сгущаются тучи и Лир начинает размахивать мечом, шут прячется. Вряд ли такой шут может претендовать на место транслятора народной мудрости. Он демонстрирует, скорее, издыхание авторитетного народного смеха.

В то же время он и советчик Лира, и предмет личной привязанности. И в спектакле в насмешках шута звучит лишенная иллюзий трезвая правда горестного мира трагедии. Но ощущение своей обреченности, страх, пронизывающий шута, обессиливают его горько-ироничную мудрость. Предчувствия и страх шута оправдываются — его убивают, на что в оригинале трагедии нет прямых указаний.

Шут спектакля выпадет из безличного народного фона и окажется незащищенной перед катастрофами времени одинокой индивидуальностью. Его гибель прозвучит как убиение смеха, исход смеха из того мира, в котором теперь обречен блуждать Лир. В гибели шута я вижу деформацию народного фона шекспировской трагедии. В спектакле он стерт. Так исчезает иллюзия опорной для трагедии народной этики и мудрости.

15.

Превратив раздел в шутовскую (или юродивую?) игру, Лир Ольбрыхского посеял напряженную растерянность ожидания. Все участники ритуала сосредоточены на том, как правильно отреагировать на очередную выходку Лира.

Скованные страхом в преддверии нового взрыва, дочери падают на колени и старательно декламируют заученные тексты, взглядами ища поддержки мужей. Сам Лир выступает одновременно и как всевластный режиссер, и как дирижер этих ритуальных арий. Ему помогает шут.

Вне этого насильственного «карнавала» остается, пожалуй, пока что только младшая дочь. Может быть, в силу наивно детского восприятия мира. Похоже, она единственная из дочерей, кто видит в Лире не короля, а в полном смысле отца. Она усаживается рядом с троном и с детской убедительностью пытается растолковать отцу, не воспринимающему ее ответ, что, собственно, она хотела сказать. А когда Лир упрекает ее в душевной черствости, она делает попытку снять с него дурацкий колпак, то есть хочет вывести отца из учиненного им дикого обряда. Тогда Лиром и овладевает ярость. Он выхватывает из рук Корделии шутовской убор, нахлобучивает на свою голову. Звучит отречение от младшей дочери.

Корделия в начале спектакля — дитя. Впереди у нее большой путь мировоззренческого взросления. Отец же ее, напротив, впадет в младенчество, чтобы начать свое созревание заново. Тот же процесс — и в сюжетной линии «Глостер-старший — его сын Эдгар».

Когда Лир дает волю стихиям своей натуры, он непосредствен настолько, насколько непосредствен подросток, который не в состоянии сопротивляться разрушительным проявлениям трудного возраста. Но Лиру никто и не помышляет сопротивляться. Так что поведение Корделии, а потом и противостояние Кента — нечто из ряда вон выходящее в порожденном королем мире, хаотичном, пропитанном враждой и страхом.

Но почему Корделия, почему Эдгар и Кент сумели сохранить здесь нравственную незапятнанность, способность сопротивляться хаосу? Невольно отмечаешь, что эти действующие лица — юны, естественно юны, почти дети. Может быть, поэтому они и остаются не тронутыми неизбежной мерзостью человеческой породы?

Лир первой половины спектакля не отец. Он свой дом разрушает, подобно разнузданным подросткам-женихам Пенелопы из «Одиссеи». Имморальность Лира заражает и его старших дочерей, Гонерилью и Регану. К концу третьего акта они уже вполне отдаются разгулу собственных страстей, спровоцированных отцом и крушащих все вокруг.

Пока же старшая дочь Лира, вступив с ним в прямой конфликт, изнемогает от страха, едва не теряет сознание. Ее ужас растет, когда Лир обрушивает на голову дочери чудовищные проклятья. Сцена заставляет вспомнить, что перед нами натуральный язычник доартуровых, архаических, темных времен. Он не только сам верит в силу своих проклятий, но и окружающие, кажется, убеждены в их неотвратимости.

Да, это действительно Лир из рода магов и колдунов! Кажется, и сам режиссер придает этим заклятиям серьезное значение, поскольку сопровождаются они грозным звуковым акцентом. Заклятия возбуждают короля. Он оставляет игру, им овладевает неподдельная ярость. И к финалу сцены в его репликах слышится нешуточная решимость, вызов. Его угрозы заставляют Гонерилью инстинктивно искать защиты у своего супруга герцога Альбанского.

Мы не видим той заведомой враждебности в ее отношении к мужу, которая чувствуется в тексте трагедии. Напротив, на польской сцене Гонерилья, пока не вступила в силу ее связь с Эдмундом, действительно видит в муже единственного защитника. И герцог нежен с ней, может быть, даже любит ее. Правда, пройдет еще немного времени, и Гонерилья обвинит его в супружеской недееспособности. И сам образ герцога к финалу спектакля решительно преобразится в сравнении с традиционным толкованием этого действующего лица.

Именно в момент проклятий в адрес Гонерильи Лир меняется. Может быть, налагая чудовищные заклятия на само лоно дочери, он вдруг ясно осознает, что перед ним дочь — кровь от крови, плоть от плоти его? И что здесь, в самом его естестве, происходит нечто катастрофически непоправимое? Трудно сказать. Во всяком случае, в какой-то момент он застывает как в глубоком раздумье.

С утратой власти иссякает энергия его языческого буйства, наступает пора рефлексий. Он ясно видит, что выпал из своей игры, отсечен, если можно так сказать, от послушной публики и статистов. Он один. И король вдруг цепенеет в неподвижности, подозревая, что сходит с ума. Зритель слышит звуки надвигающейся бури.

У Кончаловского в третьем акте не только шут расстается со своим дурацким колпаком, выходит из традиционной народной роли, но и король расстается с мечом — грозным символом силы и власти. Оставляя меч, Лир прощается и со своей животной яростью, с присвоенными им ролями. Взамен шута король получает изгнанного старшего сына графа Глостера Эдгара — в обличье безумного бедного Тома.

В начале спектакля Эдгар не выглядит старшим братом. Напротив. Он наивен и легкомыслен в сравнении с Эдмундом. Он совершенно не готов к той жизни, которая развертывается за стенами родового замка Глостеров, да уже и в самом замке. Он, например, абсолютно не воин, не владеет оружием. Простодушие и невинность до юродивости. Они вызывают жалость и сострадание. Таким Лиру и является бедный Том — «неприкрашенный человек». И сам король вдруг начинает превращаться в ребенка-юродивого.

Но Эдгар в несчастьях, обрушившихся на него, взрослеет. И в тот момент, когда он становится поводырем своего ослепленного отца, это уже зрелый человек, гораздо более мудрый, нежели Глостер. В спектакле Эдгар прежде всего любящий и страдающий сын. Стремление спасти беспомощного заблуждавшегося отца движет им в последних сценах спектакля. Он казнит преступников, не владея оружием и фактически не используя его как таковое.

Поединок Эдгара, законного Глостера, с бастардом Эдмундом — одна из самых впечатляющих сцен спектакля. Эпизод схватки выглядит и мистически невероятным, и логически, исходя из сверхзадачи спектакля, обоснованным. На зов трубы Эдгар является в маске ослепленного и уже скончавшегося отца, в его образе мученика. Он неумело держит в руках меч, в конце концов бросает его и протягивает руки навстречу брату. Братья сближаются. И вдруг Эдмунд, по какой-то неотвратимой логике, тоже бросает меч и открывает объятья младшему брату. И это Эдмунд — до сих пор не знающий каких-либо внутренних нравственных препон, готовый ради своих целей на все?! Что должно было заговорить в нем? Голос крови? Прозрение вины перед родным?

Но далее — совсем неожиданное: Эдгар бросается на брата и перекусывает шейную артерию, из которой фонтаном вырывается кровь. Сцена вызывает сильные и противоречивые чувства. Не это ли образ мира, дошедшего до последнего рубежа? Невинное дитя, пройдя через адские муки века, попросту загрызает брата, прибегая к коварству из коварств, иначе не состоится возмездие!

Эдмунд, предавший родную кровь, оказывается в сетях собственного коварства, нисходит в бездну, которую сам же и открыл.

16.

В ту же бездну, в «мир Эдмунда», нисходят и дочери Лира Гонерилья и Регана. К концу третьего акта их преступные страсти уже не знают удержу. «Эдмундовское» в сестрах (особенно — в Регане) провоцируется и поддерживается каким-то неудержимым, стихийным эротизмом.

Эдмунд для старших сестер Корделии выступает катализатором их злой энергии, зерна которой посеяны Лиром. И проявляется эта энергия как раз в их неуемном эротизме. Точно так же, как совсем недавно их отец был неуемен, неуправляем и разрушителен в своих страстях, и сестры отдаются стихиям своей плоти.

Разгул кровавых страстей «злых» персонажей происходит после убиения смеха в облике шута. Вот и Освальд, заколовший шута, появится в начале седьмой сцены третьего акта, вытирая тряпкой окровавленные руки. Скоро «злые» герои погрузятся в море крови, в том числе — и собственной. Путь «злых» прочерчивается, как и у Шекспира, довольно определенно: все они гибнут, подавленные собственными злодействами, источником которых был сам Лир.

Самый светлый образ — Корделия. Ее сопротивление злой игре поддерживается некими высшими силами. Лир пытается разорвать карту надела Корделии — и не может. Не в его силах членить владение Корделии, ибо оно — в нравственных установках, на которых держится здание мира.

Собственно, за овладение мирозданием и идет борьба в семье человеческой. И если на сцене совершается битва, то она звучит как битва народов Земли.

Корделия преображается из наивного ребенка в воительницу, как только узнает о бедах, обрушившихся на отца. Она надевает рыцарские латы. В ее голосе появляются резкие командные ноты. Но последние слова она произносит почти шепотом:

> *Я выступила не из жажды славы,*
> *Но из любви, лишь из одной любви...*

Это и есть истинные мотивы поступков Корделии: ею движет

любовь к отцу. Не к могучему в прошлом государю, не к обладателю богатого наследства, а к человеку, благодаря которому она появилась на свет. Она любит этого человека, каким бы он ни был.

В трагедии Шекспира (вот что прочувствовано спектаклем!) все большее право вершить человеческую историю обретает «голос крови», объединяющий людей естественной любовью родителей к детям, а детей к родителям. И эта любовь вырастает до масштабов всечеловеческих — по крови людского рода.

Рост и торжество кровной любви видны в развитии образов отца и его младшей дочери.

Лир доставлен во французский лагерь. Он спит. На нем одеяние, напоминающее и детскую ночнушку, и смирительную рубашку. Корделия видит в падшем короле «разлаженную душу», «впавшего в младенчество отца», которому лекарь должен «вернуть ум», то есть действительную выстраданную зрелость.

Определение, чрезвычайно важное в контексте спектакля. Отец «впал в младенчество», вернулся в детство, переродился и готов начать путь нового, личностного взросления. В начале этого пути Лир осознает всю меру вины и своей, и старших дочерей. Ему стыдно! Человек восходит к нерушимым нравственным основам бытия.

Не узнавая поначалу, а потом и узнавая дочь, Лир поднимается с ложа и пытается надеть сапоги, воплощение его королевского величия. Находит только один. Можно вспомнить, что еще в завязке, прежде чем приступить к оглашению своего решения, Лир, не снимая шутовского колпака, потребует надеть ему сапоги, которые он снял на время ряжения.

Уже позднее, когда, полубезумный (впавший в младенчество), он встретит слепого Глостера и попросит стащить с него сапоги, Глостер снимет один из них и с нежностью прижмет к сердцу. Для Глостера Лир навсегда хозяин, а он — слуга. Лир же так и останется в одном сапоге — лишенный мнимого совершенства властного величия, но обретший натуральное несовершенство человечности.

В одном сапоге и смирительной рубашке младенца Корделия выведет Лира перед воинством, и люди преклонят колена, а младенец король, забывший о своем сане, но довершившийся дочерней воле, пройдет мимо, будто стыдясь преклоненных.

Наконец, финал.

Лир, прозревший гибельность своей неуемной власти как разрушение мира, его нравственных оснований, видит неотвратимость ухода дочери и глубоко переживает свою вину. Гибель

Корделии — дело и его рук. И он тут же погребает дочь (посыпает ее землей), абсолютно не имея никаких иллюзий относительно ее воскрешения. Он посыпает прахом и себя и падает, мертвый, головой к ногам дочери.

Финал беспощаден.

На сцене, кроме трупов, небрежно укрытых рогожей, где рядом уместились и «добрые», и «злые», остаются еще два действующих лица. Из числа «добрых». Это Эдгар и Альбани с королевской короной в руках. Последнюю реплику произносит Эдгар. В дословном переводе она звучит примерно так: «Мы можем сказать лишь о том, что чувствуем, но не обо всем том, что следовало бы сказать». Произнеся это, Эдгар покидает сцену, уводимый двумя воинами. Он арестован и будет казнен!

Кто же остается на сцене и в какой роли?

В освещенном проеме декорации застывает тяжелый силуэт Альбани спиной к зрителю и с короной в руках. И это новая безликая власть, выросшая из хаоса, сотворенного человеком по имени Лир. В этой непознаваемости зритель с ужасом угадывает грядущие катастрофы. Новый властитель будет создавать свой мир по своему образу и подобию, то есть присваивая его и набирая для своей игры новых статистов, новых шутов, пренебрегая, в конечном счете, голосом крови.

Альбани спектакля ни холодный, ни горячий, часто просто безволен в руках той же Гонерильи. Тем не менее именно он, сильно смахивающий на ничтожную посредственность, но сумевший выжить в этой бойне, берет власть в руки.

17.

Образ людской природы и природы власти не был бы у Шекспира таким человечным, если бы не воплощался в живой конкретике семейных отношений. Семья — из главных образов его зрелых трагедий. Причем семья в ее трагедийной ипостаси — как рушащееся единство людей, за которым угадывается родовое единство человечества, природы, мироздания.

Трагедийный пафос того же содержания проникает не только в спектакль Кончаловского по «Королю Лиру», но и в его оперную интерпретацию «Бориса Годунова» Мусоргского. Принципиальной для режиссера остается тема власти и государства, воздвигнутых не просто на крови, но на крови близких, на крови невинных мучеников, на детской крови.

Главное орудие власти Годунова, как и его предшественников, в том числе и Ивана Грозного, — кровавый террор, пытки, слежка, наветы. Все то, о чем говорит Шуйский уже в первых сценах трагедии, когда приватно беседует с Воротынским:

...А там меня ж сослали б в заточенье,
Да в добрый час, как дядю моего,
В глухой тюрьме тихонько б задавили...

В спектакле это не тюрьма, а страшные подземные казематы, где не прекращаются пытки, где кровь льется рекой. На них держится власть Бориса-царя.

Сцена, на которой разворачивается действие, представляет наклонную плоскость — громадную крышку подземелий. С самого начала рождается ощущение неустойчивости, неверности всего, что находится на поверхности. В том числе, и царского трона, который действительно к моменту смерти Бориса срывается с возвышения, где он непонятно как удерживался.

Время от времени крышки люков поднимаются, обнажая пыточные погреба, принимающие новые жертвы или выплевывающие их полутрупы. Из этих же кровавых недр выходит и летописец Пимен, измученный, в ранах, опираясь на клюку. Зритель понимает, что и он подвергался мучительным пыткам.

В спектакле особое место занимает история летописного «доноса» Пимена, который он передает Григорию Отрепьеву, чтобы тот продолжал его, Пимена, труд. Но летопись оказывается в руках «особой службы» царя. Так ее создатель попадает в руки палачей.

Может, самая выразительная сцена, открывающая преступную суть власти, по природе ей присущую, — это муки совести Бориса. Годунову мерещатся «мальчики кровавые», и он вымаливает прощения у Бога. Тогда на сцену выходит сын царя, поднося отцу чашу с вином. Его и принимает Борис за призрак юного Димитрия. В крайнем возбуждении, взывая к небесам, Годунов неосторожным движением выбивает чашу из рук мальчика, и кроваво-красное содержимое выплескивается тому в лицо. Вид сына потрясает отца. Он прижимает дитя к своей груди. Над ними возникает око Божье.

В сочетании с музыкой Мусоргского, великолепным вокалом Орлина Анастасова мизансценическое решение происходящего приобретает мощную трагедийную космичность.

Трагедия Бориса, как толкует ее Кончаловский, в том, что принявший соблазн власти «вчерашний раб, татарин, зять Малюты, зять палача и сам палач», Годунов отсекает себя этим соблазном от родной плоти и крови, от живой жизни и передает в руки погибели, грозящей теперь и его роду, и народу, и государству. В этом контексте особое место занимают его отношения с сыном, к которому он очень привязан. И сын любит его, тянется к нему, но и страшится, боится приблизиться к отцу, когда чует в том властителя-убийцу.

Борис напоминает мальчику, что тому необходимо «постигать державный труд». Но именно этого державного труда и страшится юный Годунов, видя его плоды в самом пугающе преобразившемся облике его отца. Царевич Феодор в конце описанной сцены сам превращается в «кровавого мальчика». Таково грозное предупреждение Годунову чуть ли не из уст Всевышнего.

Мизансценическое и сценографическое решение оперного спектакля, на мой взгляд, прямо вытекает из реплики представителя «мятежного рода» Пушкиных боярина Афанасия Пушкина. В этой реплике сам гениальный создатель трагедии высказал свое отношение к природе отечественной власти.

> *...он правит нами,*
> *Как царь Иван (не к ночи будь помянут)...*
> *...А легче ли народу?*
> *Спроси его. Попробуй самозванец*
> *Им посулить старинный Юрьев день,*
> *Так и пойдет потеха...*

И «потеха» действительно начинается. Только что мы видели народ, потрясенный словами юродивого, отказывающегося молиться за «царя Ирода», — народ, павший ниц. А в сцене восстания под Кромами тот же народ, подстрекаемый бродягами-чернецами Варлаамом и Мисаилом, грабит господ и проливает боярскую кровь, а затем приветствует появление Самозванца. Вот она, «бессмысленная чернь», которая «изменчива, мятежна, суеверна, легко пустой надежде предана, мгновенному внушению послушна, для истины глуха и равнодушна, а баснями питается она». Таков образ народной толпы в развитии сюжета спектакля.

После «бессмысленного и беспощадного русского бунта» следуют сцены совета боярской Думы и смерти Бориса, душевно и телесно обессиленного муками совести. Сцена замечательна пафосом нравственного приговора власти, прозвучавшего из души совестливого царя-убийцы. Характерна она и явной безысходностью перед непреодолимой безнравственностью власти. Произнеся свои последние предсмертные слова, Годунов падает бездыханный. Над его телом склоняется сын. И тут мы видим, как «лукавый царедворец» Шуйский и думный дьяк Щелкалов, крадучись, подбираются к телу Бориса, еще не веря в его кончину. А удостоверившись, хватают царевича Феодора, законного претендента на трон, и уволакивают его.

Повторен финал спектакля по «Королю Лиру». Дальнейшая судьба мальчика, как и юного Эдгара, очевидна. Финал и того, и другого спектаклей — духовно-нравственный тупик, в котором оказываются и этот народ, и эти плоть от плоти его властители. Дальнейшее — всеобщее молчание.

глава третья

Это наш дом

*...Мы все имеем вид путешественников. Ни у кого
нет определенной сферы существования, ни для чего
не выработано хороших привычек, ни для чего нет
правил; нет даже домашнего очага; нет ничего, что
привязывало бы, что пробуждало бы в нас симпатию
или любовь, ничего прочного, ничего постоянного; все
протекает, все уходит, не оставляя следа ни вне,
ни внутри нас. В своих домах мы как будто на постое,
в семье имеем вид чужестранцев, в городах кажемся
кочевниками...*
П. Я. Чаадаев

*Это не психушка. Это наш дом. Мы здесь живем
и всегда будем жить.*
А. Кончаловский. Дом дураков

1.

Итак, в 1994 году Кончаловский вернулся к своим зрителям,
к своим соотечественникам. Начался зрелый, «синтетический»
период его творчества, отмеченный появлением «Ближнего круга». И вот он снял «Курочку Рябу» — развитие темы «иванизма»
в новых условиях.

Как ведут себя дети державы, влюбленные в Вождя и Советскую власть и счастливые этой любовью, когда сама держава исчезает, оставляя их с ощущением абсолютного сиротства?

Вначале возник замысел фильма о зависти... В это время Кончаловский работал над сценарием экранизации романа Андре
Мальро «Королевская дорога». Пока продюсер искал деньги, образовалось окно. Шел 1991-й год. Режиссер договорился с Клепи-
ковым о продолжении истории Аси Клячиной. Однако тот через
полгода признался, что у него ничего не выходит. В конце концов, соавтором Кончаловского стал известный кинодраматург
Виктор Мережко.

Режиссер думал сделать фильм о курочке Рябе как сказкулубок, притчу о золотом яичке. А потом решил поместить эту историю в уже знакомую ему среду — в ту самую, где рождалась «Ася-хромоножка». Неожиданным показался режиссеру отказ Ии Саввиной сниматься в продолжении «Истории Аси Клячиной». Актриса посчитала задуманный фильм оскорбительным для русского народа. Но как раз с русским народом и предполагалось продолжить диалог, начатый еще в 1960-е. Это был новый виток восхождения к зрителю, к народу из села Безводное...

Кончаловский признается, что обескуражило его и впечатление, произведенное фильмом на аудиторию, так сказать, квалифицированную. «Я понял, что мое восприятие картины отличается ото всех остальных, когда увидел лица людей, выходивших из зала после показа в Каннах. Выходившие говорили: «Боже мой! Как грустно! Какая страшная картина!» До сих пор не понимаю, почему она страшная. Не вижу в ней ничего катастрофического. Может быть, я уже привык к тому, что в моей стране происходит? Считаю это естественным?»

Катастрофичность ощущалась уже в «Асе»: счастливые субъективно люди — глубоко несчастны объективно. Однако и в «Асе», и в «Курочке Рябе» действовал принцип эксцентрично-стыкового построения сюжета. В результате катастрофа оборачивалась праздником, и в празднике подспудно созревало тревожное предчувствие еще более разрушительных, а может быть, в конце концов, и благих превращений.

Наиболее полным выразителем этих превращений стала Инна Чурикова, сыгравшая здесь постаревшую и заматеревшую Асю. Смена актрис пошла на пользу фильму, потому что в Чуриковой было сочетание «национальной широты и трагизма» с «клоунадой и фарсом». Между тем, Феллини в мемуарах «Делать фильм» свою супругу называл актрисой-клоуном, считал, что этим определением можно только гордиться. «Клоунский дар, на мой взгляд, — самое ценное качество актера, признак высочайшего артистизма».

Послушаем, что наш режиссер говорит о Чуриковой: «Она вмещает в себя и Джульетту Мазину, и Анну Маньяни. Она может играть и горьковскую мать, и брехтовскую матушку Кураж, она может быть и сказочной бабой-ягой, и шекспировской Гертрудой». Эта карнавальная всеохватность таланта Чуриковой и нужна была режиссеру.

Сам режиссер, сопоставляя своих героинь из первой и второй картин, говорит, что они «характеры, весьма различные». «Эта —

сварливая баба, в очках, с папиросой, слюняво пересчитывающая деньги, въедливая, за себя может постоять: если надо и кулаком врезать. Та Ася была идеализированная, нежная, чудная. Мухи не обидит. Эта — обидит. И муху, и слона. По той Асе танк еще не проехался, ей двадцать пять лет, прожитых в интеллектуальной девственности. Эта Ася прошла катком, сама вырастила сына. Для этого надо было иметь силу, уметь защищать себя. Потому она грубовата. И она — лидер...»

Новая Ася производит самогон (жить как-то надо!) и отстаивает ценности развитого социализма брежневских времен.

...Та же деревня, где зрители впервые встретились с Асей Клячиной, но уже в лихие 90-е. Предмет недовольства и зависти деревенского населения — все тот же Александр Чиркунов. Он купил здесь землю, устроил на приобретенном участке лесопилку, работающую с утра до позднего вечера. Разбогател. Но все только для того, чтобы привлечь внимание Аси, добиться, наконец, ее любви.

Изменившаяся до неузнаваемости Ася находит в своем сарае «золотое» яйцо. Позже выясняется, что яйцо украдено из музея при участии ее сына. Он и припрятал украденное на материнском дворе.

Колхозники после жарких споров с побоищем, в котором принимает участие и местный поп, решают вернуть яйцо похитителям за большие деньги. Затем выкупить хозяйство Чиркунова, чтобы «его не было». В конце концов, и яйцо, и бандитские деньги оказываются фальшивкой. А Чиркунов, ко всеобщей радости, сжигает свою лесопилку.

Такова фабула. А что же сама Ряба? Она — смеховой провокатор. «Курочка Ряба — центральный персонаж картины, — поясняет режиссер. — Если бы не она, не было бы и золотого яйца. Конечно, не она снесла его, но она как бы поселила его в умах. Испытание свалившимся на деревню богатством, пусть и мнимым, — очень серьезное, как оказывается, испытание. В конце картины деревенская толпа несется за курочкой Рябой, хочет ее придавить — ведь все злосчастья с нее начались...»

Не зря же сам режиссер и взялся озвучивать этого «центрального персонажа».

Однако мир картины, мир деревенской России середины 1990-х, и без воспроизведения «куриной» точки зрения карнавален. Не разоблачительно-сатиричен, а — празднично-карнавален. Пролог фильма — уже смеховой стык маски и живого лица.

«Нормально... нормалек!..» — бормочет, обозревая в зеркале парикмахера свою ровно наполовину оголенную голову, мужик. То ли пьяный, то ли сонный — словом, вполне индифферентный к происходящему с ним. В мужике узнаем режиссера. Равнодушно-мутный взгляд персонажа (и автора ленты одновременно) направлен в зрительный зал, как в зеркало. Зал и экран взаимоотражаются. Режиссер втягивает зрителя в смеховую игру фильма и сам в нее включается.

Весь фильм не что иное, как попытка открытого диалога со зрителем, к которому прямо с экрана обращается не только режиссер, но и его персонажи. Все они одновременно и персонажи, и вполне реальные индивиды, носители этих масок.

Остриженная наполовину голова — это, однако, не «нормалек». Напротив, комическое несоответствие норме. С первых кадров картины и автор, и его герои, и зритель движутся на грани нарушения общечеловеческих ценностных норм.

Мужик из пролога — маска, застывшие черты национальной ментальности. Сюда можно отнести и «нормалек!», и хрестоматийный «авось». Речь идет о разрушительном для него равнодушии русского человека к своему лицу, личности, которая с такой легкомысленной беспечностью подменяется маской.

Но в фильме маска не исчерпывает, не поглощает лица. Ни лица создателя фильма, ни лиц его героев. Происходит игра социальными ролями-костюмами. На всенародное позорище зазывается зритель с целью смехового саморазоблачения и самопознания.

Вот и хитрый глаз Аси-Чуриковой провоцирует нас, когда героиня обращается к нам с экрана, называя то товарищами, то господами. Она предлагает порассуждать на тему недавнего советского прошлого, когда «был порядок, потому что был страх». И это была «настоящая демократия». Все работали в поте лица — и не за деньги, поскольку и денег-то как таковых не было. Героиня все время находится на границе игры («бормочущая алкоголичка», «импульсивная дура») и реальности (испытанная жизнью мудрость народного философа).

Нынче национальным героическим эпосом в массовом сознании представляется «золотой век» прошлого, Страны Советов, когда все были едины и счастливы общинным нищим равенством. И этот «золотой век» всплывает в черно-белых кадрах из «Аси-хромоножки», мир которой, с исторической дистанции, видится благостной утопией.

Да, смех «Рябы» ни в коем случае не сатира. Никто никого к позорному столбу здесь не пригвождает. По происхождению это смех масленичный, то есть связанный с веселыми похоронами Зимы-Смерти. Не зря же в его финале полыхает и веселый, и трагичный костер, учиненный влюбленным Сашей Чиркуновым. То есть смех этот еще и сострадателен.

В нем аукается горьким юродством и память об отечественных праздниках. В том числе, и время общегосударственных нормативных шествий, демонстраций, субботников. В истории нашего кино с ними перекликаются любовно-трудовые комедии Пырьева — воплощение общегосударственного оптимизма. Правда, если хмельной праздник в «Курочке» и есть, то труд и любовь сосредотачиваются лишь в фигуре Александра Чиркунова. Он, кстати говоря, более всех и смеется в картине, оставаясь при этом одиноким. Одинокий смех Чиркунова — смех на погребальном костре, который вскорости обернется холодным пепелищем.

Перевертыши (симулякры) праздника в сюжете то и дело возникают. Вот бывшие колхозники, вооружившись портретами членов бывшего Политбюро, классиков марксизма-ленинизма, красными полотнищами лозунгов, под предводительством Клячиной идут ко двору Чиркунова с коллективным протестом. А тот... выставляет демонстрантам несколько ящиков водки. И торжественно-пародийное шествие оборачивается обильным коллективным возлиянием, как в достопамятные советские времена. Снова — праздник! Нескончаемый горьковатый праздник социальной индифферентности и безответственности.

К окончанию картины сельская большевичка Ася Клячина все же преодолевает свои коллективистские представления, когда оказывается вышибленной из колхозной общины за попытку жить своей, частной жизнью. Она восходит к естественной премудрости, которой делится с нами уже не собственно героиня, а посерьезневшая клоунесса Инна Чурикова — из промерзших пространств России.

Безответно влюбленный в Асю Саша Чиркунов, в свою очередь, сбрасывает с себя одежды постсоветского бизнесмена и с азартом дурака-юродивого сжигает декорацию предпринимательского благополучия. А затем, из простодушной любви и сострадания, вновь устраивает праздник единородцам и таким образом в очередной раз совершает ритуал любовного исповедания перед Асей.

Обозначена в фильме и утопия вечно живой, но несбыточной мечты русского человека о космической халяве. Надежда на чудо, терпеливая вера в него — в чудо нечаянного богатства и счастья. На какой-то миг эта надежда согреет и Асю, когда та найдет злосчастное яйцо. Но незадолго до этого обнаружится трезвая реальность бытия. В сараюшке своем Ася обретает вначале не чудо, а дыру. Исчезла задняя стенка строения. Кто-то спер. И зрителю открывается беспредельность заснеженной страны — молчаливо вопрошающая.

Холодный, необустроенный простор. Он и есть пространство насущного освоения. Чуда нет. Точнее, миф о российском колхозно-коммунистическом чуде исчерпан. Ни курица-тотем чудо-яиц не несет; ни Эрмитаж их не содержит; ни бандиты настоящей цены (чудных или дурных денег) не дадут.

Смеховое расширение пространств — ключевой сюжетный ход картины. Смех очищает, убирает тесноту социальных перегородок. Асина изба с ветхим «обманным» нужником; хоромы деревенского капиталиста Чиркунова; грязные фуфайки жителей села; ряженые гангстеры цыганистого вида; само Безводное с незабываемыми ступенями, по которым восходят и нисходят герои. Все это, как стенка ветхого сарая Клячиной или седалище убогого сортира, куда ныряет халявная выручка Асиного сына, опадает, рушится, открывая реальность неосвоенной жизни.

По словам режиссера, «Курочка Ряба» — один из его самых раскрепощенных в исполнении фильмов, вроде «Аси Клячиной». «Как режиссер я был, как никогда, свободен. Стилистика была свободна и бесформенна, тем мне и дорога. Я, что называется, гулял по буфету. Не боялся в середине картины вставить вдруг нереальный фантасмагорический кусок, где курица становится гигантской и объясняет Асе, что ее, как и всех в деревне, зависть заела. «Курочка Ряба» — классика. Ведь есть же у меня картины, которые причисляют к классике. А я причисляю эту. Знаю, что она не постареет. В ней нет стиля. Есть свобода, и есть человеческие характеры. Есть интенсивность чувства...»

Важно и другое — в этом фильме, как и в прочих лентах режиссера, в том числе и в давней «Асе Клячиной», сильна волна сентиментального сочувствия героям, жалости к ним, жалости, которая в конце XX — начале XXI века стала весьма дефицитной и в жизни, и на экране.

2.

«...Вовремя человека пожалеть... хорошо бывает!» — сказал как-то странник Лука, герой Максима Горького. Фильм Кончаловского «Дом дураков» берет состраданием. Жалостью.

Жалко всех. Беспомощно скандальных, трогательно смешных, несчастных психов, поселившихся «где-то на границе с Ингушетией». *Жалко командира бандитского подразделения и всех его боевиков, а также капитана с БТРа, бывшего (по Афгану) однополчанина полевого командира. Жалко лысого, но в шляпе, красивого чеченца Ахмеда, карнавального жениха главной героини — Жанны Тимофеевой...*

Жанна — юная пациентка психбольницы, уже, кажется, выздоравливающая. Точнее, не так: она как бы естественно здесь прописана со дня основания. Тут она на своем, судьбой определенном, месте. Во всяком случае, ей под силу удерживать некоторое душевное равновесие коллектива больных в нелегких условиях подступившей к психлечебнице войны. Но и ее — жалко.

А как жалко истеричного командира подразделения федералов! Оказавшись на грани безумия, он никак не может очистить со своих ботинок то ли грязь, то ли дерьмо чеченской войны. Жалко его, только здесь, в психушке, наконец, принявшего вместе с успокоительной наркотической инъекцией доктора Валериана (почти Владимира) Ильича и простую истину: в войне главное не победа, главное — смерть.

Жалко и солдатиков из этого подразделения, суматошно бегающих по сумасшедшей больничке — и в этом качестве гораздо более похожих на психов, причем более буйных, чем сами психи. Жалко их, готовых в безумной суете порешить друг друга.

Не жалко генерала Павла Грачева. Он хоть и кажется настоящим, но этому, перенасыщенному скрытой болью, пространству, — чужой. Он — в телевизоре. Он является из равнодушия виртуального мира. Всем в этой картине больно, а ему, потустороннему, — нет.

Сюжет переключается в сентиментальность, а затем — и в откровенные муки и сострадание. Переключается вдруг. Обряженная в клоунский костюм невесты Жанна покидает обиталище психов. Ее в шутку поманил чеченец Ахмед. Сказал: хочет жениться. А девушку всерьез обрядили невестой. Вот она прощается. Уходит. И, как на зов, оборачивается вдруг к такому дорогому для нее обиталищу — к дому дураков. Видит в окнах некрасивые, жалкие и очень трогательные физиономии всех, ею любимых...

Словом, от слез нельзя удержаться. А уж когда обстрел начался, появились вертолеты в пламени, падающие с неба!.. И она в этом аду, в безумии этом — в платье невестином, в неловкой шляпе, с громадным для ее хрупкой нескладной фигурки аккордеоном: играет полечку. Она, которая так всех хотела спасти, но теперь уже, кажется, никого не спасет — даже в своем воображении! Тут уж вместе с ней, как язычнику, остается лепетать: «...Огонь, я тебя люблю, не убивай меня!.. Грязь, я тебя люблю...» и т. д. Вот когда ничем неодолимое чувство жалости, сострадания к людям прорастает в вас и к финалу картины только укрепляется. Переживаешь все это, а потом думаешь: где же здесь профессиональная холодность Кончаловского, в которой его так часто уличают?

Писатель Дмитрий Быков отметил характерную противоречивость впечатлений, его посетивших: «...в первые минуты просмотра я, честное слово, не мог себе представить, каким чудом Кончаловский спасет картину. Тем не менее уже через час после первого обмена впечатлениями я почувствовал, что кино это меня не отпускает... Более того, эта картина вполне достигает своей цели, поскольку в конце концов оставляет зрителя... искренне расположенным к человечеству...»

Иными словами, как бы ни был сконструирован «Дом дураков», он воспринимается как выражение сострадательного мироощущения художника, его любовного взгляда на человека.

Первая часть фильма — комедия масок. Смысл происходящего — в изречении одного из «дураков»: «Жизнь — это когда каждый день новое говно делают». Как бы подтверждая право дурацкого афоризма на существование, одним из сюжетообразующих моментов первых эпизодов фильма становится очередь у нужника.

Буффонная первая часть — цепь пустячных больничных скандалов. Апофеоз скандалов — бунт больных. Естественно, после отбытия начальства. Бунт возглавляет записная диссидентка психушки Виктория Яковлевна. Актриса М. Полицеймако откровенно использует тут маску Новодворской. Клоунская неопасность бунта сохраняется лишь до порога Дома. За порогом — переключение в иную жанровую плоскость.

Уже в первых эпизодах картины ощущается аллегорическое присутствие образа нашей многострадальной Родины, сниженного самой средой происходящих событий. С аллегорией сотрудничает документальность телерепортажа, лежащего в истоках замысла картины: фактическое наличие психушки где-то на границе с Ингушетией. Сюда же отнесем и то, что население дома дураков формируется как из актеров, так и из людей с реально травмированной психикой.

Живущая нерассуждающей наивной любовью ко всем без исключения (на то она и дура!) Жанна неутомимо связывает концы то и дело рвущейся нити времени. Она органически не переносит и намека на разлад, посеянный нетерпимостью, агрессией. И хочет вернуть в мир гармонию, наигрывая на аккордеоне полечку в духе Нино Роты.

Образ героини вполне естественно отсылает зрителя к ролям Джульетты Мазины в картинах Феллини, к Джельсомине и Кабирии с их незащищенными, полными любви сердцами. Режиссер и его актриса Юлия Высоцкая открыто опираются на феллиниевскую традицию акцентированной человечности.

Да ведь и все главные женщины из картин самого Кончаловского живут неприятием дисгармонии бытия. Они и есть святые дуры, и в то же время — Жанны д'Арк, жертвующие своим благополучием ради прочности дома дураков.

Но кто таков и каков в картине «дурак»? Вспомним характеристику древнерусского дурака из трудов Д. Лихачева — А. Панченко.

«Это часто человек очень умный, но делающий то, что не положено, нарушающий обычай, приличие, принятое поведение, обнажающий себя и мир от всех церемониальных форм, показывающий свою наготу и наготу мира... Дурак — прежде всего человек, видящий и говорящий "голую" правду».

В традиции отечественного «дуракаваляния» развертывается и сюжет картины. Ряжение в фильме — на самом деле избавление от одежд. Обнажение наших язв и наших доблестей, нашей дури и нравственной высоты, воплощенной, в том числе, и в героине — как новоявленной Жанне-спасительнице.

Аккордеон, полечка и мечтания Жанны вносят в фильм идиллически-сентиментальную ноту, преобразующую скандальный мир психушки, возвышающую его любовью «святой дуры». И мы понимаем глубинное стремление психов жить счастливым домом. Они все этого хотят, но не могут, просто не умеют практически воплотить свои мечтания в низкой повседневной прозе сумасшедшего существования.

А в повседневном тягучем времени они болеют — нетерпимостью к сожителям, соседям, собратьям по дому. Но их «болезни» в то же время — сущностное проявление человечности! Так что словосочетание «больные люди» — тавтологично, поскольку не больных людей не бывает. Небольные — это люди с отсутствующей человечностью. Вспомним Чехова!

Если согласиться, что больница в фильме — метафорический (или аллегорический) образ страны как дома, объединяющего живущих в нем людей, то тогда понятно, почему поэт Алихан идет извлекать из стана боевиков ушедшую к своему «жениху» Жанну. Он не только влюблен в нее. Он фанатично предан своему жилищу и вооружен нерушимой доктриной: «Это не психушка. Это наш дом. Мы здесь живем и всегда будем жить».

Дом дураков — родное обиталище. И покидать его ни в коем случае нельзя! Да и невозможно, в конце концов. Даже в полете мечтательном, вслед за воображаемым поездом идиллического семейного единения — нельзя. Правда, ни обитателям больницы, ни зрителям это табу до поры не внятно.

Конфликт картины работает на разрыв чудовищной силы: дом покидать ни в коем случае нельзя, но так же фатально его нельзя не покинуть. Из глубокого осознания неизбежности этой коллизии является почти безумное, в силу его практической неосуществимости, утверждение: необходимо выжить внутри со всеми. Жить и выжить. И так вынести дом на себе.

Но первым больницу все же покидает мудрец доктор, хотя и в благих целях. И это сигнал к бунту!

Хозяина нет! Толпу дураков возглавляет политический вожак Виктория. Они выдавливаются за порог, как из крепости, пробивая тяжелой «бабой» мрачные металлические ворота. Ну, а что там? Манящая и одновременно настораживающая своей тишиной белая тропа с парящей в ее конце аркой. Тропа в рай? В ад? В любом случае — в мир потусторонний, незнаемый, необжитой, а потому — смертельно опасный. Что подтверждают взрывы, и первые разрушения, и первая кровь...

Но опасность не только вовне. Бунт чреват внутренним хаосом: кто-то выпускает «буйных». И только после этого в дом войдет война. Придут боевики, разобьют здесь свой лагерь. Начнутся обычные в этих условиях заботы. А на стене клиники возникнет та самая все объясняющая и обо всем предупреждающая надпись «Больные люди», начертанная «инодомцами».

И вот теперь Жанна покинет дом дураков. Героиня следует призванию. Ведь она невеста! Как невеста она должна принести жертву во имя объединения чужого и своего миров. Из чужого мира должна она привести жениха и прекратить хаос. Так в картине возникает пародийная свадьба.

А далее — разоблачение от всех одежд и масок, полное обнажение лиц больных людей, вообще всех лиц.

Шуточное обещание чеченца Ахмеда взять девушку в жены оборачивается нешуточной серьезностью происходящего. С приходом Жанны к суженому, то есть Богом данному, возникает реальная возможность прекращения хаоса взаимной нетерпимости и вражды. Безотчетно следуя этой своей миссии, Жанна не может принять предложения поэта Али вернуться к своим. Ведь она призвана объединить своих и чужих!

Картина Кончаловского говорит о неизбежной в современном мире жертве порождающего жизнь женского начала во имя объединения разъединенных национальных, конфессиональных и т. п. домов. И дурочка в «Рублеве», и Ася Клячина, и Жанна в «Доме дураков», и, может быть, Ольга в «Рае» — каждая из них невеста в самом высоком смысле, которой суждено стать и женой, и жертвой.

«О, Русь моя, Жена моя, до боли нам ясен долгий путь...»

...Когда дом занимают федералы, начинается обстрел, и чеченцы покидают чужие пределы; когда Жанна ничего не может спасти своей полечкой и с нее слетает ее невестина шляпа, а фанатик охранения психбольницы Али, как червь, ползает в грязи, — когда все это происходит, кажется, побеждает трезвость низкой истины. Никакого общего для всех людей Дома нет и быть не может.

Кровавый хаос сдирает с Жанны ее невестины одежды, все приметы ее ряжености. И она сама над собой совершает постриг, становясь теперь как бы Христовой невестой. Здесь улавливается предчувствие того, что придется пережить актрисе Юлии Высоцкой, готовясь к образу Ольги в «Рае».

Происходит еще одно жанровое переключение: из трагедийно-сентиментального карнавала любовь дурочки возносится до (затруднительно отыскать определение этого сюжетного поворота!)... евангельских небес.

...Бог является. Это разоблаченный от маски психа Фуко. Он — свободный от конфессиональных одежд дурацкий бог, которым еще недавно, как мячиком, играли больные люди, швыряя его в коляске от одного к другому. Пройдя хаос вражды, призванная Жанна восходит к богу Фуко и утверждается в своей миссии. Фуко благословляет ее на спасительный подвиг. Указывая на яблоко, недавно в качестве прощального дара принесенное ему девушкой, бог говорит: «Я вижу на этом яблоке народы, которые любят, враждуют, погибают целыми поколениями. И ты хочешь, чтобы я их съел? Я могу их только простить. Я и тебя прощаю. Я знаю, что ты есть. Уходи».

Но ведь это явное обещание финальной реплики некоего закадрового бога в «Рае», не правда ли?!

Девушка идет, прижимая к груди яблоко — яблоко раздора, яблоко любви. Идет туда, где она не понарошку, а на самом деле воссоединится со своим женихом. И не с мечтательным «специальным гостем» Брайаном Адамсом, а с реальным лысым Ахмедом в будничном застолье дома дураков.

3.

«Дом дураков» постигла та же участь критического разноса, что и предыдущие работы режиссера.

Когда говорят о цитатности, кивают в сторону «Полета над гнездом кукушки» Формана. Собственно, и сам Кончаловский не отвергает своих цитатных источников. Но как можно, живя на границах культур, не впитывать чужую речь, ставя ее в контрапункт своей? В том же смысле цитатен и Тарковский, положим. Да любой большой художник!

Формана Андрей не столько цитирует, сколько полемизирует с ним. Ведь у того психушка никак не готова стать домом, как ни старается «демократизировать» ее залетный герой Джека Николсона. Напротив, ее можно и нужно покинуть — только так ты сохранишь в себе человечность, как это и делает Вождь. Как это сделал и сам Форман, оставив «лагерь социализма» и перекочевав в Штаты. В «психушку» иных порядков и правил, но в той же мере чужую художнику.

У Кончаловского психушка — всеобщий семейный приют. Дом. И в этом — правда. Куда уходит Вождь у Формана? В беспредельное символическое пространство, подобно Мэнни из «Поезда-беглеца». Кончаловский же точно знает, что из этого дома уйти можно только в смерть. «Живите в доме, и не рухнет дом»! Удивляет, что воображение рецензентов никак не затронуло название картины — «Дом дураков». Точнее даже, не название, а дом как содержание вещи. Как будто все мы продолжаем жить, «под ногами не чуя страны».

Я пытался дать определение жанровому содержанию фильма путем снятия-считывания слоев сюжета: буфф, аллегория, документ, мелодрама и т. д. Но существует в природе жанр, обымающий все эти составляющие.

По моим наблюдениям, во второй половине XX века и на рубеже века XXI в отечественном искусстве обнаружилась тяга к когда-то описанному Бахтиным жанру мениппеи, порожденному карнавализованной областью искусства. Жанр этот синтезирует низкое и возвышенное, смешное и серьезное, комическое и трагическое, ум и глупость и т. д., то есть предполагает предельную авторскую свободу.

Формировался он «в эпоху разложения национального предания, разрушения тех этических норм, которые составляли античный идеал «благообразия» («красоты-благородства»), в эпоху напряженной борьбы многочисленных и разнородных религиозных и философских школ и направлений, когда споры по «последним вопросам» мировоззрения стали массовым бытовым явлением во всех слоях населения и происходили всюду, где только собирались люди. Это была эпоха подготовки и формирования новой мировой религии — христианства».

Мениппея хранит память о своем происхождении и, ассимилируясь в искусстве новых времен, становится особенно актуальной на сломе времен.

Ее сюжет — испытательное странствие мудреца в трех мирах: в преисподней, на земле и на небе. Причем это не столько физические, сколько духовные испытания, а точнее, испытание той правды о мире, носителем которой является странствующий мудрец. В самой телесности мудреца эта правда как бы получает осязаемую, слышимую и зримую плоть.

В творчестве Кончаловского, едва ли не со сценария о Рублеве, можно обнаружить мениппейные черты.

Режиссер всегда стремился к наибольшей авторской свободе, которой достиг, по его признанию, в «Асе» и «Курочке Рябе». В сквозном сюжете этих картин можно увидеть вольное воплощение сентиментально-карнавальных превращений мировидения народа в эпоху коренной переоценки ценностей, в эпоху «разложения национального предания».

Что касается правды, в странствии своем претерпевающей аналогичные превращения в сквозном сюжете его кинематографа, то она могла быть сформулирована и так: «Никогда не сдергивайте абажур с лампы! Абажур священен. Никогда не убегайте крысьей побежкой на неизвестность от опасности. У абажура дремлите, читайте, — пусть воет вьюга, — ждите, пока к вам придут». Иными словами, дом держится любовью и мужественным терпением проживания в нем — несмотря ни на что.

Такова правда утопии, подвергающаяся испытательным странствиям и в мениппее «Дом дураков». Принадлежит она зрелому мастеру. А воплощенный носитель ее — героиня Юлии Высоцкой, дурочка, живущая наивной любовью к миру. Вечная Невеста.

Каков итог странствий этой правды? Красивый чеченец в шляпе Ахмед, который еще недавно держал на прицеле гранатомета федеральный БТР, уже без шляпы, прозаически лысый и несчастный, является домой, то есть, как и положено быть, в семью «дураков», с покаянным признанием в своей «болезни», то есть в неизбывной человечности. Новая семья отважно, не рассуждая, принимает его как своего. Вот дидактический сгусток того, о чем хотел сказать художник. Вот мораль, полезная для усвоения в эпоху партийной непримиримости, не способной к состраданию.

И здесь Кончаловский цитирует! Что или кого? Этику Льва Толстого.

«В России привыкли думать, что все чеченцы — бандиты, а все русские — хорошие. Хотя это не так. В фильме они все несчастные — и русские, и чеченцы, потому что они воюют. Как может быть счастлив тот, кто воюет? Я отношусь к войне в Чечне так же, как к войне относился Толстой. У него можно учиться. В фильме есть фраза из него: «Человек убил другого человека и радуется. А чему, собственно, радуется?» Возможно, русский будет возмущен тем, как я показываю чеченцев. Но сильный и большой должен быть добрым. Мы до сих пор не понимаем, что уже настал XXI век — время, когда внимание к чужим культурам должно быть более интенсивным...»

Правда нашего домашне-семейного обустройства, по логике мениппеи, начинает свой путь в преисподней низовой отечественной (да и любой иной!) жизни и восходит к беседам с небом, где героя встречает «беспартийный» Бог, не различающий религий и конфессий: «ТЕБЕ НЕЧЕГО БОЯТЬСЯ. ВХОДИ».

4.

Может быть, наиболее очевидным предстает испытательный путь правды героя Кончаловского в сценарии, а затем и в фильме о русском иконописце Андрее Рублеве — именно потому, что носителем правды оказывается художник. Откликнулся этот сюжет и в «Белой сирени» (Рахманинов), и определенно в сценарии «Грех» (Микеланджело).

Комментируя замысел произведения, Тарковский упоминал о «народной тоске по братству», породившей, в конце концов, «Троицу». Идея «народного братства» проходит свой трудный испытательный путь в мениппее «Андрей Рублев» — от нищеты и грязи каждодневного существования русского мужика до единения божественных начал в «Троице». В сценарии этот путь прочерчен куда более внятно, чем в фильме.

Кончаловский повторил опыт с этим сюжетом уже в содружестве с Юрием Нагибиным в киноромане «Белая сирень».

Сценарий посвящен дому Сергея Рахманинова. Рассказывает о том, как великий русский композитор боролся за право жить частным домом, но в стране, где такая жизнь становилась совершенно невозможной из-за революций, гражданских войн, а затем и установления власти Советов. Вынужденный оставить родину художник пытался сохранить и в своем внешнем бытии, и в себе самом свой исконный дом.

В то же время в перипетиях жизни композитора отражена жажда видеть дом России единым, не противоборствующими бытие народа и бытие художника.

Кинороман открывается образом Петербурга 1910 года. В Большом зале Дворянского собрания должен состояться концерт — первое исполнение Сергеем Рахманиновым Литургии св. Иоанна Златоуста.

...Мартовский ветер, своевольно распоряжающийся афишей, а затем и огромной шляпой какой-то дамы. Поскользнувшаяся и упавшая Марья Аркадьевна Трубникова, впоследствии известная нам тетка Рахманинова. Невольно вспоминается суровое начало поэмы Блока «Двенадцать», где и ветер, и «под снежком — ледок». Шаткость, неуверенность, неопределенность, переживаемые страной. И здесь, в киноромане, есть ощущение (как предчувствие) некой непрочности, хрупкости бытия в сочетании с мощью рахманиновской музыки, будто льющейся с небес.

Между землей и небом обретает себя пространство мениппеи. И в нем завязываются ростки творческой личности художника. Еще в начале повествования шестилетний мальчик с загоревшим продолговатым лицом взбирается на колокольню (музыкальный фон здесь — литургия) и отсюда как бы обымает взглядом и душой Россию, причащаясь ей и одновременно небу. Очевидна перекличка (колокол) с соответствующей новеллой в «Рублеве» — и там и здесь призыв к духовному единению народа и художника.

Но в «Белой сирени» колокол не только выражение народного гласа, гласа Родины. Тема колокола — это и тема одного из лучших произведений Рахманинова. На репетиции «Колоколов» в Америке он пытается объяснить оркестрантам, что хотел выразить в произведении и что такое вообще колокол для русского национального самосознания.

«Вся жизнь русского человека сопровождалась колокольным звоном — от рождения до смерти. Любовь — это свадебные колокола, а если пожар, чума или война, то колокольный набат возвещал беду. Последний раз колокол провожал человека до его могилы. Вот о чем эта поэма. Это — детство, юность, борьба и смерть...»

Но в «Белой сирени» колокол превращается в орудие возмездия. Если в «Рублеве» создание и водружение колокола — возвращение народу его речи и единства, то в «Белой сирени», напротив, — снятие и разрушение. Эпизод заканчивается символической сценой. Упавший колокол всей своей бронзовой массой наваливается на юного пионера Павлика и вдавливает его в стену церкви. Снаружи остается только красный галстук. Затем, изменив направление, колокол катится прямо на Ивана, вечного оппонента Рахманинова. Огромное его тело как бы гонится за человеком. И тот кидается бежать...

Но музыкальная поэма Рахманинова исполнена иными настроениями. Быть русским — значит терпеть. Нести свой крест. Смириться, когда ненависть и гнев переполняют душу. Чувство мести — рабское чувство. Труднее всего смириться со смертью. Но в финале поэмы звучит именно примирение. За примирением — свобода.

Есть и еще одна параллель к образам «Андрея Рублева» — воздушный шар, возникающий то в воображении главного героя, то перед внутренним взором его оппонента — стихийного народного бунтаря Ивана.

«И вдруг большой, ярко разукрашенный воздушный шар Монгольфьер повисает над слуховым окном. Из корзины аэронавта выкидывается веревочная лестница. Мальчик уверенно и ловко карабкается по ней и взбирается в корзину. Шар плывет над городом, над крышами дворцов и домов, над куполами и крестами, над реками и набережными, над парками и садами. Звучит музыка, напоминающая Литургию св. Иоанна Златоуста. Восторженное лицо мальчика плывет над городом...»

Но в финале «Белой сирени» — безжалостная и, кажется, отрицающая всякий намек на гармонию рифма с начальным восхождением к небу. Больной, задыхающийся Рахманинов в своих видениях опять поднимается на колокольню. Этот подъем дается ему с большим трудом. Что же он, поднявшись, видит окрест? Обветшалые стены с обсыпавшейся штукатуркой, обрывки веревок, с которых срезаны колокола. Заснеженные пространства России. А внизу — сожженная, безжизненная деревня с черными скелетами обугленных изб. Внизу Рахманинов видит проваленный купол церкви, обшарпанные, загаженные стены. Откуда-то из-за горизонта до него доносится протяжный низкий удар колокола. Похоже, похоронный звон... Что это, восхождение к хаосу?

Нет, потому что и в финале киноромана звучит тема примирения — тема свободы.

И эта тема связана с образом Ивана, «сначала крестьянина, потом солдата, потом колхозника, опосля лагерного доходяги, после помощника капитана, а теперь обратно солдата». В начале сценария Иван исполнен злобы и ненависти к Рахманинову. Эти странные и почти необъяснимые чувства связаны с тем, что он ревнует к композитору свою возлюбленную — горничную семьи Рахманиновых Марину. Но для этого, кажется, нет никаких оснований, поскольку Иван и Марина любят друг друга, живут, наслаждаясь всеми плотскими радостями любви.

Дело в том, что между Мариной и Рахманиновым существует почти мистическая духовная связь. Ее чувствует Иван, ей завидует и не может ни постичь, ни преодолеть эту невидимую связь. Как и сама Марина не может отказаться от этой связи не только с самим Сергеем Васильевичем, но и с его семейством, с его домом, с его гнездом, которому она предана безмерно.

Образ Марины в киноромане, как это часто бывает с женскими образами в произведениях Кончаловского, воплощенное материнское начало, дух Родины, скрепленный с душою художника. Так это было и в «Андрее Рублеве». В «Белой сирени» эта тема приобрела более отчетливую образно-символическую очерченность. Появится похожий женский образ и в сценарии «Грех». Образ трагический, перекликающийся с гениальной «Пьетой» (1499) Микеланджело.

Как и Рублев, Рахманинов превращается в невольного странника. Дети его Родины изгоняют носителя своей духовности.

«Какая странная у меня жизнь, — говорит композитор. — Меня все время откуда-то выгоняли. Сперва из дому, затем из Петербургской консерватории, затем выгнали из Ивановки (родового имения), а потом из России... Теперь гонят из Сенара (швейцарский дом Рахманинова. — *В. Ф.)* и вообще из Европы. Видать, так и будет до конца дней. Третьего гнезда мне свить не под силу...»

Правда Рахманинова, которую он несет в себе как художник, заключается в творческом воссоединении России как общего дома живущих в нем. «...Всю мою юность мне так не хватало дома. Я мечтал о семье, о доме, где по утрам пахнет кофе и свежеиспеченной булкой, а с кухни раздается звон посуды...»

Творчеством своим Рахманинов, как и Рублев, преодолевает неизбежную обреченность русского художника на изгнание, на комплекс сиротства. И Родина отвечает ему, в образе Марины, духовной верностью, преданностью. Здесь, на высоте творческого полета, в том просторе, куда возносятся колокольные звоны, они едины.

В конце концов, после пройденных испытаний, Иван, которому всецело принадлежала плоть Марины, начинает постигать смысл этой таинственной связи дорогой ему женщины с домом композитора, с ним самим. Правда, происходит это уже после ее смерти. И Иван решает исполнить просьбу возлюбленной, которая хотела, чтобы он сберег вещи Рахманинова в его московском доме.

Иван отправляется в Москву. На улицах города он видит поднимающийся к небу гигантский портрет Сталина (так аукается тема «Ближнего круга»). Путешествие Ивана заканчивается в кабинете следователя. Затем — лагеря. Затем — война.

Читатель встречается с Иваном уже в Сталинграде. Герой в кругу однополчан называет Рахманинова своим другом. Другом, с которым они любили одну девушку, а она потом, с гордостью говорит солдат, его, Ивана, женой стала. Ему, конечно, не верят. И никогда не поверят. Такова тяжесть вины, тяжесть духовного креста, возложенного на русского мужика Ивана. Он, не ведая глубинного родства с композитором, не ведая того, что творит, из стихийной зависти и ненависти рушит все, что принадлежит его «оппоненту» Рахманинову. А потом неожиданно прозревает свое высокое духовное родство с художником, братство по дому, по единому корню Родины, проступающей в образе Марины.

Когда смертельно раненного Ивана тащат вымерзшим полем битвы, он находит силы, улыбаясь щербатым ртом, промолвить: «А хорошая вышла у меня жизнь...» И внутреннему взору его, как в свое время и Рахманинову, откроется над тем же огромным полем, как к нему из-за горизонта приближается, весь нарядный, весь в лентах и цветах, воздушный шар Монгольфьер...

А задолго до этого Марина, после того как семья композитора покинет страну, с риском для жизни выкопает в усадьбе своих хозяев саженцы белой сирени, любимой Рахманиновым, и отвезет их к нему в Америку. Однако доставленная с таким трудом сирень не приживется на чужой почве, несмотря на заботу садовника-японца. И ее выбросят на мусор. Но именно там, среди гнилых сучьев, сохлой травы и всякого мусора, срубленный куст зацветет. И садовник-японец, потрясенный, произнесет: «Я не знал, что русская сирень цветет, только если ее срубят...»

Испытания правды героя в киноромане «Белая сирень», с его откровенной символикой на грани мистических прозрений, есть испытание крепости и силы духовного родства и единства художника и его Родины. Здесь подхвачена и развита тема самой глубокой новеллы из «Андрея Рублева» — «Колокол». Невозможно воплощение испоконвечной тоски русского народа по братству без единения трех конфликтующих и влекущихся друг к другу начал — Родины, народа, художника.

Авторы «Белой сирени» во что бы то ни стало, уже кажется вопреки всякой логике, жаждут эту правду утвердить.

«...И в музыке Второго концерта мы слышим колокола. Колокола, поющие о любви и рождении, набатные кличи, возвещающие о грядущих бедах и пожарищах, и сквозь все это — ликующие призывы, полные веры в торжество бесконечной жизни на земле и на небесах... К колокольне, как в далеком видении детства, над необъятными русскими просторами плывет, приближается яркий, цветастый шар Монгольфьер...»

Сценарий «Грех» отнесен авторами к жанру средневековых видений, описывающих сны повествователя, галлюцинации. К таким, например, вещам, как «Божественная комедия» Данте. По существу, и «Грех» таким образом включается в мениппейное пространство. У Данте правда автора проходит путь испытаний от ада к раю. Ту же композицию используют и сценаристы «Греха», проводя своего героя от ада земной жизни с деньгами, предательствами и кровью к высотам, куда поднимается взыскующий дух художника.

Свою правду Микеланджело оглашает в Карраре перед рабочими-мраморщиками, которые осыпают его упреками за неоплату их тяжелейшего труда. Но именно с ними мастер чувствует свое родство: «...Я понимаю вашу боль и обиду. Но выслушайте о моей боли и обиде! Папа Юлий шесть лет не давал мне возможности прикоснуться к мрамору, который я так люблю! Вы каждый день рискуете жизнью, чтобы вырвать у природы, из сердца Апуанских гор их сокровище, мрамор чистый, как святой дух. Но внутри каждого блока, добытого вашим трудом, скрыта тайна! Эта тайна — скульптура, которая уже существует внутри каждого куска. И эту тайну у мрамора вырываю я. Так что я с вами одно — вы начинаете это дело, я завершаю его! Посмотрите на свои руки! А теперь посмотрите на мои!.. Они, как и ваши, искорежены мрамором, с которым связана вся наша жизнь».

Эту правду реальный Микеланджело произносил в сонетах, им созданных:

И высочайший гений не прибавит
Единой мысли к тем, что мрамор сам
Таит в избытке, — и лишь это нам
Рука, послушная рассудку, явит...

Высокое призвание художника — открыть людям божественно прекрасное, изначально заложенное в бесформенной мраморной глыбе, в природе, в ее хаотических нагромождениях. Но, исполняя миссию, художник должен пройти сквозь ад жизни, греша и даже совершая преступления. Собственно, в том же роде испытания претерпевают и герои сценариев о Рублеве и Рахманинове. И там, как и здесь, существенна почти мистическая связь героя с народом как творцом. Хотя во всех этих произведениях есть и толпа, сеющая хаос, проливающая кровь.

Упоминая «Белую сирень», нельзя пропустить как сравнение образы рук, аналогичные тем, что есть в «Грехе». Не только руки итальянского гения и удивительные движения рук в его произведениях. Выразителен эпизод, когда Буонарроти завороженно наблюдает соитие дочери каменотеса Марии с красавцем Пьетро, учеником и помощником скульптора. Микеланджело берет Марию за руку. Она с исступленным стоном изгибается содрога ющимся телом и сжимает руку ваятеля, а тот, близко наклонившись, изучает белую руку Марии, пальцы, ладонь, кисть, овальный ноготь мизинца...

Пара Пьетро — Мария — рифма к паре из «Белой сирени» Иван — Марина. Мария (как и Марина) — из народа. В ней, предугаданной десятилетием ранее в мраморе, художник узнает героиню своей «Пьеты». И вот теперь он видит ее во плоти. Видит в ней знак, который Провидение посылает ему, чтобы напомнить о миссии, возложенной Господом: служить людям, создавая Божественную красоту.

И он уже предчувствует в ней несозданное аллегорическое «Утро» капеллы Медичи.

Но Мария и Пьетро (в своем роде — «Давид»), эти душевно близкие скульптору люди, погибают от руки другого его ученика — Пеппе, предателя и завистника. А грех — на нем, на Микеланджело, как, впрочем, и другие смерти. Такую цену должен платить гений за свои прозрения.

Эпизод спуска каменотесами громадной мраморной глыбы («Чудовища») с горных вершин. Сам технический процесс спуска показан здесь в деталях, метафорически обнажая то напряжение, какое должен переживать художник, создавая из материи стихий прекрасное. Эпизод зримо рифмуется с событием новеллы «Колокол» из «Страстей по Андрею». В ходе спуска под невиданной тяжестью глыбы гибнет каменотес. А кузнеца, выковавшего необходимые для спуска некачественные приспособления, кто-то в отместку убивает. И все это ложится на душу мастера.

Микеланджело пробивается к божественным гармониям, идя за призраком возлюбленного Данте сквозь ад и, как ему кажется, к небесам. В испытательном пути Алигьери — оправдание «греховного» творческого подвига Буонарроти.

В последнем видении художнику является Данте, что отдаленно рифмуется с эпизодом встречи Рублева с покойным Феофаном Греком в «Страстях по Андрею».

Микеланджело исповедуется: «Нет греха, которого бы я не совершил. Я воровал, предавал, вожделел. Я оскорблял своего отца. Поклонялся кумиру и золоту! Я поддавался гордыне! Все дурное, что люди говорят обо мне, — правда. А теперь и смерть моих любимых созданий на моей совести. Я не знаю, как мне быть...»

Но и у Данте нет ответа! «Я должен просить у тебя прощения. Я сам предался гордыне. Я совратил не только тебя, я совратил всех, кто ко мне прикасался. Я указал неверную дорогу...»

— Но ты же прошел Ад и вышел к Богу! — восклицает Микеланджело.

Обескураживает ответ:

— Если бы! Я думал, что иду к Богу, а на самом деле я шел прочь от Него. Я стремился обрести Бога, но обрел только Человека. Гордыня овладела мной, я возомнил себя Богом, и я вместо Бога поместил в Ад тех, кого было угодно мне. Я сбился с пути. И ты пошел за мной, и на этом пути тоже нашел только Человека. Твои творения прекрасны, но они не открывают путь к Небесам. На них нельзя молиться...

— Так что же делать?

— Идти вперед. Другого пути нет. Да, это поражение. Но твое поражение — ошибка гения. Без нее мир был бы неполным...

Так и Микеланджело оказался у Кончаловского «человеком поля», навеки оставлен был в пути между «Бог есть» и «Бога нет». А может ли быть взыскующий истины художник другим?

5.

Обозревая первое десятилетие нового века в жизни и в творчестве Андрея Кончаловского, привычно отмечаем его активность трудоголика. Ну, а естественная для любого труженика необходимость в отдыхе? «Мой отдых — это когда я прихожу домой, и дети уже спят. Или утром, когда мы вместе завтракаем. Достаточно пяти-десяти минут, чтобы почувствовать, что они здесь, рядом. Для меня теперь отдых, когда я дома. А дом — там, где дети, поэтому везде стараюсь ездить с семьей. Раньше было по-другому...»

Так говорил семидесятилетний Кончаловский. Но быть дома (в России? в Италии? в Англии?), то есть там, где дети, не часто получается...

Весной 2007 года он в числе тридцати трех выдающихся режиссеров мира принял участие в киноальманахе «У каждого свое кино», премьера которого состоялась на юбилейном 60-м Каннском МКФ, посвященном Федерико Феллини. В трехминутной миниатюре «В темноте» Кончаловский еще раз поделился давней тревогой по поводу кризиса высокого искусства в современном мире. Феллини, точнее, его кино и является главным героем короткометражки. Невольно вспоминается горечь констатации итальянского классика: «Мой зритель умер...»

Весной следующего года начались съемки фильма Майкла Хоффмана «Последнее воскресение» по биографическому роману

Джея Парини о последнем периоде жизни Льва Толстого. В производстве фильма приняли участие Германия, Великобритания, США и Россия. Сопродюсером картины выступил Продюсерский центр Кончаловского. Сам режиссер, кроме того, исполнял роль «советника и гида» в рамках отечественного материала картины. Фильм выглядит добросовестной попыткой приблизить к зарубежному зрителю ту сторону личности русского гения, которую можно было бы назвать способностью чувствовать и любить.

В феврале 2008 года состоялась радиопремьера оперы «Преступление и наказание» по мотивам романа Достоевского. Оригинальная идея постановки принадлежит Кончаловскому. Он же принимал участие в создании либретто оперы вместе с Марком Розовским и Юрием Ряшенцевым. Музыку писал Эдуард Артемьев.

Работа над этим проектом была начата еще в середине 1970-х. После того, как режиссер посмотрел в театре Товстоногова поразившую его «Историю лошади», созданную Розовским и Ряшенцевым по толстовскому «Холстомеру».

«Я увидел, что они сумели найти в совершенно новой форме выражение таким вещам, которые трудно было себе представить воплощенными на сцене. Тогда же появилась и знаменитая рок-опера «Иисус Христос — суперзвезда», также меня поразившая неожиданностью темы, избранной для изложения рок-музыкой. К тому же рок-музыка здесь заявила о возможности овладения большой оперной формой. Это заставило меня задуматься над тем, что можно было бы сделать в подобном жанре...»

Как раз в это время режиссер работал над сценарием о Достоевском для Карло Понти. В голову пришла мысль сделать такой «зонгшпиль» по «Преступлению и наказанию». Началась работа по заказу Театра-студии киноактера, где Кончаловский и собирался осуществить постановку.

Соавторы написали серьезную пьесу со всем уважением к роману. Но Кончаловскому показалось, что форма еще не найдена. Возник спор, в результате которого Розовский решил сделать спектакль сам и поставил его в Риге под названием «Убивец». Кончаловский посмотрел этот спектакль и понял, что нужно делать оперу. В 1978 году режиссер присоединился к соавторам «Убивца» и закипела работа над либретто. Ряшенцев написал стихи, а музыку начал создавать Э. Артемьев, на что ушло довольно много времени.

«Уже в первом варианте были номера просто замечательные. В частности, романс шарманщика, глазами которого мы видим происходящее. Шарманщик — это отчасти Достоевский, но он же черт и оборотень. Это — видение Раскольникова. Из сплава прибаутки, пошлого городского романса, серьезной классической музыки и рока Артемьев сложил наш музыкальный коллаж. Это Достоевский в форме оперы. Сгусток Достоевского — хотя, конечно, от него в нашей опере остались только философия и истерика — две вещи, которые в произведениях этого писателя есть всегда».

А лет через восемь радиоспектакль превратится в рок-оперу с неповторимой музыкой Эдуарда Артемьева, поставленную Кончаловским в Московском театре мюзикла.

В мае 2009-го прошел международный симпозиум памяти известного социолога и политолога Сэмюэла Хантингтона «Культура, культурные изменения и экономическое развитие». В Высшей школе экономики выступали как российские, так и зарубежные ученые с мировыми именами. Выдающиеся современные исследователи назвали симпозиум «одним из главных научных мероприятий года не только в России, но и в мире».

Ярким и интересным называли и выступление Кончаловского «Русская ментальность и мировой цивилизационный процесс».

«Для меня было откровением пообщаться с моими кумирами, я бы сказал, учителями в области культурологии — американцем Лоуренсом Харрисоном и аргентинцем Мариано Грондоной. Я во многом сформировал понимание судьбы моей страны под влиянием их работ и, конечно, работ ушедшего от нас профессора Сэмюэла Хантингтона. Я шел на симпозиум в надежде понять, как анализ фундаментальных культурных оснований национального сознания может помочь нам нащупать пути его реформирования. Попытки такие регулярно проваливаются уже лет триста, а правительство до сих пор не понимает, что необходимо научное исследование национального менталитета...»

Мы все, снизу доверху, убежден Кончаловский, «заложники этой ситуации». Задача российского правительства — внедрение в общество «системы личного и коллективного чувства ответственности». Кончаловского тревожат разрушительные силы национального менталитета, способные оказать более глубокое влияние на течение событий в России, чем силы внешние. «Пока мы не расшифруем этические установки, тормозящие развитие страны, мы не создадим гражданского общества...»

Весной 2012 года режиссер завершил работу над очередным документальным фильмом цикла «Бремя власти» («Битва за Украину»).

Несколько ранее, комментируя свой новый труд, Кончаловский, в частности, говорил: «Большевистская идея экспорта революции насильственным путем была погребена. Но она возобновилась в современном мире американцами. Сегодня революции планируются по американскому методу маркетинга, точно по такому же, как продается, например, кока-кола или продукция Макдоналдс. По этому рецепту и делались все революции — в Словакии, Грузии, Киргизии, в Украине. Собственно, так готовилась и украинская «оранжевая революция». Мне показалось интересным поговорить об Украине, исследуя эту тему...»

Когда режиссер начинал снимать фильм, у власти был Ющенко. «И я помню, с каким восторгом его встречал Сенат США. И где он теперь, кто ему «целует пальцы»? И то, что провал «оранжевой революции» доказывает ее искусственность, и сегодняшнее возвращение Украины к более традиционному курсу, и то, что к власти пришел Янукович, — для меня лично факты весьма позитивные. Потому что, безусловно, «оранжевая революция» была победой Запада, латинского мира. Почему латинского? Потому что «битва за Украину» — это процесс, который длится уже не один век. Это битва, которая ведется между Западом и восточным миром, восточной церковью, славянами и Византией. И то, что Украина является местом приложения двух крайних цивилизаций — восточной и западной — для меня чрезвычайно увлекательно. Мне кажется, что это может быть интересный фильм о том, как Украина, являясь полем битвы, выбирает то одну, то другую сторону в силу различных политических событий. У нее сейчас есть уникальный шанс, на мой взгляд, стать тем, чем когда-то стала Швейцария. Или Австрия, когда она стала неприсоединившимся государством, сохранившим постоянный нейтралитет, имея при этом добрососедские отношения со своими западными соседями и с восточной частью — с Россией.

Естественно, когда мы делаем картину о периоде «оранжевой революции» и о том, что ей предшествовало, неизбежно возникает вопрос о роли Кучмы, который, на мой взгляд, очень интересная политическая фигура. Он был у власти в момент перелома, когда Украина (из советской республики) стала самоопределяться, стала национальным государством, стала выбирать, с кем дружить. Потом начала кидаться из стороны в сторону, «прислоняясь» то к одной, то к другой стороне, и потом все закончилось тем, что Кучма был вынужден уйти. Случилась победа, но, насколько я сейчас понимаю, временная победа Запада в борьбе с Россией за сферы влияния...»

Вчерне фильм был готов еще весной 2011 года, и фрагмент из него показали на Украине. Отклики последовали немедленно, и самые разноречивые. В фильме видели, например, заказ. Премьера же его состоялась уже в 2014 году. В контексте известных событий на Украине фильм приобрел смысловые акценты, появления которых, может быть, не предполагал и сам автор.

6.

При внешнем благополучии тогдашнего существования Андрея Кончаловского в нем заметна глубокая обеспокоенность состоянием и страны, и мира, и своим собственным. Есть ощущение тупика, в котором оказалась Россия. И откуда, как он полагает, выход может быть только при наличии у государственных лидеров политической воли с помощью интеллектуальной элиты принять «идею дешифровки генома русской ментальности» с последующей его «модификацией через индоктринацию». «Все беды России лежат в культурном геноме, в системе ценностей, в несформированном чувстве личной анонимной ответственности...» Культура — это судьба, но судьбу можно изменить.

В одном из интервью конца 2010 года Кончаловский говорил, что при наличии очень больших денег он «истратил бы значительную часть на то, чтобы изменить русскую ментальность». И в очередной раз разъяснил, как он технически представляет себе перековку этой самой «крестьянской» ментальности.

«При сегодняшней способности государства вмещать в подсознание человека все что угодно, средств для этого столько — телевидение, школа, армия, церковь, — что за пятнадцать лет можно было бы воспитать поколение родителей, которые бы уже дальше воспитывали детей. Если понять алгоритм действия русской души, то мы поймем, как его поменять. Нет главного — это называется «индивидуальная анонимная ответственность личности», у нее должны быть внутренние принципы ответственности. Это и есть буржуазное сознание. Нужен очень продвинутый мозг, чтобы назначить в советники умных людей, а потом этим людям не мешать. А потом на это нужно много денег. Но это возможно, и в России тоже — я утверждаю, надо максимум два миллиарда долларов, чтобы это реализовать. Два миллиарда долларов и абсолютно сознательная политическая воля».

Мне иногда казалось, что сам автор этих речей готов выступить в качестве менеджера такой группы умных людей — были бы эти самые два миллиарда и сознательная политическая воля. Во всяком случае, с апреля 2011 года он искал широкий контакт с аудиторией страны через интернет, пропагандируя в качестве активного блогера свои идеи.

«Мы с вами абсолютно пассивны. Пока каждый как личность не „перешагнет“ через ПРОПАСТЬ между населением страны и государством, ничего значимого не произойдет».

Кончаловский часто вспоминает изречение своего приятеля и соавтора Фридриха Горенштейна (1932–2002), который называл Достоевского и Толстого дон-кихотами русской литературы, а Чехова — ее Гамлетом.

Я слушал в ту пору Андрея Сергеевича и отмечал, во-первых, его «чеховский» объективизм, трезвость в оценке положения дел и в мире, и в России, в собственном «дому», когда он наездами там оказывается, ощущая себя «как в резервации». Дальнейшее в смысле перспектив вроде бы не вызывало у него отрадных чувств. Но тут же, как будто возражая самому себе, он с донкихотовской страстью и увлеченностью пропагандирует, обращаясь в том числе и к властям, идею преобразования культурного генома нации с помощью советников из числа таких же, как он. Все, как всегда, на стыке. И, надо сказать, при полном одиночестве.

Подозревал я, что в нем самом, счастливом носителе идеи дешифровки генома русской ментальности, живет ощущение утопичности этого предприятия. А чувство угрожающей бессмысленности происходящего усиливается до такой степени, что от всего этого хочется убежать ради спасения и себя, и семьи, упрятаться, подобно предполагаемому герою нового «Глянца» (тогда он собирался делать продолжение фильма). Но куда? И возможно ли уйти от трагической тревоги, которая сидит внутри «счастливого человека»? Разве что в работу, в творческий поступок?

На рубеже второго десятилетия нового века и в творчестве он был не особенно удачлив. Отторгался и коллегами и, разумеется, критикой. Все соответствовало его любимому изречению: «Счастливые люди не имеют ничего самого лучшего. Но они извлекают самое лучшее из того, что они имеют». Если человеку в жизни и нужна цель, то почему ею не может быть «просто жить и видеть»? Жить здоровой жизнью, пить чистую воду, дышать чистым воздухом! «Честно говоря, и этого уже скоро не будет. И тут уже никакая демократия ни при чем и никакое правительство...»

Конец 2011 — начало 2012 года — время выборов в Думу и подготовка очередных выборов Президента страны, время общественного подъема, борьбы за честные выборы, митингов на Болотной площади и проспекте Сахарова, столкновений в прессе и на телешоу...

Кончаловский не упускает случая заявить еще и еще раз свою позицию, свой взгляд на события — с точки зрения своих представлений о специфическом менталитете соотечественников, о возможности демократических реформ в стране.

В конце февраля 2012 года Кончаловский разрешается неожиданно резким для него выпадом в своем блоге. Такое впечатление, что едва сдерживается, чтобы не выпалить: «Достали!» Блог был назван «УЖАСНИСЬ САМОМУ СЕБЕ!». Публицистически заостренное, яркое, но точное и убедительное по мысли, по сути понимания положения дел в стране, это выступление подводило итог целому ряду его обращений к соотечественникам.

Вот фрагменты:

«Я недаром выбрал это заглавие. У Маркса есть знаменитая фраза: «Чтобы вдохнуть в народ отвагу, нужно заставить его ужаснуться самому себе!» Вот и я который год призываю мой народ ужаснуться многим фактам и обстоятельствам русской жизни, чтобы обрести отвагу и желание ЖЕЛАТЬ! Желать самому меняться и менять жизнь вокруг себя!

Меня уже давно записали в русофобы, которые презирают свой народ. Глупость — тогда русофобами можно назвать и Чехова, и Горького, и Герцена, и Чаадаева — великих русских, желавших разбудить Россию, а не искать бесконечно виноватых в своих горестях.

Русский народ не мертвец, чтобы о нем говорить только хорошо. Это живой, полный сил талантливый народ, просто еще не прошедший своего исторического пути, ведущего к процветанию и успеху каждой личности. Так что будем говорить об ужасном в русской реальности. А кто хочет слушать о себе приятное, читайте выступления Президента Медведева или сказки Афанасьева.

Как это не трагично, я думаю, что, очевидно, это еще не предел, не самое худшее, мы еще не коснулись дна, и народ еще не дозрел до способности ужаснуться себе самому и, наконец, обрести отвагу, чтобы спросить: «Где мы живем?»

И я думаю, неужели должна вымереть половина нации и русские должны ужаться до Урала, чтобы народ проснулся (повторяю: народ, а не крохотная группа думающих людей!) и потребовал от власти не приятных успокаивающих новостей и очередных обещаний, а правды, и прежде всего — признания того, как сейчас плохо!

Сегодня Россия приближается к демографической и моральной катастрофе, которой она никогда не испытывала! Этот факт связан со многими обстоятельствами. Главным из которых является безответственная экономическая политика 1990-х, рухнувшая на людей с феодальным сознанием, никогда не знавших частной собственности на землю и капитализма, людей, которые за 70 лет потеряли навсегда зарождавшийся дух предпринимательства.

...Я убежден — России нужен лидер, который имел бы смелость Петра Великого, чтобы сказать людям слова, которых они давно не слышали. Эта будет горькая правда, ибо трудно признаться, что Россия не может двигаться вперед, потому что не хочет понять, как далеко она отстала в своем цивилизационном развитии от Европы. Только четкое и воодушевляющее, пусть безжалостное, но живое и искреннее слово может стать поводом для национального пробуждения от феодальной спячки.

Только сделав это, можно надеяться, что нация, инстинктивною своею мудростью поймет и примет тот нелегкий и, может быть, беспощадный путь, который только и может выдернуть нашу страну из ямы, в которую мы погрузились...

Я русский и скучаю по своей Родине — потому что я ее не вижу! Я не вижу страны, которой я хочу гордиться. Я вижу толпы недовольных, раздраженных лиц и чужих людей, боящихся друг друга! Я хочу гордиться своей Родиной, а мне за нее стыдно! Когда я гордился Родиной последней раз? Не помню! Но я точно знаю, что ПРАВДА о том, в каком состоянии находится наш народ, ПРАВДА, сказанная громко, на весь мир, вызвала бы у меня больше гордости, чем победа наших хоккеистов на Олимпиаде».

глава четвертая

Муха из чемодана

*...Когда Дэн Сяопина спросили, что он думает
по поводу 200-летия Французской революции, он
сказал: «Еще прошло недостаточно времени, чтобы
дать оценку». И в этом смысле мне оценки очень
трудно давать, потому что я себя чувствую как муха,
летающая в чемодане. Я не могу понять, кто несет
чемодан. А еще сложней понять, кто платит тому,
кто несет чемодан...*

Андрей Кончаловский. Февраль 2016

1.

С момента появления шокирующего блога прошло пять лет.
На дворе 2017 год. Я тружусь над новым изданием книги об Андрее Сергеевиче. Перерабатываю, но, в основном, дополняю.

Все течет и все меняется вокруг! Иногда до неузнаваемости.
Можно ли было предположить, например, что обращенное
к соплеменникам «Ужаснись самому себе!» он же назовет пять
лет спустя ошибкой? И думал ли сам создатель фильма «Борьба
за Украину», что Крым будет «наш»? И он в азарте дискуссии заявит на страницах еженедельника «Собеседник», что и «в Донецк
надо было войти»?

Сам Андрей Сергеевич рекомендует в беседах с ним держать
ухо востро. «...Иногда не понимаю, когда искренне отвечаю на вопрос, а в какой момент начинаю валять дурака. Не надо ко всем
моим словам относиться слишком серьезно, я часто забываю,
что говорил прежде. Мысль улетучилась, родилась другая...»

В первом издании (2012 г.) основная часть книги завершалась вдохновенной речью Жиля Жакоба, произнесенной им, тогда еще президентом Каннского кинофестиваля, 22 сентября 2011 года в честь Андрея Кончаловского, награждаемого орденом Почетного легиона за большой вклад в киноискусство и развитие культурных связей между Россией и Францией. Из спича вырастал живой, окрашенный искрящимся французским юмором, веселый и в то же время точный и в деталях, и в обобщениях портрет русского мастера. Лучшего завершения было не придумать! Вот почему я неизбежно вернусь к этой речи, но в том месте, где ей и надлежит быть, то есть ближе к эпилогу.

Трансформаций в промежутке 2012–2017 гг. в своей жизни, взглядах и творчестве сам режиссер не отвергает.

В каком-то интервью конца 2016 года маэстро отчеканил: «Мы не Западная Европа и не будем ею, и не надо стараться». Вызвал удивление: ведь совсем недавно говорил нечто противоположное!

«Думающие люди нередко меняют свою точку зрения. Не меняются только идиоты», — строго заключил он.

Оказывается, на него сильно повлияла жизнь в Архангельской губернии, в деревеньках на Кенозере, где он снимал фильм «Белые ночи почтальона Алексея Тряпицына». Рядом с простыми людьми, «гармоничными во всем, что они делают, которых не касается ни Владимир Путин, ни Владимир Познер». Им нет нужды «расплачиваться за прошлые грехи» и за что-либо «из нашей бурлящей жизни. Они живут в полной архаике, в каком-то удивительном мире своей шекспировской гармонии. Или даже античной трагедии...»

«Гармонией» шекспировской (и даже античной!) трагедии я бы не очень соблазнялся. Нет там неподвижной первобытной эпики. Есть разлом мощных эпох. У Шекспира — между архаикой Средневековья и новым, романным временем. С пафосом утверждения частной жизни и дальним предчувствием нынешних мировых драм.

Да, соглашался Андрей Сергеевич, и страшная автомобильная авария в октябре 2013 года, когда серьезно пострадала его дочь Маша, оказалась тем катализатором, который в свою очередь определил существенные в нем перемены. Состояние семьи тогда он сравнил с состоянием войны, когда можно закусывать и петь под гармошку у костра, ни на минуту не забывая о свалившейся на тебя беде. Пережив такое, начинаешь по-другому относиться ко времени, к себе, к жизни. Понимаешь: каждый новый день — первый день остатка жизни.

Но при этом он все же склонялся к целому комплексу каких-то на него воздействий, где первое место отводил «Белым ночам...».

Его постоянно гложет любопытство, «желание... сменить одну иллюзию на другую». И уже после провала «Щелкунчика» он решил: «больше не надо стараться что-то делать». Надо разобраться в своих установках как профессионала, как режиссера, как кинематографиста. Началось с «Белых ночей...» Опыт работы над ними, а затем и над «Раем» заставил задуматься над природой кино как искусства. Оказывается, его язык намного бесконечней, чем виделось раньше. И в то же время, кроме изображения и звука, это искусство ни в чем более не нуждается!

Публичные выступления и заявления Кончаловского рубежа 2016–2017 годов на темы общественно-политические настораживали и напрягали либеральную часть его аудитории.

Отрицает, во-первых, собственную западническую ориентацию. Во-вторых, восторженно отзывается об «этом невысоком», который «откуда ни возьмись, вышел» и сказал Америке: «Хватит!». Уверяет, что чем дольше он, «невысокий», будет править, «тем это лучше для России». Наконец, в-третьих, ближайшее будущее страны, если на него взглянуть «с точки зрения мухи, вырвавшейся из чемодана», рисует в духе отечественных утопий 1920-х годов...

Воплотится «утопия» лет через пятнадцать. При участии дружественных стран: как Индия и Китай, как та же Латинская Америка. Пробьем тоннель под Беринговым проливом, о чем мечталось еще с конца, кажется, века девятнадцатого. Но после того, как Штаты признают неадекватность своих претензий на мировую гегемонию. Тогда придут в действие наши «неистощимые богатства». Плюс «колоссальные талант и терпение». В связи с потеплением будет открыт Северный морской путь. «Новый ход в Америку!» И китайцы без нас не обойдутся при строительстве «Шелкового пути».

«Россия будет мостом между Буэнос-Айресом и Лиссабоном. Скоростные поезда, транспорт, шоссе через Восточную Сибирь, Берингов пролив — Аляска и в Латинскую Америку...»

Мы, наконец, покорим пространство и простор?!

Вернусь к реальному «Рубикону» — к «Белым ночам почтальона Алексея Тряпицына». Что это было?

Публично о замысле объявили на официальном сайте режиссера в марте 2012 года. О поиске героя и сюжета в рамках нового документально-художественного проекта, посвященного теме вымирающих российских деревень.

Материал деревни был для него не новым, если вспомнить фильмы, именуемые после «Белых ночей...» крестьянской трилогией. Да и содержание иных его работ, так или иначе, как я пытался показать, трансформирует размышления о судьбах России с ее крестьянским менталитетом. Так что от «Почты России» (первое название проекта) можно было ожидать движения в уже пропаханном русле.

Есть одна закономерность в сквозном сюжете творчества Кончаловского: кризисные периоды отчетливо сменяются скачками в новое художественное качество. Предварением кризисного перевала становится фильм, вызывающий бурную реакцию вовне. Такова «Ася Клячина». Действительно великий фильм о том, что сам его создатель позднее назовет «культурным геномом нации», в свое время так и не получил желанного и необходимого отклика в обществе. А главное: его отвергли герои ленты, одновременно и носители «генома»! Режиссер оказался на творческом распутье и перед моральной дилеммой. Отдать себя на службу режиму? Или пойти путем изматывающего нервы «диалога» с властной бюрократией и завершить, как Тарковский, семью пусть и гениальными картинами и ранним уходом из жизни? Он выбрал третье: компромисс как плодотворную, по его убеждению, форму общественного и творческого поведения.

Но в данном случае любое решение было чревато творческим кризисом. «Дворянское гнездо» и «Дядя Ваня» — фильмы кризисные, что не отменяет их значительности. Выход из кризиса — встреча с Евгением Григорьевым и «Романс о влюбленных». Была заявлена и укрепилась взрывная эстетика стыка миров, которую он робко нащупывал в «Гнезде».

Добавлю несколько соображений по поводу «Романса».

Олег Ковалов в цикле статей «Четвертый смысл» (2008) предложил свое прочтение «Заставы Ильича» Хуциева. В интерьере жилища героя, «правоверного Сергея», он увидел «мемориал, где не столько живут, сколько чтят память» погибшего отца. Жилище превращалось в обрядово-мифологическую «страну предков». Предок в этом сакральном пространстве «материализуется из воздуха самой квартиры» как ее незыблемый миф. Но «миф» пытается вести себя по-человечески, в образе призрака беседуя с потомком. Режиссер оказывается на границе реальности и мифа, соскальзывая все же в миф.

В финале ленты декларируется бесповоротное торжество социальной мифологии над жизнью. Извечное противостояние трепетной реальности и мира возвышенных абстракций — вот «истинный сюжет ленты», порождающий «драматическое напряжение в самых вроде бы лирических кадрах «Заставы» и наполняя их тревогой».

Но ведь это не что иное, как описание обрядово-мифологического бытия героя «Романса» (тоже Сергея, кстати) в начальной стадии его становления. В той стадии, которой, собственно, и исчерпывается «Застава»! Коваловскую критику мировидения шестидесятников, воплощенного в культовом фильме Хуциева, Кончаловский предупредил тридцать с лишним лет тому назад. «Романс» диалогически воспроизвел речевой код хуциевского кино, поместив его в многоголосый культурный контекст. Это тем более примечательно, что Кончаловский (как и Тарковский) был персонажем «Заставы».

«Сибириада» закрепила открытое «Романсом». Сложилась дилогия о феномене советского («крестьянского»!) менталитета, о его исторических судьбах. В своем времени она соответствовала той роли и тому значению, которые обрели в творчестве Кончаловского «Белые ночи...» и «Рай» — как выход из кризиса предыдущего пятилетия.

Сюжет «Сибириады» никогда потом не покидал режиссера. Тревожил и подталкивал к поискам в этом направлении. В 2012 году он прямо говорил, что хотел бы снять похожий фильм. Например, картину «о гибели Советского Союза, о распаде империи: кто что украл, как все происходило, и, главное, как народ все это воспринимал». Он «начал бы с сотрудников ЦК, которые выносят книги из своих кабинетов, уничтожают записные книжки, бросаются из окон». А среди них, между прочим, «были неглупые люди и даже приличные — из тех, кто руководил производством, допустим».

К моменту появления «Рая» (2016) замысел трансформировался. И потом (внимание!) обрел черты продолжения фильма о крушении идеи «рая для немцев». В центре окажется субъективно чистый и честный идееноситель вроде фашиста Хельмута, но — коммунист. Это будет зеркальное отражение «Рая». Иными словами, «Рай» — только первая часть предполагаемой дилогии о коварстве идейно-политических утопий и их разрушительных последствиях.

Голливудское кино Кончаловского — в основном перетолкование иноземного материала в пересечении интенций родной крестьянской культуры. Но и — очередной этап кризиса. Выход же — трилогия о плодах и исторических перспективах «иванизма»: «Ближний круг» — «Курочка Ряба» — «Дом дураков». Содержательно — резонанс «Первого учителя» и «Аси», «Романса» и «Сибириады». Анонимная идеология «иванизма» пробивалась там из толщи «архаической плиты» национальной культуры. Этот образ, образ «плиты», будет позаимствован позднее из работ покойного экономиста и историка Александра Ахиезера.

Но и теперь, как и ранее, Кончаловский не нашел адекватного отклика среди соотечественников.

Новая кризисная полоса — десятилетие 2003–2013. Тогда, а именно в это время я с ним познакомился, его спасала, как это и было всегда, неуемная работоспособность. «Глянец» и «Щелкунчик», может быть, стали самыми безысходными картинами Кончаловского.

Экранизация Гофмана, образы фашизации, мирового зла как неизбежного и соблазнительного начала, предваряют «Рай». В 2016-м режиссер вернулся к идеям вдоль и поперек изруганного «Щелкунчика». Вернулся — и одержал победу.

Настоящие значение и место созданного им в потоке, прежде всего, отечественного кино можно определить, лишь исходя из законов самим художником над собой признанных, из существа его творчества как живого целого. Вызывают поэтому недоумение попытки уличить режиссера во вторичности, механических заимствованиях из европейского кино.

Какое только лыко не суют в строку, когда поверяют «алгеброй» «Рай»: от Джонатана Литтелла и Ханны Арендт до Ванды Якубовской и Клода Ланцмана с Ласло Немешем. Зачем так далеко ходить? Сопоставьте фанатиков идеи построения мирового рая: с одной стороны, Хельмута, а с другой, Дюйшена из «Первого учителя» — и осмыслите результат. Не плодотворнее ли?

2.

Всю вторую половину 2011 года Андрей Сергеевич итожит то, что прожил, перед грядущим двойным юбилеем: своим 75-летием и 50-летием творческой деятельности. В юбилейном 2012-м на сцене Театра им. Моссовета состоялась знаменательная премьера спектакля Кончаловского по пьесе Чехова «Три сестры».

А в марте он объявил, что приступает к съемкам нового документально-художественного проекта на тему вымирающих российских деревень.

На вопрос о тайных источниках его неутомимости и способности всюду успевать он ссылается на свою натуру пофигиста. Никогда не ставит себе высоких планок, а — «планочки пониже». Сделанное устраивает, даже когда не получается. Редки фрустрации. Помогают трусца, велосипед или бокал старого Beaugency, которым не брезговали еще мушкетеры Дюма.

Именно в этом, 2012 году, мой герой выказал сильную склонность к подробному подведению итогов. И что характерно — в интервью журналу «Итоги», при симптоматичном названии беседы — «Пофигист».

В очередной раз вспомнил, как спешно покидал во время путча гэкачепистов страну. С этой точки зрения сегодняшняя Россия хороша тем, что «из нее можно в любую минуту свалить». В отличие от путешествующих иностранцев русский едет за границу, чтобы на время покинуть родину. Эта мысль очень по душе Андрею Сергеевичу.

Реплика из 2012-го: «Не западник и, конечно, не славянофил, поэтому искренности хамства предпочитаю фальшивую вежливость».

А вот, для сравнения, из 2017-го: «В витальности наша сила. Русские угрюмы? Угрюмы! Но когда они счастливы и улыбаются, они искренни. Несколько лет назад я не мог терпеть этого искреннего хамства, уж лучше неискренняя вежливость. А теперь предпочитаю искренность. Пусть иногда это и будет большая грубость...»

Из мозаики воспоминаний складывается образ эпохи обыкновенного советизма. Что-то делало тогда людей чрезвычайно близкими друг другу. Что? Общий враг. Даже творцы объединялись, если он был. «В Союзе кинематографистов, в столовой «Мосфильма» все становились равными. И, например, Сергей Герасимов не сильно выделялся на фоне прочих. Один котел! Едва враг пропал, началось расслоение, дифференциация. В этом смысле совок служил позитивным фактором, он уравнивал людей. Насильно...»

Не похожую ли картину зрим в общественной жизни второго десятилетия XXI века? Нашелся, как и тогда, консолидирующий нас враг внешний, а для полноты картины еще и внутренний. Собственно, его и искать особенно не надо было, наш враг всегда у ворот.

Итожа, Андрей Сергеевич не проходит мимо дружбы-вражды с Тарковским. «...Мне трудно описать наши с ним отношения. Это как любовь. Наступил момент, и она стала угасать. Все произошло естественно...»

Здесь нам предстоит вникнуть в нечто сугубо кинематографическое. Кончаловский сразу же поддался влиянию старшего приятеля — тяге к непомерно длинным планам. В «Первом учителе» давно надо отрезать, а он «все тянул, тянул». Потом, кажется, отпустило...

По впечатлениям Кончаловского, его давний единомышленник в «зону» минималистского и метафизичного кино «выполз» по-настоящему только в «Сталкере». «Теперь эта зона практически носит имя Тарковского и продолжает гипнотизировать и Ларса фон Триера, и Михаэля Ханеке, — каждого, кто захочет из глубин личного опыта высказаться на вечные темы...» Но ведь если прислушаться к тому, что говорит о своем методе Кончаловский после «Белых ночей...» и «Рая», кажется, что и с ним случилось то же. Возжелав «из глубин личного опыта высказаться на вечные темы», он оказался в «зоне» минималиста-метафизика Тарковского.

Делясь соображениями о работе с актерами в кино, Тарковский настаивал, что им во время съемок «совершенно не нужно знать замысел режиссера в целом». Уместнее «спонтанное, непроизвольное действие в предложенных режиссером обстоятельствах». Режиссеру «нужно ввести актера в такое психологическое состояние, которое сыграть невозможно». Но ведь о том же толкует и Андрей Сергеевич по опыту «Белых ночей...» и «Рая»!

Он предлагает различать внутренние ощущения, с одной стороны, реализма, а с другой — истины. Когда он снимал «Белые ночи...», «истина глядела в глаза» ему. Потому что люди там ничего не играли, а жили своей жизнью. Из актеров нужно «вынимать существование, а не перформанс». Какие условия создавать артисту, чтобы он не играл? Нужно избавиться от «очень хорошего сценария», то есть от конструкции. А это означает, что следует идти ощупью. Из-под артиста нужно выбить стул, который называется ролью. Вот тогда он начинает существовать. «Единственный критерий, когда артист не знает, что делает. И когда он потом, если он настоящий артист, говорит, что он никогда себя лучше не чувствовал. Настоящий артист думает не только о том, как хорошо исполнить, но и о том, как ему забыть, что он артист...»

Субъективно Кончаловский переживал это как открытие. Но объективно здесь и не было ничего такого уж чрезвычайного! Он сам начинал тем же — в «Асе Клячиной».

Резким поворот казался на фоне эстетики взрывного стыка миров. В «Белых ночах» он повернулся к глубокой созерцательности, к неспешному вглядыванию в реальность. К Тарковскому, в каком-то смысле.

Итак, в 2012 году Андрей Сергеевич позиционирует себя как пофигиста и формулирует соответствующий тип отношения к жизни. Он не боится менять убеждений. Избегает догм. Но пофигизм не равнодушие. «Иногда расплачиваюсь за подобный взгляд на окружающий мир, ошибаюсь, но ни о чем не жалею и ни на кого не держу зла. Есть парочка тех, кто сильно раздражает. Избегаю общения с ними — и все...» Но никогда не стремился ответить оппоненту ударом на удар. Спасают пофигизм и уверенность в мудрости Чехова: никто не знает настоящей правды.

Пофигист боится только смерти. «Каждый раз, когда выхожу от врача, и он говорит, что проблем нет, у меня еще один день рождения. И самое главное: старость — не возраст, а отсутствие желаний. Это не зависит от количества прожитых лет...» Пофигизм — это и избирательность, расстановка приоритетов.

«Не надо жить подробно!» — повторяет он вслед за Львом Толстым. Есть люди, которые живут чрезвычайно подробно. Например, его жена. Она должна «добиться идеальной чистоты в соответствии с собственными представлениями о прекрасном. Не ляжет спать, если на кухне осталась грязная посуда. Привычка у нее осталась с детства, лет с шести, когда она приходила к бабушке с дедушкой, вынимала из серванта тарелки с чашками и начинала перемывать заново. Несчастный человек!»

Определи главное, а все прочее не имеет значения. «Это как в живописи. В картинах Брейгеля с одинаковой тщательностью прорисован каждый квадратный сантиметр. У Рембрандта же прописано центральное ядро, а по краям все размыто. Брейгеля надо рассматривать часами, вглядываться в детали. У Рембрандта все видно сразу: бум! — и понимаешь, куда смотреть. В каком-то смысле великий голландец был пофигист, его не интересовала периферия картины, он не хотел писать углы. Это философия. На многое я не обращаю внимания, для личного душевного комфорта предпочитаю извинять человеческие недостатки и смиряться с гадостями. И сам не являюсь образцом высоких моральных качеств, и других прощаю легко...»

Я подумал: если до 2013 года он был Рембрандтом в творчестве, то не стал ли Брейгелем после «Белых ночей...»? В мире Тарковского, и даже в пространстве-времени одного фильма, сотрудничали и тот и другой. Потом явился Леонардо. Завершилось все, как и начиналось фактически, русской иконописью. А вот Микеланджело, фильм о котором в данный момент снимает мой герой, у Андрея Арсеньевича не было. Но темперамент и образ жизни Буонарроти свойствен скорее ему, чем Кончаловскому. Тогда вопрос: а что же повело Андрея Сергеевича в эту сторону? Может быть, в нем на самом деле всегда жил смирённый пофигизмом Буонарроти...

«...С годами цели в жизни меняются. В двадцать пять мечтал стать великим режиссером, оставить свой рубец в истории человечества. В сорок понимал: все рубцы заживают. В шестьдесят знал: то была лишь царапина, от которой к семидесяти пяти не осталось следа. К третьему акту пьесы вижу: после меня останутся не фильмы и спектакли, а дети и внуки. Когда Никита снимал документальный фильм к 90-летию отца, приехали, кто смог. Но настоящие семейные посиделки закончились еще в восьмидесятые годы, со смертью мамы. Все разбежались по своим песочницам. Грустно от этого, но тут ничего не изменишь...

Мысль о возрасте — мысль о смерти. С ней надо просто жить, как в провинциальных городках Италии. Там на площади обязательно висит доска: умер такой-то, соболезнования родным. А кругом Италия, солнце, счастье, и как-то это сливается в одном чувстве жизни...»

3.

О чем бы ни затевалось в публичных беседах с режиссером, его, как правило, сносит к вопросам политики. Пожалуй, именно этого от него и ждут. Политических прогнозов. Просят уточнить тот неутешительный диагноз стране, отстающей от цивилизованных государств, который он ставил в 2012-м...

Его историко-культурологические концепции до 2013, точнее даже, до 2014 года остаются в целом нерушимыми. Уточняется и группируется лишь фактический материал, почерпнутый из ученых трудов его современников, особенно симпатичных мастеру.

В 2012 году, как и ранее, актуален вопрос: может ли какой-то государственный лидер вырвать Россию из Средневековья?

Мы люди все же западные, считал Кончаловский, несмотря ни на что. Поэтому вырваться из ловушки можно. Но только идя путем диктатора, вроде Петра Великого. Чтобы современная история предъявила сродную фигуру, «нужен катаклизм, многосторонний кризис». «Тогда элита России задумается, куда идти. Пока же она думает только о том, как бы сбежать на Запад».

Вспомним еще раз, что такое были для нас те годы.

В конце 2011-го, когда стартовала избирательная кампания, заволновались митинги протеста. В мае 2012-го в Москве протестовали под лозунгом «За Россию без Путина». В июне вступил в силу закон о митингах, увеличивший штрафы за нарушение правил проведения протестных мероприятий. Фактически это была последняя протестная волна в России. Зато 2014-й начался Майданом. На Украине.

Андрей Сергеевич скептически воспринял протестное движение, хотя отметил его глубокий смысл. Всех тех, кто выходит на площадь, именовал «европейцами в определенном смысле». Надеялся, что количество их будет расти. Прогноз не нашел подтверждения в последующие годы. Впрочем, и его собственные взгляды на современную историю России переменились.

Приведу несколько тезисов, на которые опирался Андрей Кончаловский, предлагая в 2012 году на всеобщее обозрение свою концепцию перспектив развития страны.

В начале второго десятилетия XXI века Россия вернулась в свое естественное состояние, в Московскую Русь. Нынешняя страна — ничтожно тонкая светлая полоска «просвещенных европейцев» при огромной массе населения, живущего на уровне шестнадцатого века.

Нужен серьезный кризис, чтобы перестала работать имитация. Сейчас имитируется все — и государство, и оппозиция, и все гражданские институты, и все государственные вертикали. Но утомить Россию диктатурой, рабством — дело мудреное. А вот клерикализация как новый идеологический отдел ЦК заметно раздражает. Московская Русь вновь попытается взять реванш. Это будет еще не угроза стабильности, но спровоцирует рост неудовлетворенности.

Западный проект тоже переживает кризис. Но совершенно не тот, что наш. Россия благодаря своему отставанию еще не скоро до него дойдет. Закат Европы — явление не одномоментное. Вызван он диктатурой политкорректности, диким консьюмеризмом, классом иждивенцев, мифом о глобальной деревне и мультикультурализме. И в огромной степени постмодернизмом, при котором происходит банализация истины. Напоминать о простых и верных вещах нельзя — это банальность, пошлость, это все уже было.

Если Европа сумеет обновиться — уцелеет. Если нет — измельчает и вымрет. Но это вопрос столетий. А кризис Московской Руси — десятилетия максимум.

Мир возвращается к ортодоксальной религиозности. Религия — одна из основополагающих составляющих любой культуры. А культура определяет политику. По Плеханову, русская культура поправила идею Владимира Ильича и создала тоталитарное государство. Сталин понимал русский народ лучше Ленина. Русский мужик и создал сталинизм.

Если разобрать на составные части русский национальный геном (культурный геном), то увидим, что есть два противоборствующих концепта. Первый — концепт единоначалия, единомыслия, единоверия. Моноцентризм. Это Московская Русь и то, что она воспитала, начиная с Александра Невского, под огромным влиянием ордынского мышления. Второй — Петербург, европейская Россия. Огромный культурный пласт. Но очень тонкий количественно. Тот, который создал Пушкина, Достоевского, Чехова и всех тех, кем мы сегодня гордимся.

Конфликт между двумя Россиями всегда был очень силен. Плеханов, имея в виду интеллигенцию, писал: «Мы в России живем в резервациях». Кусочки белой России жили в океане народной массы, не имевшей с ними ничего общего. Народ пел другие песни, пил другие напитки и играл на других музыкальных инструментах. Для него петровская Россия — иностранцы. Пушкин был иностранец.

Этот разрыв актуален и сегодня. На месте уничтоженной европейской России возникает сейчас, когда открылись все кингстоны, безусловно новое поколение молодых, европейцев по своим требованиям. Но их желание быстренько сделать Россию европейской грешит тем же историческим нетерпением, которое было у Ленина. Все до основания разрушить.

Россия выстроена не сегодня, не сама по себе вдруг возникла. Это здание нужно не взрывать, а разбирать по кирпичику. Терпеливо и, главное, знать, как разбирать.

Пересмотр отечественной истории необходим. Истина не боится ревизии. Боимся пересмотра, значит, что-то там не то. И на это «не то» мы до сих пор закрываем глаза. Поэтому и не знаем, откуда мы пришли.

В одном из выступлений перед творческой молодежью (сентябрь 2013 года) Андрей Сергеевич вспомнил свой фильм «Битва за Украину». В центре, напомню, была фигура бывшего президента Украины Леонида Кучмы, в свое время написавшего книгу «Украина — не Россия» (2003). Утверждение это вызывало в режиссере сомнения, вплоть до резкого неприятия. Но после более глубокого с Украиной знакомства он должен был согласиться: да, не Россия.

На упомянутой встрече Кончаловский воспроизвел эту формулу уже как выношенное убеждение. Почему же не Россия? А потому, что она по своему культурному геному — именно этой проблеме и была посвящена встреча — ближе к европейским ценностям, чем к ценностям Московской Руси. На Украине не было общины, была частная собственность на землю, которая передавалась по наследству, было, в конце концов, магдебургское право в нескольких десятках городов, чего в России не было и в помине. Все это произносилось как твердое (тогда!) убеждение: индоктринируя сверху новые культурные ценности в сознание «москалей», их нужно, как и Украину, ориентировать на Европу.

Что же касается самой Украины, то она всегда была лакомым кусочком, жертвой — в столкновении Запада (по большей части Америки) и Востока (России). Из фильма следовало, что Кучма миссию свою президентскую понимал как лавирование между этими Сциллой и Харибдой. Вследствие чего и потерпел поражение. Но от кого?

В картине в основном разоблачался злонамеренный Запад. Особливо Америка, всеми силами стремившаяся «опустить» Кучму и ограничить самостоятельность Украины. Отфутболенный Западом Леонид Данилович в результате пал в объятия тогда только взошедшего на престол и как будто ожидавшего этих объятий Владимира Владимировича.

Именно так, и очень выразительно, показал фильм. А ведь в свой второй срок в 1999 году (чуть не одновременно с возвышением Владимира Владимировича) Леонид Данилович имел твердое намерение идти самостоятельным путем евроинтеграции.

4.

Вправе ли мы воспринимать изложенное как гражданскую позицию? Вполне, скажете вы. Но!

«Лично у меня нет гражданской позиции. Я художник, я не с правыми и не с левыми. Иногда бываю реакционером, иногда либералом. Я не ангажирован, поэтому меня критикуют все кому не лень — и справа, и слева».

Предупреждал же маэстро, что не надо ко всем его словам относиться слишком серьезно! И мы еще не раз убедимся, насколько актуально это предупреждение.

Андрей Кончаловский прежде всего художник, конечно. И в этом своем качестве — эксцентрик, ёрник в хорошем смысле. Что вовсе не отрицает молитвенности созерцания в его искусстве.

Художническая сфера его деятельности, как можно от него же услышать, никак не из ряда воспитуемых воздействий, влияний. Искусство, в принципе, не делает человека лучше. Возможно лишь на то время, пока он его воспринимает. Искусство необходимо человеку для того, чтобы он мог забыть о реальности физической и погрузиться в самосозерцание. Потому что любое большое искусство заставляет человека созерцать. Созерцание — это когда человек погружается в отношения с самим собой. Как в молитве. Искусство важно, потому что человек не может жить в гармонии без созерцания.

Но одновременно жевать поп-корн и созерцать нельзя. Как нельзя одновременно жевать и молиться.

О состоянии отечественного кино маэстро говорил и говорит с грустью.

Серьезное оно никому не нужно. Власть, конечно, виновата, поскольку «не понимает, что публику надо воспитывать». Отсутствие зрителя — очевидная беда. Во всяком случае, Кончаловский эту проблему ощущает весьма остро применительно к себе самому. «Память короткая стала очень...» И у зрителя, и у кино, которое не знает (не помнит), а поэтому и не находит своего зрителя.

А что представляет собой сам режиссер как зритель? Такое впечатление, что его зрительский опыт как некий непрерывный процесс не перевалил через рубеж XX–XXI веков.

Современный театр он не смотрит. Жалко времени. Удовлетворяется чтением книг, которые сделали его лучше лет пятьдесят тому назад. А если и смотрит, то лишь то, что имеет какую-то рекомендацию. В конце концов, такому мастеру, как Андрей Сергеевич, вовсе и не обязательно быть досконально насмотренным. Другое дело, какое место он сам занимает в целом нашего кинематографа и в его современной фазе. Но на эту тему в нашем киноведении и кинокритике последних десятилетий написано мало чего. Не различает критика кинематограф Кончаловского в непрерывном потоке отечественного кинопроцесса. Похоже, и сам процесс различает с трудом.

Размышляя о «белой» и «черной» России, о разладе между этими неравными пластами нации, Кончаловский вспоминает Чехова, который и отразил сам разлад еще в его истоках.

«Три сестры», в глазах режиссера, не что иное, как предощущение колоссальной катастрофы. Это пьеса про то, что всех действующих лиц через 15 лет расстреляют! Никто этого еще не знал, а Чехов знал. Антон Павлович — Эйнштейн в литературе с точки зрения понимания того, что все на свете относительно. «Теория относительности» возникла одновременно в естественнонаучных изысканиях Эйнштейна, в «Этике» Ницше и в творчестве Чехова. Все вместе — новая философия, которая говорит, что зло есть и будет, зло неизбежно. Но и то, что с ним надо бороться, тоже факт.

2012-й — год премьеры «Трех сестер». Кончаловский был целиком под впечатлением работы над спектаклем. И много говорил на эти темы.

Монологи в пьесах Чехова нельзя воспринимать как авторитетный голос автора. В них скрыта полифония. К действующим лицам пьесы Чехов может относиться гораздо ироничнее, чем угадывается на поверхности их реплик. Таковы, в частности, монологи Вершинина.

Вершинин в исполнении Домогарова вызывал споры. Может быть, потому, что это актер с широко эксплуатируемым имиджем героя, а снижение героики в спектакле — отражение многоголосия Чехова.

Кончаловский поясняет. Тузенбах говорит о Вершинине, что у того жена постоянно покушается на самоубийство. Комическая деталь! Фигура женщины, регулярно самоубивающейся, чтобы досадить мужу, — из раннего Чехова. Из Чехонте! От Вершинина только и слышно, что у него жена «опять отравилась». Он не очень далекий человек. И странно было бы ему сочувствовать. Разве что по поводу, что досталась ему страшная стерва. Если читать медленно, начинаешь чувствовать всякий раз какие-то особые интонации. Эти реплики нельзя воспринимать в прямом смысле. Они саморазоблачительны.

«Чем он мне дорог? Своими слабостями, а не тем, что он прекрасный...»

Итак, главное понять, продолжает Андрей Сергеевич, где Чехов серьезен, а где он ироничен, отодвигается от персонажа. Искусство интерпретации чеховского видения в способе сочетания голосов автора и героя, при сохранении дистанции автора и суверенности персонажа. Возникает мультижанровость. Потому что над одним и тем же персонажем сначала можно смеяться, потом издеваться, наконец — убить. Так же, как в жизни. И актеру надо играть так, чтобы зритель, как этого и требует Чехов, не знал сначала, кто хороший, а кто плохой — все перемешано. Собственно, это и есть Антон Павлович.

В XXI веке мы поднялись на новую вершину, с которой увидели еще более ужасающие нас, чем ранее, горизонты человеческой цивилизации. Чехов ведь не знал еще, что такое газы Вердена! «Никто ничего не знает!» — реплика Чебутыкина, повторяющаяся в каждом акте по нескольку раз. Чебутыкин — феноменальная фигура. Экклезиаст! Поэтому нужно было, чтобы роль сыграл Владас Багдонас, актер колоссального трагического наполнения.

Чехов прекрасно понимал, что ждет Россию. Он прозревал катастрофу. И мы знаем, что случилось с европейской Россией в результате революции. Ее стерли, смешали с грязью, превратили в лагерную пыль. То, чем мы гордились и гордимся, то есть тонкий слой русских европейцев, было уничтожено.

Правда, пришли не менее великие писатели Московской Руси. Но уже не европейцы! Платонов, например. Абсолютно великий художник. Были крестьянские поэты. Клюев. Но та Россия, которая породила Серебряный век, такой взрыв культуры, и которая повлияла на весь мир, была уничтожена.

После того, как «Три сестры» закрепились в репертуаре Театра им. Моссовета, в сознании Кончаловского все более утверждалась мысль дать этот спектакль и «Дядю Ваню» в одной декорации в один день и один за другим, что и случилось в апреле-мае 2014 года в рамках перекрестного года культуры Великобритания — Россия. Отзывы английской прессы были самые благожелательные. Тогда Кончаловский и произнес: «...Хотелось бы еще в этой декорации поставить «Вишневый сад», и все!»

Зачем ему это нужно? А вот зачем. Одна декорация — одно пространство. Сыграть нескольких разных «симфоний» Чехова в одном пространстве с одним и тем же оркестром. Смысл в том, чтобы «прожить этот огромный кусок в чеховской диалектике...». «Если б знать...» — это диалектика. Отношение Чехова к жизни, к России, к развитию цивилизации укладывается в сюжет от «Дяди Вани» через «Три сестры» к «Вишневому саду», к этому заколоченному Фирсу.

Кончаловский все чаще, особенно после «Рая», вспоминает один из сюжетов чеховской биографии. На тему «если бы знать». Первая невеста писателя — Дуня Эфрос, еврейка из богатой семьи. «Он был влюблен, хотел денег немножко, чтобы сделать журнал. Она была умная, красивая, интеллигентная, чудная женщина. Вышла замуж потом за адвоката. Если бы Чехов знал, что в 1943-м году 93-летнюю старуху в газовой камере убили в Треблинке? Что бы он написал в своих пьесах? Он бы не писал проклятия — он писал бы те же пьесы. Там это чувствуется...»

Отношения Антона Павловича с Евдокией Эфрос затеялись в 1886 году и прекратились в 1887-м. Дуня, по настоянию родителей, отказалась принять православие. Кроме того, говорят, не видела у писателя «особой любви к евреям». А может быть, обиделась на рассказ «Тина», в героине которого угадывалось сходство с нею. К тому же Евдокия Исааковна увлеклась приятелем Чехова, Францем Шехтелем. Осенью 1887 года Дуня вышла за Ефима Коновицера, вначале московского адвоката, а потом — соидателя газеты «Курьер».

О дальнейшей судьбе Дуни Эфрос известно мало. Во время революции она вместе с мужем эмигрировала во Францию. Последние годы жила в доме для престарелых. В 1943 году немцы этапировали ее в Треблинку. Где она и погибла, но в возрасте 82 лет.

Пройдет время, и к двум упомянутым спектаклям действительно прибавится «Вишневый сад». Родится трилогия. Но пока он говорит об этом с осторожностью, имея в виду семейную драму октября 2013-го: «...Не знаю. Жизнь моя сейчас немножко изменилась, и я, если делал, то только бы с Юлей, но сейчас сложно это определить».

5.

Мне довелось побывать на премьере «Трех сестер» в декабре 2012-го. Мероприятие было шумное, с присутствием значительных особ. Макса фон Сюдова, например, прибывшего поздравить юбиляра.

Смотрел я спектакль и потом. И уже тогда, когда исполнитель роли Ферапонта Александр Леньков ушел из жизни, а роль была отдана другому актеру.

Спектакль как вполне живой организм взрослел, шлифовался, наращивал смыслы, становился стройнее, целостнее. Это вообще присуще театру Кончаловского. Оттого всякая новая встреча с его работами радостнее, поскольку обещает свои пусть маленькие, но открытия.

Я это хорошо почувствовал по роли Высоцкой. Ее Маша, по замыслу и содержанию образа, оказалась, пожалуй, сложнее для воплощения, чем характеры других двух сестер. Благодаря роли Высоцкой я вдруг взглянул на троицу сестер как на некое единое существо.

Это существо — Женщина в трех возрастных ипостасях. В таком понимании образов есть что-то и от замысла самого Чехова. В спектакле три эти ипостаси даны как вполне конкретные, полнокровные, объемные женские характеры. Причем, что важно, — в развитии от начала первого акта к финалу последнего.

Каким я увидел триединый образ Женщины на сцене театра им. Моссовета?

Ирина. В первом акте она — еще дитя, но в момент пробуждения естественного влечения. На пороге встречи с желанным и необходимым как опора в жизни Мужчиной: «Пришла пора, она влюбилась...» Но в случае с Ириной, какой ее изображает Галина Боб, это невозможно! Витальные силы «белой» (по Кончаловскому) России подавлены предчувствием катастрофы. Подавлена жизнепорождающая сила культурной популяции, к которой принадлежат ВСЕ персонажи «Трех сестер».

За исключением, может быть, «шершавого животного» Наташи, отвоевывающей пространство жизни, пожирающей все вокруг. У Наталии Вдовиной не так много реплик, но она пластически выразительно и точно воплощает агрессию своего персонажа.

Наступает миг, когда Ирина готова стать Женщиной, готова жертвовать для своего Мужчины. Только мужчина фатально не готов жертву принять! Финал второго акта. Соленый в пылу страсти начинает раздевать девушку, но вдруг останавливается и покидает сцену. А девушка замирает не столько от напора брутального самца, сколько от того, что он ее отвергает как женщину. Да и в брутальности Соленого больше наигрыша, притворства, чем настоящей мужской силы.

В этот момент она ясно (женским нутром!) прозревает свою обреченность — долю старшей сестры Ольги, одинокой «старой девы». Вот что катастрофически подавляет девушку! Она видит в перспективе их (трех сестер) существования тупик — неизбежность вынужденного бесплодия. Вне дома, вне семьи, вне жизни!

И как раз в этот момент набрасывается на нее «шершавое животное», чтобы поглотить ослабевшую, опустошенную, самую молодую и, казалось до сих пор, полную жизни Ирину — поглотить занимаемое ею жизненное пространство. Цель «шершавого животного» — вытеснить «белых» из среды их естественного существования. Примечательно, что сцену объяснений Соленого с Ириной Наташа наблюдает с начала и до завершения. Причем, выступая в финале на первый план, она плотоядно теснит Соленого, как бы предлагая себя взамен Ирины.

Сцена Ирина — Соленый многосмысленна. Ее в таком развитии у Чехова нет. Но логика пьесы не противится предложенной интерпретации. Во всяком случае, французский телевариант «Трех сестер» (2015) Валерии Бруни-Телески по сути дублирует мизансцену второго акта у Кончаловского.

Сцену эту, однако, в контексте спектакля можно понимать и не столько как факт реальности, сколько как воплощение подсознательных фантазий, мечтаний персонажей. Мечтаний, которым не суждено сбыться. Дело в том, что персонажи пьесы, по определению Чебутыкина, не существуют. Существуют лишь их тени, миражи. Происходящее на сцене явно колеблется на грани реальности.

Мне кажется, что только в таком развитии линии Ирины (и других сестер) может быть внятно поведение Соленого, каким его изображает Виталий Кищенко. Актер ёрнически акцентирует мужскую диковатость, неотесанность и силу, а притом еще и некий демонизм (похож на Лермонтова!) своего персонажа. Но, кажется, и сам персонаж склонен к самоиронии. Здесь попытка скрыть разрушение мужского (опорного, оплодотворяющего!) начала в разрушающемся же мире «Трех сестер».

Кончаловский не зря перенес эту тему Кищенко в заключительную часть трилогии — в «Вишневый сад». Там актер сыграл... Кого? Конечно, Лопахина. И опять же его мужскую, то есть супружескую, отцовскую невоплощенность. Но уже в самом сердце «черной» России. Лопахин может быть миллионщиком, купцом, даже музыкантом (вон у него какие руки!) — кем угодно. Но ему никогда не быть оплодотворяющим семенем! Как и Соленому.

Собственно, таковы ВСЕ мужчины в спектакле. Они, как и сестры в своей женской ипостаси, обречены на саморазрушение, подавленность в самой своей мужской природе. Соленый больше других, может быть, страдает от осознания своей импотенции (в образном смысле). Но и больше других чувствует ужас близящейся катастрофы. Соленый — явственный сигнал этой катастрофы. Здесь он близок Кассандре-Чебутыкину («Мы не существуем!», «Одним бароном меньше, одним бароном больше...»).

Режиссера, может быть, и упрекнут в том, что в упомянутой сцене (как и в некоторых иных) он акцентирует эротизм, отсутствующий, кажется, у Чехова. Такова, например, и заключительная сцена первого акта — дуэт Алексея Гришина и Натальи Вдовиной, когда Андрей Прозоров плотоядно набрасывается на Наташу. Вроде жеребца на кобылу во время случки. А та и ведет себя как молодая кобылица, едва ли не ржет, но зримо бьет «копытом» — сучит ножкой.

И у Чехова, и у Кончаловского гиперболическая плодовитость Наташи настырна и агрессивна — завоевание пространства жизни (здесь есть что-то от «Елены» Звягинцева). Но трудно, во-первых, предположить, что ее дети — семя Прозорова. Во-вторых, зритель этих «плодов» не видит, а видит только коляску, которую таскает туда-сюда по сцене Андрей, а затем передает Ферапонту. Кто (или что) в этой коляске? Не дьявольское ли порождение «черной» Руси? Мне это напоминает финальную реплику Таи из «Сибириады», которая пугает престарелого Спиридона Соломина сообщением, что в ее чреве созревает потомок Устюжаниных, вызвавших из родной земли пламя и пепел Страшного Суда.

Эротизм спектакля Кончаловского грустно ироничен, а иногда — пародиен. Поскольку в тех условиях, в которых разворачивается действие пьесы (год написания — 1900-й) и которые в прологе и в эпилоге акцентирует режиссер, невозможно никакое оплодотворение этими мужчинами этих женщин.

Их жизненный цикл исчерпан. У Вершинина, как мы помним, дом, семья, две дочки. Но мы ничего этого не видим. Мы узнаем лишь об обреченности и отцов, и детей. И ни у кого здесь нет семейного будущего. Важно и то, что у сестер нет ни отца, ни матери — они сироты. И это особого, социально-исторического, свойства сиротство — безотцовщина. О матери сестры почти не вспоминают. Они поминают только отца. Сестрам не стать матерями. Они так и останутся сестрами.

Кончаловский фактически продолжает одну из главных тем своего «Дяди Вани» (да и «Чайки», я думаю). Во всяком случае, это видно по тому, как развивают свои «дядиванинские» актерские темы в «Сестрах» Вдовина, Деревянко, Домогаров, Высоцкая, другие.

Вернусь к Ирине. Она впадает в отчаяние, в истерику — до сумасшествия, когда тупик становится для нее неизбежным: «Куда? Куда все ушло? Где оно? О, боже мой, боже мой! Я все забыла, забыла... У меня перепуталось в голове... Все забываю, каждый день забываю, жизнь уходит и никогда не вернется, никогда, никогда мы не уедем в Москву...» Как за соломинку утопающий, хватается Ирина за «младенца» Тузенбаха (Павел Деревянко развивает тему своего Войницкого из «Дяди Вани»), произносящего младенческие же, трогательно смешные речи о необходимости труда. Но Тузенбах обречен еще более, нежели все другие, по причине своей невинной детской слепоты. Николай Львович (оборотное Лев Николаевич?) меняет офицерский мундир на цивильные одежды. Рыцарские доспехи «настоящего мужчины» — на саван.

Маша вспоминает о «золотом веке» их жизни, когда «на именины приходило всякий раз по тридцать-сорок офицеров». Мужская популяция, отошедшая в небытие. Из той жизни прибывает Вершинин. Именно поэтому, как мне кажется, Маша влюбляется в него, в тень человека из прошлого, из тех «тридцати витязей прекрасных». Но он-то уже другой! Такой же мираж, такое же бесплодие! Правда, она не хочет этого замечать — тем драматичнее прозрение в финале.

Уход Тузенбаха — загадка. Мы не видим дуэли. Чехов вообще избегает сильных акцентов. У него и Треплев убивает (?) себя за сценой. Мы не видим гибели этих персонажей. Мы только слышим о ней от других. В упомянутом фильме Бруни-Телески дуэль показана: Соленый стреляет в воздух! А Тузенбах — в себя. Он не жилец ни в каком случае.

В самом начале спектакля зритель видит фрагмент письма из России в Париж (1924 год): «Как давно это было...» Текст, возникающий на экране, рождает сложное чувство. С одной стороны, я переживаю иллюзию присутствия автора письма: экранный текст будто рождается под его рукой, слышимо и зримо. С другой стороны, мне внятна невозвратимость той, канувшей эпохи, призраки которой сейчас возникнут передо мной. И они возникают! Три сестры на качелях, подвешенных где-то в вечности, в поднебесье, куда и устремляются, где и растворяются цветы, вырвавшиеся из их рук.

Ирина — предчувствие Ольги.

Ольга в исполнении Ларисы Кузнецовой находится в состоянии какого-то нервического перевозбуждения едва ли не на протяжении всего спектакля. Я имею в виду прежде всего пластический рисунок роли, жест, интонации ее реплик. Поначалу эта экзальтация кажется неестественной. Она и на самом деле искусственна, если смотреть на нее с бытовой точки зрения. Но сестры давно выбиты из течения быта.

Ольга настолько остро ощущает близость конца, что уже, похоже, смирилась с этой судьбой. Но вместе с тем в своей экзальтированной приподнятости хочет скрыться от ужаса, который не отпускает ее. Именно ей принадлежат чудовищная финальная реплика о «веселой и бодрой музыке», которая, на самом деле, есть реквием, реплика о том, как хочется жить. В то время, когда жизнь движется к неотвратимому концу. И все это перекрывается отчаянным возгласом последней надежды: «Если бы знать...»

И для Ольги появление кукольного (до четвертого, во всяком случае, акта) Вершинина — робкая надежда на спасение, надежда на прекращение ее безмужнего существования (ей 28 лет!). Иллюзии на этот счет скоро прекращаются.

Наконец, Маша.

Почему эта роль самая сложная из всех женских ролей пьесы? Возраст Маши серединный, серединное и ее состояние. Она уже пережила крах молодых (подобных Ирининым) надежд и строить иллюзии на этот счет не может. С самого начала пьесы она «в мерлехлюндии», ей «невесело». Но она хорошо видит и свое будущее — в Ольге. И глубоко ужасается ему. Она больше своих сестер знает о том, что с ними происходит. Она лучше их видит свое окружение: маску Соленого («ужасно страшный человек»), агрессивную жадность Наташи и проч.

Надежду в нее вселяет Вершинин, как ни странно, своей иллюзией о «невообразимо прекрасной, изумительной» жизни через двести, триста лет, к которой нужно готовиться и в которой все умения и таланты сестер не будут лишними. Поэтому линия Маши — пограничная, на границе ипостасей Ольги и Ирины, на границе времен и пространств: призрачной Москвы и грядущей катастрофы.

Она еще и не отравлена окончательно, как Ольга, но уже и не здорова, как Ирина, — она больна. И Кончаловский вводит характеристику, отсутствующую у Чехова, но хорошо Антону Павловичу знакомую — чахоточный кашель молодой женщины (вспомним, например, «Ионыча»). Выздоровление — в мужчине, в Вершинине! И вот в финале четвертого акта она выходит, готовая покинуть этот, уже фактически поглощенный Наташей, дом, выходит с саквояжем и какой-то дорожной одеждой. Она-то готова — у нее нет другого выхода. Но не готов Вершинин!

И дело тут не в семье — в сумасшедшей жене и дочках, о которых он то и дело поминает. Он поминает о них так часто, что возникает уверенность в том, что их — нет, что это миф, который, может быть, он и сам хотел бы сделать реальностью, но не в состоянии. Он лишен потенции сделать реальностью дом, семью, как лишены ее и все другие мужчины, появляющиеся на сцене.

Когда Маша понимает, что Вершинин (последняя опора!) не готов, из ее больной груди вырывается страшный, дикий крик. И этот крик трудно принять без внутреннего содрогания. Перед этим женщина цепляется за ноги мужчины, почти волочится за ним, когда он пытается уйти. Этой мизансцены нет у Чехова. Но у него есть реплика Вершинина, которая именно так позволяет решить сцену: «Пиши мне... Не забывай! Пусти меня... пора... Ольга Сергеевна, возьмите ее, мне уже... пора... опоздал...»

Да, женщины в последнем порыве не отпускают своих мужчин. Но удержать их невозможно — так распоряжается их судьбами время: они уходят в смерть, поэтому и не в состоянии быть опорой.

Вся роль Высоцкой есть, по сути, подготовка сцены прощания и того душераздирающего крика, с которым, кажется, ее оставляет душа. Нельзя не вспомнить завершающую реплику ее

Сони из «Дяди Вани». А такое видение и ведение роли требует, на мой взгляд, страшного и физического, и душевного напряжения от актрисы наряду с тем напряжением, которое порождает необходимость удерживать единство образа сестер. Вот этот груз (роль Маши), который возложил на свою жену режиссер, делает ее игру, что называется, на разрыв аорты, по-настоящему героической. Скажу больше: это опасная роль, если делать ее взаправду и до завершения, предполагаемого режиссерской трактовкой.

Эпилог спектакля — убийственно беспощадный ответ на робкую надежду и желание Ольги: «Если бы знать...» Вот и знай! И ужаснись!

Но это чеховский ответ и нам. Ответ на наши слепые исторические эксперименты, образно пересказанные Кончаловским. Адское пламя в финале «Сибириады», крысиная агрессия в «Щелкунчике», склеп для «белой» России в «Сестрах». Режиссер настойчиво, еще и еще раз возвращает нас к тем истокам, из которого проросла историко-культурная катастрофа страны.

Возможно, финал «Сестер», какими я их видел в последний раз, подсказан режиссеру впечатлением от завершения жизненного пути Евдокии Эфрос-Коновицер, когда-то невесты Антона Павловича. В финале спектакля кадры, если я не ошибаюсь, немецкого концлагеря, куда поступают колонны узников в полосатых робах. Дуня Эфрос, оказавшись вне родины, погибла в таком лагере. Если следовать логике спектакля и комментариям его создателя, останься она на родине, покинуть этот мир ей пришлось бы гораздо раньше.

6.

Новый, 2013 год начинался весело — в частности, комедией Шекспира «Укрощение строптивой», поставленной Кончаловским в Италии. Собственно, и заканчивался он, в каком-то смысле, Шекспиром. Ведь сквозь сюжет «Белых ночей почтальона Алексея Тряпицына», съемки которых к началу 2014 года завершились, тоже проступала тень английского гения, строки из «Бури» которого стали в своем роде эпилогом картины. Но последние месяцы года были печальными и даже трагичными...

Стартовал 2013-й так же насыщенно и вплоть до рокового октября продолжался в том же духе, что и предыдущие лета в творческой и общественной деятельности режиссера.

В апреле, например, он был избран президентом киноакадемии «Ника». За него проголосовало 409 из 439 киноакадемиков. Андрей Сергеевич был ошеломлен и обещал оставаться в новой своей ипостаси «приличным человеком, как и предыдущие президенты». Об этом он заявил в своей речи на 26-й торжественной церемонии вручения премии «Ника» в Московском театре оперетты. «Я ошеломлен тем, что мне пришлось надеть черный костюм, который надеваю редко. И тем, что такое доверие было высказано к моей фигуре, далекой от общественной жизни».

Ошеломление понятно и с той точки зрения, заметил он, что к нему всегда было «отношение довольно странное», как к такому «засланному казачку». Но раз указанное количество коллег проголосовало «за», значит, его личность как кинематографиста и как человека, который уже прожил серьезную жизнь и 50 лет в кино, не отвергается.

Маэстро назвал «Нику» уникальным явлением, которое должны поддерживать люди, которым (внимание!) «дороги европейские ценности».

Напомню, что с 2002 года в России, помимо премии «Ника», вручается еще одна национальная кинопремия — «Золотой орел». Учреждена Национальной академией кинематографических искусств и наук России во главе с режиссером Владимиром Наумовым и по инициативе Никиты Михалкова.

У Кончаловского именно «Ника» вызывает нежные чувства, потому, прежде всего, что в свое время он приехал из Америки в Россию получать премию за «Асю Клячину». «Тот Дом кино, та Ника и те вольнолюбивые речи, от которых пылали щеки, и кружилась голова, вызывают у меня ностальгические чувства. Я возражал против существования в России двух национальных киноакадемий, одну из которых возглавляет мой брат. Но мы уже просто пожилые люди, каждый живет своей жизнью. Ну, две и две, уже делать нечего...»

Той же весной в Неаполе начались репетиции спектакля «Укрощение строптивой». А уже в первых числах июня в рамках VI театрального фестиваля прошли премьерные спектакли на итальянском языке. Гастроли по Италии продолжились и в конце года, в ноябре-декабре.

Шекспир — и это нам известно — давняя любовь Кончаловского. Есть у него в мечтательных планах шекспировская трилогия: комедия — трагедия и фантазия (наверное, вроде «Бури»). И, как я понимаю, он сюда не относит те вещи, которые уже поставил. Дай Бог, дай Бог!

Он как-то сказал, что рядом с такими титанами, как Софокл или Шекспир, чувствуешь свое ничтожество — и это плодотворное переживание.

«…Я давно собирался сделать английскую комедию эпохи Возрождения. Сначала думал осуществить эту задумку в Москве, но, когда мне предложили поставить в Неаполе что-нибудь по моему выбору, предпочел «Укрощение строптивой». Думал, что не сумею — кажется, получилось. Я ведь никогда не ставил комедий.

Читал комедию, может быть, лет двадцать назад. И на этот раз прочел как бы впервые. Оказывается — чистая комедия дель арте. Все характеры, начиная с Петруччо, — традиционные маски: Капитан (Скарамучча), Арлекин, Бригелла. У Шекспира есть все. Все персонажи очень узнаваемы. Да и действие пьесы происходит в Падуе. Поэтому очень естественно делать с итальянцами из Неаполя комедию дель арте, пусть даже написанную англичанином…»

Задумав постановку в определенном жанре, режиссер по привычке взялся за изучение предмета. И в процессе освоения комедии дель арте сделал для себя какие-то интересные открытия. «Укрощение строптивой» действительно единственная у Шекспира вещь, испытавшая сильнейшее влияние итальянской комедии дель арте, с «безраздельным господством фарсового тона» к тому же. Любопытно, что самой истории «укрощения» у Шекспира предшествует интродукция, как бы оправдывающая буффонный характер комедии. Получается фарс внутри какого-то загадочного целого.

Какое-то время тому назад у Кончаловского была мысль поставить комедию Флетчера «Укрощенный укротитель», которая была написана в противовес шекспировской буффонаде и в которой женщина брала реванш. Потом режиссер от этой идеи отказался и вот обратился, если можно так выразиться, к оригиналу.

Стал искать маски. Петруччо — это Капитан, «хвастливый вояка, но трус». Кончаловский вспомнил о фильме Дзеффирелли с Элизабет Тейлор и Ричардом Бёртоном, о Людмиле Касаткиной с Андреем Поповым в давней картине Сергея Колосова. Никто из актеров не играл здесь Капитана. Может быть, гениальный комик Джон Клиз? Такой «мачо, хам со шпорами, звенит весь, хочет богатую женщину, он ее, в конце концов, переламывает и так далее». Но должен ли Петруччо быть таким — звенеть шпорами и прочее?

И режиссер пришел к неожиданному выводу: это герой Альберто Сорди — выдающегося итальянского комика. «Без талии, такой «попастый»... Обаятельный хитрый проныра с наивным лицом и очень длинными, такими извилистыми ходами. К своему удивлению, я такого артиста нашел. И сказал ему: «Ты должен быть, как летающий слон». Он знал, кто такой Альберто Сорди...»

Так возник Петруччо, хитрый, задумавший жениться на богатой. «Он готов подписывать контракты, у него в боковом кармане авторучка. Очень интересный симбиоз современной Италии и комедии дель арте». Оформляя спектакль, вспомнили стиль ар-деко. Великие эстетические достижения XX века в Италии, комментирует режиссер, совпали с фашизмом. Был фашизм, но одновременно — д'Аннунцио, замечательные архитекторы. «В этой эстетике мы и делали спектакль. Люди во фраках, высокие воротнички, но одновременно с этим мы ничего не меняли...»

Зимой 2013-го искали подходящих типажей. Главные роли Катарины и Петруччо достались Маше Музи и Федерико Ванни.

«С итальянцами делать комедию дель арте — одно удовольствие. Они вообще все — артисты, а неаполитанцы — артисты вдвойне. Для них комедия дель арте — образ жизни. У них потрясающее чувство юмора. Италия — удивительная страна, она несет в себе приметы многих культур. Тем не менее, в этом спектакле заняты не только неаполитанцы, есть актеры из Генуи и несколько человек из Прато. У меня был очень большой кастинг. Могу сказать одно: я в первый раз ставлю комедию дель арте, и я не жалею, что сделал это в Неаполе».

Как известно, маэстро хочет чувствовать себя в работе счастливым. В данном случае ему, как это почти всегда бывало и раньше, очень повезло. «Итальянцы — солнечный народ. Они не любят ненавидеть. Не любят негативных чувств. Они их избегают. Итальянцы любят восторгаться. В этом сочетании комедии Шекспира с итальянским характером и темпераментом и прошла наша работа».

Вторая половина 2013 года — фестивали, творческие вечера, традиционные мастер-классы в России и за ее рубежами. Но главное, конечно, подготовка к съемкам и съемки поворотного, как выяснилось потом, в его творческой биографии фильма «Белые ночи почтальона Алексея Тряпицына».

7.

Публичные выступления Кончаловского об историческом прошлом, настоящем и будущем России приобрели, хотел он того или нет, форму долгосрочного учительного внушения. И к нему уже обращаются согласно известной формуле: «На все вопросы отвечает Ленин!»

Здесь я собрал несколько таких вопросов и ответов мастера на темы, актуальные в 2013 году.

Отмечали 75-летие Владимира Высоцкого. Естественно, спросили, а как Андрей Сергеевич относится к творчеству «шансонье всея Руси». Ответ вызвал шквал обвинений, разоблачений и даже оскорблений.

Сдержанное отношение Кончаловского к Высоцкому известно. В его взглядах на творчество Владимира Семеновича откликается представление о нашей родной Московии. Для Кончаловского популярность Высоцкого не столько явление эстетическое, сколько социальное. Причина успеха в том, что колоссально изменился социальный слой слушающей публики.

Советский Союз создал нацию зэков и тех, кто зэков охранял. Страна превратилась в огромную зону. При этом не имело значения, сидел человек или нет. Сложилась эстетика зоны, и Высоцкий выразил ее со всей своей интеллигентностью, со всей тонкостью. Но вряд ли он мог быть популярен, когда слова «зэк» не существовало.

«Это, на мой взгляд, социальное явление, потому что в нем отзывается Московия с ее вкусами люмпена, подворотни. Так что движение от Есенина к Высоцкому вполне логично. В этом смысле Высоцкий абсолютный выразитель эпохи в сравнении, скажем, с Александром Галичем или Булатом Окуджавой, сориентированных на вполне определенную, гораздо более локальную социальную группу. Высоцкий же был универсален. Высоцкий поднял на поверхность общества другой пласт, поэтизировал настоящего люмпена. Высоцкий создал свою «Трехгрошовую оперу». Как у Брехта, где «нищие нищенствуют, воры воруют, гулящие гуляют». Но по-советски».

Русский европеец не впервые говорит о Московии как специфическом художественном пространстве, где рядом с Платоновым будут находиться, возможно, и Шолохов, Высоцкий, Шукшин. Словом, тот культурный пласт, те художественные типы, что были подняты из «низов» нации революционными событиями начала XX века. Ничего похожего на явление Платонова или Шолохова литература предыдущего столетия не знала. Хотя сама Московия оглядывалась на культурные традиции «европейцев» XIX века. «Разгром» Фадеева, эпос Шолохова не случайно прочитывались на фоне толстовской эпопеи.

Но ведь и Чехов не из «европейской» популяции. И считая его исследователем судеб европейской России, не нужно забывать, что происхождением он все же ближе к Лопахиным, чем к Гаевым или Прозоровым. Может быть, сила его как раз в том, что он оттуда, из своей Московии, лучше других видел и понимал невольных «черных» могильщиков «белой» Руси. От его Лопахина не так уж далеко и до героев Василия Шукшина.

Но что поделаешь, если Андрей Сергеевич все душой тянется к Чехову и холоден как к творчеству Высоцкого, так и Шукшина? Хотя крайне внимателен к прототипу созданного ими героя.

Обязательно спрашивали, что режиссер думает о «нашей любимой власти». Причем с тайной мыслью, что он все же власти подыгрывает.

«Я к власти отношусь абсолютно нейтрально до тех пор, пока не увижу что-нибудь такое, что пробудит во мне иллюзию восторга. Последние 20–30 лет эти иллюзии быстро рассеиваются...»

«Иллюзия восторга» по поводу власти, может быть и сдержанная отчасти, скоро объявится — к 2017 году, во всяком случае.

Еще замечательный вопрос тех лет: «А зачем нам так надо становиться европейцами?»

Обозревая гигантскую территорию страны, от Урала до Японии мало заселенную, полную несметных богатств и притом непосредственно примыкающую к великой китайской цивилизации, Кончаловский прогнозирует две возможности. Либо вся территория Западной и Восточной Сибири войдет в китайскую ойкумену, либо ее освоят европейцы. Без Европы и Америки России это не под силу. А нависающая альтернатива — отдать Китаю.

Неизбежный выход: полная и безоговорочная конвергенция с Европой и Америкой, с нашими братьями по генам белой расы. Только с ними, используя их технологию и экономическую мощь, можно объединить Северное полушарие планеты, включая Атлантический и Тихий океаны.

В те поры он был уверен, что Путин не сможет сломить сопротивления тех, кто предпочитает «особый путь России», то есть

Московию. Путин — «человек слова, верен друзьям», «он дал гарантии своим и от них не отступит».

А есть ли надежды на класс собственников?

У нас нет класса собственников, в марксистском понимании, в который раз убежденно заявляет Кончаловский. Класс буржуазии — это идеология, которая преследует политическую независимость, основываясь на своей экономической мощи. В России же испокон веков была вотчинная экономика: то, что раздается, может быть отнято. Попытки создать средний класс потерпели полный провал. В России формирование буржуазии уродливо прерывалось. Московия пресекала любую самостоятельность на местах.

«Главная трагедия России в том, что она перемалывала любого реформатора. Я часто слышу, что Путин разрушил Россию. Это еще большой вопрос, кто кого: мне кажется, Россия разрушила Путина. Девяностые и начало нулевых принесли хоть какую-то полезную неопределенность. Депутаты дрались в Думе — уже признак свободы. А сейчас Россия отстраивается все в ту же привычную для нее средневековую форму, и я не представляю, какой волей надо обладать, чтобы развернуть эту тенденцию...»

События 2014-го и последующих лет, похоже, убедили Кончаловского, что Путин не столько был придавлен «архаической плитой» нашего менталитета, сколько сумел почувствовать и плодотворно использовать волны ее гравитации. Плодотворно в том смысле, что согласился не тревожить неподвижность этого пласта.

«Комфортно ли Андрею Сергеевичу в современной России со всеми ее варварскими традициями и менталитетом?» — спрашивали не без некоторой язвительности.

А почему, нет? Конечно, комфортно! «Все равно моя страна. Ничего нельзя поделать. У меня есть возможность делиться своими соображениями, которые гораздо важней для моих русских слушателей или читателей, чем для любого западного человека, которого, в принципе, судьба России мало интересует».

«В современной России режиссер себя чувствует сильно зависимым?»

«...Мне трудно говорить о молодых режиссерах. Я на рынке свое место заработал очень давно и торгую там давно. И на этом рынке мне современные российские продюсеры ничего не предлагают, потому что понимают, что им будет трудно. А молодым тяжело, потому что у нас продюсеры довольно жесткие. У нас понятийные отношения во всем, и в кино тоже.

Но сейчас все меняется. Стоимость производства становится дешевле. Ничего не стоит снять кино сегодня, в принципе. Можно снять кино на айфон. Можно снять кино на фотокамеру. Талант нужен. Я думаю, что возникает новый жанр, новый способ кинематографического видения».

И последнее в этой подборке: «У вас есть ощущение дома?»
«Конечно, есть. Но я бесконечно строил дома каждый раз, когда женился. Зачем женишься? Чтобы дом построить. А потом ухожу. Так сложилось. Я же не думал, что буду уходить. Так моя жизнь устроена. Я не знаю, уйду ли я из дома, как Лев Николаевич. Но постоянно влечет желание взять палку, куда-то идти...»

8.

В высказываниях Кончаловского 2013 года на историко-культурные темы мало что изменилось за прошедшие пять лет. Точнее, может быть, некоторые уже известные положения о выборе Россией исторического пути приобрели более выразительную, даже афористичную, форму. Но за всеми формулами — четко и внятно: «К Европе я испытываю полное доверие. К русскому человеку у меня недоверие. Я европеец».

При этом Андрей Сергеевич постоянно подчеркивает: сказанное им ни в коем случае не внушение, не учительство. Обращаясь к соотечественникам, он лишь пытается объяснить, в чем их иллюзии, делясь своими иллюзиями.

«До Петра I Россия была однородной. Холоп понимал и боялся господина, но хотел быть холопом: холопа страна защищала. Быть холопом лучше, чем крестьянином: он работает, у него нет оброка. И — полная безответственность.

Пришел Петр, а с ним в страну хлынули немцы, датчане, шведы. Возникло на этом страшном замесе с европейской культурой поколение других русских. Правительство стало европейским. В стране возникли две нации. После революции к власти вернулись те самые, из опричнины. Они и сегодня командуют всем. И Путин оттуда. А «новые белые» бегают по площадям с протестами.

Волнует ли это Путина? Он же прекрасно понимает, что это не играет никакой роли. Он может даже сесть, поговорить с ними. Должен пройти сложный процесс, прежде чем мы поймем, что без Европы перестанем существовать. Россия должна, видимо, дойти до демографической или какой-либо другой катастрофы, распасться на несколько государств, — что не исключено, — чтобы понять, что ее друзья — те, кого она с XVII века считала врагами.

Путин пришел как структуралист. В первые четыре года он достаточно много сделал, чтобы просто собрать распадающийся на лету самолет — страну. И он его собрал. Прекратил войну в Чечне, вскрыв этот нарыв...»

В апреле 2013-го в «Российской газете» появилась статья Кончаловского «В какого бога верит русский человек».

Поднятую тему он трактовал с позиций «русского европейца». Ничего особенно нового им вроде и не было сказано, но публикация вызвала бурные отклики. В том числе, и со стороны авторитетных представителей РПЦ.

Со времени появления христианства в Европе никогда не прекращались богословские споры. Свободная мысль тысячелетиями не боялась подвергать сомнению любые тезисы и обряды христианства. Русская же религиозная культура исключала это право. В России религиозная мысль не существовала до середины XIX века. Русский человек вместо права размышлять о Боге имел обязанность истово верить.

Кончаловский приводит пространную цитату из трудов Василия Ключевского, опираясь на нее и развивая в публицистический сюжет.

Суть мысли Ключевского: большой недостаток византийского влияния на нас — в его «излишестве». Веками наши пастыри и книги приучали нас «во все веровать и всему веровать». Но «при этом нам запрещали размышлять». А мы «и без того не имели охоты к этому занятию. Нам твердили: веруй, но не умствуй».

Так возник страх перед мыслью раньше, чем пробудилась пытливость. Встретившись с чужой мыслью, «мы ее принимали на веру». Научные истины превращали в догматы, научные авторитеты — в фетиши. Храм наук «сделался для нас капищем научных суеверий и предрассудков. Мы вольнодумничали по-старообрядчески, вольтерьянствовали по-аввакумовски. Под византийским влиянием мы были холопы чужой веры, под западноевропейским стали холопами чужой мысли».

Кончаловский полагает, что историк все же не ответил на вопрос: почему мышление православного русского человека было лишено права на сомнение? И делает попытку ответить.

Разделение христианства на две ветви породило две великие культуры — греческую и латинскую. Возникли два религиозных и политических центра: восточный — Византия, и западный — Рим. Но метод мышления всюду оставался европейским. Святые отцы как восточной, так и западной церквей были исключительно образованны. Искусство красноречия и полемики было средством нахождения истины и причиной развития европейского богословия, в том числе и византийского.

Но (цитаты уже из Чаадаева) «пора великих побуждений, великих свершений, великих страстей» не коснулась Руси. «Сначала дикое варварство, затем грубое суеверие, далее иноземное владычество, жестокое и унизительное». Когда викинги пришли на Русь в VIII–IX веке, восточноевропейская равнина была заселена дикими племенами славян и финнов. Глубоко укоренились язычество и общинно-родовой строй. Викинги колонизировали эти варварские территории и жили в них христианскими общинами в замкнутых анклавах, не смешиваясь с туземцами.

В 863 году Кирилл и Мефодий перевели Евангелие на церковнославянский язык, принеся свой труд в Болгарию, а потом на Русь. Их работа невероятно демократизировала само христианское учение. Переложенное на древнеславянский язык, оно, однако, прервало связь с культурными корнями античной европейской цивилизации. Мы получили православие как руководство к беспрекословному следованию без его логического анализа. Лишенные греческого и латинского языков, мы не могли познать античную философию или софистику.

«Наше девственное языческое сознание так и не узнало, что такое культура дискуссии. Как следствие, любую попытку критического осмысления религии мы стали воспринимать с языческим трепетом, — как смертный грех».

Если в Западной Европе развитие университетов начиналось в монастырях и религиозных центрах, на Руси монастыри стали охранными форпостами единственной и непогрешимой истины. Не удивительно, что в России университет как независимый институт возник на шесть столетий позже и немедленно стал рассадником крамолы и свободы. Впоследствии существовал под неусыпным оком царской охранки и под постоянной угрозой закрытия.

В течение почти девятисот лет критическое осмысление христианской веры не имело в России права на существование и беспощадно каралось. В то время, когда на Западе воздвигалось здание современной цивилизации, Русь православная боролась с язычеством самыми жестокими методами. И, тем не менее, оно до сих пор живо в нашей культуре.

Далее Кончаловский говорит об исторических корнях троеверия на Московской земле, о влиянии Орды на религиозное сознание московитов, о чем уже не раз речь шла ранее. В Европе же в это время в сфере влияния католицизма происходило бурное развитие городов, крепла буржуазия, возникало гражданское сознание, оформлялось понятие Личности. На Руси в силу политических и экономических причин ничего такого не произошло.

В России крестьянское общинно-родовое сознание оставалось нетронутым.

Что же происходило с европейской религиозной мыслью в XV–XVI веках?

Молодая буржуазия хотела осмыслить свои отношения с Богом. Когда человек почувствовал, что от него лично, а не от священника, как наместника Бога на земле, зависит его успех, возникло движение против корысти и властолюбия католической церкви, пытавшейся подмять под себя светскую власть. Появилось сознание: Бог — твой постоянный и строгий Судья. Его присутствие в твоей душе и сознании как раз и требует от тебя личной ответственности. И не только перед Богом, но перед собратьями, перед детьми и родителями. Личная анонимная ответственность — краеугольный камень современного государства и общества.

Далее Кончаловский размышляет об архаичности современного сознания большей части населения нашей страны. О разделении нации на два неравных по численности «народа». И на эту тему здесь было уже сказано немало. Как и о том, что существование этих двух народов, прямо противоположных по своим идеалам и убеждениям, не могло не привести к катастрофе 1917–1918 годов.

Если спросить русского человека, пишет Кончаловский, в какого Бога он верит, скорее всего, он ответит, что в Бога, который все простит. Кончаловский обращается к статье чеховеда Александра Чудакова «Человек поля», глубоко взволновавшей режиссера. Дадим эту часть целиком, ибо она важна для понимания взглядов мастера, в самом широком смысле.

«Антон Павлович Чехов в 1897 году сделал запись: «Между «есть Бог» и «нет Бога» лежит громадное целое поле, которое проходит с большим трудом истинный мудрец. Русский человек знает какую-либо одну из этих двух крайностей, середина же между ними не интересует его, и потому он обыкновенно не знает ничего или очень мало».

Я приведу здесь анализ мыслей Чехова, сделанный Александром Чудаковым. Вот его рассуждения:

Первое. «Есть Бог» и «нет Бога» — эти два понятия, считает Антон Павлович, по отдельности либо не значат ничего, либо значат очень мало. Они обретают значение только тогда, когда между ними есть поле, через которое проходит только мудрец.

Второе. Тот, кому это поле неинтересно, — просто не приучен думать. Русского человека интересует только утверждение либо одного, либо другого. Его не интересует середина, «поле» — путь интеллектуальный, духовный, который может пройти только мудрец.

Третье. Чехов не указал вектора: от «Бога нет» — к «Богу есть» или наоборот, это ему не важно. Важен Путь. Недаром Чехов очень часто в своих работах говорит: дело не в Боге, а в поисках его. Настоящая религия — в поисках Бога.

И когда Толстой в письме Синоду написал: «...Верю в Бога, которого понимаю как дух, как любовь, как начало всего. Верю в то, что он во мне и я в нем...» — он имел в виду именно то, что он искал Бога и нашел его! Нашел в своей душе, — то есть прошел с большим трудом то «поле», которое должен пройти мудрец. А теперь скажите мне, как много людей в России идут по этому «полю» и производят эту умственную работу? Ничтожно малое число! Вот почему Чехов сказал, что русский человек не знает о Боге ничего, либо очень мало!

Почему русского человека не интересует середина? Потому что его архаическая, «добуржуазная» культура не приучила мыслить. И ему как язычнику достаточно прикоснуться к материальному воплощению Бога, чтобы почувствовать телесную близость к нему, получить умиротворение. Сомнениям... места нет! Отсюда и получается, что, как говорил Аксаков, русский человек либо святой, либо скотина. Середины нет.

Эта языческая «пассионарность» русского народа особенно ярко проявилась в октябре 1917 года. «Большой» русский народ вышел на историческую сцену и сразу продемонстрировал возвращение к варварской цивилизации, уничтожив непонятный и враждебный мир другой, европейской, России.

Александр Чудаков подчеркивает убежденность Чехова, что истинно религиозный человек свободен в своем выборе между одной крайностью и другой. Европейский гуманизм как идея появился именно тогда, когда человек «между святым и зверем» стал искать себя. Именно тогда «добуржуазное» общество уступило место новой формации. России еще предстоит пройти этот нелегкий путь самопознания.

Далее А. Кончаловский движется уже по знакомому нам пути к мысли о необходимости европеизации национального самосознания.

Главное — понять, каким образом можно создать в России предпосылки для вывода «большого» русского народа из «добуржуазного» состояния. Создать условия, при которых русский европеец станет большинством. Только тогда у нас возникнет свободная религиозная мысль, церковь откроется для диалога с другими христианскими конфессиями. И люди, которые не боятся сомневаться, смогут построить современное государство.

Вопрос о том, какой народ будет создан в России — азиатский или европейский, — и станет главным историческим выбором будущего правительства.

9.

Чуть более года прошло с момента призыва Кончаловского к соотечественникам «Ужаснуться самим себе!», обобщающего его многолетние размышления о судьбах национальной культуры. И вот — вторая часть этого мировоззренческого подведения итогов, статья в «Российской газете».

Квалифицированными оппонентами выступили настоятель Леушинского подворья в Санкт-Петербурге протоиерей Геннадий Беловолов, митрополит Иларион и протодиакон Андрей Кураев.

Возражения первого сводятся к тому, что «недостатки, которые выразил, по его собственному мнению», Кончаловский, являются «нашим достоянием и сокровищем, незыблемыми достоинствами Православия, а его умозаключение о том, что Православие вовремя не перестроилось, для нас является свидетельством идентичности нашей святой веры вере древних отцов и верности христианским традициям».

Протоиерей Беловолов, под впечатлением от статьи Кончаловского, готов «поставить вопрос о феномене нового ревизионизма по отношению к Церкви». Кончаловский оказывается в одном ряду с «площадными выходками кощунственной группы» «Пусси Райот». А что до философской стези, то его единомышленниками «в рациональных ревизиях собственной традиции» оказались «космополиты-перебежчики с русского берега на иной, как Чаадаев, Герцен, Огарев, подводившие Россию к катастрофе 1917 года». Кончаловский в глазах священнослужителя предстал внутренним протестантом «по отношению к своей традиции, её истории и народа».

Интереснее ответ митрополита Иллариона — во всяком случае, с фактографической стороны. Он и начинает с упрека Кончаловскому в «жонглерстве фактами», намереваясь именно фактом опровергнуть «оппонента». Как и Беловолов, митрополит считает взгляд режиссера ограниченным, лишенным объемности, необходимой в вопросе о путях России. Иными словами, констатирует попытку уложить все «в прокрустово ложе западнических идей». Митрополит сомневается в полезности для России буржуазного общественного идеала, к чему склоняется, как ему представляется, Кончаловский, отвергая православие.

Митрополит наносит критический укол любимой идее Кончаловского о необходимости воспитания в человеке личной анонимной ответственности. С его точки зрения, режиссер «вместо анонимного религиозного магизма предлагает анонимный секулярный магизм».

Мысль о личной анонимной ответственности у Кончаловского, как я понимаю, это мысль о культивировании совестливости в человеке. Такого внутреннего состояния, когда ты чувствуешь постоянное присутствие внутри себя высшего контроля за всеми твоими деяниями. Как в круге ослепительного света. Именно такой самоконтроль не позволяет индивиду, грубо говоря, мочиться мимо унитаза.

Главная болячка, конечно, — европеизм автора статьи.

Ну не могут православные христиане согласиться с тем, что Россия как европейская христианская страна, пусть и «окраинная», должна следовать «версии европеизма» Кончаловского! У нее свой путь и свой вклад в общеевропейскую и мировую культуру. Движитель нашего прогресса — «особая религиозная интуиция и особый религиозный опыт».

Остановлюсь еще на тех моментах дискуссии, которые, как мне кажется, особенно важны и для Кончаловского.

С точки зрения священнослужителя, взгляд Кончаловского на религиозность российского общества после революции 1917 года просто неверен. Не народ в целом поддался марксистской пропаганде и начал глумиться над религиозными храмами и святынями, а лишь его незначительная часть. Даже в эпоху разгула сталинских репрессий в стране было больше верующих, чем неверующих.

Что касается Толстого, то отношение к нему церкви сегодня, похоже, мало изменилось в сравнении с прошлым. Цитата из Чехова, приведенная Чудаковым и взволновавшая Кончаловского, в силу ее абсолютной «интеллектуальности», митрополитом характеризуется как «манифест безрелигиозного, секуляризированного сознания части русской интеллигенции чеховской эпохи...»

«...Бога ищут не потому, что сомневаются в Его существовании, а потому, что стремятся к духовному общению с Ним».

Таким образом, заключает митрополит, вникнуть в существо православной веры русского человека А. С. Кончаловский не смог. По причине своей закоренелой европейскости и в силу интереса не столько к религии, сколько к секулярным проблемам нашего общественного развития.

Реакцию священнослужителей поддерживают характерные комментарии верующих, обличающих режиссера в «завуалированной нелюбви ко всему русскому, особенно русскому народу», в неуважении к русской культуре и принижении ее значимости.

Отклик протодиакона Андрея Кураева отличается от приведенных выше диалогичностью. Позиция Кураева в чем-то даже перекликается с пафосом статьи в понимании религиозности российского общества.

В чем существенно не согласен с Кончаловским Андрей Кураев, так это в той роли Петра Первого, которую режиссер отводит самодержцу в деле европеизации Московии. Процесс этот начался до Петра. Конфликт Петра и допетровской Руси был порожден, скорее, выбором между голландизацией и полонизацией московской жизни. А то, что сделал Петр, многое из прораставшего затормозило.

«...Петр бросил вызов православной России, и через сто лет она ответила ему явлением Пушкина. XIX век — это еще и век цветущего православия — развиваются академии и монастыри, православная миссия, православное богословие...»

Кончаловский воспринял реакцию на свою статью как чрезвычайно интересную. Ему импонировало уважение к поднятым им проблемам, к «вопросам, которые, казалось бы, нельзя трогать». В то же время он увидел здесь точку зрения истинно православных людей, которые не должны сомневаться. Сомнения — гибель для ортодоксального сознания.

«Мысли, которые я высказываю, разделяют со мной меньше процента населения страны. Большая часть, дикарь с букварем, посылают проклятья в разной форме. Но я себя успокаиваю тем, что Лев Толстой получал куда более серьезные угрозы после того, как написал письмо в Синод. Это нормально. Те, которые имеют уши и слышат, очень важны. Это те самые мозги, которые в результате неизбежно будут востребованы. Потому что если они не будут востребованы, стране грозит катастрофа».

Напомню, что 2013-й был годом, когда проходили съемки «Белых ночей...». Режиссер подчеркивал, что «фильм делался на коленке» и что, возможно, речь может идти о новой эстетике, продиктованной просто отсутствием денег. Ведь и в мировом кино всякая новая эстетика, новая волна, начиналась с того, что не было денег. Неореалисты начинали снимать на улицах, а Годар делал кино из наблюдений за повседневностью.

Говоря об эпохе Рахманинова, Врубеля, о том, как эти люди дружили, как помогали друг другу, как спорили и мирились, режиссер спрашивает себя: куда все это делось? «Почему мы так больше не общаемся, разбредясь по партийным кучкам, объединяясь и дружа против кого-то?» Наверное, все-таки советский период нанес какой-то урон той естественности, безыскусности и чистоте, которая пронизывала русскую жизнь до революции. Именно об этом он хотел снять фильм, и о судьбе великого композитора конечно, ведь жизнь Рахманинова была длинной...

После «Рая» такая возможность ему, кажется, представилась.

Но пока что — кино о северной деревне. Шесть месяцев искали героя, сельского почтальона, по центральной и северной России — объехали десятки деревень. Остановились на Алексее Тряпицыне, проживавшем в деревеньке на берегу красивейшего Кенозера в Архангельской губернии.

«Сценарий был, но мы искали возможности, чтобы сюжет подсказывала жизнь. Почтальон в деревне — уникальная должность. Кроме участкового, он единственный представитель государства. Он не только носит почту, приносит пенсии, собирает налоги, привозит хлеб или электрические лампочки. Я не знаю, как полуослепшие бабушки выжили бы в своей Богом забытой деревне, если бы не сельский почтальон. В мороз, по метровому снегу, и в распутицу на тракторе, и в любую погоду через озеро на катере он доставит своим реципиентам сигнал, что государство их помнит...

...В «Асе» в главной роли была профессиональная актриса Ия Саввина. Она приспосабливала свою роль к реальности. Здесь же, напротив: главный герой — реальный почтальон. И он нам подсказывает, как должен развиваться сюжет, или какие слова должны быть сказаны в тот или иной момент.

Я не знаю, какой получится картина. Собственно, об этом еще рано думать — мы еще не закончили съемки. Что меня действительно поразило — это открытие, что в России исчез целый класс земледельцев. Я был поражен словами одного из действующих лиц: «Наши деды еще помнили, когда жать, когда сеять. У отцов был колхоз, а в колхозе агроном, который им объяснял, как землю работать. А мы сегодня уже не помним, что знали наши деды, и агронома нет».

Эта мысль объясняет, почему бывшего крестьянина земля не тянет к себе, не вызывает желания ее «работать» — инстинкт утерян! Он может только ее продать, а деньги пропить...»

12 октября 2013 года на юге Франции, как сообщили СМИ, произошла автомобильная авария. Андрей Кончаловский не справился с управлением, его автомобиль столкнулся со встречной машиной. Его дочь, четырнадцатилетняя Маша, получила очень серьезную черепно-мозговую травму. Андрей Сергеевич обратился к СМИ с просьбой не беспокоить его семью в такой непростой для них момент.

глава пятая

Чудо заживающих ран

...как объяснить, что такое заживающая рана...
это же чудо!.. Понимаете?..
Андрей Кончаловский. Февраль 2017 г.

1.

В течение полугода, начиная с октября 2013-го и вплоть до апреля 2014-го, всякая публичная деятельность Андрея Кончаловского была приостановлена. Кроме, разумеется, работы над картиной «Белые ночи...».

Летом 2014-го фильм был включен в конкурсную программу Венецианского кинофестиваля, а в дальнейшем удостоен приза «Серебряный лев» за режиссуру.

Стартовав в сентябре в городе Мирный Архангельской области, фильм начал свой экранный путь. Собственно, определение «экранный» условно, поскольку после премьеры на Первом канале желающие, скорее всего, искали фильм в сети, а не в кинотеатрах.

Осенью 2014 в Театре Олимпико в городе Виченца (Италия) состоялась премьера спектакля Кончаловского по трагедии Софокла «Эдип в Колоне».

Олимпико — одна из древнейших театральных площадок Италии. Ее родословная восходит к XVI веку. Декорации театра, созданные архитектором Андреа Палладио, не снимаются, не перемещаются, к ним нельзя ничего добавить, поскольку, кроме узкой полоски просцениума, ни в одной точке сцены нельзя ничего ни ставить, ни прикреплять, ни подвешивать. Кончаловский принял этот вызов истории и поставил здесь ту же пьесу, что увидела публика на открытии театра в 1585 году.

При этом Эдип у Кончаловского превратился в царя-бродягу, Тесей менял свою тунику на костюм с галстуком, Креонт в гриме героя комиксов Джокера носил нечто вроде современной военной формы, а вторая дочь Эдипа Исмена на сцене и вовсе отсутствовала.

Постановка создавалась специально для 67-го цикла спектаклей по произведениям античных классиков. Режиссер выступил здесь и в качестве художника-постановщика. Была использована музыка Сергея Прокофьева в живом исполнении Елены Федотовой.

Действие спектакля сосредоточилось на борьбе Креонта, Тесея и Полиника за влияние на Эдипа и его дочь Антигону. Царь Эдип, ослепший и изгнанный из Фив за убийство отца и брак с матерью, скитается по Греции вместе с Антигоной, не находя пристанища. И вот они приходят в Колон, деревню под Афинами. Отец и дочь, достигнув священной рощи, останавливаются, потому что Эдип знает — это место его смерти.

Роль Антигоны сыграла Юлия Высоцкая. И это ее первая большая работа после трагедии октября 2013-го. Остальные роли были исполнены итальянскими актерами. В том числе и теми, кто играл у Кончаловского в «Укрощении строптивой».

Итальянская пресса сравнивала Эдипа спектакля с бездомными, которых нередко встретишь на улицах современных городов. Герой трагедии «возит тележку из супермаркета, набитую одеждой и бытовыми мелочами. Их передвижной дом — это большая картонная коробка, которая в конце спектакля превратится в тюрьму для Антигоны». Странствия двух главных героев «оборачиваются то трагедией, то фарсом, а атмосфера постановки напоминает цирковую и нередко доходит до оттенков абсурда, многие диалоги Софокла видятся режиссеру созвучными Ионеско или Беккету».

Характерно такое замечание режиссера в связи со спектаклем: «Жизнь — это цирк, тот цирк, что заканчивается смертью. Человеческие существа, так же как и персонажи трагедий, — это клоуны, которые в конце концов умирают. Думаю, что без Эдипа не было бы короля Лира. Думаю, что король Лир — внук Эдипа».

Кончаловский верен себе. Какой бы материал ни оказался в его руках, Софокл, Шекспир или Чехов, он выводит на поверхность вещи ту самую эксцентрику, которая и составляет существо бесконечно превращающейся жизни, где смешиваются смех и слезы.

Итальянская критика отмечала и неорганичность попытки соединить трагическое и комическое в спектакле. «Балансирование между трагичностью и комичностью в метафорическом цирке бытия» не всегда доходит до зрителя. «И финал, в котором Антигона возвращается в детство и, держа в руках плюшевого медвежонка, оплакивает смерть отца, плохо гармонирует с мифом о героине, которая готова пожертвовать своей жизнью ради высшей цели...»

Обозреватель «Независимой газеты» Наталья Осис почувствовала в «темпо-ритме» спектакля дыхание моря, вдохновившее Гомера на размер его поэм. «В ритме прибоя движется хор (он же — прорицатели, он же — вестники, он же — все второстепенные персонажи). Благодаря хореографу Рамуне Ходоркайте хор работает как единый организм — он то нахлынет на сцену, то схлынет, оставляя слепого Эдипа грозить пустоте и жаловаться ей же...»

«...У Федерико Ванни получился удивительный слепой. Он держит голову чуть вверх и вбок, направляя невидящий взгляд к небесам, где все слепые стремятся разглядеть что-то невидимое для других. Эдип иногда вдруг забывает и о своей слепоте, и о своей трагедии — и решительно отправляется вперед, гордо закинув свою царскую голову, но движется он при этом по очень странной траектории и через несколько шагов попадает в зависимость от своей незрячести. Неумолимый Рок уже сломал его жизнь, поставив перед ним такие стены, преодолеть которые он более не в силах...» Я вспоминаю спектакль Кончаловского по «Королю Лиру», где таким же удивительным слепцом показался мне Глостер.

Высоцкая появляется здесь в виде «угловатого подростка в рваных штанах...» «Ее показная бравада обиженной девчонки, растущей на улице и отчаянно защищающей собственное достоинство даже тогда, когда никто на него не покушается, трогает до слез...»

Джузеппе Бизоньо в роли Креонта, появляющийся со своими странноватыми собачками, — один из тех моментов спектакля, которые, с точки зрения Н. Осис, просятся в стоп-кадр. Страшная белая маска, совершенно безумное лицо и вполне узнаваемые актеры хора, затянутые для этой сцены в кожу и намордники, напоминающие скорее о секс-шопе, чем о собаках.

Хор как «отдельный маленький шедевр спектакля и его ключевая метафора» особенно впечатлил рецензента сменой функций и масок. «Некая группа без лиц в условных греческих хитонах (костюмы Тамары Эшбы достойны отдельного упоминания) легко может представить общественное мнение как таковое — они легко ужасаются, легко негодуют, легко идут в услужение негодяям, легко сочувствуют героям. Они накатывают на сцену, как прибой, и отступают, оставляя после себя измочаленные о камни судьбы героев...»

К этим наблюдениям хочу добавить следующее.

В «Эдипе» Кончаловского, предваряя будущий «Рай», возникает тема высшей кары, исторического возмездия за пролитие, пусть и по неведению, родной крови. Тема Эвменид, «благоволительниц», есть и в романе Литтелла, который вдохновлял режиссера при создании «Рая».

У Литтелла главный герой, оказавшийся убийцей собственной матери, с самого начала чувствует идущих за ним незримых мстящих богинь. Собственно, это и нагружает его движение в сюжете тяжестью обреченности — и его собственной, и его родины, Германии.

Роль Антигоны стала для Высоцкой, после пережитой ею семейной трагедии, преддверием того, что она сделала в «Рае». Высоцкая очень сильная драматическая, а скорее, даже трагическая актриса. Причем особенно сильна она в финальном взлет внутренне накаленной трагической актерской темы. Как это было, скажем, в «Дяде Ване», а теперь вот — в «Эдипе». И, наконец, в «Рае».

Ее финальный монолог в спектакле, когда она оплакивает только что скончавшегося отца, исполнен именно такого накала. Это не только плач, но и вызов бессмертным богам. И тем более потрясает, когда она после страстного взлета вдруг бессильно опускается на сцену и уползает в ту самую картонную коробку, которая служила ей и отцу домом.

И здесь звучит тема крушения семьи, тема оставленного в безжалостном мире ребенка — сквозные для творчества Кончаловского.

Антигона Высоцкой действительно и, может быть, более всего — дитя. Отсюда и тряпичные игрушки в их тележке, и подростковая угловатость ее пластики. Но отсюда и ее любовь к Эдипу-отцу, и сила ее протеста, когда на девушку сваливается отцовская смерть. Все, что наполняло духовной мощью Корделию у того же режиссера в «Лире».

Кончаловский вновь вошел в русло напряженно деятельного, привычного для него режима: творческие вечера, публичные выступления, многочисленные интервью.

В конце ноября он поделился планами работы над двумя новыми проектами.

Первый — «малобюджетная картина о русских героинях французского Сопротивления, эмигрантках-аристократках, спасающих пленных в концлагерях, которая может быть снята на камеру мобильного телефона». Он мечтал об этом фильме больше десяти лет. Картина будет представлять собой три монолога на крупных планах, участвовать будут русские и европейские актеры, а финансировать съемки Кончаловский собирается сам. Речь шла о «Рае».

Кроме того, режиссер закончил четыре серии сценария «Доктор Слон» из двенадцати в новом телепроекте, посвященном кануну русской революции 1917 года. Ему показалась интересной судьба Александра Парвуса и несостоявшийся большевистский переворот в июле 1917 года. Ключевой эпизод картины — бегство Ленина из Петрограда в женском платье.

Сценарий открывался многообещающим монологом А. Л. Парвуса, в который, как и в другие реплики персонажа, включено многое из заветных мыслей Андрея Сергеевича.

«Когда мне пришла в голову эта безумная идея? Встать против целой Империи. Низложить российского Императора. Неужели в тот страшный день, когда в Одессе во время погрома убили сто пятьдесят человек? Но мне было всего 12 лет.

А разве не безумна страна, где миллионы людей прозябают в нищете, кормясь рабским трудом, и их жизнями руководит один бездарный человек, который получил по наследству свое право решать судьбы других? Разве можно равнодушно смотреть на государство, в котором преступления и воровство властвующих людей охраняются священным правом? Государство, в котором избивают людей только за то, что они евреи. За то, что они успешнее других, им не разрешают жить там, где им хочется, а их детям не разрешают учиться.

Это государство должно быть разрушено. И я на это способен. Надо понимать историю и уметь на практике применять марксизм, и железную волю... и деньги, деньги. Деньги, а не булыжники — оружие пролетариата... Я первый, кто это понял...»

2.

Вспомним, с каким напором и убежденностью в феврале 2012 года Кончаловский утверждал, что «Россия не может двигаться вперед, потому что не хочет понять, как далеко она отстала в своем цивилизованном развитии от Европы». И что России нужен лидер, который найдет в себе смелость публично заявить об этом и двинуть страну «для национального пробуждения от феодальной спячки».

Через пару лет случился украинский Майдан и все за ним последовавшее. Иные времена — иные песни, как сказал классик.

В августе-сентябре состоялся 71-й Венецианский кинофестиваль, ставший триумфальным для Кончаловского.

Вплоть до сентября 2014 года на тему наличного состояния страны, ее народа и ее лидеров режиссер или вовсе не высказывался, или высказывался мало.

Новые мотивы пробились в интервью «Огоньку» и, в более развернутом виде, — агентству «Росбалт» (октябрь), где Андрей Сергеевич поделился своими текущими «соображениями о том, что происходит с Россией во времена нового противостояния с Западом и какой путь следует выбрать стране в будущем».

Он убежденно заявил, что нашему народу эти санкции, что мертвому припарка. Народ живет в условиях такой нищеты, что понижение цен на нефть или отсутствие семги в магазине его как-то мало заботит. На Западе не могут понять не только этого, но и того, что Европа с Америкой перестают диктовать миру, кому в каком ряду этого исторического театра сидеть.

Санкции Запада — «попытка отреагировать на нарушение того, что западный мир считает непреложными правилами игры. Россия нарушила его правила и этим вызвала, мягко говоря, возмущение, в то время как Запад свои правила нарушает все время».

Следуя за своим любимым Хантингтоном, Андрей Сергеевич еще раз повторил, что дело не в локальных конфликтах, а в столкновении цивилизаций. Гегемоном стал мусульманский мир — очень вспыльчивая и агрессивная цивилизация. Все невероятно усложнилось, и Европе надо вырабатывать новый модус вивенди, чтобы избежать окончательного распада. Путин прав, когда говорит, что Украина — это попытка дать новое дыхание НАТО. После перестройки Запад присвоил себе лавры победителя. А что же Россия? Американцы молчаливо признают мощь Китая или потенцию Индии. Но признать авторитет и мощь России пока не хотят, потому что это очень старый конфликт между Западом и Востоком.

Между тем, «великое предназначение России — спасти Европу от идеологического и культурного распада». Не только Европу, но и в целом — христианскую цивилизацию. Кончаловский к 2014 году убедился, что «Европа без России не проживет уже в этом веке, а Россия без Европы проживет».

Когда Европа это поймет, тогда начнется новая эпоха.

17 марта 2014 г. в «Новой газете» появилась первая рецензия на фильм Кончаловского «Белые ночи...» — «Кончаловский, Шекспир и Тряпицын», принадлежавшая перу Д. Быкова. Режиссер оказал писателю, уважая его мнение, большое дружеское доверие: показал фильм в черновом монтаже. «Мне было просто интересно, услышит ли он, узрит ли он то, что мне казалось важным в этой картине».

Быков воспринял фильм как великое событие последнего десятилетия. Наравне с картиной Алексея Германа «Трудно быть богом». Оказалось, что он имеет дело с «режиссером прежде всего деревенским, при всем своем широко прокламированном западничестве».

Действительно, деревня — сквозная тема Кончаловского. А герой его по преимуществу крестьянин по своему культурному геному. В чем и сам режиссер признавался ранее в интервью «Собеседнику». Да и я довольно подробно рассматривал этот «сюжет» уже в первом издании настоящей книги как одну из магистралей творчества режиссера.

Деревенский материал, пишет рецензент, делает нагляднее главные коллизии бытия. И «это последний материал, на котором еще можно снять эпос». Эпичность — в «неопосредованных отношениях с главными вещами; в жизни как она есть». Миф в деревне «творится ежечасно, потому что человек живет прямо среди природы и ничем от нее не защищен..., его не отвлекает ничего, кроме телевизора».

Тему эпического бытия человека внутри природы критика подхватит и распространит.

Я бы застолбил такой момент. Поскольку эпос по своей жанровой природе неизбежно героичен, то интересно бы развить тему эпической героики в сюжете картины. Тему национального богатырства, вроде того, какое встречаем в некрасовском эпосе «Кому на Руси жить хорошо». Это ни у Быкова, ни у других рецензентов, за исключением, может быть, историка кино Евгения Марголита, не прописано. Критику на самом деле не очень занимает генеалогия и путь такого типа героя, как Тряпицын, в творчестве Кончаловского.

Писателю интереснее увлеченность режиссера «формированием новой мифологии», тем, «как среда сама себе выдумывает правила, сказки и причину быть». Регистрирует он и нарушение режиссером традиционных жанровых границ, смешение им жанров. Тем более, что это представляется рецензенту имманентным качеством мастера, который в фильме своем «рвался за кинематограф», за границы вообще всякой условности.

Кончаловскому условность никогда не мешала. Напротив, работала на независимое превращение киноизображения, его «выход из самого себя». Об этом, о «возбуждающей красоте театральности» у маэстро много сказано было выше.

Дмитрий Быков говорит об экспериментальной радикальности «Белых ночей...», на фоне которой и «Догма» — анахронизм. В том смысле, что сценарная основа отошла здесь в сторону, и сюжет выстраивала сама жизнь, съемочная группа лишь наблюдала. «У Тряпицына из лодки действительно украли мотор, вследствие чего деревня оказалась отрезана от мира». И жители деревни реальны, и «даже мальчика Тимку зовут Тимкой».

До такой степени реальности тамошняя действительность не шагнула. Из достоверных источников известно, что исчезновение мотора было сценарной провокацией, чтобы двинуть фабулу к поездке Тряпицына в город, к начальству, к генералу, заведующему ракетами на «Плесецке», и т. д. С другой стороны, этот «экспериментальный радикализм» полной мерой заявлял о себе еще в «Асе», что абсолютно очевидно, если сравнить фильм со сценарием Юрия Клепикова.

Показательно в этом смысле вот что. Оператор Александр Симонов поведал о самых первых кадрах, снятых им для фильма. Знаете, что это было? Похороны престарелой жительницы этих мест. Вот они, похороны, случились действительно, что называется, спонтанно. Так же, как это произошло с дедом Федором Михайловичем в «Асе Клячиной». Причем, что еще более примечательно, у Симонова появились опасения, что выдающаяся работа Рерберга на «Асе» неизбежно заставит смотреть на работу операторов в «Белых ночах...» как на некий плагиат, что бы и как они не делали.

Слава Богу, этого не произошло. В силу чего? Только ли спонтанного присутствия реальной жизни в кадрах «Белых ночей...»? Вообще со спонтанностью «Белых ночей...», о которой не поминает только ленивый, я бы обращался с осторожностью. Как с тем же лодочным мотором. Значительность этой работы Кончаловского как раз в способе творческой организации спонтанности, а не только в принципе невмешательства в течение «живой жизни».

Прав Е. Марголит в утверждении, что Кончаловский всякий раз избирает наиболее распространенный на данный момент киноязык. Но с целью опровержения его претензий на универсальность, с целью разоблачения неполноты общепринятого на данный момент восприятия мира. «За косноязычным бормотанием «постдока» внезапно вспыхивают опровергающие его смыслы — точь-в-точь как в монологе еще одного юродивого из «Белых ночей...» — Витьки Колобка. Художник опровергает новомодную стилистику, обнаруживая в этом пространстве его культурную память, никуда не девшуюся и неизменно в нем присутствующую».

Такого же опровержения достойна в многоголосии картины и пресловутая спонтанность. Она — только один из звучащих в фильме стилевых голосов.

Пафос картины, полагает Быков, в бессмысленности плача по русской деревне или по русской судьбе: Россия, по Кончаловскому, вернулась в свое естественное состояние.

Ну, по Кончаловскому, Россия из него и не выходила, как он сам ни старался до сих пор соблазнить ее проектом евроинтеграции.

Д. Быков: «Насильственная модернизация советского проекта кончилась — от нее остались только ракеты, которые периодически стартуют из Плесецка, ничего не меняя в жизни людей, живущих под сенью этих самых ракет. Однако у Кончаловского нигде нет причитаний на тему «Ах, космодромы-то строим, да люди-то живут черт-те как». Они живут не черт-те как, а очень хорошо, вот в чем дело...»

Но и в «Асе» нет причитаний! И там всем сравнительно хорошо, потому что режиссер всех внутри этого мира любит. Любовный этот взгляд на самоценный мир персонажей есть и в «Белых ночах...», от этого всем, и автору, и его героям, и критику, и зрителям очень хорошо. Но «кровь течет», заметил автор «Аси» по поводу этого «хорошо».

«Одно из условий сельского счастья» в том, что в деревне Тряпицына «грани между сном и явью нет». Там «совсем рядом... живут прежние хтонические божества», «рядом — мистика, космическая ракета, семейные шоу Первого канала, и все это друг другу не противоречит. Все вместе складывается в мистерию, в таинственную, глухую, одинокую жизнь. Это и есть русские «Сто лет одиночества», архангельское Макондо...»

Андрей Сергеевич потом с удовольствием соглашался — да, Макондо. Аналог с образами Маркеса всегда приятен.

И если такая природа, рыбное изобилие, «какого же еще рожна»? Все это «переживет всех, с этим никто ничего не сделает; от-ними у них связь с миром — тем более не пропадут. Эти люди... не лучше и не хуже городских: они просто другие. Кончаловский собирался снимать о том, как они выживают, — а снял о том, как выглядит настоящая русская жизнь, освободившаяся от всего наносного; и у него получился Шекспир ... ...Кончаловский... первым отказался от высокомерной или подобострастной интонации. Русская жизнь — не идиллия и не триллер, она такой себе поздний Шекспир. Цитатой из «Бури» этот фильм и заканчивается...»

Хорошо писано, что тут скажешь! Но вопрос: куда отплывает архангельское Макондо в финале, подобно вознесению только обретенной героем «Романса о влюбленных» квартиры вместе со всеми чадами и домочадцами, близкими и далекими? Вопрос в неисцелимой, уже не эпической тревоге и тоске, проникающих в нас, как только гаснет экран. Музыка-то умолкла...

3.

Группа, как известно, в течение полугода объездила массу деревень и районов России: Вологда, Рязань. Более полусотни человек прошли с интервью, пока не остановились на Алексее Тряпицыне. Сидели с ним, с другими по неделе с камерой и разговаривали. Ходили всюду: надо было понять его характер. В Тряпицыне «сочетания замечательные»: и оптимизм, и простота, наивность, ум, мудрость.

«Русский характер во всех недостатках и достоинствах. И одновременно такой современный тип Василия Теркина. То есть, «вообще, все в порядке — пробьемся!» Причем люди живут в апокалиптической ситуации... ...Ему сорок-сорок два. Живет на озере потрясающей красоты. Вода зеркальная, вокруг леса. Ангелы летают. И он на этой лодке туда-сюда шныряет по деревням маленьким вокруг...»

После того, как обнаружился герой, стали знакомиться с его окружением, с теми, кому он возит почту. Выделили пять-шесть характеров. Кто не боится камеры и у кого свои судьбы, свои отношения. Естественно, к камере должны были привыкнуть.

Затем начали формировать сюжет, исходя из идеи замысла.

«Я думаю, что главная проблема режиссера заключается в сценарии, который он, так или иначе, должен снимать. И он уже вырваться из сценария не может. У больших художников сценариев, по существу, нет. У Феллини вообще нет историй. Они сразу создают миры. К такому кино у нас ближе всего, наверное, Сокуров...»

Сам Кончаловский на съемках «шел от того, что надо все разрушить, и строить из разрушенного. Дело в том — из чего ты строишь. Кирпичики. Кирпичи могут быть гениально сыгранными сценами. Могут быть — просто документальными кадрами. Вот документ — это золото. Но сложить из этого здание очень сложно. Мы сочиняли историю по ходу жизни...»

То есть отбирали и вновь собирали, монтировали. Это — про спонтанность. На эту тему можно почитать в книге режиссера «9 глав о кино...».

В ходе наблюдения и отбора выделился персонаж по прозванию Колобок. «Что сегодня делает Колобок? Его не видел никто. Пошли искать с камерой. Где Колобок? А он к Вале пошел. Пошли к Вале. Колобок там лежит на ступеньках. Встал, пошел. Побежали с камерой за ним...» Колобок получил более интеллигентное прозвище — Вольтер. «Он очень похож на Вольтера. Такой замечательный человек метр пятьдесят ростом максимум...»

Но вначале он вовсе не занимал того места, на которое выдвинулся. А случилось это так. Пока снимали какую-то важную сцену, рассказывал Александр Симонов, с Колобком оставили второго оператора. Но без определенного задания: просто фиксировать происходящее с Колобком в его хибаре. И только потом, при знакомстве с отснятым материалом, из него всплыла вся значительность этой, казалось бы, незначительной фигуры местного пьянчужки. Всплыл лик «Вольтера»! Жизненная философия, сродная Чехову! И — удивительная судьба.

Виктор Колобков выдвинулся на самую значительную мужскую роль второго плана. Но это надо было разглядеть и отобрать как сюжет!

«...Мы набрали достаточное количество «кирпичиков», хотя такое можно снимать бесконечно. Это удивительно, когда смотришь за человеком. У нас были камеры наблюдения в пяти домах. Сначала они помнили об этом, потом забыли...» Но это не документальный фильм. Такого понятия, с точки зрения режиссера, вообще не существует. Любое искусство — это отбор. В результате отбора и возникает искусство, а не правда. Искусство — это не правда. «Кино — это не история, кино — это дорога, выложенная картинками. И когда эта дорога выложена картинками в одном изгибе, она тебя ведет в одну сторону — одна картинка за другой...» Настоящее кино — «это просто, как звуки: один за другим выкладываются и куда-то ведут. Кого-то волнует, а кого-то нет. Вот тут проблема».

Это и было его открытием. Кино — это изображение и звуки. Их организация подчинена какому-то внутреннему ритму, угадываемому почти интуитивно.

«Я хотел попытаться писать с помощью камеры. Я не хотел возвращаться к своему прошлому. Я хотел снять фильм для себя, и цифровая съемка дает возможность использовать камеру так же, как писатель может использовать ручку и бумагу. У этого вида съемок существуют исключительные творческие преимущества... Сценарий мы писали в монтажной. Там же мы нашли образы, символы и соединяющую ткань единого целого. Цифровая кинематография позволяет поймать эти моменты...»

Выход «Белых ночей...» сопровождался вполне доброжелательной прессой. За редким исключением.

Фильм восприняли как явление значительное, даже уникальное. Находили в нем переклички с кинематографом Шукшина и Тарковского, подтверждая диалогичность кино Кончаловского. Рецензенты по умолчанию оппонируют Д. Быкову, полагая, что жизнь на том клочке нашей необъятной родины, где проживают герои фильма, вряд ли можно назвать хорошей. Патетические отрывки из «Реквиема» Верди кажутся многим «реквиемом по всей русской деревне».

Обратили внимание и на то, что на фоне «безуспешных попыток российского кино последних лет пробиться к действительности» Кончаловский делает это снайперски и без натуги, вполне естественно. Наблюдение, сделанное критиком А. Долиным, на мой взгляд, чрезвычайно важно, поскольку подталкивает его коллег посмотреть, наконец, на творчество режиссера в контексте отечественного кино как целого.

Остановлюсь на интерпретации фильма не профессиональным критиком, а ученым Олегом Хархординым («Ведомости»), работы которого близки Кончаловскому.

Главное действующее лицо фильма — «старая, святая Россия». Хархордин останавливается на специфике пространственных решений в сюжете. Кадры с избами, за которыми видны просторы Кенозера, «дают… ощущение: ты находишься в прозоре». Автор поясняет: «Большие зазоры между домами, дабы каждый из них имел прозор — вид на церковь, холм, воду», что было принято в старой Руси. «Каждый дом должен иметь доступ к возвышенному. Если мы посмотрим на исторические виды и планы северных городов, то увидим двухрядную застройку. Дома стоят, чередуясь по диагонали, чтобы один дом не блокировал прозор другого. Надо отдать должное Кончаловскому: сознательно или не сознательно он искал старую Россию в правильном месте…»

Все природное пространство, схваченное камерой Александра Симонова, сообщает зрителю «океаническое чувство»: «чувство единения с этим безбрежным миром, с вышним существованием». Зритель получает «возможность оказаться в прозоре», в «позиции древнерусской веры». Этим фильм и велик — как «доступ к величию, которое мы обычно не видим, живя в застройке современных городов».

Джессика Кианг, кроме «социального реализма» «Белых ночей…», увидела и «что-то нереальное и ускользающее, что звучит впервые в начале фильма, когда мы неожиданно… оказываемся на воде. Огромный, скользящий, захватывающий дыхание кадр, доведенный до неземного совершенства густым звуком в стиле эмбиент от композитора Эдуарда Артемьева, мгновенно поднимает фильм на совершенно иной уровень…»

Цитируя строки из «Бури» Шекспира, завершающие фильм: «Откуда эта музыка? С небес или с земли? Теперь она умолкла» — рецензент толкует их «как сожаление по исчезающему образу жизни, задокументированному Кончаловским». Или как еще более масштабное намерение режиссера: «создать ощущение этого места как почти мифологической неизвестной страны, которой нет места ни на небе, ни на земле».

Джессика фиксирует как повторяющийся мотив фильма — сиротство. Ей показалось после завершения картины, что зритель видел именно «историю осиротевшего сообщества на краю света».

И вот точка зрения, наиболее мне близкая. Уже потому, что касается полной мерой феномена героя картины. Историки кино Марианна Киреева и Евгений Марголит назвали свою рецензию «Дом дурака». Впечатлило их присутствие чуда в фильме, происхождением, как они полагают, из вгиковской молодости режиссера, из усилий разгадать секрет улыбки «божественной феллиниевской дурочки» Кабирии. С той поры и пошли бродить по его кино блаженные дурочки, начиная со сценария о Рублеве и вплоть до «Дома дураков». «Глянец» же показал, что не получается больше связывать с дурочкой надежду на спасение. Российская дурочка, в отличие от «ненашенских Джульетт Мазин», повзрослеть духовно по определению не может. И «роль блаженного, вечного дитяти» у Кончаловского постепенно и неизбежно переходит к мужчине. К юродивому, шуту, скомороху. К Ивану-дураку. Ему «позволено и положено оставаться наивным ребенком, которого будет опекать и осенять бывшая дурочка (ныне — Мать-Родина), пока он будет напрямую общаться с ангелами небесными».

Авторы статьи регистрируют тоску всех обитателей «Белых ночей...» по «сиреневой» (Юрка) жизни. Но лишь Тряпицын умеет тоску перемочь и перемучить, поскольку преодолевает общую горизонталь и выводит свой «дом дурака» к вертикали. В фильме только он своим взором соединяет Землю и Небо. Даже банальная деревенская драка внезапно прерывается для него, опрокинутого на спину, долгим-долгим взглядом в небо. И вот уже «шум и звон» мироздания внятен почтальону как музыка его души. Так было с пушкинским Пророком. Эту музыку вселенной гениально воспроизводит композитор Эдуард Артемьев. Ту самую музыку, про которую спрошено и у Шекспира.

Вывод из своих размышлений авторы рецензии делают следующий.

Первое. Алексей Тряпицын потому и главный здесь герой (едва ли не впервые у Кончаловского), что путь этот выбирает сам. Во всяком случае, «принимает доставшуюся ему миссию и несет ее с пониманием и достоинством». Все прочие рвутся разбежаться, а он соединяет разъединенное. Финальный кадр с паромом — образ этого единения.

Второе. «Миссия, вы-деляющая героя из прочих обитателей фильма», его «от остальных — от-деляет». Та же «миссия» «делает безответной его единственную любовь».

И далее, может быть, самое принципиальное.

История любви здесь раздваивается. Есть еще один человек в фильме, который не хочет покидать пространство героя — маленький сын бывшей одноклассницы Лёхи, Ирки. Он нужен

Тряпицыну не меньше, чем его мама. Через мальчика входит в фильм ощущение катастрофы расставания. Потому что подлинная, а не сериальная любовь — любовь-понимание — у героя как раз с этим самым Тимкой.

4.

И, для равновесия, отклик, резко отрицательный и очень характерный, когда речь о Кончаловском. Принадлежит он... директору Кенозерского национального парка Елене Шатковской. Слышится там очень знакомое и родное еще со времен «Аси Клячиной».

«Во-первых, это не документальный и даже не полудокументальный фильм, как было заявлено. Это художественное кино, снятое великим режиссером Кончаловским, где показана исключительно его правда. Правда, которая не соприкоснулась с правдой жителей Кенозерья. Многие из них были возмущены тем, как показана русская деревня: беспробудное пьянство, сплошной мат, отсутствие у людей чувства собственного достоинства. Зачем включили сцену с генералом, когда почтальону передают несколько мятых купюр? Почему выбрали семью из Горбачихи и персонажа по кличке Колобок, но не показали других жителей деревень, работающих и сохраняющих традиции Кенозерья? Почему показали застолье, но не показали праздник — Успенскую ярмарку, которая проходила у нас в дни съемок? Возможно, какой-то зарубежный критик, посмотрев картину, подумал, что в этом кино вся правда жизни русской деревни. И останется он со своим возмущением и непониманием «как так можно жить». Но мы с ним не согласимся. Да и философии особой в фильме не видно. Зато прекрасно показана природа Кенозерья. И главный герой Алексей Тряпицын хорошо сыграл, его персонаж — это человек, проживающий в гармонии с природой. Но ведь в Кенозерье он не один такой! Хотелось бы отметить, что сотрудники парка, понимающие и сохраняющие самобытность этого края, помогали при съемках фильма, создали все условия, чтобы не мешать созданию шедевра. Но что получилось на выходе... Жизнь Кенозерья сложнее и многообразнее. Есть у простых людей трудности с работой, есть среди них и пьющие. Но в этом фильме показан не собирательный образ русской деревни. Это деревня глазами Кончаловского. И, к сожалению, подобной деревне не хочется поклониться, ее не хочется сохранять и развивать! Поэтому размышления режиссера по поводу судьбы глубинки непонятны. Как сказала в личном разговоре одна из жительниц Кенозерья: «Если и будет когда-то вымирать русская деревня, то умрет она достойно, не разлагаясь».

Характерно, что на вопрос о том, будет ли показывать Кончаловский фильм самим жителям деревни, он сказал, что это не для них снималось, и они не поймут...»

Над народными фильмами Кончаловского рок навис. Их — вспомним «Асю», «Рябу», а теперь вот «Белые ночи...» — с напряжением или вовсе в штыки принимали там, где они создавались. Зритель никак не пробьется сквозь свою «некрасивость» к тому, что можно назвать любовью автора к созданным героям. Как с этим быть, вероятно, не знает и сам создатель упомянутых произведений. Да он и не склонен сегодня толковать свои правила зрителю...

В одну телегу впрячь не можно Московию и Петербург?

Уже после триумфа в Венеции Андрей Сергеевич рассказывал о том, как ему работалось в русской деревне. Мастер выразил вполне патриотическую настроенность, любовь к родным осинам, сильно разочаровав, может быть, убежденных в его неискоренимой якобы русофобии.

«...Я ведь русский, а значит, чувствую свою страну и ее людей сердцем, знаю, как живут мои соотечественники, чем дышат, что думают. Мой фильм о людях, и я ничего необыкновенного не хочу показать, кроме них. Они являются последними представителями того класса крестьянства, который почти вымер после распада Советского Союза. И мне было интересно понаблюдать, что стало с ними, как они живут, о чем думают, а также мне хотелось понять, за что их стоит любить».

После «Белых ночей...» Андрей Сергеевич все чаще стал поминать Робера Брессона, его подход к кино, когда каждый фильм — это путешествие в неизвестность. А поэтому лучше избегать известных актеров, поскольку в этом случае движение будет в направлении знакомом. Они известны режиссеру и зрителю, их реакции предсказуемы. Работа с реальными людьми полна неожиданностей и открытий.

«Теперь, думаю, мне будет сложнее вернуться к профессионалам и снимать с ними картины...»

Движение наощупь, когда абсолютно не знаешь (и не планируешь этого!), что ждет тебя впереди, было едва ли не концептуальной установкой в работе над «Белыми ночами...». Беседуя с оператором Александром Симоновым, который пришел в группу Кончаловского после довольно длительного периода работы с Алексеем Балабановым, я несколько раз настойчиво пытался добиться, какие принципиальные указания, рекомендации давались ему режиссером. И единственной установкой оказывалась, как не странно, вот эта: движение в неведомое, наощупь.

Давайте послушаем, наконец, что о своем сотрудничестве с Андреем Сергеевичем рассказал открытый им Алексей Тряпицын, пятидесятилетний житель деревни Косицына.

«Ну, разве думали мы с Колобком, что нас по всем каналам будут показывать, да еще и за границей узнают?.. Мне уже и на улицу выходить неловко, я теперь вроде как местная знаменитость. Вчера целый день одноклассники звонили, SMS писали, все поздравляют, удивляются. Лично я так не удивляюсь, что наш фильм победил. То есть нет, лягу, задумаюсь, начинаю удивляться: ну, как это так? Начальница моя, помню, говорила: «Посмотрела, какие там фильмы участвуют... Ваш фильм отдыхает». Но у меня всегда было такое чувство, что мы возьмем приз. Хотя сам Кончаловский и говорил, что снимает фильм для себя. Все повторял: «Для себя, для себя снимаю».

...Сначала снимали в Вологде, там героя просили только ходить туда-сюда молчком. «А уже когда в Кенозерье приехали, тут уж я развернулся-то дома. Тут моя стихия: озера, лодка. Поначалу, конечно, боялся сниматься, но Андрей Сергеевич собрал нас и сказал: «Я хочу, чтобы все получили удовольствие». Так оно и было. Получили удовольствие — и попали в Венецию. Самая большая трудность была — не смотреть в камеру. Как гляну, так получаю окрик: «Лёха, не подглядывай!» Я вообще обрадовался, когда мне предложили сниматься. Жизнь у нас однообразная. Я вот развожу почту — да развожу уже семь лет. До этого работал продавцом в магазине, и руками умею работать: кому дом поправить, кому приколотить чего».

Тряпицын теряется в догадках: что в нем такого особенного, чем он приглянулся именитому режиссеру. «Может за артистизм?.. Я ведь раньше-то употреблял и в запойчики, бывало, уходил. Утром голова болит, надо как-то у матери выпросить бутылочку-то, и начинаешь. Мать махнет рукой: «Ну, ты, Леха, артист!» Я сейчас и говорю ей: «Как в воду глядела ты, мать».

Сначала отмахивался, какой я герой? А теперь вот думаю — может, и правда герой? Нас, почтальонов, все меньше и меньше, не станет нас, связь оборвется. И я потом долго думал, что вот деревня и верно затухает. Хвастаться нам нечем: производства закрыты, школ нет, а заболеешь — надо яму себе копать, потому как до больницы — двести километров. Да что там — у нас даже со светом перебои постоянные. Мы-то привыкли, а приезжие удивляются: дескать, как вы на семь тысяч рублей живете? А наш дедуля приговаривает: «Мне хватает, спасибо государству». А иному и двадцать тысяч в месяц не хватает, а другие миллионами ворочают, а им все мало. Но жалеть нас не надо. Кто хочет, и в деревне прокормится, а кто пьет — чего таких жалеть, сами такую дорогу выбрали».

Алексей Тряпицын по натуре своей вроде трикстера русской сказки. Прав Евгений Марголит: в каком-то смысле Иванушка-дурачок.

5.

Сибирские почтальоны — мученики... Это герои,
которых упорно не хочет признать отечество. Они
много работают, воюют с природой, как никто,
подчас страдают невыносимо... Знаете ли, сколько они
получают жалованья, и видали ли вы в своей жизни хоть
одного почтальона с медалью?..

А. П. Чехов. Из Сибири, 1890

Один мой знакомый, напористый и бескомпромиссный кинокритик, сказал о «Белых ночах...»: «Симпатично, но «Левиафану» проигрывает. У Звягинцева трагедия на классическую тему «человек и власть» и жесткое социальное высказывание, у Андрона — мило, наблюдательно, мастеровито, но в сравнении с «Асей» теряет — все ж таки повтор».

Явившись одновременно, фильмы напрашивались на соперничество в общественном сознании, чему содействовали, кроме прочего, шумиха по поводу обличительного настроя фильма Звягинцева, а также интрига, связанная с выдвижением той и другой картины на «Оскар». Андрей Сергеевич, как известно, отказался от такой чести. В итоге большинством голосов решили отправить в Америку «Левиафан».

Решение свое Кончаловский объяснил двумя причинами: личной и общественной. «В последние годы я достаточно резко критиковал голливудизацию российского рынка и пагубное влияние коммерческого американского кино на формирование вкусов и пристрастий наших зрителей. В связи с этим бороться за обладание премией Голливуда мне кажется просто нелепым».

Министр культуры одобрил решение Кончаловского. По его мнению, «Оскар» не самая объективная премия в мире и значение ее сильно переоценено. К тому же на ее результаты сильно влияют политические мотивы.

Мне неизвестно, говорил ли что-либо Андрей Звягинцев о «Белых ночах...». А вот Андрей Сергеевич о «Левиафане» сказал: «Мощная картина. Единственное, о чем я сожалею, — в фильме Звягинцева нет героев, которых можно было бы любить, это очень важно».

Сопоставить эти картины соблазнительно и по мере любви каждого из авторов к своим персонажам. Вообще к тому миру, который они создают на экране. Трудно избавиться от ощущения пустынного, мертвящего холода в «Левиафане». Точно так же, как не скрыть потаенного тепла, источаемого пространством «Белых ночей...».

Андрей Сергеевич как-то объяснил чернуху в кино не нищетой или неэтичным поведением героев, а отсутствием авторской любви к ним. Выразить любовь — это значит, чтобы и зритель почувствовал то, что чувствует творец. Это талант. Но есть и талант ненавидеть. Есть замечательные художники, которые цветут на ненависти. А есть художники, которые цветут на любви. Если бы он поехал другую область, а не в Архангельскую, он бы и там, по его словам, нашел людей, которых есть за что любить.

Меня опустошает принципиальное душевное бессилие героя «Левиафана» перед наступающим на него социумом. А по сути — перед жизнью. Это безысходное бессилие трудно принять еще и потому, что роль исполняет Алексей Серебряков, которому, как мне кажется, категорически противопоказано такое состояние. Точно так же, как в свое время толкованию Тарковским его Сталкера внутренне сопротивлялся Кайдановский.

Герой же «Белых ночей...», как я уже говорил, эпичен. Может быть, былинно эпичен. Эпичен он как раз в силу своего «богатырства святорусского» (Н. А. Некрасов).

Фильмы Кончаловского, конечно, разные и не похожи друг на друга. Но они как картинки вдоль той кинодороги, о которой режиссер как-то говорил. Картинки разные — дорога одна. И проторена одним художником, который, при всем своем пофигизме, живет одной единой страсти ради. Вроде его Микеланджело, хотя без непримиримости и неуживчивости последнего.

Режиссер он не столько деревенский, сколько — крестьянский. Сквозной сюжет его кино, повторю, — становление человеческого типа, происхождением связанного с крестьянской культурой. Та же проблематика угадывается и в чеховиане режиссера. И это несмотря на то, что на авансцену чеховской драматургии выдвинуты все же действующие лица «белой» России.

Примечательно, что и в «Белых ночах...» натыкаемся на отсылки к Чехову. Не только потому, что режиссер готов полюбить обыкновенных, ничем, кажется, не примечательных людей, обитающих на самом краю нашей ойкумены. Полюбить только за то, что они обыкновенны, что они есть и что век их, как и любого из нас, измерен. Но и потому, что там все, в своем роде, философы. Вольтеры! То и дело роняют реплики, претендующие на некие метафизические обобщения, причем в духе сентенций персонажей Антона Павловича.

«Вот и выходит, что никто не знает правды, только видимость одна...», — произносит задумчиво Колобок. Но это же любимая фраза Андрея Сергеевича из чеховской «Дуэли», взятая эпиграфом к настоящей книге! Или, например, Юрка, не менее философ, чем Колобок, высказывается в финале: «И пенсии вроде плотют, и в магазине все есть, а люди все равно какие-то нервные...» На ум приходит реплика Дорна из «Чайки»: «Как все нервны! Как все нервны!» В унисон фильму и ее продолжение: «И сколько любви... О, колдовское озеро!»

Кенозеро, действительно, оказалось колдовским. Для режиссера, во всяком случае.

Все четыре главные пьесы Чехова, поставленные Кончаловским, едины еще и в том смысле, что это пьесы расставания, прощания. В финале каждой открывается бездна, куда ступают герои, прощаясь друг с другом и с нами. Спектакли же Кончаловского, во всяком случае, те, которые он объединил в трилогию, усиливают тему прощания, ведь это и его постоянная тема. От «Первого учителя» до «Рая». Паром «Белых ночей...» с тесно сидящими друг подле друга бывшими крестьянами отплывает. Прощается. Отплывает куда? Куда понесет течение времени-вечности, может быть. Они и впечатаны в эту эпическую вечность финальной панорамой.

Но в чем же богатырство героя «Белых ночей...»? В миссии, которую он добровольно на себя взял. Алексею Тряпицыну даны невероятные душевные силы воссоединять в своем видении мироздание, небо и землю. В том числе — задержавшихся на архаическом этом пространстве представителей «святой Руси» в количестве десяти рядом живущих человек.

Герой Кончаловского, ныне принимающий на себя груз эпической героики, до сих пор терпел поражение как раз там и тогда, где и когда пытался воссоздать и упрочить дом. В том числе, и в прямом, бытовом смысле. То есть — найти женщину, наплодить детей. В «Почтальоне» происходит, наконец, утверждение и самоутверждение героя. Именно такого, обнаруженного в толще «архаической плиты» отечественной Московии.

Лёха способен оторваться от аккуратненько поставленных у его лежбища вьетнамок и всмотреться в окружающий мир: в предмет природы и человеческий предмет. Устремить свой взор к водным и небесным стихиям — в мироздание, которое и есть теперь тот самый «дом дурака». Точнее, дом блаженного.

До сих пор ни один из героев Кончаловского с таким «геном» не был столь склонен к созерцанию, к едва ли не гамлетовской рефлексии. Тут видна перекличка с героями Тарковского. Вспомним начало «Соляриса». Крис Кельвин застывает в созерцательном проникновении в природный мир раннего утра перед тем, как покинуть земной дом, чтобы вернуться обновленным. Сравним со сценой похожего созерцательного погружения героя «Белых ночей...» в такое же знакомое родное рассветное пространство: травы, деревья, лес; муравей на травяном стебельке. Эти сцены молитвенного миро- и самосозерцания готовились режиссером и оператором особенно тщательно.

Это новое в герое Кончаловского. Но миссия его, если брать в целом, — и в той роли, и в том месте, которые герой себе отводит в воскрешенном в его воображении доме. Это роль и место отца, осознающего свою родительскую ответственность как самодеятельного главы семьи, с залежами неистраченной любви к миру.

Ранее герои Кончаловского, как правило, не ведали, что делать с обрушившимся на них отцовством. Тряпицын же не только ведает, но и идет отцовству навстречу.

В «Асе» потерянного ребенка с самого начала фильма ищут и едва ли находят. В «Почтальоне» находят. И еще за пределами фактического сюжета, до начала картины, поскольку в сюжет

Тряпицын вступает уже нагруженный предчувствием миссии — всех объединяющего отцовства. И Тимка, реагируя на отцовский зов почтальона, наполняется ответным, сыновним чувством. Особенно после необходимой инициации во время «встречи» с Кикиморой.

Этот до кончиков ногтей городской мальчик получает первое настоящее потрясение в жизни, когда погружается в недра природы. (Как, впрочем, пережил нечто подобное и юный исполнитель роли Тимур Бондаренко.) А затем возвращается, чтобы получить в наследство от Алексея Тряпицына весь этот простор вместе с «колдовским озером». Ведь сказано: «Ребятишкам — простор надобен!» Оттого-то мальчик и переживает как катастрофу распад только-только возведенного в его воображении дома, когда перед ним возникает угроза неотвратимого отъезда в миражный Архангельск.

Там, где происходит семейное взаимопостижение отца и сына, простору навалом! И он торжественно распахивается не только перед Тряпицыным, но и перед Тимкой, приглашая и принимая их. Это РОДина и приРОДа приглашает и принимает, чего не было ни в «Асе», ни в «Сибириаде». В «Сибириаде» природа уничтожающим огнем отозвалась на безумства «безотцовщины». Вначале на Чертовой Гриве, а потом — на родовом кладбище Елани.

Есть и в «Почтальоне» огонь. Но эта стихия — вне пространства Тряпицына, в ракетах «Плесецка». Огонь Тряпицына — в избе, в печи. Родственная же ему стихия — вода, животворящее семя небес. Он и мальчонку по-отцовски приучает не бояться РОДного, приРОДного, посвящает и причащает к мистическому знанию земли и воды.

Сопоставим два эпизода: один из «Сибириады» — на Чертовой Гриве; другой из «Почтальона» — поиски Кикиморы в таинственно мрачноватой заводи, «угрюмом месте». Этой сцене Кончаловский придавал огромное значение. Четыре смены снимал эпизод Александр Симонов, психовал, злился — и все-таки сделал. Как разнятся эти две сцены в смысле поступка и самочувствия героев!

В первом случае отец, Николай Устюжанин, не готовый к должности родителя, преступно покушается на природное, за что вместе с сыном, Алексеем, и карается хтоническим огнем. Вдобавок ко всему им еще и дьявольский призрак Вождя мстится. В «Белых ночах...» духовный отец посвящаемого в сыновья подростка мудро вводит его в материальную метафизику бытия — в нутро природы. Эпизод завершается ненатужной символикой: мальчик и мужчина под древом жизни объединены костерком (огнем из домашней печи!) и неспешной беседой.

Эпика мироздания, с которым естественно сопрягает свое частное существование Тряпицын, диктует ему определенные правила: соединять разорванный мир НАТУРЫ человека, чудесным образом заживлять его раны, превращая мир в дом. В этом и состоит эпический героизм, то есть богатырство блаженного Алексея, человека Божьего. Алексея — защитника. «Алексей» — «настоящий „щит" своих близких, не слишком стремящийся к лидерству, но жизнерадостный, уравновешенный и хороший советчик».

Реальная деревня, в которой происходили съемки, — зыбкое воспоминание о бывшем целом. Это Елань «Сибириады» после всех прошедших по ней в течение XX века огнепальных «опытов». Почтальон пытается не только реанимировать свой дом, но и удержать хоть какие-то связи живущих на разоренном пространстве людей. Его былинно-героическая миссия не в укреплении государственности и трона Владимира Красное Солнышко, как это было с Ильей Муромцем, а в утверждении эпоса семьи, в возведении дома отдельного человека, но вписанного в пространство-время вселенной. Герой преодолевает убогий хронотоп деревни-погоста, продлевая в «колдовское озеро» свой реальный дом. Скатерть с лубочным изображением игрушечных вод на его кухонном столе оборачивается могучим, грозным и влекущим пространством Кенозера.

Эстафета от Афанасия Устюжанина, прорубавшего дорогу «на звезду»? Но там просека уперлась в миазмы и огонь Чертовой Гривы, а здесь... Обновленному герою Кончаловского обещана новая дорога. Не в адовы недра, а именно — к звезде, к тому космосу, где все повязано круговой порукой родственной любви. В этом состоянии герой овладевает необходимой народу мерой рефлексии, на что мечтательно надеялся, как мне показалось, Александр Ахиезер в своей книге «Россия: критика исторического опыта», не случайно противопоставив в названии одной из глав рефлексию и деградацию.

Немногие к подвигу созерцания и плодотворной рефлексии здесь готовы. Даже философ Юрка, носящий постоянную боль в душе — вплоть до «шукшинских» выплесков в иные минуты кого-то зарезать. Даже Витя Колобок, «вольтеровские» монологи которого слишком уж печальны и помечены думой о скорой кончине. Им все же недостает юродивой отрешенности Тряпицына. «Придурком был — придурком и остался!» — безнадежно изрекает Ирина. При этом его грубо слепленное лицо с голубыми детскими глазами, удивленно открытыми в мир, остается прекрасным и возвышенным.

Однако он, тем не менее, и в прямом житейском смысле готов нести на себе домашнее хозяйство. Двери автобуса, увозящего мальчика Тимура и его возбужденную иллюзорными надеждами мать, беспощадно захлопываются перед Лёхой. Но в руках у почтальона остаются недооформленные документы на продажу дома Ирины. Пусть нет необходимой доверенности, но почтальон принимает заботу на себя.

Тема потерянности, надежда на спасение любовно открытым домом (oikos) имеет отношение не только к собственно детям, к тому же Тимке. Но и ко взрослым персонажам картины. Начиная с самого как-то уж слишком одинокого Алексея Тряпицына и заканчивая Виктором Колобковым, которого мамаша в нежном возрасте отправила в «блядский дом». Вспомним видение почтальона во время одной из его метафизических «белых ночей», когда он оказывается вместе со своим кошачьим «тотемом» в порушенной школе, и она наполняется детскими голосами далекого прошлого.

Персонажи картины, все, в сущности, социально бездомные дети природы. Они пока еще не умеют понять, что природа, несмотря на ее иногда беспощадное угрюмство, как раз и готова их спасти. На этом поприще упрямо трудится только почтальон, воссоединяющий их всех для последнего жизненно важного, едва ли не космогонического акта — освоить их действительный дом. Вот почему так важно вернуть тот самый несчастный мотор, без которого его дело невозможно в природных водах.

Медленно отходит в просторы «колдовского озера» причал с героями фильма. И на экране, как это встречается и в некоторых других картинах режиссера (в двух голливудских, во всяком случае), возникает цитата из Шекспира. Реплика неаполитанского принца Фердинанда из «Бури», утратившего в ярости морских волн отца. В минуту глубокой скорби его ведет к спасению, умолкнув на миг, музыка вселенной. Духи природы в конце концов преодолевают социальную ущербность человеческой натуры, распри в борьбе за власть, возвращают людям гармонию. Там речь о космической музыке, к которой мы, прежде всего, и причастны. Можно надеяться, что и персонажи «Белых ночей...» вслед за упомянутым Фердинандом произнесут: «Я следую за музыкой...»

Есть нота печали в финале картины!

Но с отсылкой к позднему Шекспиру, пусть и разочаровавшемуся в роде человеческом, все же, как и прилично настоящему искусству, торжествует утопия. Еще один положительный герой «Бури», верный Гонзало, произносит нечто, имеющее прямое отношение к пафосу фильма Андрея Кончаловского.

Гонзало по душе заброшенный остров в океане, где он и прочие персонажи оказались в результате поднятой на море магом Просперо бури. И если бы ему эту землю отдали, то...

> Устроил бы я в этом государстве
> Иначе все, чем принято у нас...
> Не ведали бы люди
> Металлов, хлеба, масла и вина,
> Но были бы чисты. Никто над ними
> Не властвовал бы...
> Все нужное давала бы природа —
> К чему трудиться?..
> И я своим правлением затмил бы
> Век золотой...

Персонажи глубоко отрицательные потешаются над иллюзиями Гонзало. И когда он восклицает: «Как все располагает к тому, чтобы здесь жить!» — возражают насмешливо. Первый: «Совершенно верно. Только чем жить-то?» Второй (итожа): «Да, жить, пожалуй, нечем». Вот он — суровый реализм жизни!

Но заканчивается действо прощанием и всепрощением. Призывом быть милостивыми к падшим. То есть к людям вообще.

6.

Весной 2015 года Андрей Кончаловский приступил к работе над рок-оперой «Преступление и наказание» в Московском театре мюзикла. Напомню, что либретто создавалось им же в сотрудничестве с Юрием Ряшенцевым и при участии Марка Розовского. Композитор — друг и единомышленник Кончаловского Эдуард Артемьев.

В октябре фонд «Евримаж» поддержал новый фильм Андрея Кончаловского «Рай», запущенный в производство при финансовой поддержке Министерства культуры России и Благотворительного фонда «Искусство, наука и спорт».

В декабре Андрей Кончаловский открывает творческую мастерскую. Экспериментальный киноальманах «Жанры» — его новый продюсерский проект, который планируется к производству в 2017 году.

2015 год был не беден на события в общественной и творческой жизни Кончаловского, но не богат на привычные для него историко-культурные выступления. Не замечалось каких-то особенно ярких откликов на события в жизни страны.

В феврале 2016 года Андрей Кончаловский возглавил творческий совет Российского военно-исторического общества, куда вошли известные деятели культуры, руководители крупнейших музеев и изданий страны, другие авторитетные эксперты. Роль совета в том, чтобы оценивать и выбирать наиболее достойные монументы российским воинам, давать профессиональные рекомендации по их воплощению и концепции архитектурно-художественных решений, обсуждать и анализировать материалы для проведения творческих конкурсов по созданию памятников. Первое заседание совета состоялось при участии министра культуры В. Мединского, который одновременно был и председателем Общества.

Уже к концу года тема установки памятников на необъятной территории страны бурно обсуждается, даже со скандалами.

Например, в связи с водружением памятника Ивану Грозному в Орле по инициативе местных властей. Губернатор Орловщины, отметив заслуги первого русского царя, сравнил с ним Владимира Путина, «великого и самого мощного президента», заставившего уважать Россию.

Не обошлась без шумных прений и идея установки памятника князю Владимиру в Москве, где он и был водружен — на Боровицкой площади, по инициативе упомянутого Российского военно-исторического общества. Фигура Владимира сильно напоминает орловского Грозного.

В беседах на тему его новой должности Андрей Сергеевич пояснил, как он понимает свою миссию. «...Я просто хочу помочь в формировании некой эстетики, которая была утеряна. Речь идет о том, чтобы вернуться к традиции монументального российского, советского искусства. Есть еще очень важный момент — образовательный. Память укорачивается, и уже молодые люди не знают, кто такой Петр Первый...»

На провокационный вопрос о возможности установления памятника Сталину как главнокомандующему во время Второй мировой войны ответил, что относится к этому «по-китайски». «Китайцы внепартийны. У них одна партия — Китай. И их история — это пять тысяч лет. А мы очень хотим начать с чистого листа. Все уничтожить, переименовать...»

Одна за другой последовали замечательные премьеры спектаклей Кончаловского. Первая (февраль) — спектакль по «Вишневому саду» Чехова в Театре им. Моссовета.

Вторая (март) — рок-опера «Преступление и наказание» в Московском театре мюзикла, приуроченная к 150-летию выхода романа Достоевского.

Был проведен всероссийский кастинг, который выявил новых звезд российского мюзикла, обладающих уникальными голосами и феноменальной пластикой. Всего в постановке участвует более шестидесяти артистов. Хореографический рисунок придуман выдающимся мастером Юрием Посоховым, сотрудничающим с известными балетными труппами. Декорации для спектакля были изготовлены в Англии по эскизам признанного мэтра сценографии Мэтта Дилли, а костюмы созданы по эскизам замечательного театрального художника Тамары Эшбы.

В рок-опере задействованы самые современные технологии, в частности видеомэппинг, позволяющий проецировать изображения на любой движущийся предмет.

Одной из основных трудностей, с которыми столкнулись постановщики, стала необходимость адаптации классического, довольно объемного романа к формату музыкального спектакля.

В этом варианте рок-оперы Раскольников — человек из лихих 90-х. Сценография воспроизводит пространство недалеко от питерского метро «Сенная площадь». События комментирует ветеран афганской войны. Старуха-процентщица торгует в ларьке. Здесь же снимает проституток «малиновый пиджак» на «бентли».

В те давние времена, когда родился замысел оперы, говорит режиссер, «не было ни проституции, ни очень богатых людей. Потом прошла перестройка. Все это стало актуальным. В том числе и роллс-ройсы». Создатели постарались обратить рок-оперу в современность. Тем более что это «жанр для молодых».

В марте же «Кинокомпания Андрея Кончаловского» завершила отбор проектов для упомянутого ранее киноальманаха «Жанры». За два прошедших месяца было рассмотрено более 500 заявок.

Сентябрь. В рамках 73-го Венецианского международного кинофестиваля состоялась мировая премьера фильма Кончаловского «Рай», удостоенного «Серебряного льва» за режиссуру. Режиссеру была также присуждена премия имени Робера Брессона. Учрежденная Итальянским фондом культуры и итальянской Конференцией католических епископов награда вручается за духовные искания в кино.

В последнюю декаду сентября «Рай» был выдвинут на соискание премии «Оскар».

В октябре произошло знаковое для Андрея Сергеевича событие. По приглашению Совета Федерации режиссер выступил там с получасовым докладом «Модернизация сознания». В чем важность события? Уже лет пятнадцать-двадцать Кончаловский упорно говорит о необходимости научного подхода со стороны властей к изучению национального менталитета с целью его реформации. Такого подхода, который бы предусматривал опору на соответствующие изыскания крупных ученых в этой области, в том числе и на передовой отряд интеллигенции в целом. И вот возможность сказать это власти публично и в лицо ему представилась! Кажется, без особых последствий.

В октябре же «Рай» получил ряд зарубежных премий. В том числе Кончаловский был удостоен премии Ватикана. Торжественная церемония награждения состоялась 27 октября в одном из старейших кинотеатров Рима Cinema Trevi.

В одном из октябрьских выпусков еженедельника «Собеседник» (а ранее — на соответствующем сайте) в беседе с Д. Быковым было чуть не впервые упомянуто о новом сценарии Кончаловского под условным названием «Грех» — о жизни и творчестве Микеланджело — и о предстоящей картине по этому сценарию. Писатель Быков, которому выпала честь со сценарием познакомиться, уже тогда от полноты душевной заговорил о появлении третьего киношедевра после двух первых: «Белые ночи...» и «Рай».

У тех, кто познакомился со сценарием, он вызывал в памяти сценарий и фильм об Андрее Рублеве. Кончаловский, соглашаясь с такой аналогией, говорил, что, уже написав «Грех», обнаружил: сценарий выстраивается «по тем же лекалам».

«О человеке, о художнике, который не имеет возможности творить в данный момент. Микеланджело провел в разработке мрамора три, даже четыре года. Его заставили мрамор разрабатывать, дороги строить, чего он только не делал. И он все время думал о том, что это страшное преступление. Вместо того, чтобы создавать шедевры, прославлять всю Италию, он должен был разрезать мрамор, искать, смотреть, щупать. Строить дорогу, по которой должны были везти мрамор. Ему дан талант, а он вместо этого занимается инженерными работами. У него были претензии к судьбе».

Работа над сценарием о Рублеве, а затем и над фильмом о нем, когда многостраничный труд пришлось нещадно сокращать, напоминала режиссеру историю итальянского гения. Микеланджело запланировал у гробницы папы 48 скульптур, а в результате получилось 4. Он набрал такое количество заказов, что в панике думал: никогда не завершит эту работу. «У него была паранойя страшная, потому что наобещал всем. Большим семействам: Делла Ровере, Медичи. К тому же он был серьезно отравлен красками». Расписывая плафон Сикстинской капеллы, Микеланджело три года должен был находиться в очень неудобной позе. «Писать нужно было ночью, под потолком. Было темно. Там были свечи, и воск капал на лицо. Он несколько раз падал там в обморок. Вот страсть какая!»

Исполнителя главной роли, как и других, Кончаловский предполагает, идя по стопам итальянского неореализма, искать на улице среди непрофессионалов. «Хочется найти лица, которые будто сошли с картин Возрождения. С обычными актерами это невозможно».

Если «Рублев» был о монахе, который творил сакральное искусство, то Микеланджело — фигура, освобождающаяся от диктата церкви. «Он, может быть, и хотел достичь сакрального, но это уже было бы искусство религиозное. Большая разница».

Фильм будет о том, «как руки гения освобождают из мрамора заточенных там пленников». Кончаловского «безумно привлекает» «трагическая, невыносимая личность», которая вынуждена была общаться с сильными мира сего и очень страдала от этого.

«Счастлив был, кажется, только когда выбирал мрамор для работы, осматривал глыбу и прикидывал, кто в ней скрывается. И общаться с удовольствием мог только с этими каменотесами — жителями Апуанских гор, презирающими равнинных жителей.

Кстати, именно там были главные партизанские очаги сопротивления фашистам, — потому что они знали горные тропы и у них, охотников, было оружие. Вот этих горцев я хочу снимать. И этот мраморный карьер, сверкающий от белой мраморной крошки».

7.

... — Нужно говорить вы... Нельзя тыкать! Если я говорю тебе... вам вы, то вы и подавно должны быть вежливым!
— Оно конечно, вашескородие! Нешто мы не понимаем? Но ты слушай, что дальше...
А. Чехонте. Ты и вы. Сценка. 1886

Андрея Сергеевича увлекло исследование покойного Леонида Васильевича Милова «Великорусский пахарь и особенности российского исторического процесса» (1998). Милов — специалист, в том числе, и в сфере аграрного развития России XVII—XVIII веков, генезиса капитализма и проблем становления у нас крепостного права.

Рассуждая о том, как прошлое влияет на сегодняшний день, позволяя представить реально, что такое будущее, Кончаловский уже не в первый раз говорит о климате в России. Как никогда, в этом смысле становится актуальным замечание А. С. Пушкина о том, что наше лето не что иное, как карикатура южных зим. Мы живем, оказывается, в стране, «где зима длится семь месяцев», а «сельскохозяйственный период — четыре с половиной месяца»; «где земля не плодородит; где масса причин задать вопрос, как русские вообще выжили». Отсюда, по Милову, и долговременность крепи, прочность общины и, наконец, «жестокая и жесткая власть».

Русские вовсе не какие-то плохие или отсталые люди. Просто им приходилось выживать там, где в VII—IX веках выжить практически было невозможно. Крепь держалось, потому что без нее страна не сдюжила бы такую напасть: того и гляди — снег пойдет. С климатом не повезло, и одобрить его, как утверждал конторщик Епиходов, никак нельзя.

«Я сейчас говорю не о духовных скрепах, а о простых вещах: как народу поесть и как накормить армию, которая нужна, чтобы защищаться от захватчиков. Я говорю о прошлом, когда начинала формироваться русская ментальность. В будущее надо смотреть с этой точки зрения...»

В беседе на радио «Эхо Москвы» зимой 2016 года Андрею Сергеевичу напомнили, какой диагноз он ставил стране ровно четыре года тому назад. «Я жду, когда лидер нации открыто, на весь мир признает, что Россия еще не избавилась от феодальной психологии, и что государство готово употребить все свои ресурсы и мощь — школы, законы, телевидение и прессу — для внедрения в сознание масс новой системы ценностей».

Ну, ошибся! И что? В момент интервью он уже так не думал. Реформы в стране, конечно, неизбежны, но не насильственные. Власть здесь создается такой, какой ее видит народ. «Тектонические плиты» (ментальность русского народа) действуют на любую власть. То, что имеем, то и заслуживаем — то есть, то и хотим.

Наконец, главное (серьезное!) заявление в этом интервью: «…Я теперь больше не в Европе. Всё, кончилось». Теперь Андрей Сергеевич сопрягает себя с «огромной частью народа». «Мы, — говорит он, обращаясь к журналистам «Эха» Дымарскому и Лариной, — никогда не были в Европе. Это вы были в Европе, а мы не были».

Перемены во взглядах Андрей Сергеевич обнародовал и в беседе с Д. Быковым («Собеседник», октябрь 2016).

Раздражающим для оппозиционно настроенного к властям меньшинства был уже сам заголовок «Андрей Кончаловский: чем дольше будет Путин, тем лучше».

Примечательно, что вынесенное на страницы еженедельника отличалось от того, что читатель находил до этого на сайте издания. В последнем случае реплики Андрея Сергеевича выглядели более гладкими стилистически и не такими политически заостренными.

Обращаясь к проблеме соблазнительности зла, Дмитрий Львович выразил непонимание: «…какие соблазны у нынешних российских крымнашистов? Ведь они-то все понимают».

Андрей Сергеевич по-дружески упрекнул собеседника в том, что тот находится в «тюрьме своей концепции», полагая, что ему абсолютно ясна картина мира. И вновь заговорил об «огромной архаической плите, которая лежит во всю Евразию и восходит даже не к славянству, а к праславянству»; о том, что ту «плиту пока никому не удалось сдвинуть…» И согласиться, что «плита эта размывается», как надеется его собеседник, он никак не может.

Мудрость Путина в том, что он откликается на гравитацию упрямо неподвижной «плиты». А поэтому ему, как и «плите», незачем соответствовать ожиданиям наших западных «друзей». Он такой лидер, в котором мы нуждаемся, именно поэтому у России в XXI веке наилучшие шансы.

«Мировой порядок» «совокупного западного мира», который хочет изменить Путин, движется к своему краху, и никакие рецепты спасения здесь уже не работают. Путин совершенно четко дает «англо-саксонскому миру» понять, что доллар не должен управлять мировой экономикой. Никто не осмеливался этого сделать, но Путин сделал.

Ныне Андрей Сергеевич убежден, что революционный агитпроп Маяковского 1920-х годов вполне отвечает реальности. Есть мировой капитал, «три толстяка», про которых все гениально угадал Юрий Олеша в своей сказке, — так и выглядит мировой империализм. Теперь и у «толстяков» грядут разборки.

Есть совершенно очевидные факты необыкновенного расцвета России, которые, по твердому убеждению маэстро, опровергнуть невозможно. Россия при Путине стала одним из центров глобальной политики; ни одно серьезное решение в мире не может быть принято без ее участия ни в области политики, ни в области экономики.

«Другой вопрос, что кризис мировой политической системы, невероятный накат лжи и грязи, льющийся из общезападного «Министерства Правды», вкупе с разного рода санкциями, заставляет Россию поджимать ноги и преодолевать ухабы и рытвины, а также принимать адекватные меры для сохранения своей государственности. Запахло морозцем, но «подмороженность» — лучшее состояние для Российского государства. Наша страна редко когда была в лучшем состоянии. Опасения и страх западных стран вполне обоснованны. У России действительно есть все для того, чтобы стать державой-гегемоном. От Европы вообще уже ничего не осталось, ее добил интернет, вялая мягкотелая имитация демократии, политкорректность. А Россия останется неизменной и перемелет всех...»

Кончаловский призывает на помощь покойного Александра Ахиезера с его критикой исторического опыта России. Россия всегда будет выбирать архаизацию, совершать возвратно-поступательное движение — кризис, перезревшие реформы, медленный откат, назревание нового кризиса. До тех пор, пока не возникнет безжалостная потребность насильственно утвердить между двумя крайностями третью, нейтральное аксиологическое пространство, которое сведет на нет стремление русских к крайностям — «кто не с нами, тот против нас».

Интеллигенции, ссылается режиссер уже на другого историка, Владимира Булдакова, недоступно понимание того иррационального факта, что русский народ создает власть согласно своему представлению о ней, а не вследствие победы той или иной партии на выборах. «Для меня это было огромное облегчение — понять неизбежность возникновения властной государственной вертикали».

Как я понимаю, Кончаловский, наконец, преодолел тревогу сомнений по поводу происходящего в стране в целом и во власти. Он не ищет (и, кажется, не искал никогда) оправданий как власти, так и «тектонической плите». Он облегченно вздыхает, поскольку происходящее неизбежно, и его хватит на всю оставшуюся жизнь, то есть, по Гегелю, «все действительное разумно, все разумное действительно». И на этом надо успокоиться, найдя в «разумной действительности» свое место, которое бы содействовало творческому комфорту.

Запад пытался полностью захватить Россию. Но Президент не дал. А поскольку есть предположение, что здесь проявило себя разумное присутствие гегелевского абсолютного духа, то именно его голос, то есть «тихий голос истории» (или «тектонической плиты»?), заговорил через «этого невысокого». Ему альтернативы не видно. Похожих не было и нет. «Чем дольше он будет править, тем это лучше для России. Россия сейчас единственная, кроме Китая, кто может помешать «трем толстякам» угробить планету. Так что нас они в покое не оставят».

Такой отточенности формул о разумности настоящего положения страны Кончаловский еще не произносил. Из предложенного им тезиса проистекает неизбежность и разумность всей политики властей как внутри, так и вне страны, в том числе и в отношении Украины, которая, как мы помним, все же «не Россия».

Беседа вызвала бурю в сети. Обнаружилось жесткое противостояние лагерей. Одни радовались, что «Кончаловский размазал либераста Быкова». Другие, напротив, разоблачению «предателя Кончаловского».

Сами же участники «пьесы», а именно так определил жанр беседы Дмитрий Быков, недоумевали: ничего подобного не было. Никто никого не размазывал. Они добрые приятели. И уважают позиции друг друга, какими бы они ни были.

Дмитрий Львович, например, исходил из своего давнего убеждения, что художник вообще никогда и ни в чем не виноват —

ни в том, ни в этом. Художник Кончаловский, «долго желавший изменить реальность, наконец, решил: если стране так лучше, то пусть она делает, как ей лучше». И такая позиция — имманентна нашим творцам. Они всегда начинают «с попыток изменить ситуацию, с провозглашения страны рабской, отсталой и так далее, а потом, попробовав всякого, решают, что у других еще хуже».

От Кончаловского вообще никто «не ждет философской убедительности, от него ждешь убедительности художественной». Идеологической непоколебимости тоже нечего от него ждать: «сегодня у него такая точка зрения, а завтра будет другая». Он ищет и «еще не сформулировал выводы о себе, о России».

Некоторых такая характеристика мэтра сильно удивила.

Как? «Большой режиссер, тонкий сценарист, автор серьезных книг, замечательный педагог... Прекрасно знающий искусство, историю, литературу, языки», — перечисляет журналист Елена Пальмер. И не мыслитель?

Впору удивиться. Мыслитель, конечно. Но не политик. Художник. И как думающий (мыслящий) о судьбах России художник он настойчиво обращается не только к соотечественникам в их массе, но и к властям. Напомню о выступлении в Совете Федерации. Не свидетельство ли это основательной продуманности его позиций? Его идеи принимали соответствующую форму выражения и содержания десятилетиями. Он жаждет (или жаждал совсем недавно) во что бы то ни стало достучаться не только до нас, простых граждан, но и до властных небес. Вот почему резкий крен в противоположном направлении трудно объяснить тем, что это было «совместное творчество режиссера и сценариста», чтобы «зацепить и взбудоражить» читателя. Так сказать, занятная игра двух не обделенных умом и талантом индивидов.

Но «зацепили и взбудоражили», как и ожидалось.

Писатель Михаил Веллер, которому Дмитрий Львович не менее знаком и приязнен, чем Андрею Сергеевичу, был шокирован «барским» «ты» со стороны режиссера в адрес писателя: «...вот эта холопско-барская спесь, вот это жлобство, полагающее себя аристократизмом, для меня уже достаточная характеристика...»

Дмитрий Львович вступился за Андрея Сергеевича, который ему дважды предлагал перейти на «ты». Но писателю нравится ощущать себя в этой ситуации младшим.

Завершу реакцией писателя Татьяны Толстой. «При том, что я не шибко поклонница Кончаловского, он очень умный человек. Очевидно, что Кончаловский проделал большой путь от своей холодности и надменности в сторону попыток понять народ и потеплеть умом. И сразу наши «либералы» привычно затрубили в свои трубы: мол, але, этот человек зачем-то проявляет русский патриотизм.

Кончаловского стоит послушать и подумать, а не закидывать гнилыми яйцами — он озвучивает очень правдивые, горькие и глубокие мысли, которые наши так называемые либералы понять не хотят. Он рассуждает о России и ее путях на уровне интеллигенции (ее думающей, а не богемно-танцующей части) вокруг революционного периода, когда перед кошмаром 1917 года случился кошмар 1905 года. Даже великий так называемый гуманист Горький говорил о бессмысленной, темной и деструктивной силе толпы, идущей жечь культуру. Некрепостной крестьянин, поджигающий барские дома, — это совершенно другое явление, нежели попытка освободительного движения. Но почему-то у нас все пребывают в стандартной парадигме, что народ страдает, а когда его освободишь, он перестанет страдать и полетит в космос навстречу солнцу и всяким прочим незабудкам. Это не так!

Кончаловский находится в русле этой мысли — непопулистской, холодной, отстраненной, основанной на наблюдениях, которые он видит, знает и пропускает через себя. Этого не хотят понять те, кто живет в стандартной парадигме. Он говорит, что русский народ к свободе не готов, а ему кричат «готов-готов!», при этом сами потрясают своими цепями! Смешно! У них совсем другое понимание свободы...»

Изменения в позициях и прогнозах Кончаловского подтвердились и в следующем большом интервью этого года, которое он дал сайту «Медуза».

Отмечу то, что перекликается с «болевыми точками» интервью «Собеседнику».

«...Россия пыталась войти в европейский ареал. Такова была идея Путина, который, конечно, самый большой в стране европеец по своим убеждениям. Но Запад отверг Россию, отверг Путина, потому что мы им не нужны сильными, а нужны развалленными. Путин это понял. И другого выхода, кроме как строить армию и искать союзников на Востоке, у него не осталось...

...Я раньше был западником и тоже думал, что у России один путь — на Запад. Теперь убедился, что нет у нас такого пути. И, слава богу, что, двигаясь в этом направлении, мы сильно отстали. Потому что Европа на грани катастрофы — это, кажется, совершенно понятно. Причины катастрофы в том, что, как оказалось, нельзя во главу угла ставить права человека. Права человека могут рассматриваться только в соответствии с его обязанностями. Они отказались от традиционных европейских, а значит христианских, ценностей...»

Да, Владимир Путин — именно европеец. Об этом Кончаловскому говорит анализ «всей траектории его президентства». Европеец и по складу ума, и по опыту жизни в Европе. «Когда он возглавил страну, у него были определенные идеи, которые очень видоизменились под давлением внутренних и внешних обстоятельств. Он пришел в абсолютно разрушенную страну, ему в управление досталась гигантская архаическая масса людей, которые настроены к государству враждебно, — в силу системы своих приоритетов. Его усилия прежде всего были направлены на предотвращение распада. Я вообще представить себе не могу, как ему все это удалось.

У Путина, как у западника, как у человека, который прекрасно говорит по-немецки и знает мировую культуру, были иллюзии, что России надо возвращаться в Европу. Мюнхенская речь — это результат колоссального разочарования относительно Европы и понимания того, что жить предстоит в той части света, которая далека еще от гражданского общества...»

8.

Театральные опыты Кончаловского, как правило, подвергались жесткой критике. «Вишневый сад», возможно, исключение. Но и здесь часть рецензентов не могут утаить традиционного недоверия к поискам режиссера, а вместе — и привычной иронии.

С точки зрения, например, обозревателя «Коммерсанта», спектакль Кончаловского уныло традиционен и рассчитан на пассивное, послушное восприятие. Словом, вполне соответствует нынешним официальным требованиям.

Иные рецензенты убедились после знакомства с новой постановкой Чехова, что Кончаловский как принадлежал, так и принадлежит к узкому кругу той интеллигенции, которая «предала свой народ». Для нее (сюда почему-то относят и шоумена Шнура) народ «разной степени забавности (а чаще, противности) зверушки, с которыми они играются развлечения для, но не любят, чем принципиально и отличаются от Чехова».

Положительные отзывы — их больше! — обязательно напоминают, что Кончаловский «Вишневым садом» завершил чеховскую трилогию. И что он намеревается давать «Дядю Ваню», «Три сестры» и «Вишневый сад» три вечера подряд. При участии одной и той же актерской команды во главе с Юлией Высоцкой и Александром Домогаровым. Отмечается тут же, что упомянутый Домогаров является своим фанатам в самом неожиданном для себя облике. От харизмы актера в Гаеве не осталось и следа.

И, наконец, что и режиссеру, и актерам хотелось передать и услышать голос Антона Павловича. Да, подтверждает автор спектакля, в этой вещи голос драматурга «звучит особенно отчетливо». Ведь «это последние слова, которые человек, великий художник произнес в литературе. Комедия умирающего гения. Шутка».

Как раз вот эту «комедийность», эту склонность шутить на пороге бездны пытаются уловить в спектакле добросовестные рецензенты. Например, в «хлестких, задушевных, горьких, всегда с юмором подмечающих особенности окружающих предметов, характеров» цитатах из писем Чехова последнего года жизни. «Чеховское внимание к деталям определило концепцию режиссуры, которую в данном случае тончайшими штрихами доводят до комедийности все персонажи». Многие из них поэтому выглядят «заблудившимися в тумане овечками, вызывая одновременно и сострадание, и здоровую иронию: режиссер ловко переводит героев из позиции „жертвы“ в категорию „обленившихся манипуляторов“».

Единственным здравомыслящим человеком в доме Раневской, где «крыша поехала вперед и немного вбок», критикам кажется старик Фирс. Когда все разъезжаются, он, словно домовой, вылезает из того самого шкафа и присаживается попить чайку за накрытым столом рядом с призраком бывшей хозяйки имения.

Но почему все-таки комедия?

Трилогию Кончаловского с финальной точкой в «Вишневом саде» справедливо толкуют как «эпизоды истории вырождения дворянских гнезд. От близкого разорения («Дядя Ваня») через бесплодные попытки кардинально изменить жизнь («Три сестры») до физического уничтожения «вишневых садов».

Раневская в исполнении Юлии Высоцкой видится «глубоко больной, если не наркозависимой». «Отсюда и полная неспособность поверить в очевидное, и отсутствие всякой воли, чтобы предпринять усилия». А «Петя Трофимов, которого привычно видеть вечным пубертатом, прыщавым резонером, компенсирующим мужскую несостоятельность манифестированным пуризмом, у Кончаловского, без всякой карикатуры, — прообраз утопического улучшенного человека будущего».

Самым мудрым персонажем, кроме Фирса, видят еще и шута — Шарлотту Ивановну в исполнении Ларисы Кузнецовой. Она «самая неприкаянная, поэтому лучше других видит масштаб надвигающейся катастрофы».

Замечают финальное «веселье». Вереницу действующих лиц вслед за еврейским оркестриком, «напоминающих отчего-то похоронную процессию».

Обращает внимание критика и на то, что самого-то сада в спектакле как бы и нет! «Так, может, это не сад вовсе, а галлюцинация, подобная женщине в белом?..»

И вновь вопрос: какие силы были у умирающего человека, чтобы писать именно комедию? Почему комедию?

Вопрос остается открытым.

Несколько фрагментов из интервью с Александром Домогаровым для «Вечерней Москвы».

«...Вершинин дался мне очень тяжело, а на данный момент роль Гаева — самая сложная в моей жизни, как и пьеса „Вишневый сад“ самая трудная для понимания.

...Антон Павлович был тяжело болен, когда писал... Хотя всех уверял, что „Вишневый сад“ — комедия.

...Меня пока не уверил. Хотя мысль написать „Вишневый сад“ как комедию мне понятна. У Чехова есть письмо с записью, которое принес на репетицию Андрей Сергеевич: «В доме только трое: я, пианино и журавль, и все молчат» — такое было состояние Чехова, когда он сочинял якобы комедию „Вишневый сад“. Известно, что Антон Павлович имел неприятный разговор с Московским Художественным театром после премьеры „Вишневого сада“, за то, что „они не поняли его идеи, и не надо в спектакле, чтобы были слезы“. Допускаю, что умирать, чтобы все плакали, Чехов не хотел. Ему хотелось уйти так, словно он вышел...

...А может, Чехов торопил смерть, понимая, что она неизбежна? Он был врач и знал, что выздоровления не последует. И вся пьеса „Вишневый сад“ странная. Безусловно, в ней есть юмор — много юмора, и герой Гаева — смешной, и монолог со шкафом, возможно, очень смешной.

...Гаев — философствующий романтик. Хотя дело не в шкафе, а в том, что сестра моего героя гибнет, а как помочь ей, он не знает.

Да и не умеет. И вообще он — дитя. Большое взрослое дитя, которое ничего не понимает вообще...

...Я пытался отказаться от роли Гаева, как только Андрей Сергеевич произнес фамилию персонажа. Точнее, не отказался — не посмел бы, а сказал: „Я не смогу его сыграть, потому что, как мне кажется, мое — это „я купил“. Возможно, я обманываюсь?! Но вот уже более года Кончаловский убеждает меня в том, что я и есть Гаев. Он считает, что Гаев — большой ребенок, который тут же умрет, как только придут красноармейцы, умрет или от инфаркта, или от страха. Не могу представить себя на его месте в эту секунду. Хотя работать над ролью очень интересно. Но надо себя ломать, а это так тяжело. Мне, Александру Домогарову, так хочется купить вишневый сад. Думаю: „Вот бы мне сейчас топорик, и я бы вырубил этот вишневый сад“. О том, что мне сложно, я неоднократно говорил Андрею Сергеевичу.

Он отвечал: „Саша, у тебя на лбу другое написано, крупными буквами, и, как ты ни скрывай, оно выжжено“. Я не могу не верить Андрею Сергеевичу. К тому же удались два его спектакля, в которых я участвую: „Дядя Ваня“ и „Три сестры“. Но при этом во мне живет и человек, который заявляет: „Я куплю, куплю, куплю, куплю“».

На вопрос, может быть, режиссер открывает в нем его истинную сущность, актер ответил:

«...Все допускаю. Но мне очень сложно. Недавно Кончаловский вновь устроил читку... Когда просто читаешь слова — ощущение жуткое. Вроде в тексте простые слова, ребусов и символов нет, но как это играть, как их произносить?

...Скорее всего, в Гаеве есть черты Чехова. Это общее все в той же чеховской фразе: „В доме только трое: я, пианино и журавль, и все молчат“. Замечу, что согласно записям Чехова журавль вскоре сдох, а следовательно, в доме остался только Чехов и пианино. У Чехова жизнь подходила к логическому завершению, и у Гаева к финалу, и он это чувствует. А в середине спектакля его фраза: „Во вторник поеду, еще раз поговорю“. А внутри: „Не надо никуда ехать“...

...Театр — это школа, театр — это профессия, и если ты хороший артист, то каждый раз начинаешь все сначала. Почти каждую роль я начинаю с белого листа. Говорю примерно так: „Я ничего не умею. Не знаю. Учите меня“. И научиться должен, причем не используя того, что умеешь. На каждой репетиции Андрей Сергеевич говорит: „Это я у тебя знаю, ты на свой конек не садись, ты вот это мне дай, а не умеешь, да?“»

Мой любимый Чехов у Кончаловского — «Дядя Ваня». Хотя — и «Три сестры», виртуозностью построения мизансцен которых не перестаешь восторгаться. Первый акт там — настоящий балет. Эйфория только-только начинающейся и обещающей так много жизни! А потом — истерика от неосуществимости надежд, от ощущения полного тупика, в котором «Надо жить!».

Завершающая же часть трилогии вызывает неоднозначные, как говорят, чувства. И вот почему.

Проследите, как развивается сюжет ролей Юлии Высоцкой от Сони в «Дяде Ване» к Маше Прозоровой в «Сестрах», а затем — к Раневской в «Саде». Вы увидите, что отчаянный стоицизм финальных реплик из первых двух частей (пятикратное «Мы отдохнем!» и двукратное «Надо жить...») актриса произносит с таким невыносимым напряжением и наполнением, что не осуществись, кажется, эти заклинания — мир обрушится, поглотив все и вся. Это знак готовой угаснуть, но — жизни. Яркая вспышка перед угасанием.

То, что делает Высоцкая в «Саде», — конвульсии угаснувшей жизни. Мир обрушился. Она развертывает в сюжет роли свою реплику из второго акта: «Я все жду чего-то, как будто над нами должен обвалиться дом». Вот Высоцкая и играет уже не столько ожидание, сколько сам обвал и себя среди этих обломков бывшего дома. В завершение четвертого акта некие работники сносят на платформу сцены, где во всей трилогии и разыгрывается действие, мебель. Груда мебели — останки дома, из которых реально не может выбраться Раневская.

Из этого самоощущения героини — вся пластика актрисы, жест, заставляющие рецензентов говорить даже о наркозависимости Любови Андреевны. А последняя ее реплика — отклик на призыв Ани — сильно отличается от того, что слышали мы в двух предыдущих частях трилогии. «Мы идем!» Ее уносит (!) в вальсовом кружении, будто бабочку, «ветер в жизнь входящий напролом».

Тяжело видеть это угасание, которое режиссер акцентирует и ритмически: действие кажется страшно тягучим. Между прочим, сам Антон Павлович был недоволен «некоторой тягучестью» «Сада», произошедшей из-за того, что писался он «долго, очень долго». Не поэтому ли хотелось ему, чтобы заключительный акт отыграли за двенадцать минут, а не за сорок, как получалось у Станиславского?

Но именно из-за тягучести «Сад» Кончаловского — «клоуны на кладбище». Может быть, по этой причине он убрал из второго акта декорацию Антона Павловича, изображающую исчезнувшее кладбище: «давно заброшенная часовенка», «большие камни, когда-то бывшие, по-видимому, могильными плитами». Убрал чеховский намек на кладбище и заменил его рекой. Купальней. Такое приусадебное место отдыха. И вот Яша выныривает, как бесенок из хтонических недр. И Дуняша помогает ему привести себя в порядок. Тут, конечно, и момент пародийной эротики.

Я сначала удивился: откуда, зачем река? Потом по письмам Антона Павловича Немировичу-Данченко обнаружил: в каком-то из вариантов пьесы река была. Но Чехов предпочел бывшее кладбище. «Так покойнее».

Возможно, режиссер не захотел нагружать еще и бывшими могилами атмосферу вещи, где и без того ощущается запах тлена, угасания? Тем более что в завершение сцены Кончаловский преподнес нам такого Прохожего, от которого мурашки по спине забегали. Мумия из известного блокбастера отдыхает! Едва не потусторонний (хотя в каком-то смысле фарсовый) ужас наступающих революций и войн XX и так далее столетий.

А может, бывшим кладбищем режиссер не захотел слишком подавлять комедийность? В то же время и смех, прямой цирк, который там есть, не стал акцентировать, смирив, на мой взгляд, энергию Ларисы Кузнецовой (Шарлотта Ивановна) как замечательного эксцентрика.

Я уже говорил, что природа чеховской комедийности может быть осмыслена как плач по угасающему смеху (а точнее, может быть, по угасающему празднику бытия). В том числе, и в самом авторе. Смех со слезами, связанный с уходом целого культурного пласта нации, поставлявшего до сих пор героическое на авансцену отечественной литературы (это весь XIX век!).

Персонажи «Сада» — уже тени. В этом смысле они мало чем отличаются от Фирса, являющегося в финале спектакля из столетнего «многоуважаемого» шкафа как из домовины, таинственным образом светящейся изнутри. Призрак Фирса пьет вечерний чай с воспоминанием-призраком, выступающим здесь как некая бывшая мать всех героев. Точнее, как призрачная память о ней, о классическом девятнадцатом веке, невозвратимо ушедшем при встрече с катастрофами века двадцатого.

Самый веселый человек в пьесе, по определению той же Раневской, — Лопахин. Поэтому она и просит его не покидать их с братом. Кончаловский с Виталием Кищенко делают Лопахина самым витально-брутальным, вроде мужичков в сцене с лошадью из рок-оперы Артемьева — Кончаловского «Преступление и наказание». Может быть, это оправдано его происхождением, его ролью «могильщика» вишневого сада, «белой» России. А скорее, все же необходимостью энергетически подпитать атмосферу угасания. Эту энергию теперь неоткуда взять — иначе, чем от вполне шукшинского персонажа — Лопахина.

Лопахин, по Чехову, все же интеллигентен. Не прет из него купеческое. Не зря же он с книгой, а не после откровенных эротических игр с Дуняшей появляется впервые на сцене. И пальцы у него, как у музыканта. И Раневскую он любит. И плачет он после покупки сада, а не только в купеческий разгул пускается. Им же не он сам, а какие-то другие, дикие силы управляют.

Взрывной, эксцентрической энергии, естественно, недостает. И если бы Кончаловский не ввел в «текст» спектакля чеховские письма, то зритель бы не выдержал тотального угасания. Письма показали, что вся трилогия — это не цикл по Чехову, а трехчастное целое о Чехове. О Чехове-человеке, явившемся на сломе времен, в предчувствии гибели (или превращения?) мощного пласта отечественной (а может, и мировой) культуры. Когда главной проблемой становится явственно осознаваемый скорый уход. И как бы человек ни убеждал себя в обыкновенности этого события, для отдельной, частной человеческой единицы уход всегда НЕ обыкновенен, всегда из ряда вон выходящая катастрофа.

«Вишневый сад» — шутка умирающего гения? Только из разряда шуток нешуточных, поскольку смех здесь — слабое противостояние надвигающейся бездне.

Вспомним, как жизнь обставила реальное событие ухода Чехова. Тут и отдающее мистификацией: "Ich sterbe!". И последний бокал шампанского перед кончиной. Ну и «Сад» — не драма, даже не комедия, а фарс. «Что наша жизнь — игра!» — как заметил по поводу санкций, павших на Россию, Кончаловский.

Не вишневый, конечно, у Чехова, а намек на райский сад. Элизиум теней. Им уже нечего бояться, и они входят («Мы идем!»).

В спектакле же сада вообще как бы и нет в осязаемости — мираж. Рай потерянный и не обретенный. Вырубленный давным-давно.

Сила спектакля с неслышно звучащим голосом Чехова — в горечи от задуманной, но не состоявшейся фарсовой игры со смертью. И в этом — торжество живого. Непереносимой, а потому живой печали при мысли о смерти, которой для живого нет. И не может быть!

Чем более мы погружаемся в эпистолярный сюжет постановки, тем более осязаемым становится сам создатель «Сада». Правильно отмечают, осязаемым в подробностях и деталях бытовой повседневности. Все это о Чехове-человеке, «человеке поля», оказавшемся на пороге.

В этом смысле, как мне кажется, спектакль очень личное, даже интимное исповедание самого автора постановки, которому как раз такой Чехов, возможно, более всего и близок. В этом смысле Высоцкая вовсе не отвлеченный от нее образ Раневской создает, а — воплощенный плач по Чехову-человеку, глубоко поселившемуся в авторе спектакля. Тот нерв, на котором она держит весь спектакль, вызывает мысль о каком-то очень личном для нее эмоциональном, духовном напряжении. И это после всего, что осталось позади, в том числе и после «Эдипа», после фильма «Рай» или одновременно с ним? Невероятно!

Более всего я был поражен последней репликой Чехова в спектакле, преодолевающей и быт, и фарс, и сам уход Антона Павловича. Она беззащитна в своей отчаянной утопичности, но она произнесена и — слава Богу!

«Ни в коем случае не можем мы исчезнуть без следа... Бессмертие — факт. Вот погодите, я докажу вам это...»

Сам Чехов, по воспоминаниям Ивана Бунина, тут же опровергал им сказанное. Еще круче то, что именно по-чеховски распоряжалась жизнь бездыханным прахом художника. Тело перевозили в Россию через Петербург, «положив его труп, труп поэта, в вагон для перевозки устриц» (М. Горький).

9.

Во время пресс-показа «Рая» в Венеции практически сразу стало ясно, как утверждали, что Кончаловский будет среди призеров Венеции. Бравшая у него интервью американская журналистка увидела перед собой «настоящую рок-звезду»: «...в стильной шляпе, еще более стильных очках и потрясающих винтажных туфлях, сделанных вручную из розовой и зеленой кожи».

«Клянусь, это был идеальный образ идеального человека!»

После выхода «Белых ночей...» Кончаловский то и дело должен убеждать, что «разъяснять свое кино — интеллектуальный онанизм». Тем не менее, разъясняет — в той или иной форме. В том числе и когда это касается «Рая»

«…Моя картина не отражает документальной реальности. Но сюжет основан на реальных фактах. В Париже во время Второй мировой жила русская эмиграция, аристократы, покинувшие страну в 1917 году. Среди них была Вики Оболенская, история которой мне как-то попалась на глаза. Когда нацисты вошли во Францию, Вики и ей подобные присоединились к движению Сопротивления. Они боролись с врагом, спасали еврейских детей. Большинство этих людей погибли. За свой подвиг они не получили никаких наград, посмертного признания. У меня возник замысел: показать, как русская аристократка, которая вела беспечную жизнь, бросает все, отказывается от всего — чтобы пожертвовать собой во имя других. Юля сыграла не саму Оболенскую — по сценарию ее героиню зовут Ольга и это собирательный образ. Для роли Юля сильно похудела, были сцены в концлагере. Но она не знала, что я еще решил побрить ее наголо. Это произошло уже во время съемок, я сказал: «Стригите». И в течение трех часов после этого она не могла выйти из трейлера. Таким образом, она пришла на съемочную площадку… морально подготовленной…

…Монологи — самое ценное для меня в картине. Если бы не было монологов, не было бы этого фильма. Был бы какой-то другой. Иногда мне приходила безумная мысль оставить в картине только монологи. И все. Самое интересное в фильме — слушать исповедь этих трех человеческих существ. Оказывается, и так можно. Никогда не думал…

…Я думаю — и от этого становится легче, — что все человечество вместе и каждый человек в отдельности — это чей-то эксперимент. Не важно, чей именно. Я хотел сделать фильм о трех персонажах, чьи судьбы каким-то образом переплетаются в различных измерениях человеческого существования…

…Мне нравятся мои персонажи, мне нравится, когда они работают вместе, мне нравится этот фашистский офицер. Именно потому, что они мне нравятся, я и страдаю. Часто, если вам нравится человек, если вы его любите, и он совершает что-то чудовищное — вы не перестаете его любить. Вы только страдаете…

…Процесс создания вещи — нащупывание тропинки в абсолютной темноте. В темноте можно наткнуться на тему фильма.

А тема какая? Это не холокост, не судьба француза, не судьба немца и не судьба русской женщины. Тема «Рая» — это универсальность зла и его соблазнительность...

...Сегодняшнее поколение теряет вообще всякую память. Тут две стороны медали.

Первое: очень легко какие-то факты прошлого объявить несуществующими. Можно сказать, что каких-то преступлений вроде бы и не было. Холокост в этом смысле уникальная по своему масштабу человеческая пропасть, созданная на абсолютно идеальных идеях. Идеализм был частью манихейской идеи — уничтожить зло. А злом могут быть и евреи, предположим. Но идея сама по себе порочна, потому что зло невозможно уничтожить. Оно всегда должно быть, должно, потому что иначе не будет добра.

И вторая сторона. Ведь эсэсовцы, все элитное подразделение СС состояло из вполне добропорядочных булочников, аптекарей — немцев, которые и сейчас так же ходят по улицам. Это были люди, которые попали в невероятный водоворот, капкан, в эту страшную реку, куда их потащило. Почему? А потому что зло соблазнительно. Если бы зло не было соблазнительным, никто бы никуда не тащился. Дьявол всегда рядится в одежды ангела. Идея коммунизма, все идеи равноправия, социализма — они же замечательные!

Раскольников убил старуху-процентщицу, соблазнившись мыслью стать личностью, сверхчеловеком. Те люди, не мусульмане, которые идут в ИГИЛ, соблазняются другой идеей. Там ты тоже становишься сверхчеловеком, ангелом смерти для неверных.

Идеология, которая говорит, что мы создаем рай для своей нации, сама по себе очень привлекательна. Но каким путем? Те, кто поверил Гитлеру, потом говорили: «Я ошибся». Было, конечно, безумие. Но это часть биологического процесса. Не вся нация брала в руки автоматы и расстреливала других людей, но голосовало — практически большинство. Рядом такие же люди, как ты, это делают. Стадное чувство. Тут вопросы биологии...

...Про холокост снимают сегодня банально. Покажут группу истощенных заключенных в полосатых робах. Они выглядят как отрывок из оперы Верди «Набукко». Я снимаю картину не потому, что тема сложна или редка, а именно потому, что все об этом говорят, но мне не нравится, как говорят. Я не снимал картину о физических страданиях, в ней нет отрезанных голов и груд мертвых тел. Моя картина о самом главном — о человеческих отношениях. Меня интересует тема духовного насилия, насилия над душой. Это передать сложнее. Может быть, в последний раз этим полноценно занимался Достоевский. А духовное насилие я считаю даже более страшным, чем физическое. А еще меня интересует тип человека, который уверен, что он прав. Он настолько убежден в своей правоте, что во имя ее совершает зло и насилие. Будучи уверенным при этом, что творит благо. Это вечная тема, как и вечно в этом мире зло...

...Я читал письма немцев из окруженного Сталинграда. Потрясающе! Семь тысяч писем. Большинство было отвезено последним самолетом. А семь тысяч оставили, потому что они были слишком пессимистическими. Душераздирающий документ, когда вдруг человек оглянулся вокруг себя и увидел реальность. Как это пронзительно! Вдруг они стали такими людьми, несчастными... Да, прежде, чем войти в храм, нужно простить... Это сложно...»

«...К сожалению, культура у нас, в большом смысле этого слова, кончилась, режиссеров нет. Ведь, если разобраться, что такое режиссура? Это обилие художественных ассоциаций, колоссальная культурная база, без этого ничего нет, все остальное — прикол. Так вот, у нынешних наших молодых режиссеров приколов полно, а художественных ассоциаций ноль. В этом беда, а не в какой-то там цензуре...

...Мне повезло иметь возможность учиться: музыке, живописи, пониманию культурных кодов каких-то европейских категорий и всего того, что я могу иметь в виду, когда делаю сегодня фильм. Это отличает меня от молодого поколения, у которого мало стимулов, чтобы учиться. Все ушло в интернет, там теперь есть все ответы...

...Для меня важно быть мастером своего дела. Я не хочу, чтобы меня сочли гением или пророком. Я хочу, чтобы меня сочли мастером, который ищет новые способы понимания мира. Чем тщательнее что-то изучаешь, тем более общим оно становится. Как будто вслушиваешься и начинаешь видеть образы. В тишине, если действительно вслушаться в нее, можно услышать самые необычайные вещи. Так и внутри нас самих — мне кажется, чем меньше ты видишь, тем больше понимаешь...

...Невозможно существовать без сил гравитации. Потому что, как вы наверняка знаете, человек вне гравитации начинает погибать — физически. Ему нужна гравитация. То же самое и с моралью — это великая традиция, и как русский, как христианин, как европеец я понимаю, что никогда не смогу быть полностью свободен от нее. Я знаю, что хорошо, а что плохо... Мне самому интересно осознавать, что я сейчас несвободен, но это внутри меня...»

10.

Отклики на фильм во время и после его венецианского триумфа были не такими единогласно хвалебными, как в случае с «Белыми ночами...». Может быть, потому создавалась иллюзия, что «Рай» легко прочитывался в европейском киноконтексте. И герои его, в сравнении с Лёхой Тряпицыным и Витей Колобком, были более доступными для критических интерпретаций.

Андрей Плахов, один из немногих постоянных интерпретаторов кино Кончаловского, увидел в трех главных персонажах фильма три типа отношений к мировой катастрофе. Первый — обывательский (французский жандарм-коллаборационист). Затем — идейно-романтический (образованный немец, соблазненный нацистской демагогией). Наконец, чисто интуитивный, противящийся злу (русская эмигрантка-антифашистка, спасающая еврейских детей). Критик отметил «тему влечения тронутого тотальным злом романтического немецкого духа к иррациональной славянской душе», хотя и не новую, но повернутую «несколько иной гранью». Кончаловский в то же время напоминает, что «Россия — это не только Ольга с ее способностью к самопожертвованию, но и кошмар сталинизма, который вовсе не без оснований видится Хельмуту аналогом немецкой утопии нацистского рая».

Плахов, и тут он совсем не одинок, не забыл посмотреть на фильм Андрея Сергеевича в пересечении магистралей европейского и другого иноземного кино. Вспомнил, например, о «Франце» Озона, о «Преисподней» Кулховена, о прочем, свидетельствующем не только о чрезвычайной насмотренности, но и начитанности автора. В результате стало ясно, что «Рай» «не только тематически, но и формально перекликается с основными лейтмотивами венецианского конкурса», что это «микс интеллектуальной метафоры и низкого жанра на грани жестокой мелодрамы, психотриллера и китча». Совершенно очевидно, что это и есть «единственно возможный подход к такого рода материалу» после всего, что с ним произвели «за семь десятилетий искусство и культура». Сказано же: поэзия после Освенцима невозможна.

Рецензия Плахова показательна в том смысле, что месседж Кончаловского окучивается множеством будто бы сопряженных с ним явлений мировой культуры, отчего тут же рождается мысль о некой вторичности, несамостоятельности высказывания режиссера. И этим эффектно пользуются те, кто не любит Андрея Сергеевича.

Самый беспощадный критический удар нанес журналист Андрей Архангельский.

Введя в фильм француза-коллаборациониста, режиссер произносит «приговор Европе», которая «легла под Гитлера». Но обвинять обывателя в том, что он обыватель, — не самый успешный ход. Кроме того, можно было вспомнить и о наших коллаборационистах, о нашем обывателе времен войны, о чем пока не снято ни одного фильма. Российские же режиссеры вместе с Кончаловским «развернули широкую этическую «заботу о Другом»: о французе, о европейце». А поскольку тем же приемом пользуется и пропаганда, это «выглядит сегодня как поиск места, куда бы ударить побольнее».

И сама ситуация, и герои нужны автору, как это понимает Архангельский, только для того, чтобы подтвердить его собственные, заранее известные выводы. Режиссер «чаще всего попросту неспособен говорить от себя лично — а только от лица, что называется, больших концептов: государства, Добра или Истины. Это стопроцентно тоталитарный дискурс, в котором художник является ретранслятором, говорящим от лица Большого Другого, высшей всевидящей инстанции». Это избавляет Кончаловского от личной ответственности и «лишает малейшей свободы выбора его зрителя». С самой природой тоталитаризма автор борется тоталитарными же методами. «Такое искусство — это выжженное поле, посреди которого растет одно-единственное дерево, и оно растет потому, что оно — наше; или это темный лес, через который проложена только одна тропа — и она верная...»

Забавно вот что: многих из тех фильмов, на которые указывают Кончаловскому как на доказательство «вторичности» его кино, он просто не видел. Вспоминаю, как еще в 90-е, кажется, на каком-то телешоу его спросили, что он думает о кино Педро Альмодовара, который к тому времени уже сделал «Женщин на грани нервного срыва». Он скромно ответил, что не знает такого. Маэстро интересуют, главным образом, его собственные фильмы.

Но давайте еще раз предоставим слово создателю «Рая» и тем, кто вместе с ним разделял этот труд.

«...Кино вообще не смотрю, не потому, что мне лень, а потому, что я самодостаточный эгоист, смотрю фильм только тогда, когда мне со всех сторон в течение двух лет говорят, что это очень хорошее кино. Я понимаю, что для нормального зрителя «Рай» вряд ли съедобен. Русский фильм на трех языках с субтитрами, да еще черно-белый, да еще с длинными монологами трех героев — совершенно непрокатная вещь...

...С немецкими актерами работалось непросто, потому что у нас совершенно не совпадают ментальности. Мы их понимаем, они нас — нет. Наши люди — эмоционально вовлеченные, не думают, когда начало, когда конец съемки. Немцам было странно...

Состояние немецкой нации я оцениваю как катастрофическое. Даже молодым прочно вбили в голову чувство вины, неполноценности, страх быть политически некорректным, они пугаются собственной тени... Надеюсь, что в немецкой культуре заново возникнет великий дух, который не обязательно приведет к нацизму. Ведь были же Гегель, Ницше, Шопенгауэр...

...Я пробовал многих немецких артистов на роль Генриха Гиммлера, но в итоге Виктор Сухоруков оказался самым убедительным. Правда, пришлось его основательно поколотить, но он терпел и не сопротивлялся. Занятно, что немецкие артисты из восточной — советской — части Германии хотели играть нацистов, а из западной — категорически отказывались. Они смотрели на меня с ужасом, опускали глаза, краснели и избегали разговоров на тему нацизма, хотя их вины нет в том, что их деды попали в эту страшную историю...

...Сухоруков странный и сумасшедший. Это его оригинальность такая. С ним было нелегко, потому что, во-первых, надо было по-немецки и по-русски, а тексты огромные, и ему было тяжело. Главное, что он остался самим собой — таким странным человеком с пристальным и очень пугающим взглядом.

Но вообще этот характер, может быть, наиболее сложный. Почему? Потому что он гипнотизирует. Такого рода люди — они все Вольфы Мессинги. От них исходят страшные волны какие-то, которым невозможно сопротивляться. Поэтому герой уходит и его начинает тошнить, пот прошибает и так далее.

...Кристиан Клаус (Хельмут) — замечательный. Это его первая роль в кино. Он из Дрездена, он театральный актер. Чистый, абсолютно наивный ребенок. И в нем есть эта романтичность — та, что очень свойственна настоящему немецкому характеру. Вертер. Вот если вы возьмете большие немецкие характеры великие, то это чистота помыслов...

...Все эти три характера не говорили писаный текст. Я дал им домашнее задание за три месяца, каждому по несколько книг: французу — о коллаборационистах, немцу — о нацистах, Юлии — о русских эмигрантах, героях Сопротивления. Несколько разных книг, записки. И я сказал: «Вы эти книги должны знать наизусть. Я буду задавать вопросы, а вы должны отвечать».

Там не было текста, и поэтому это выглядит как серьезный экзамен человека, а не актера. Юлии особенно было тяжело. Там есть фраза: «Я больше не могу». Это ведь относится к тому состоянию, в каком она находилась...»

Во время съемок фильма более всего досталось Юлии Высоцкой. Актриса рассказывала — кроме того, что ее остригли для роли, режиссер заставил свою и без того худенькую жену совсем отощать. А еще — по несколько часов три дня подряд исповедоваться — чтобы войти в роль. Кончаловский назвал это необходимой пыткой.

«...Фильм снимался около трех месяцев, и все это время я почти не спала по ночам, уровень возбуждения был слишком высок. Мне повезло, что режиссер все время был рядом, я могла его ночью растолкать и сказать, что мне пришла в голову интересная мысль.

...Мне дорого то, что в фильме нет физиологических подробностей, когда хочешь отвернуться и не смотреть на экран. Моя героиня проживает четыре жизни... Ольга попадает в трагический разворот истории, пытается выжить в нем, незаметно для себя открывая новый смысл жизни...

Режиссер принимает решение, кого он будет снимать в своем фильме. Андрей Сергеевич не стал бы рисковать, если бы не был уверен, что Петя (сын. — В. Ф.) с ролью справится. Петя подходил под образ: и возрастом, внешними данными, и тем, что свободно говорит по-французски. Его сцены были не такими уж сложными, за исключением сцены убийства отца его героя. По-моему, Петя неплохо справился. Посмотрев фильм в Венеции, он испытал довольно сильное потрясение...»

В начале 2017 года оператор «Рая» Александр Симонов дал интервью на tvkinoradio.ru. Вот оно, минуя специальные детали.

«...Работать с Андреем Кончаловским комфортно, потому что он прекрасно понимает специфику и нюансы профессии оператора: замечательно разбирается в оптике и композиции, говорит с тобой на одном языке...

...Но это не значит, что работать с ним легко — Кончаловский очень требователен и всегда настаивает на вещах, в которых уверен. Например, его подход к расположению камеры: камера как точка зрения, взгляд. Случайности там нет. С другой стороны, в каких-то моментах он говорил: «Я не знаю, что тебе сказать по поводу того, как мы это будем снимать». Но это было не незнание, а просто вещи, которые трудно формулировать... Но особенно удивляет то, как Кончаловский умело и грамотно пользуется современными техническими возможностями, как не боится нового...

...В случае «Рая» визуальное решение складывалось сложно. Какие-то принципы были определены сразу: черно-белый формат, например... Но многие вещи, которые мы задумывали, затем оказались не нужны. Первоначально у нас была идея стилизовать фильм под найденную хронику. Догмой мы эту идею не делали, она довольно скоро отвалилась. Но, тем не менее, она стала некой стартовой точкой для размышлений.

Период подготовки был долгим. Очень большой объем архивных материалов. Почти год отсматривали хронику, фото тех лет. Мы анализировали тональные распределения, сенсабилизацию, движения камеры и так далее. Отмечу, что долгое нахождение в каком-то материале очень полезно, потому что помогает в ситуациях цейтнота мгновенно принимать правильные решения. Это было особенно важно с учетом нашей идеи стилизации.

Чтобы остаться в рамках сдержанной стилизации, приходилось вспоминать старые добрые, забытые со ВГИКа приемы. Например, мы брали чистый фильтр и по чуть-чуть трогали пальцем, смоченным вазелином. В итоге получали странные артефакты как бы других времен. Кстати, идеи снимать на пленку не было. Она бы изменила картину, но не в ту сторону, в какую хотел режиссер. Современные технологии дают свободу, которую пленка дать не может, хотя бы из-за недостаточного количества.

В эпизодах, где актеры просто сидят и говорят на камеру, мы до последнего момента планировали делать эффект старой пленки. Искали варианты, как это сделать, не накладывая при этом стандартное зерно цифровым способом и не дергая кадр. Мы оставили что-то вроде легкого сбоя проекции лишь в нескольких моментах. То есть, мне кажется, мы смогли добиться того, чтобы стиль был, но при этом не выпирал, не давил и не отвлекал.

Работа с черно-белым форматом — это, можно сказать, вызов для оператора. Исключение цветовой информации не позволяет тебе «спрятаться» — ты остаешься один на один с композицией и светом. Я сразу всю подготовительную работу начал делать в этом формате...

Исходя из идеи стилизации, мы рассчитали комплект необходимой техники. Коротко говоря, мы условились, что у нас есть две основных кинокамеры и еще три как бы для «игры» (16 и 8 мм). Мизансцену мы расставляли под основные камеры, а уже потом добавляли «игрушки». Довольно быстро это стало постоянной практикой...

Что давала работа с пятью камерами? Прежде всего, свободу — как группе, так и актерам. Чем мне нравится нынешняя техническая ситуация? Даже, казалось бы, несерьезное оборудование выдает вполне рабочий материал, который можно использовать...

Что касается актеров, то они признавались, что обычно, так или иначе, работают на камеру. А у нас они переставали их замечать. Большое количество камер помогало на репетициях — так мы иногда находили необычные решения, которые иначе бы просто не пришли в голову.

...Мы отталкивались от естественного освещения, чтобы не соврать. Изначально мы даже планировали снимать только с естественным светом, но работали уже в октябре-ноябре в реальных интерьерах, поэтому светить так или иначе приходилось. При этом мы все равно следовали принципу: «Я лучше не досвечу, чем устрою здесь праздник света».

Интересное решение было с кабинетом Гиммлера. Режиссер хотел, чтобы в кадре был очень жесткий, контрастный солнечный свет, пробивающийся через очень плотные шторы. Поэтому художники специально подобрали непрозрачные черные шторы, чуть-чуть добавили дыма, а снаружи поставили по паре приборов XLight и ParLight.

Вообще излишнее количество техники на площадке — не всегда благо. Когда ее много, это меня тормозит...

У нас была многонациональная команда: русские, украинцы, белорусы, немцы. Недопонимания не было...»

11.

Несмотря на суровую реакцию специалистов, «Рай» в январе 2017 года был удостоен национальной премии кинокритики и кинопрессы «Белый Слон» в трех номинациях: лучшая режиссура, лучший оператор, лучший фильм.

Конкуренты «Рая» — «Ученик» Кирилла Серебренникова, «Зоология» Ивана И. Твердовского и «Франкофония» Александра Сокурова.

Для Кончаловского оказаться фаворитом отечественной критики пусть и с минимальным (кажется, в один голос) перевесом было серьезной победой. Тихим от волнения голосом (подчеркнули в прессе) режиссер сказал: «Спасибо огромное! Я не знаю, почему все так возбуждены по поводу американской премии Академии. Честное слово — это не самый главный приз!.. Спасибо!»

Волнение Андрея Сергеевича понятно. Вниманием соотечественников из числа киноведов и кинокритиков он не избалован. Откройте два самых солидных наших специальных издания «Искусство кино» и «Сеанс», посвященных проблемам кинематографа, и вам придется сильно потрудиться, чтобы найти там его имя. Во всяком случае, в последние пять, а то и более лет.

«ИК» не забыло прорецензировать «Белые ночи...» и «Рай». Потому, как я понимаю, что оба фильма засветились в Венеции. Да и дома набрали призов. По следам этих побед Андрей Плахов («Белые ночи...») и Денис Катаев («Рай») и отрецензировали работы Кончаловского. Плахов похвалил, Катаев строго пожурил, хотя и согласился с «избитой формулой» — «новая искренность Кончаловского».

«Рай», тем не менее, был удостоен и премии «Золотой Орел» в трех номинациях: лучший фильм, лучшая режиссура, лучшая женская роль (Юлия Высоцкая). Опередил его «Экипаж» Николая Лебедева — пять призов. Что тоже симптоматично для нынешнего нашего кинопроцесса.

На этот счет Н. С. Михалков заметил: «У каждого, кто голосовал, свои критерии. «Рай» оторвался от конкурентов значительно. Это доказывает, что кинематографистов сегодня интересуют поиски смыслов. А то, что в номинантах присутствует и кино дорогое, полное спецэффектов, страстей, стрельбы, доказывает, что мы не забываем и о развлекательных массовых жанрах. «Рай» не соберет и тысячной части того, что соберет «Экипаж» или «Дуэлянт». Но это знаковый фильм, его отметили, значит, мы остаемся серьезной кинематографической державой...»

На церемонию вручения откликнулся «Собеседник» (Константин Баканов), обратив внимание на тотальную зависимость современного отечественного кино «от Минкульта». А также на то, что церемония «прошла под знаком возродившегося братского союза Михалкова и Кончаловского». Корреспондент попросил Никиту Сергеевича прокомментировать, почему фильм его брата не попал в число номинантов на «Оскар».

«Там слишком много привходящих обстоятельств, порой очень внешних», — сказал Михалков.

Притом он не отрицал, что «Оскар» — «самая крупная награда в мировом кино». «Рай» попал «в шорт-лист, и это тоже имеет значение. Ну, а победа в основных номинациях на «Орле» говорит о том, что это знаковая картина, мимо которой нельзя пройти. Для меня, по крайней мере».

28 марта состоялась 30-я церемония вручения наград национальной кинематографической премии «Ника» за 2016 год. Мероприятие прошло в Государственном академическом театре имени Моссовета, с которым Андрей Сергеевич давно сроднился.

Среди награжденных, кроме «Рая», были «Ученик» Кирилла Серебренникова, «Монах и бес» Николая Досталя, «Дуэлянт» Алексея Мизгирева, «Коллектор» Алексея Красовского.

Из пяти номинаций «Рай» стал лауреатом в трех: лучший фильм, лучший режиссер, лучшая женская роль (Юлия Высоцкая).

Что можно добавить к тому, что мы уже слышали за прошедшие пять лет от Андрея Сергеевича?

Обозревая современную политическую карту мира, он видит на ней супергосударства, о пришествии которых предупреждал еще Александр Зиновьев. Это те мощные образования, которые порывают с иллюзией, что есть разделение властей. Ничего подобного нет, а есть одна власть, объединяющая собой деньги, политическое управление и прессу. Так возникает опасность манипуляции целыми нациями.

Варварство, говорит он, не обязательно принадлежность древнего или необразованного человека. И сейчас может появиться нацистское государство в какой-то новой форме. Но нельзя «под одну гребенку кидать национализм и нацизм». Это абсолютно разные вещи. Националист думает о том, как сделать свою нацию великой, но не за счет других. Нацист — это человек, который говорит: «Мы будем уничтожать других, потому что мы выше всех».

В национализме опасен фундаментализм: «Россия — для русских!». Достоевский в«Бесах» предчувствовал нарастание крайнего фундаментализма.

«Идея мультикультурализма терпит сегодня естественное поражение. Разные цивилизации, разные культуры развиваются с разной скоростью. Была большевистская иллюзия: «Мы возьмем власть — и будет сразу построен коммунизм». Будет построен рай! Такая же иллюзия: «Мы сейчас всех соединим — и все будут жить в добре и любви». Это сегодня невозможно. Мы живем на разных ступенях развития. Есть хорошее выражение: «Бог леса не ровнял». Одно дерево растет в тени, а другое — на горочке. И вот уже два дерева разной высоты.

Мы живем в одной гигантской лодке, которая называется «Россия», в которой много от империи. Мы живем в империи, где есть основополагающая нация — русская. Но у нас такое количество наций! Кого только нет! Возьмите северные народы. В Архангельске какие удивительные люди, поморы. Они совсем не похожи на москвичей.

Объединяющую национальную идею нельзя вырастить в лаборатории и в академии наук. Она растет сама по себе. Вообще в России национальной идеи, как правило, не было до тех пор, пока кто-то на страну не нападал. И сразу возникала национальная идея, которая выражалась в «дубине народной войны».

Патриотизм — вещь тихая, не выражается в «Гром победы, раздавайся!». Патриотизм — чувство принадлежности. Когда меня ругают, говорят: «Он американский режиссер». А когда какой-то успех: «А вот наш...» И я радуюсь, если могу быть поводом для того, чтобы кто-то гордился нашей культурой, потому что я русский человек, продукт русской культуры. Мы все — результат русской культуры».

«...Когда-то я думал, что я все понимаю в политике. Во всяком случае — много. Но чем дальше я живу и чем дальше я смотрю на то, что происходит, я понимаю только, что мир управляется совсем другими гравитационными силами, которые не на виду. Где-то какие-то серьезные очень силы, которых мы не понимаем. Я часто употребляю выражение: „Мы все — мухи в чемодане".

«...Самое главное, что меня волнует сейчас в искусстве, — это не характеры, а попытка увидеть ту глубину океана, которая находится за явленным миром. За вами, за мной — за нами видимыми есть какая-то невидимая божественная субстанция. И она соединяет весь мир. Увидеть сложно. Нужно не рассказывать — смотреть. Эйнштейн говорил, что если и есть что-то только в искусстве, то это тайна. Это надо понимать: в жизни есть тайна. А потом пытаться найти... Мы ее не найдем — это факт. Но пытаться надо. Искусство умеет увидеть за видимым невидимое. Что это такое, не берусь сказать. Точно так же, как нельзя объяснить, что такое заживающая рана. Но это чудо!..»

12.

— Итак, Жанна, ты полагаешь, что истинное чудо
на земле — человек?
— Да, сударь... Я все это видела на войне...
— Ты богохульствуешь, Жанна! Человек — это грязь,
подлость и непристойные видения!
— Да, сударь! Он грешит, он бывает гнусен. А потом,
неизвестно почему, он кидается наперерез несущейся
лошади, чтобы спасти неизвестного ему ребенка,
и с переломанными костями умирает спокойно.
— Он умирает, как зверь, во грехе!
— Нет, сударь! Он умирает сияющий, чистый,
и Бог ожидает его улыбаясь!..
Евгений Габрилович, Глеб Панфилов. Начало

Что до «Рая» — лично мне не повезло. Увидел фильм значительно позднее его фестивального триумфа. К тому времени наслоились мнения могучей кучки критиков, знакомых и друзей. К тому же еще году в 2015-м мне довелось познакомиться со сценарием, который нельзя сказать, чтобы сильно меня взволновал. Так что пробиваться во время просмотра сквозь эти наслоения собственных впечатлений и чужих мнений было трудно.

Смотрел едва ли не до самого финала вполне спокойно. Как нечто уже знакомое, отмечая и катастрофу Второй мировой, и соблазны зла — словом, все то, о чем уже много сказали и автор фильма, и его критики. До финала. Точнее, до того момента, как героиня картины, Ольга, предлагает бывшей блоковой концлагеря вместо нее, Розы, отправиться на «санобработку». Иными словами, в смерть. Розе есть для кого жить, — у нее дочь в Кемерово. К тому же она сможет вывести из зоны и так спасет тех двух еврейских мальчишек, которых пригрела Ольга. И это происходит, когда саму Ольгу ждет машина, чтобы увезти бывшую русскую княгиню, может быть, и в желанную Швейцарию, по замыслу ее «идейного» любовника Хельмута...

С этого момента что-то приковало меня к экрану. Не отрываясь, смотрел, как Ольга погружалась вместе с другими обреченными в зев смертельного тоннеля. Как, остановившись на миг, выцарапывала свое имя на стене прорвы. И мне вовсе не казалось это, как иным рецензентам, пошловато сентиментальным. Не было просто времени рефлектировать по такому поводу! И, наконец, как после ее сбивчивого объяснения, почему же она пошла на смерть, получала в ответ сияние небес (?) и слово: «Тебе нечего бояться. Входи».

Есть масса насмешливых комментариев к этой реплике. Чьей? Говорят, всевышнего. Надо сказать, что и в съемочной группе сомневались, стоит ли оставить ее. Режиссер оставил. И правильно сделал. Потому что у меня в этом месте горло перехватило. Я удивился и оторопел. Случилось совершенно внезапно! Ничто до сих пор не предвещало таких чрезвычайных эмоций. Но, значит, копилось? Значит, количество обернулось качеством? Значит, фильм привел меня к этому?!

Решил проверить оправданность реакции. Посмотрел еще раз финал. Эффект тот же!

Потом вспомнил, что примерно так же настиг меня эмоциональный выплеск накопленного переживания, когда я смотрел впервые «Дом дураков». И в связи с явлением героини все той же Высоцкой.

Ранее я уже об этом писал. Сцена, когда юродивая Жанна оказывается в самом пекле схватки федералов с чеченскими боевиками — в своей дурацкой шляпке и с таким же дурацким аккордеоном. И заклинает все вокруг любовью (и грязь, и огонь) пощадить ее, не убивать. Тогда я тоже не выдержал. Причем, опять-таки неожиданно для себя. И никогда не выдерживал в этом месте. И не мог (и не могу!) объяснить, откуда бралось это безмерное до боли в груди сострадание не только к самой этой девчонке. Но и вообще ко всем там...

Вероятно, это было так же необъяснимо, как и для героини «Рая», чего это она вдруг вместо того, чтобы себя спасать, бросилась спасать детей и... Розу...

Знаете, о чем я еще подумал после окончания фильма? Не о том, сколько и чего «украл» Кончаловский у своих зарубежных коллег на тему холокоста и соблазнительности зла, когда делал свой «Рай». Я вспомнил, что не только «Рай» и «Дом дураков», а, по сути, все картины Кончаловского оказывались для меня такой эмоциональной ловушкой. И в самых неожиданных моментах развития сюжета. Эти моменты потрясали.

И вспомнилось еще вот что, как-то объясняющее загадку подобного рода потрясений. Вспомнился диалог Жанны д'Арк и ее судей в фильме Габриловича и Панфилова «Начало».

Вернемся к феномену «неизвестно почему», бесконтрольно толкающему человека изнутри его натуры на свершение чуда доброго поступка. Оно, такое чудо, и есть на самом деле одна из главных составляющих кино Кончаловского. Именно поэтому едва ли не во всех его фильмах появляются дети как воплощение незащищенной, слабой человечности, которая, созревая, обретает силу чуда. Но дети — их обязательно нужно выносить, спасти: «Ах, дети, дети — как вы достаетесь!». Так у Кончаловского всюду. И к «Раю» он взял еще одним и, может быть, наиболее показательным «эпиграфом» фотодокумент, где два еврейских мальчика идут дорогой, по обочинам которой лежат ряды трупов.

Заметьте, что свет, озаряющий Ольгу в финале, сулит одновременно прощение и тем, кто «исповедовался» до нее и вместе с ней: французу и немцу. И только по той простой причине, что ее непредумышленный, неожиданный подвиг есть наш всеобщий подвиг. Свидетельство неугасимой способности человека совершать (через преодоление себя!) чудо добра.

Почувствовать и всерьез осмыслить этику картины Кончаловского нельзя вне контекста его творчества в целом. Отсюда плодотворнее всего взглянуть на то, что возникло во втором десятилетии нового века из-под его «пера». И уж никак не плодотворно притягивать аргументацию для обличения вторичности «Рая» из кино забугорного. В конце концов, его кино о нас, живущих здесь, в России!

Пафос финала «Рая» не случайность. По той же логике и на том же нерве взлетает к финалу и сюжет «Первого учителя», о чем я уже говорил.

Во-первых, сам учитель Дюйшен — дальняя предтеча Хельмута. Он так же чист и не запятнан и так же фанатично предан идее построения рая (по Ленину) как на своей каменистой родине, так и во всем мире. И для учреждения этого «парадиза», как и фашистского, необходимо, во что бы то ни стало, истребить определенную часть (пусть и меньшую) человечества. Правда, гибнут почему-то ранее всех — дети и те, кто как дети.

Дюйшен — пастух. И о существовании Чехова вряд ли подозревает. Но тот факт, что Хельмут нагружен культурными смыслами, мало что меняет в его идейном рвении. Напротив, делает еще неколебимее его преданность абстракции, еще осознанней. И еще опаснее! В этом смысле Дюйшен, конечно, куда более невинная жертва идеи, чем Хельмут.

Во-вторых, для Кончаловского и там и здесь сама фанатичная преданность какой бы то ни было идее, пусть и самой благой, сомнительна. И он об этом говорил еще тогда, в шестидесятые, комментируя порывы своего героя.

Вот почему, в-третьих, носителями положительной этики оказываются у него абсолютно безыдейные — или юная Алтынай, или старик Картанбай, который берет топор и становится рядом с Дюйшеном. Становится неизвестно почему. Иными словами, по бессознательному движению человечности — предотвратить кровь, которая в ином случае неизбежно прольется. Или спасти «дитятю»-неофита ленинской идеи (Дюйшена), или погибнуть вместе с ним!

Отсюда недалеко и до последних кадров «Рая».

А сам финал «Первого учителя», как и вся его этика (да и эстетика тоже!), были подсказаны Кончаловскому, если уж брать внешние влияния, его, напомню, любимым Куросавой.

В частности, «Расёмоном», его концовкой, где изреченная каждым из персонажей фильма мысль (мнение, идея!) оказывается ложью. Или иллюзией, как любит говорить Андрей Сергеевич. Высшей истиной же — чудо спонтанного свершения доброго поступка.

Но чтобы уловить этику японского гения, к ней нужно было суметь прислушаться. Кончаловский сумел. С тех пор это этическое начало прочно (чудотворно, я бы сказал) слито с его художническим даром. Вопреки всем иным прочим иллюзиям, которые он время от времени провозглашает публично.

Теперь далее.

Героиня Высоцкой в «Рае» — новая ипостась ее Жанны из «Дома дураков». Жанна — первая по-настоящему «кончаловская» роль актрисы. Роль, энергетически внушенная ее режиссером, в творческом сознании которого в этом смысле всегда держалась как точка отсчета Джульетта Мазина с улыбкой ее Кабирии.

Роль юродивой Жанны потом развернулась в сквозную актерскую тему Высоцкой в кинематографе и театре ее супруга. Вплоть до «Рая» и «Вишневого сада». Очень надеюсь, что будет и «Макбет», и много чего еще.

Финал «Рая» фактически цитирует и последние эпизоды «Дома дураков». Помните, как потрясенная и подавленная разгромом в их доме, учиненном войной, Жанна садится рядом с «больным» богом этого дома Фуко (А. Адоскин) и вопрошает: «Говорят, Бог простит. А он что, всех прощает?» — «Кто?» — «Бог». — «Какой?» — «Вообще бог». И вот «вообще бог» Фуко, наконец, отвечает: «Тебя я прощаю. Я знаю, что ты есть. Уходи». Жанна покидает Фуко. Совершает монашеский постриг. И возвращается к «больным людям».

Думают, что в «Рае» Кончаловский самонадеянно сымпровизировал голос библейского Бога. Да нет же! Это вообще бог. Изнутри их существа, режиссера и актрисы, звучащий. Изнутри нас с вами, наконец! И голос его, кстати, напоминает голос Адоскина-Фуко из «Дома дураков». И Ольга Высоцкой произносит: «Мне теперь нечего бояться, кроме своего Бога». Вот ее Бог, соответственно, и отвечает голосом заключенной в ней человечности, чуда.

Каждый из действующих лиц остается, что называется, при своем боге. Кто-то поставил в упрек режиссеру, что взятые из разных культурно-исторических дискурсов герои никак не диалогизируют. А какой там может быть диалог, какое диалогическое единство? Его не может быть, как не могут услышать друг друга персонажи «Расёмона», когда ответствуют перед своего рода высшим судом, вне бытовой и всякой иной реальности. Человеческое единство их актуализуется, когда в финале измордованный жизнью многодетный крестьянин берет в семью еще одного, брошенного кем-то у ворот Расёмон ребенка.

И здесь подобного же рода единство подразумевается уже в силу того, что Ольга безотчетно жертвует собой, совершает то самое последнее усилие на пути к чуду заживления ран. Впрочем, думаю я, похожее усилие делает и Юлия Александровна Высоцкая.

Мысль о природе и границах зла, о соблазне зла, о возмездии за него занимала сознание режиссера задолго до работы над «Раем». Такого рода размышления наложили отпечаток и на спектакль по трагедии Софокла, о чем уже шла речь. Обреченность человека на неизбежную в его малости слепоту, которая пала на Эдипа и весь его род, видна и в герое Литтелла, и в герое «Рая», молодом эсэсовце Хельмуте. Наверняка найдем отзвуки этой драмы и в бытии любого из нас, как и жизни режиссера и его актрисы, соавторов того, что делается ими в искусстве.

В конце концов, и сама эта слепота, и соблазны идейных абстракций, претендующих на сверхчеловеческую всеохватность, преодолеваются у Кончаловского простым инстинктивным жестом человечности.

Если сравнивать интеллектуала Хельмута из «Рая» с его прообразом, Максом Ауэ из романа Литтелла, то первый — стерилен как ангел во плоти. Он во всех отношениях герой без страха и упрека, каких в нашей литературе и кино было хоть пруд пруди. Он отнюдь не бухгалтер и не аптекарь, не банальный злодей гестаповец Адольф Эйхман из книги Ханны Арендт. Он бескорыстный носитель правды, за которую готов расплатиться жизнью, как тот же, скажем, Павел Корчагин. Все эти качества делают, кстати говоря, еще более выпуклыми несовершенства Ольги как женщины, как человека, далекого от амплуа героини.

Хельмут, по замыслу режиссера, «не должен вызывать чувства отвращения». Более того, он даже «может быть привлекателен своим беззаветным служением идее, но сама идея, которой он служит, делает его фигурой трагической в своей слепоте». Поэтому не удивительно, что Ольга «в какой-то момент увидела в нем сверхчеловека».

Но она, мне кажется, скорее, сделала вид, что увидела это. Ради своего спасения, ради отбытия под чужим именем в Швейцарию. Получив от Хельмута пистолет, она уже готова была пустить своему сверхчеловеку пулю в лоб. Но что-то ее удержало.

Идейная стерильность Хельмута — это и стерильность его правды, то есть ее бесплотность, нежизненность. Как только эта правда материализуется в виде человеческих жертв, мир обрушивается. Вообще весь. В том числе — и мир самого Хельмута.

У Ольги нет идей. Она спасает детей и до лагеря, и в нем по неконтролируемому движению сердца. Она делала бы то же самое, окажись и в сталинских лагерях. И там, пригрози ей кто-то пыткой, она в тот же момент сникла бы.

Возвратившись от Хельмута, пообещавшего ей спасение, она выплевывает баланду, как лагерь выплевывает, потому что ощущает себя уже за его пределами. Еще ночь — и она на свободе! И вот в этой ситуации абсолютно нелогичен, безумен ее шаг навстречу блоковой Розе, которая еще недавно в хвост и в гриву гнобила Ольгу. Но так же, как идеолог Хельмут и за границами жизни продолжает с осознанной убежденностью толковать о величии фашистской Германии, так и Ольга, забыв и о величии германской нации, и о величии своего народа, бессознательно, не владея собой, опять кинется наперерез несущейся лошади, чтобы спасти неизвестного ей ребенка...

Из речи Жиля Жакоба при вручении А. С. Кончаловскому ордена Почетного легиона 21 сентября 2011 года:

«Дорогой Андрей,

Вы просили, чтобы именно я вручил вам этот Орден. Я почти отказался от этой чести по личным мотивам, о которых я вам никогда не рассказывал.

В 80-х, будучи директором Каннского кинофестиваля, дважды в год я приезжал в Голливуд на поиски новых фильмов. В Голливуде со мной работала хорошенькая молодая секретарша... Однажды она показалась мне очень мечтательной. Она продолжала работать, но думала о чем-то другом. Или о ком-то другом. Больше я не скажу ни слова. Но я бы не удивился, если историк кино установил бы тот факт, что некий красивый молодой советский режиссер, будучи проездом в Голливуде, нашел убежище в квартире и сердце молодой девушки.

Конечно же, с тех пор прошло очень много времени. И я с благодарностью принял предложение стать вашим «крестным отцом» по более веским причинам.

Первая — это ваши отношения с Францией, страной, где ваша старшая дочь Александра растит ваших внуков. Ваша прапрабабушка была француженкой; ваша двоюродная бабушка Виктория Петровна Кончаловская жила в Париже с 1905 года и преподавала русский язык в Сорбонне. Ваш дед, Петр Кончаловский, художник, был другом Матисса и Пикассо, любил Сезанна, Моне, Ван Гога, стоял у истоков французской живописи в России... Вашей маме, Наталье Кончаловской, мы обязаны биографиями Брассенса и Пиаф, она была единственным переводчиком с провансальского языка... Ваш отец, известный поэт и драматург, написал стихи российской «Марсельезы». Какая семья! Семья, вызывающая робость и почтение.

Вторая причина заключается в том, что вы стали выдающимся художником, достойным потомком этой семьи, корни которой берут начало в XV веке. Вы всегда держите руку на пульсе вашей страны. Сколько бы вы ни путешествовали, глядя на мир, в частности, на Соединенные Штаты и их процветающий капитализм, вы всегда возвращаетесь домой...

Вы начали свой режиссерский путь двумя мастерскими работами. От «Первого учителя» я храню в памяти невинность новой волны и смесь чувственности и лиризма, которые, наравне с иронией, впоследствии станут движущей силой вашего творчества. «История Аси Клячиной» — один из лучших ваших фильмов, в котором свежесть чувств и свобода стиля проявились с размахом маэстро... Вы уже тогда удивительным образом показываете, насколько хорошо вы разбираетесь в народе, особенно в крестьянах (или я должен сказать «в мужиках»?), и с какой точностью проявляете настоящую привязанность к ним, избегая всякого превосходства...

Ваше творчество направлено не только на понимание русской души. Через социальные потрясения оно следует за грандиозными изменениями нашего века. Оно отражает взаимодействие идей и людей в ключевые моменты в истории народов...

Будучи талантливым художником и свободным человеком, вы неизбежно столкнулись с завистниками и льстецами. Для вечных недоброжелателей вы воспеваете старую феодальную аристократию, для советских идеологов — вы агент ЦРУ, для наших местных — вы шпион КГБ: об этом свидетельствуют ваши поездки между Западом и Востоком.

Зная степень вашей поразительной культуры и твердость вашей независимости, я смеюсь им в лицо. Потому что ваше творчество опирается в основе своей на ваши корни, и в нем нетрудно увидеть отчаянную попытку вернуться к основам идентичности вашей страны сквозь ее уклад жизни, ее страдания, ее надежды... Но ничего не поделаешь, двойственность долго была частью вас, самого русского из путешествующих режиссеров...

Есть режиссер, доверяющий инстинкту, и режиссер, любящий кино. Вы являете собой квинтэссенцию обоих, потому что вы — человек, находящийся между двумя ипостасями. Между двумя социальными классами, между Востоком и Западом, между Севером и Югом, между двумя профессиями сценариста и режиссера: 32 сценария, 25 художественных фильмов, оперные и театральные постановки, массовые мероприятия, книги, статьи. При этом не забывая наслаждаться жизнью и изящно любить женщин. Я приветствую присутствующую здесь Юлию Высоцкую, вашу супругу. Наконец, вы — отец семерых детей.

Увлекшись когда-то мистическим опытом, вы могли бы стать буддийским монахом, если бы жажда жизни не была сильнее, даже если ваше мировоззрение окрашено бескомпромиссным наблюдением за обществом, не оставляющим иллюзий о нашем мире. Благодаря вашему моральному духу Спинозы это здравое разочарование не исключает достижения счастья и реализуется через ваше творчество.

По-моему, вы всегда будете художником вневременной традиции, певцом «природы, русской земли», как показывает знаменитая «Сибириада», которую я имел удовольствие выбрать для Каннского фестиваля, где она выиграла Гран-при жюри, что явилось отправной точкой вашего американского маршрута, такого важного личного вызова. Я не забываю, что так же, как Рене Клер и Жан Ренуар, вы были одним из немногих кинематографистов, не принадлежащих к англо-саксонской культуре, сделавших успешную карьеру в Голливуде. Но именно во Франции вы получили наибольшие почет и признание.

Именно поэтому, уважаемый Андрей Кончаловский, мы посвящаем вас в кавалеры ордена Почетного легиона».

Под оберегом «энергии заблуждения»

ВМЕСТО ЭПИЛОГА

*...Когда уже где-то на шестом десятке страх смерти
всерьез ожил во мне, я решил все же еще раз жениться
и сделать еще детей. До этого я размышлял так: да, мне
эта женщина очень нравится, но жениться-то зачем?
Можно и так замечательно быть вместе. Страх смерти
заставил взглянуть по-иному.*

Андрей Кончаловский. Низкие истины

*...Меня пока ведет то, что Толстой называл энергией
заблуждения...*

Из интервью с Юлией Высоцкой. Май 2006 года

1.

...В июле-августе 2006 года в районе Донского монастыря, на полу-
заброшенном предприятии под названием, кажется, «Красный
пролетарий» проходили съемки «Глянца», в котором откликнулись страницы биографии Юлии Высоцкой.

Есть немало описаний киносъемок — у того же Кончаловского.
И везде их образ рисуется неким хаосом, где каждый тянет одеяло на себя, и не понятно, как режиссеру удается снять то, что он
задумал. За всем угадывается символическое преодоление рутины и произрастание произведения из сора жизни. Вот почему,
собираясь на съемочную площадку, вы внутренне готовитесь
не только к неизбежной суете, но и, несмотря ни на что, к встрече со священнодействием.

...Миновав проходную предприятия, оказываешься среди
унылого пространства, уставленного металлическими конструк-
циями. Чуть погодя проникаешь и в саму декорацию. Несколько
коротких коридорчиков, лесенка и — нате вам: съемочная площадка. Перед ней — предбанничек, где на диванах и в креслах,

вероятно, относящихся к реквизиту, валяются какие-то люди, то ли в коротком сне после творческого труда, то ли, напротив, в состоянии медитации перед творческим процессом.

Сама площадка — скромное открытое пространство — заставлена всевозможной аппаратурой, какими-то предметами, вещами, необходимыми для съемки и узнаваемыми по сценарию. Вверху, вместо потолка, огромные подрамники, обтянутые холстиной, вероятно, для обеспечения соответствующего освещения. Одна из стен декорации оказалась прозрачной, за ней угадывалась фотопанорама Москвы, с высоты птичьего, так сказать, полета.

Какие-то выгородки, углубления, путаница проводов и суетливое передвижение, на первый взгляд, совершенно бездельных странных фигур, в основном довольно юных. Все это, с точки зрения непосвященного, выглядит бессмысленной толкотней. Во всяком случае, это никак не похоже на то, что потом станет фильмом...

В страшном смущении и внутреннем одиночестве долго ищешь место, где бы пристроиться, чтобы не мешать всем этим передвижениям и не повредить дорогостоящую аппаратуру. Находишь. Попутно отыскиваешь глазами знакомую долговязую сутуловатую фигуру. Среди общего нелепого движения фигура не очень приметна, но вместе с тем руководит процессом. Правда, выходит это как-то не по-режиссерски. Не слышится громогласных указаний, не видится направляющих жестов и проч.

...Шли репетиции и съемки эпизода, когда несколько крутых братков истязают торговца «лохматым золотом», обещая ему страшные муки, если он не ответит на их требования. Незамысловатые их манипуляции и очень лаконичный текст повторяются в течение трех часов, пока вы там находитесь, и делаются уныло привычными для вас, не говоря уже об участниках творческого процесса. И весь процесс, в конце концов, становится полным занудством, которое утомляет до головной боли.

Но не похоже было, чтобы скучал или утомлялся сам режиссер. Он давал какие-то указания исполнителям, осветителям, прочим участникам, время от времени опрыскивал из пульверизатора физиономию пытаемого — и делал это все с удовольствием, чему любой посторонний мог искренно подивиться: в чем, собственно, кайф? Причем, при наличии заметного беспорядка, режиссер не то чтобы не кричал, но даже и голоса не повышал. И что же? В суете, казавшейся непреодолимой (на ограниченной площадке было несколько десятков человек), обязанности каждого все же исполнялись.

А он не только руководил съемкой, но при этом успевал дать интервью какому-то иностранному изданию. Помимо того, он беседовал с то и дело на него набегавшими людьми, ставил автографы на недавно вышедшей вторым изданием книге «Низкие истины», попутно его снимал фотокорреспондент популярного отечественного СМИ.

Внимание привлек малозначимый, на первый взгляд, момент. Во время репетиции эпизода режиссер с каким-то особым вниманием отнесся к ситуации, когда главный из мучителей, узнав, что истязаемый ничем не может содействовать и вообще оказался «невиновным», произносит: «Жалко!» Он, крутой бандюган, пожалел жертву — пробудилось что-то человеческое. И подумалось, что ежели этот эпизод останется на экране с теми рекомендациями по поводу интонации только одного слова «жалко», которые делал режиссер, то даже и к такому отвратительному персонажу нужно будет присмотреться...

Размышления на тему отношения режиссера к героям, населяющим создаваемый им художественный мир, заставляют вспомнить и тот нравственный постулат, который берет на вооружение Кончаловский. «Я должен любить тех, с кем в данный момент работаю...» Может быть, это и есть главное в его творчестве: неизбежная любовь к создаваемому художественному миру, даже, возможно, в ущерб той реальности, которая находится вне границ творимого мира?..

2.

Андрей утверждает, что дом в материально-вещном смысле должен строиться всю жизнь. Дом нельзя, говорит он, просто так сделать и сдать под ключ с интерьером. Живые дома «наращиваются» десятилетиями. Его дом вырос из материнского. А тот начал отстраиваться на Николиной Горе еще в самом начале 1950-х годов.

Когда-то, в далекой юности, он пренебрегал основательной убедительностью антикварной мебели, населявшей их жилище, где по стенам можно было видеть полотна Сурикова и Кончаловского. Тянуло к модерну.

С годами в представлениях Кончаловского о гнезде многое изменилось. В Италии, например, ему приходилось видеть дом с шестисотлетней историей. Особенно же его поразил дом Эмануэля Унгаро в Провансе, который тот выстроил на старой ферме. Андрей Сергеевич рассказывает: там нет ни одного окна, ни одной задвижки неантикварной. Все это двадцать лет потихонечку свозилось и ставилось. Благодаря Унгаро был усвоен и главный принцип дома: ни в коем случае не нужно стараться закончить его как можно скорее.

Но ведь этот принцип имеет отношение не только к обустройству, так сказать, материального пространства семейного гнезда, но и к устроению внутреннего мира человека. А такой «дом» тоже «наращивается» десятилетиями.

Впрочем, может и не повезти с обустройством.

У режиссера была вилла в Лос-Анджелесе, квартира в Париже. Все это он продал, когда вернулся в Россию, захватив с собой часть вещей. К тому времени Наталья Петровна скончалась. Сын решил сохранить дом матери. Но при этом, как он говорит, превратить его в терем со множеством разных крыш, углов. Он хотел разрушить поверхность, разбить ее на разные плоскости, «угнездить» дом на доме, как строились терема и все посады...

Вот что существенно: по-настоящему жилье на Николиной Горе начали отстраивать, когда у Андрея и Юлии появился первый ребенок — дочь Маша. Вероятно, к этому времени и завершен был «проект» дома внутреннего.

...Юлия Высоцкая родилась, когда ее матери был двадцать один год. Светлана Высоцкая разошлась с мужем, вела бурную личную жизнь. Как позднее рассказывала дочь, молодой красивой женщине не везло с мужчинами. А влюблялась она по-казачьи, безоглядно. Мать вышла за военного. Началось долгое странствие из части в часть...

Вот картинка, набросанная Юлией: «Когда вспоминаю детство, на ум приходит, как я надеваю мамино платье, становлюсь на стул, как дедушка берет балалайку или баян, начинает играть частушки, а я их под его нехитрый аккомпанемент пою. С другой стороны, была довольно тяжелая жизнь в военных городках — мой отчим служил в небольшом чине, и мы постоянно переезжали с одного места на другое. Были бессонные ночи, когда родилась моя сестра. Вот мама в десятиградусный мороз стоит в очереди за пайком, в комнате рыдает полуторагодовалый младенец, а я, обливаясь слезами в ванной, стираю ее пеленки...»

Родившись в Новочеркасске в семье с казацкой родословной, девочка довольно рано покинула место рождения. Жили в Ереване, в Тбилиси, потом в Баку — вехи ее раннего странничества. Дома в устойчиво традиционном смысле не было. Юля больше привыкла к кочевой, чем оседлой жизни. Правда, в интервью с ней то и дело возникает милая домашняя картинка, как ее бабушка готовит всякую печеную снедь, которой девочка угощается и сама учится печь. Первый самостоятельный солидный «блин» был пирогом, поднесенным матери на день рождения.

В себе самой Высоцкая отмечает важную черту, воспитанную «бездомным» образом жизни. Приходилось становиться и мягче, и добрее — просто для того, чтобы приняли в новом коллективе. А это ведь та самая наука компромисса, воспитание способности жизнью побеждать жизнь, которая так близка и ее мужу.

Легко заметить, что общественность больше интересуется Юлией Высоцкой как женой одиозного персонажа — мало доступного и не очень понятного режиссера Кончаловского, во-первых, а во-вторых, как ведущей телепрограммы «Едим Дома!» и ряда других, автора целого собрания красочных изданий по кулинарии, общий тираж которых превысил уже два миллиона экземпляров. Поэтому беседы ее с журналистами — по преимуществу, обсуждение различных рецептов, кулинарных поисков и того, конечно, что «ест дома» известная семья. На этом поприще Юлия обрела статус авторитетного профессионала.

Осенью 2011 года Юлия и Андрей открыли в Москве свой собственный ресторан. Идея такого именно заведения, как и авторство дизайна, принадлежали Кончаловскому. Ресторан назывался «Ёрник». В интервью хозяйка поясняет, что «название может отражать не кулинарную фишку, а философию человека, который готовит еду. Еда должна быть «секси», привлекательной. А для меня ёрники — это дико привлекательные мужчины...».

Ёрник — от глагола ёрничать, шутить, озорничать. Так трактует словарная статья. По Кончаловскому, ёрник — яркая, неординарная личность, человек, прекрасно понимающий, зачем взрывает спокойствие. В определенном смысле — провокатор.

Стены ресторана украшали портреты тех, кто представляется супружеской паре великими ёрниками. «Из наших соотечественников — Антон Чехов и Владимир Маяковский. Еще добавил бы Александра Пушкина. Тут же — Уильям Сьюард Берроуз, Жан Жене, Луи-Фердинанд Селин, Фрэнсис Бекон, Генри Миллер, Эжен Ионеско... Почти все эти раздолбаи в разные периоды жизни сидели в тюрьме или имели другие проблемы с законом. Может, за исключением Антона Павловича. Хотя и Чехова арестовывали, но после того, как он выпил штоф водки с околоточным, тот сжалился и отпустил докторишку на свободу...»

Имидж ёрника вполне к лицу и моему герою. А он, между прочим, если помнит читатель, и в тюрьме побывал некоторое время. В американской. «Глянец» — «картина ёрника», говорит он. Режиссер полагает, что ёрником он был всегда, в любом случае — давно, хотя не с детства. Это где-то рядом с «циником», каковым он и стал позднее. Но в юные годы цинизм в нем еще не укоренился. «В России традиционно не любят циников, по всей видимости, зачастую элементарно не представляя, о ком именно речь».

Андрей Сергеевич обращается к этимологии понятия, и оказывается, что циники (или киники) всегда стремились избавиться от условностей, упростить жизнь, уменьшить собственные потребности. Они знали, что человеку свойственно не только добро, но и зло. Понимали, что «в каждом из нас немало говна, но продолжали любить ближнего». Циники делали это абсолютно искренне, что куда труднее, чем лицемерно прикидываться, будто все вокруг ангелы. «Такие вот ханжи сами отправляются на Северный полюс в купальном костюме и других за собой тащат. Потом разочаровываются в роде людском, стреляются или лезут в петлю. А остальные, мол, пусть спасаются, как хотят, твари неблагодарные. Словно были какие-то сомнения в том, что человек наполовину животное. Иногда — на треть, но бывает и больше...»

В свое время Юлия Высоцкая много рассказывала о своей семье — об отношениях с супругом, с детьми; раскрывала свое семейное кредо, какой она видит организацию собственного дома. Позиционировала себя прежде всего в роли жены и матери — в роли хозяйки дома, как бы подхватывая эстафету на все руки мастерицы Натальи Петровны Кончаловской. В интервью называла себя домашним человеком, не считая, что фанатичное служение театру может принести женщине счастье.

Возможно, так откликалась инстинктивная тяга к домашнему уюту, которого она была лишена, живя в семье военного?

Передвижения с места на место сменились после поступления на актерский факультет Белорусской академии искусств коммунальным «уютом» общежитий, скитанием по квартирам. А потом была работа в Театре им. Янки Купалы, тоже не связанная с большим бытовым комфортом. Но и после знакомства с Кончаловским чувство прочной оседлости возникло, по-видимому, не сразу.

Через пару дней после первой встречи Андрей вручил ей билет

на самолет и предложил лететь с ним в Турцию, где он осматривал места для съемок «Одиссея». После Турции каждый вернулся восвояси: он — в Москву, она — в Минск. А через какое-то время в коммунальной квартире, где она снимала комнату, раздался звонок — Андрей просил Юлию срочно получить визу в английском консульстве по приглашению, которое он организовал. Они отправились в Лондон...

«Мы с Андреем долго жили романтично: снимая квартиры в Лондоне, Лос-Анджелесе, ходили по ресторанам...»

Прилетая в Москву, устраивали свидания в небольшой квартире на Малой Грузинской. Поначалу там и мебели как таковой не было. Располагались на полу, обильно устланном двадцатью коврами, купленными в Турции, и, кроме прочего, смотрели любимые фильмы Феллини и Бергмана.

Предложение он ей сделал через два года в самолете, которым они летели отдыхать на Ямайку...

Я не думаю, что дом на Николиной Горе родился совсем уж спонтанно. Слишком рационален Андрей Сергеевич, чтобы давать волю стихиям. Во всяком случае, с того момента, как случайно (?) встреченная им женщина стала его возлюбленной, а потом была отправлена в Лондон для обучения языку и актерскому мастерству, замысел стал проступать с очевидностью.

И она послушно идет в русле замысла, пренебрегая разницей в возрасте, поскольку учитель «так жаден до жизни и так много знает», что только и поспевай догонять. Молодая женщина следует его формуле здорового образа жизни, бегает, «как молодая лань» (выражение Кончаловского), изучает психологию, философию, и в ее высказываниях теперь все чаще слышится усвоенный, но не имитируемый голос мужа.

Итак, Лондон.

«Кончаловский снимал «Одиссея», — рассказывает Юлия, — а я учила язык. Андрон жестоко со мной обращался. При перелете у меня пропал чемодан со всеми вещами. Он отправил меня одну за покупками. Я должна была покупать вещи именно в тех магазинах, адрес которых он мне написал. Не зная ни слова по-английски, мне нужно было на улице подходить к прохожим и спрашивать! Пару раз автобус завозил меня так далеко, что я решила больше не ездить на общественном транспорте и долго потом везде ходила пешком...»

Язык пришлось учить полгода по восемь часов в день, поскольку предполагалась профессиональная учеба в Англии. Поступила в Лондонскую академию музыки и драматического искусства. Обучение оплачивал, естественно, Кончаловский. Параллельно подрабатывала на съемках «Одиссея». Во время учебы она соседствовала со студентами-англичанами, оплачивая комнату и совершая постоянные поездки на поезде в город. Потом сняли скромное помещение в западной части центрального Лондона — Кенсингтоне.

Мужнина наука — в том, что он научил жену работать и не позволять себе лениться. «Мама меня, наверное, в детстве слишком любила, жалела, и я выросла избалованной, мало что делала. С годами мне пришлось это в себе изживать...» Молодая женщина восприняла неожиданную (а может быть, и ожидаемую) для себя педагогику безропотно и с удовольствием.«Я ученица. Мне нравится учиться и становиться лучше. Я стремлюсь все делать так хорошо, как только возможно ...»

В ее интервью то и дело слышится прямое цитирование учителя. Да, он учитель, признается Юлия. Но не только Пигмалион, способствовавший реализации ее дарований. Он стал для нее всем: мужем, учителем, братом, отцом и сыном. За этим признанием Высоцкой возникает образ очень комфортного, хотя и не бесконфликтного для нее пространства, которое обымает ее всю, то есть, по существу, и становится обретенным домом. А домосозидателем, что совершенно очевидно, выступает Кончаловский.

Интересно, что до сих пор не привязанная ни к какому домашнему пространству (малой родины у меня нет, — говорит), привыкшая обживать любое, она признается, что с гнездом на Николиной Горе сроднилась как с единственным местом, себе близким, где хорошо в любом уголке. Образ Юлии как домохозяйки, как матери и жены медленно, но верно устанавливался в общественном мнении, что никак не отменяет ее актерских дарований, убедительно продемонстрированных как на экране, так и на сцене. Однако и здесь главный авторитет для нее — Кончаловский.

«Он мой бог, мой творец. Я верю ему беспрекословно, любому его слову. Даже если он предлагает мне что-то сделать, а мне кажется, что это неправильно, — все равно буду пробовать...»

Но не нужно забывать, что еще до того, как актриса попала под патронат мощной режиссуры Кончаловского, она уже была достаточно заметной актрисой. В Минске сыграла главные роли в спектаклях по пьесам М. Себастьяна «Безымянная звезда», Э. Ионеско «Лысая певица», Дж. Осборна «Оглянись во гневе». За последнюю работу была награждена премией. Пробовала себя на Белорусском телевидении, была ведущей популярной программы. Первую же свою роль в кино она исполнила в девятнадцать лет, в фильме Н. Князева «Пойти и не вернуться», поставленном на студии «Беларусьфильм». А через десять лет за исполнение главной роли в «Доме дураков» получила Гран-при Венецианского кинофестиваля. И что бы там ни говорила критика, хитро кивая в сторону Джульетты Мазины с ее Джельсоминой, это — актерский подвиг, если помнить, что Высоцкой пришлось два месяца перед съемками провести с душевнобольными в Московском психоневрологическом диспансере № 26, ежедневно превращаясь в пациентку Жанну.

Встреча с Кончаловским изменила бытие Юлии — как она говорит, не на 180 и даже не на 360 градусов, жизнь просто перешла в другое измерение.

Муж повез жену рожать дочь Машу (супруги тогда жили в Америке) и в роддоме остался. Был он и при вторых родах — 11 октября 2003 года, когда на свет появился Петя. Жена рожала уже в Англии, и он должен был вылететь на ее зов из Москвы.

У Юлии был свой подход к воспитанию, подсказанный, кажется, авторитетом ее мужа, хотя она говорит, что полагается на свою интуицию. Подход несложный. Детям нужно рассказывать много интересных сказок, не только читать, но именно рассказывать, придумывать их вместе с детьми, много гулять. Ну и, главное, любить их.

С точки зрения Высоцкой, роль отца в воспитании детей — это авторитет, подкрепленный поступками.

«Важно создать образ отца-героя, чтобы он был самым лучшим, необыкновенным. Тогда есть стержень, от которого можно отталкиваться. Женщинам — при выборе мужа, мужчинам — когда они сами станут отцами. Папа должен быть идеалом, кумиром — умным, добрым, справедливым. Петя рано начал говорить, где-то в десять месяцев, и сразу: «Папа, где папа?» И — вперед по лестнице, обниматься, целоваться. У него больше мужского контакта. Маруся больше тянулась ко мне. Но если у нее возникали серьезные вопросы, она сразу бежала к отцу. Было интересно, что он скажет. Потом говорила: «Папа сказал так, а что ты думаешь?» Для нее его авторитет в решении жизненных, глобальных проблем был непререкаем.

Мне повезло. Мой муж на момент нашей встречи уже созрел для отцовства и все это уже осознал.. Можно сказать, что мы растим свою любовь...»

Мысль об обустройстве семейного гнезда как помещения для жизни возникла с появлением у четы Кончаловский — Высоцкая первого ребенка.

«Я сохранил все мамины интерьеры. Даже когда мы разбирали пол и делали новые потолки, мы очень тщательно нумеровали все вещи, чтобы поставить их назад в точности так, как они стояли когда-то. Но из двухэтажного дом превратился в четырехэтажный: я надстроил один этаж и вырыл полуподвал. Так что мамин дом как бы вписался в большой дом; большой дом его «обнял». В целом стиль дома остался прежним...

Стиль — в отсутствии стиля. Я намеренно создавал абсолютное разностилье. Не люблю ценную антикварную мебель, просто жалко ее поцарапать. Ничего не коллекционирую, что прибивается, то прибивается. Самое дорогое, что накопилось у меня за сорок лет, — книги».

Юлия в разработке архитектурной концепции принимала лишь относительное участие, поскольку в их семье царит патриархат. Ей были подвластны только размеры и дизайн кухни. «Мне хотелось, чтобы кухня была деревенской, в прованском стиле, и очень функциональной. Рядом с кухней находится столовая — все началось с двух резных стульев, которым триста лет. Именно ориентируясь на них, нам сделали всю столовую. По стенам стоят все тоже сплошь древние предметы: и стол с еще чернильными пятнами, и древние тибетские шкафы. Идея ванной пошла от двери. Такую дверь я углядела на картинке одной итальянской виллы XVII века. А уже от двери пошло все убранство комнаты. Мне очень нравится, что сохраненные старые бревна тут соседствуют с деревянными расписными шкафчиками и современной ванной на львиных лапах из Пармы — подарком мужа...»

В каком-то интервью 2012 года Андрей Сергеевич, будучи в лирическом настроении, рассказал о приобретенной в Италии вилле XVIII века.

«...До нас ею владели американцы и все опоганили, заложив кирпичами арки, испортив террасу. Пришлось восстанавливать. Там даже есть колокольня с часами, отбивающими время. Но главная причина, по которой не смог устоять перед соблазном приобрести имение, — это парк. Дом можно снести, построить новый, а двухсотлетние деревья искусственно не пересадишь, они должны вырасти. Высоченные кипарисы, дубы, оливковая роща, виноградники. Когда мы попали туда впервые, я, еще не видя виллу, а лишь проезжая по кипарисовой аллее, сразу понял, что хочу жить в этом месте. Буквально сердце замерло от восторга.

У меня удивительное отношение к деревьям, почти религиозное. Эта любовь атавистически передалась от Петра Кончаловского. Кстати, в лондонском королевском ботаническом саду Kew Gardens я случайно обнаружил кусты сирени имени моего деда. Он вывел этот сорт. Не могу описать чувств, когда вижу солнечные пятна на траве, пробивающиеся сквозь густую тень листвы! Думаю, по религии я друид. Под сенью деревьев ощущаю абсолютную гармонию...»

3.

Биографии героини «Глянца» и ее исполнительницы, как я говорил, пересекаются. Но то, как складывалась жизнь Юлии, выглядит прямой противоположностью судьбе ее героини. Судьба реальной женщины, вынувшей, как многим казалось и кажется, счастливый билет, все же никогда не выглядела виртуальной декорацией глянцевого мирка, за которой скрываются пустота и несостоявшиеся надежды.

Одно из интервью с Высоцкой начинается слегка иронично: «Произнесите «идеальная семья» — и перед глазами возникает картинка: красавица жена хлопочет на кухне, в гостиной дожидаются обеда очаровательные крошки и любящий муж. На самом деле все семьи разные. А вот у Юлии Высоцкой семья именно такая, с картинки — идеальная».

После октября 2013 года Юлия интервью не давала.

Только весной 2015-го в российской версии журнала Tatler появилась большая беседа с Юлией Высоцкой, в которой актриса призналась, что в ее жизни после семейной трагедии практически не осталось места старым знакомым, привыкшим видеть ее радостной, улыбчивой и далекой от каких бы то ни было проблем. Она захотела сохранить и уберечь свой мир от посторонних глаз. «Многие из них — часть той жизни, которая для меня закончилась. Дополнительное напоминание. Моя рана не закрылась и не закроется никогда».

Время Юлии по-прежнему занимает работа. Актриса и телеведущая активно работает над собственными проектами, пытаясь отвлечься и внушить себе, что жизнь не остановилась и сейчас, как никогда, необходимо верить в лучшее. «...Три года назад Андрей Сергеевич попросил артистов на камеру сказать, что они думают о Чехове, о своих ролях. Есть запись, где я почему-то дрожащим голосом произношу: «Когда я слышу в конце пьесы, что надо жить, я думаю: надо жить». Счастливее меня в тот момент человека не было. Это ведь необъяснимо. Вернее, это говорит только о том, что... Один мой близкий друг недавно общался с космонавтом. И космонавт ему поведал, что там, наверху, «точно кто-то есть». С одной стороны, это настораживает. С другой — дает надежду. Надо жить...»

За несколько лет до печальных событий в ее семье Юлия Высоцкая признавалась:

«Любовь, безусловная любовь, такая, как у матери к детям или у ребенка, для которого никого нет лучше мамы, — вот, собственно, и все, что значит для меня семья. Я люблю безусловно. Не потому что он великий режиссер, не потому, что он самый умный, смешной, добрый, красивый и в очках. Это тоже все важно, но главное, я люблю его, потому что я ему верю, доверяю. Отдаю себя, какая есть. И для него хочу быть самой лучшей. Я не верю в любовь с первого взгляда, как не верю в семью с первой попытки начать жить вместе. Мужчина, с которым я живу, научил меня понимать любовь...»

В конце концов, почему бы не воспринимать жизнь Андрея Кончаловского, по его собственному определению, и как счастливый прыжок вдвоем с девочкой, в которую влюблен, с хоров полуразрушенной церкви — туда, в ждущее и, очень надо надеяться, теплое, мягкое, душистое всеобымающее сенное лоно?..

Воспринимать ее такой, несмотря ни на что. И это прекрасно, как все детские утопии!

Если бы только голос детства неизбежно не заглушался трезвым скепсисом взрослости: «...Жаль лишь, что невозможно в конце не расквасить носа, как не ловчись...»

Краткая фильмография, сценарии, спектакли А. С. Кончаловского

РЕЖИССЕР

МАЛЬЧИК И ГОЛУБЬ. СССР (Россия), 1961. Совместно с Е. Осташенко. Сценарий — А. Кончаловский. Оператор М. Кожин. Музыка — В. Овчинников. Производство — ВГИК, курсовая работа, короткометражный фильм. В ролях: Н. Бурляев, В. Шурупов, Е. Урбанский.

ПЕРВЫЙ УЧИТЕЛЬ. СССР (Россия — Киргизия), 1965. По одноименной повести Ч. Айтматова. Сценарий — Ч. Айтматов, Б. Добродеев при участии А. Кончаловского. Оператор — Г. Рерберг. Художник — М. Ромадин. Музыка — В. Овчинников. Производство — Киргизфильм, Мосфильм. В ролях: Н. Аринбасарова, Б. Бейшеналиев и др.

ИСТОРИЯ АСИ КЛЯЧИНОЙ, КОТОРАЯ ЛЮБИЛА, ДА НЕ ВЫШЛА ЗАМУЖ. СССР (Россия), 1967. Сценарий — Ю. Клепиков. Оператор — Г. Рерберг. Художник — М. Ромадин. Производство — Мосфильм. В ролях: И. Саввина, А. Сурин, Л. Соколова, Г. Егорычев и др.

ДВОРЯНСКОЕ ГНЕЗДО. СССР (Россия), 1969. По одноименному роману И. С. Тургенева. Сценарий — В. Ежов, А. Кончаловский. Оператор — Г. Рерберг. Художники — А. Бойм, Н. Двигубский, М. Ромадин. Музыка — В. Овчинников. Производство — Мосфильм. В ролях: И. Купченко, Л. Кулагин, Б. Тышкевич, Т. Чернова, В. Сергачев, В. Меркурьев, А. Костомолоцкий, С. Никоненко, Н. Михалков и др.

ДЯДЯ ВАНЯ. СССР (Россия), 1970. По одноименной пьесе А. П. Чехова. Сценарий — А. Кончаловский. Операторы — Г. Рерберг, Е. Гуслинский. Художник — Н. Двигубский. Музыка — А. Шнитке. Производство — Мосфильм. В ролях: И. Смоктуновский, С. Бондарчук, И. Купченко, И. Мирошниченко, В. Зельдин, И. Анисимова-Вульф, Н. Пастухов, Е. Мазурова и др.

РОМАНС О ВЛЮБЛЕННЫХ. СССР (Россия), 1974. 2 серии. Сценарий — Е. Григорьев. Оператор — Л. Пааташвили. Художник — Л. Перцев. Музыка — А. Градский. Производство — Мосфильм. В ролях: Е. Киндинов, Е. Коренева, И. Купченко, И. Смоктуновский, Е. Солодова, И. Саввина, В. Конкин, А. Збруев, Р. Громадский, Н. Гринько и др.

СИБИРИАДА. СССР (Россия), 1979. 4 фильма. Сценарий — В. Ежов, А. Кончаловский. Оператор — Л. Пааташвили. Художники — Н. Двигубский, А. Адабашьян. Музыка — Э. Артемьев. Производство — Мосфильм. В ролях: В. Самойлов, В. Соломин, Н. Андрейченко, Н. Михалков, П. Кадочников, Е. Коренева, И. Охлупин, С. Шакуров, Е. Перов, М. Кононов, Е. Леонов-Гладышев, А. Потапов, Л. Гурченко, Р. Микаберидзе, В. Ларионов и др.

ВОЗЛЮБЛЕННЫЕ МАРИИ. США, 1983. По мотивам рассказа А. Платонова «Река Потудань». Сценарий — Ж. Браш, А. Кончаловский, П. Зиндел, М. Дэвид.

Оператор — Х. Р. Анчиа. Художник — Л. Фишер. Музыка — А. Кончаловский. Производство — Golan-Globus Production Ltd., Cannon Group. В ролях: Н. Кински, Дж. Сэвидж, Р. Митчем, К. Кэррадайн и др.

ПОЕЗД-БЕГЛЕЦ. США, 1985. По сюжету А. Куросавы. Сценарий — Д. Милисевиц, П. Зиндел, Э. Банкер. Оператор — А. Хьюм. Музыка — Т. Джонс. Монтаж — Г. Ричардсон. Производство — Golan-Globus Production Ltd., Northbrook Films. В ролях: Дж. Войт, Э. Робертс, Р. де Морней, К. Хеффнер и др.

ДУЭТ ДЛЯ СОЛИСТА. США — Великобритания, 1986. По одноименной пьесе Т. Кемпински. Сценарий — Т. Кемпински, Дж. Липп, А. Кончаловский. Оператор — А. Томсон. Художник — Дж. Грэйсмарк. Производство — Golan-Globus Production Ltd., Cannon Films. В ролях: Дж. Эндрюс, А. Бейтс, М. фон Сюдов, Р. Эверетт, М. Кортни, Л. Нисон, М. Мериль и др.

СТЫДЛИВЫЕ ЛЮДИ. США, 1987. Сценарий — Ж. Браш, А. Кончаловский, М. Дэвид. Оператор — К. Менгес. Художник — С. Марч. Музыка — Э. Артемьев, Р. Рэндлс, В. Хорунжий. Производство — Golan-Globus Production Ltd., Cannon Group. В ролях: Дж. Клейбур, Б. Херши, М. Плимптон, М. Уиннингхем и др.

ГОМЕР И ЭДДИ. США, 1989. Сценарий — П. Чирилло. Оператор — Л. Колтаи. Музыка — Э. Артемьев. Производство — Kings Road Entertainment. В ролях: Дж. Белуши, В. Голдберг и др.

БЛИЖНИЙ КРУГ. Италия — США — Россия, 1991. Сценарий — А. Кончаловский, А. Усов.

Оператор — Э. Гуарнери. Художник — Э. Фриджерио. Музыка — Э. Артемьев. Производство — Uno International (Италия), Columbia Pictures (США), Арк-Фильм (Россия). В ролях: Т. Халс, Л. Давидович, Б. Хоскинс, А. Збруев, Ф. Шаляпин (мл.), Б. Мейер, И. Купченко, О. Табаков, В. Ларионов и др.

КУРОЧКА РЯБА. Россия — Франция, 1994. Сценарий — А. Кончаловский, В. Мережко. Оператор — Е. Гуслинский. Художники — Л. Платов, А. Платов. Музыка — Б. Базуров. Производство — Русская рулетка (Москва), Paris-Media (Париж) при участии Canal+, Роскомкино, Коммерческого банка ЧАРА, АО ЛОГОВАЗ, Арк-Фильм, CNC. В ролях: И. Чурикова, В. Михайлов, А. Сурин, Г. Егорычев и др.

ОДИССЕЙ. Великобритания — Италия — Германия — Греция. 1997. По героическому эпосу Гомера. Сценарий — А. Кончаловский, К. Солимин. Оператор — С. Козлов. Художник — Р. Холл. Музыка — Э. Артемьев. Производство — Hallmark Entertainment, Beta Film, American Zoetrope, KirchMedia, Mediaset, Panfilm, ProSieben Media AG, Remote Camera Systems, Skai TV. Мини-сериал (ТВ). В ролях: А. Ассанте, И. Росселлини, Г. Скакки, И. Папас, Э. Робертс, Дж. Чаплин, К. Ли, В. Уильямс и др.

ДОМ ДУРАКОВ. Россия — Франция, 2002. Сценарий — А. Кончаловский. Оператор — С. Козлов. Художник — Л. Скорина. Музыка — Э. Артемьев. Производство — Персона, Hachette Prmiere et cie. В ролях: Ю. Высоцкая, Е. Миронов, С. Исламов, С. Варкки, Е. Фомина, М. Полицеймако, Б. Адамс,

Р. Джабраилов, В. Федоров, А. Адоскин и др.

ЛЕВ ЗИМОЙ. США, 2003. По одноименной пьесе Дж. Голдмена. Сценарий — Дж. Голдмен. Оператор — С. Козлов. Художник — Р. Холл. Музыка — Р. Хартли. Производство — Hallmark Entertaiment, Flying Freehold Production, HCC Happy Crew Company, Showtime Networks inc. Мини-сериал (ТВ). В ролях: П. Стюарт, Г. Клоуз, Э. Ховард, Дж. Рис-Майерс, Ю. Высоцкая и др.

ГЛЯНЕЦ. Россия, 2007. Сценарий — А. Кончаловский, Д. Смирнова. Оператор — М. Соловьева. Художник — Е. Залетаева. Музыка — Б. Фрумкин. Производство — Продюсерский центр А. Кончаловского, StudioCanal-Cadran Productions-Motion Investment Group, Backup Films. В ролях: Ю. Высоцкая, И. Исаев, И. Розанова, О. Арнтгольц, А. Домогаров, Е. Шифрин, А. Серебряков, Г. Смирнов, А. Гришин и др.

ЩЕЛКУНЧИК И КРЫСИНЫЙ КОРОЛЬ. Великобритания, Венгрия, 2010. Сценарий — А. Кончаловский, К. Солимин. Либретто — Т. Райс. Оператор — М. Саутон. Художник — К. Фиппс. Аранжировка и музыкальное оформление — Э. Артемьев. Производство — Nutcracker Holdings, HCC Media Group LTD. В ролях: Э. Фаннинг, Н. Лейн, Ф. де ла Тур, Дж. Туртурро, Р. Грант, Ю. Высоцкая, А. М. Дрозин и др.

БЕЛЫЕ НОЧИ ПОЧТАЛЬОНА АЛЕКСЕЯ ТРЯПИЦЫНА. Россия. 2014. Сценарий — А. Кончаловский, Е. Киселева. Оператор — А. Симонов. Композитор — Э. Артемьев. Производство — Кинокомпания Андрея Кончаловского. В ролях: А. Тряпицын, И. Ермолова, Т. Бондаренко, В. Колобков и др.

РАЙ. Россия — Германия. 2016. Сценарий — А. Кончаловский, Е. Киселева. Оператор — А. Симонов. Производство — Продюсерский центр А. Кончаловского, DRIFE Filmproduktion GmbH & Co. KG. В ролях: Ю. Высоцкая, П. Курт, К. Клаус, В. Сухоруков, Ф. Дюкен, Ж. Д. Рёмер, Г. Ленц, Р. Либноу, И. Журавкина, Я. Диль

СЦЕНАРИСТ

КАТОК И СКРИПКА. 1960.
Соавтор. Реж. А. Тарковский
ИВАНОВО ДЕТСТВО. 1962.
Соавтор. Реж. А. Тарковский
АНДРЕЙ РУБЛЕВ. 1966.
Соавтор. Реж. А. Тарковский
ТАШКЕНТ — ГОРОД ХЛЕБНЫЙ. 1968.
Соавтор. Реж. Ш. Аббасов
ПЕСНЬ О МАНШУК. 1969.
Реж. М. Бегалин
КОНЕЦ АТАМАНА. 1970.
Соавтор. Реж. Ш. Айманов
СЕДЬМАЯ ПУЛЯ. 1972.
Соавтор. Реж. А. Хамраев

ЖДЕМ ТЕБЯ, ПАРЕНЬ. 1972.
Соавтор. Реж. Р. Батыров
ПОКЛОННИК. 1973.
Соавтор. Реж. А. Хамраев, А. Хачатуров
ЛЮТЫЙ. 1973. Соавтор. Реж. Т. Океев
ОДНОЙ ЖИЗНИ МАЛО. 1975.
Реж. Б. Кимягаров
РАБА ЛЮБВИ. 1975.
Соавтор. Реж. Н. Михалков
ТРАНССИБИРСКИЙ ЭКСПРЕСС. 1977.
Соавтор. Реж. Э. Уразбаев
КРОВЬ И ПОТ. 1978. Соавтор. Реж. А. Мамбетов, Ю. Мастюгин
МОРОЗ ПО КОЖЕ.
США — Россия. 2007. Реж. К. Солимин

СПЕКТАКЛИ

ЕВГЕНИЙ ОНЕГИН. Опера П. И. Чайковского. Ла Скала. Милан, 1985.
ЧАЙКА. Комедия А. П. Чехова. Театр Одеон. Париж, 1987
ПИКОВАЯ ДАМА. Опера П. И. Чайковского. Ла Скала. Милан, 1990
ВОЙНА И МИР. Опера С. Прокофьева. Мариинский театр. Санкт-Петербург, 2000; Метрополитен-опера. Нью-Йорк, 2002 и 2009
БАЛ-МАСКАРАД. Опера Дж. Верди. Театро Реджо. Турин, 2001. Мариинский театр. Санкт-Петербург, 2001
ЧАЙКА. Комедия А. П. Чехова. Театр им. Моссовета. Москва, 2004
МИСС ЖЮЛИ. По пьесе А. Стриндберга «Фрекен Жюли». Театр на Малой Бронной. Москва, 2005, 2007
КОРОЛЬ ЛИР. Трагедия В. Шекспира. Театр на Воли. Варшава, 2006
ДЯДЯ ВАНЯ. Сцены из деревенской жизни А. П. Чехова. Театр им. Моссовета. Москва, 2009
БОРИС ГОДУНОВ. Опера М. Мусоргского. Театро Реджо. Турин, 2010
ТРИ СЕСТРЫ. Драма в четырех действиях А. П. Чехова. Театр им. Моссовета. Москва, 2012
УКРОЩЕНИЕ СТРОПТИВОЙ. Комедия В. Шекспира. Театр Сан-Фердинандо. Неаполь, 2013
ЭДИП В КОЛОНЕ. Трагедия Софокла. Театр Олимпико. Виченца, 2014.
ВИШНЕВЫЙ САД. Комедия в четырех действиях А. П. Чехова. Театр им. Моссовета, Москва, 2015
ПРЕСТУПЛЕНИЕ И НАКАЗАНИЕ. Рок-опера. Театр Мюзикла. Москва, 2016

КРАТКАЯ БИБЛИОГРАФИЯ

АНДРЕЙ РУБЛЕВ. Киносценарий.
В соавторстве с А. Тарковским.
Искусство кино, 1964, №№ 4–5
ПАРАБОЛА ЗАМЫСЛА.
М.: Искусство, 1977
СИБИРИАДА. М.: Дрофа, Ликус, 1993
(в соавторстве с В. Ежовым)
НИЗКИЕ ИСТИНЫ. Литературная
запись А. Липкова. М.: Совершенно
секретно, 1998

ВОЗВЫШАЮЩИЙ ОБМАН. Литературная запись А. Липкова. М.: Совершенно
секретно, 1999
БЕЛАЯ СИРЕНЬ. Кинороман. Совместно
с Ю. Нагибиным. СПб.: Изд-во Фонда
русской поэзии, ИЦ «Гуманитарная
Академия», 2001
НИЗКИЕ ИСТИНЫ. СЕМЬ ЛЕТ СПУСТЯ.
М.: Эксмо, 2006
НА ТРИБУНЕ РЕАКЦИОНЕРА. Совместно с В. Пастуховым. М.: Эксмо, 2007
9 ГЛАВ О КИНО И Т. Д… М.: Эксмо, 2013

НАГРАДЫ, ЗВАНИЯ И ОТЛИЧИЯ

Приз международной ассоциации
кинокритиков (ФИПРЕССИ), Франция,
1969 («Андрей Рублев»)
«Серебряная раковина» на МКФ
в Сан-Себастьяне, 1971 («Дядя Ваня»)
Лауреат Гос. премии Казахской ССР, 1972
Заслуженный деятель искусств РСФСР,
1974
«Хрустальный глобус» на МКФ
в Карловых Варах, 1974 («Романс
о влюбленных»)
Специальный приз жюри на МКФ
в Каннах, 1979 («Сибириада»)
Народный артист РСФСР, 1980
Премия «Ника» в номинации «Лучший
режиссер», 1989 («История Аси
Клячиной…»)
Приз международной ассоциации
кинокритиков — почетное
упоминание (конкурсная программа)
на МКФ в Берлине, 1989 («История Аси
Клячиной…»)

«Золотая раковина» на МКФ в Сан-
Себастьяне, 1989 («Гомер и Эдди» —
пополам с фильмом «Подпольная
нация»)
Приз МКФ в Тромсе в номинации
«Лучший иностранный фильм», 1994
(«Курочка Ряба»)
Орден «За заслуги перед Отечеством»,
1997
Специальный Серебряный
«Святой Георгий» за вклад в мировой
кинематограф на Московском МКФ,
1997
Большой специальный приз жюри МКФ
в Венеции, 2002 («Дом дураков»)
«Почетный профессор
ВГИК» за выдающийся вклад
в художественную культуру
и киноискусство, 2002
Академик Национальной Академии
кинематографических искусств и наук
России, 2002

Приз Международного фестиваля телевизионных фильмов в Монте-Карло в номинации «Лучший режиссер мини-сериала для ТВ», 2003 («Лев зимой»)

Офицер ордена Искусств и литературы Франции, 2005

Приз гильдии кинорежиссеров России «За гражданскую позицию, принципиальность и вклад в развитие киноискусства», 2006

Специальный приз «Золотая звезда» на VIII МКФ в Марракеше за вклад в развитие мирового кинематографа, 2008

Специальный приз «За выдающийся вклад в мировое киноискусство» на МКФ им. А. Тарковского «Зеркало» в Иванове, 2011

Орден Почетного легиона, Франция, 2011

Почетный приз «За вклад в мировой кинематограф» на фестивале Европейского кино в Сеговии, 2011

Премия Гейдара Алиева, Всероссийский Азербайджанский конгресс, 2013

Приз за вклад в развитие авторского кино на фестивале «Арткино», 2013

«Серебряный лев св. Марка» на МКФ в Венеции, 2014 («Белые ночи почтальона Алексея Тряпицына»)

Премия имени Робера Брессона, Италия, 2016

«Серебряный лев св. Марка» в Венеции и ряд призов на других зарубежных МКФ, 2016 («Рай»)

Премия «Балтийская звезда» за развитие и укрепление гуманитарных связей в странах Балтийского региона, 2016

Премия Ватикана, 2016

Национальная премия кинокритиков и кинопрессы «Белый Слон» в трех номинациях, 2016 («Рай»)

Европейская медаль толерантности за 2016 год

Премия «Золотой Орел» в трех номинациях, 2017 («Рай»)

Премия «Ника» в трех номинациях, 2017 («Рай»)

Премия Федерико Феллини Международного кинофестиваля Bifest, Италия, 2017

Звание почетного профессора МГУ им. М. В. Ломоносова за вклад в развитие российской культуры и сотрудничество с московским университетом, 2017

Премия зрителей «Звезда Театрала» в номинации «Лучший режиссер», 2017 (спектакль «Вишневый сад»)

Национальная театральная премия «Золотая маска» в двух номинациях («Лучшая женская роль», «Лучшая работа композитора»), 2017 (рок-опера «Преступление и наказание»)

Премия мира «Мост» на КФ в Мюнхене, 2017 («Рай»)

Дизайн макета: *Ирина Борисова*
Вклейка : фотографии из архива *А. Кончаловского*
Фото на обложке: Nicolas Guerin

Филимонов, Виктор Петрович.

Ф53 «Андрей Кончаловский. Никто не знает...» / Виктор Филимонов. – Изд. 2, испр. и доп. – Москва : Издательство «Э», 2017. – 480 с. – (Кончаловский Андрей: подарочные книги известного режиссера).

Имя А.С. Кончаловского известно и в России, и далеко за ее пределами. Но и сам он, и его деятельность не поддаются окончательным «приговорам» ни СМИ, ни широкой общественности. На поверхности остаются противоречивые, часто полярные, а иногда растерянные оценки. Как явление режиссер остается загадкой и для его почитателей, и для хулителей. Автор книги попытался загадку разгадать...

Это переиздание бестселлера, вышедшего пять лет назад, приурочено к 80-летию Андрея Сергеевича Кончаловского. Автор дополнил свой труд, описав и проанализировав последние пять лет творческой и общественной деятельности мастера. А также внес дополнения и уточнения в уже печатавшиеся главы.

УДК 791.44.071.2 Кончаловский А.
ББК 85.374(2)6-8 Кончаловский А.

Литературно-художественное издание
КОНЧАЛОВСКИЙ АНДРЕЙ: ПОДАРОЧНЫЕ КНИГИ ИЗВЕСТНОГО РЕЖИССЕРА

Филимонов Виктор Петрович
«АНДРЕЙ КОНЧАЛОВСКИЙ. НИКТО НЕ ЗНАЕТ...»
2-е издание

Ответственный редактор *Е. Борисевич, Э. Саляхова*
Литературный редактор *Л. Башева*. Редактор *Е. Торбенкова*
Младший редактор *А. Сергеева*. Художественный редактор *Г. Федотов*
Верстка и препресс *А. Маркович*

ООО «Издательство «Э»
123308, Москва, ул. Зорге, д. 1. Тел. 8 (495) 411-68-86.
Өндіруші: «Э» АКБ Баспасы, 123308, Мәскеу, Ресей, Зорге көшесі, 1 үй.
Тел. 8 (495) 411-68-86.
Тауар белгісі: «Э»
Қазақстан Республикасында дистрибьютор және өнім бойынша арыз-талаптарды қабылдаушының
өкілі «РДЦ-Алматы» ЖШС, Алматы к., Домбровский көш., 3а», литер Б, офис 1.
Тел.: 8 (727) 251-59-89/90/91/92, факс: 8 (727) 251 58 12 вн. 107.
Өнімнің жарамдылық мерзімі шектелмеген.
Сертификация туралы ақпарат: сайта Өндіруші «Э»
Сведения о подтверждении соответствия издания согласно законодательству РФ
о техническом регулировании можно получить на сайте Издательства «Э».
Өндірген мемлекет: Ресей
Сертификация қарастырылмаған

Подписано в печать 07.07.2017. Формат 60x90 ^{1}/$_{16}$.
Печать офсетная. Усл. печ. л. 30,0.
Тираж 2000 экз. Заказ 3171.

Отпечатано в ООО «Тульская типография».
300026, г. Тула, пр. Ленина, 109.

ISBN 978-5-699-98600-2

9 785699 986002 >